Wolf / Arnold (Hrsg.) · Die deutschsprachigen Länder und das II. Vatikanum

D1205861

Programm und Wirkungsgeschichte des II. Vatikanums

Herausgegeben von Peter Hünermann

Band 4

Hubert Wolf / Claus Arnold (Hrsg.)

Die deutschsprachigen Länder und das II. Vatikanum

Ferdinand Schöningh
Paderborn · München · Wien · Zürich

Die Deutsche Bibliothek – CIP-Einheitsaufnahme

Die deutschsprachigen Länder und das II. Vatikanum/Hubert Wolf; Claus Arnold (Hrsg.).-
Paderborn; München; Wien; Zürich: Schöningh 2000
(Programm und Wirkungsgeschichte des II. Vatikanums; Bd. 4)
ISBN 3-506-73764-3

Umschlaggestaltung: INNOVA GmbH, D-33178 Borchen

Gedruckt auf umweltfreundlichem, chlorfrei gebleichtem
und alterungsbeständigem Papier ⊗ ISO 9706

© 2000 Ferdinand Schöningh, Paderborn
(Verlag Ferdinand Schöningh GmbH, Jühenplatz 1, D-33098 Paderborn)

Printed in Germany. Herstellung: Ferdinand Schöningh, Paderborn

ISBN 3-506-73764-3

Inhaltsverzeichnis

Vorwort

Dieser Band dokumentiert das vierte Symposium des Arbeitskreises „Die deutsche Theologie zwischen den beiden Vatikanischen Konzilien vor den Herausforderungen durch die Moderne – ihr Beitrag zum Zweiten Vatikanischen Konzil". Es fand vom 7. bis 10. Oktober 1998 im Wilhelm-Kempf-Haus, Wiesbaden-Naurod, statt und trug den Titel „Die Deutschen und das II. Vatikanum: Vorbereitung, Durchführung, Rezeption und Realisation des Konzils". Ohne die Gastfreundschaft der Katholischen Akademie Rabanus Maurus wäre das Symposium nicht möglich gewesen. Mein besonderer Dank gilt deshalb Herrn Studienleiter Wolfgang Bürgstein. Obwohl das Gesamtprojekt „Globalkultur und christlicher Glaube – Die Bedeutung des Zweiten Vatikanischen Konzils im kulturellen Transformationsprozeß der Gegenwart" schließlich nicht dauerhaft zustande kam, konnte unser Arbeitskreis sein ursprüngliches Programm – wenn auch in reduzierter Form – bewältigen und wichtige Aspekte aus dem theologiegeschichtlichen Umfeld des Konzils aufgreifen. Allen Mitgliedern des Kreises sowie meinem Assistenten Dr. Claus Arnold, der die organisatorische Hauptlast getragen hat, danke ich für die gute Zusammenarbeit in den vergangenen fünf Jahren.

Gerne danke ich auch allen, die zum Gelingen dieses Bandes beigetragen haben: zunächst den Autoren, die ihre Beiträge zur Verfügung gestellt haben, dann dem Herausgeber der Reihe, Herrn Prof. Dr. Peter Hünermann. Die Finanzierung des Bandes konnte durch großzügige Druckkostenzuschüsse der Erzdiözese München-Freising (vermittelt durch Herrn Kollegen Prof. Dr. Manfred Weitlauff) sowie der Diözesen Limburg und Rottenburg-Stuttgart gesichert werden. Arbeitskreis und Herausgeber danken dafür ganz herzlich. Die redaktionelle Betreuung des Bandes lag in den Händen von Frau Dipl.-Theol. Barbara Wieland. Schließlich hatten wir in Herrn Dr. Hans J. Jacobs einen kompetenten und entgegenkommenden Ansprechpartner beim Verlag Schöningh.

Frankfurt am Main, den 27. Oktober 1999   *Hubert Wolf*

Einleitung

Von Claus Arnold und Hubert Wolf

Das II. Vatikanum scheint ein besonderes Konzil zu sein. Keine andere allgemeine Kirchenversammlung der Neuzeit fand in ihrem Gefolge eine so breite und anhaltende Diskussion über ihre theologische, kirchenpolitische und historische Deutung wie die letzte. Die (durchaus schöpferische) „Umsetzung" des Trienter Konzils[1] etwa wurde von der kirchlichen Autorität, Papsttum, Bischöfen, Orden, fest in die Hand genommen; historisch-kritische Relativierung, theologische oder gar „öffentliche" Diskussion waren nach Abschluß des Konzils unerwünscht. Die Beschlüsse des I. Vatikanums waren im ganzen, trotz mancher mildernder nachträglicher Interpretation[2], zu eindeutig, als daß es nach seinem vorzeitigen Ende viel „inhaltlich" zu diskutieren gegeben hätte. Die Alternative hieß hier letztlich Zustimmung bzw. zumindest äußere Unterwerfung oder Schisma.

Das vorläufig letzte allgemeine Konzil fällt aus diesem Rahmen. Die öffentliche theologische und publizistische Diskussion über seine Deutung und Umsetzung, die bis hinein in den letzten Pfarrsaal geführt wurde und noch wird, markiert deutlich das veränderte gesellschaftliche Umfeld, in dem sich eine konziliare Kirchenreform heute bewegt. Die Auseinandersetzung um die aktuelle „Umsetzung" des Konzils beeinflußt dabei zwangsläufig die historische Wahrnehmung des II. Vatikanums, die unter „progressive" oder „konservative" a prioris gestellt wird. Wenn sich der Kirchenhistoriker deshalb dem II. Vatikanum nähert, begibt er sich auf ein vermintes Gelände. Obwohl schon die erste nachkonziliare Generation herangewachsen ist, ist von historischer Distanz zum Konzil nicht immer viel zu spüren.

Andererseits hat gerade die Generation katholischer Historiker und Theologen, die das Konzil noch bewußt erlebt hat, die Aufarbeitung des II. Vatikanums fest in die Hand genommen und dabei Beeindruckendes geleistet[3]. Hier ist das Ziel

---

[1] Vgl. Klaus Ganzer, Das Konzil von Trient – Angelpunkt für eine Reform der Kirche? in: RQ 84 (1989) 31-50; Giuseppe Alberigo, La ‚réception' du Concile de Trente par l'Eglise catholique romaine, in: Irénikon 58 (1985) 311-337.

[2] Zu denken ist hier etwa an die Bemühungen des St. Pöltener Bischofs Joseph Feßler, die auch Carl Joseph von Hefele bei seiner Unterwerfung halfen; vgl. Hefeles Schreiben „an den Hochwürdigsten Clerus"; Facsimile bei Hubert Wolf (Hg.), Zwischen Wahrheit und Gehorsam. Carl Joseph von Hefele (1809-1893), Ostfildern 1994, nach 155. Zur Rezeption und Interpretation des Vatikanum I in Deutschland jetzt umfassend Klaus Schatz, Vaticanum I (Konziliengeschichte A), Bd. III, Paderborn 1994, 220-255.

[3] Vgl. vor allem das internationale Großprojekt: Giuseppe Alberigo/Alberto Melloni (Hg.), Storia del concilio Vaticano II, Bd. I: Il cattolicesimo verso una nuova stagione. L'annuncio e la preparazione. Gennaio 1959-settembre 1962, Mailand 1996; Bd. II: La formazione della coscienza conciliare. Il primo periodo el la prima intersessione ottobre 1962 – settembre 1963, Mailand 1996; Bd. III: Il concilio adulto. Il secondo periodo e la seconda intersessione settembre 1963 – settembre 1964, Mailand 1998. Auf deutsch liegt vor: Giuseppe Alberigo/Klaus Wittstadt (Hg.), Geschichte des Zweiten Vatikanischen Konzils (1959-1965) Bd. I: Die katho-

die „Historisierung" des Konzils, die mit nicht geringem hermeneutischem Aufwand betrieben wird[4]. Unter dem Stichwort „Vatikanum II und Modernisierung" wurde dabei sogar ein bewußt versachlichender und umfassender interpretatorischer Neuansatz propagiert[5], der sich schon für das Tridentinum als fruchtbar erwiesen hatte[6].

Es wäre reine Hybris, wenn der vorliegende Band beanspruchen wollte, diese Forschungslage entscheidend zu verändern. Das ist auch nicht seine Absicht. Er vereint Wissenschaftler, die auch Zeitzeugen des Konzils sind, mit jüngeren Forschern und markiert damit die Situation des Generationswechsels, der gezwungenermaßen auch einen neuen, weiteren Historisierungsschub im Hinblick auf das II. Vatikanum bringen wird. Formal dokumentiert der Band den dritten und letzten Arbeitsschritt, den sich der Kreis „Die deutsche Theologie zwischen den beiden Vatikanischen Konzilien vor den Herausforderungen durch die Moderne – ihr Beitrag zum Zweiten Vatikanischen Konzil" vorgenommen hatte[7]. Nach der Diskussion der Bedeutung von Antimodernismus und Modernismus für eine theologiegeschichtliche Einordnung des II. Vatikanums[8] und der längsschnittartigen Betrachtung der Geschichte der einzelnen theologischen Disziplinen in ihrem Spannungsverhältnis zum kulturellen Wandlungsprozeß in Deutschland vor dem II. Vatikanum[9] sollte nun auf das konkrete Verhältnis der deutschen Kirche und Theologie zur Vorbereitung, Durchführung, Rezeption und Realisation

---

lische Kirche auf dem Weg in ein neues Zeitalter. Die Ankündigung und Vorbereitung des Zweiten Vatikanischen Konzils (Januar 1959 bis Oktober 1962), Mainz-Leuven 1997. Vgl. Alois Greiler, Ein internationales Forschungsprojekt zur Geschichte des Zweiten Vatikanums, in: Wolfgang Weiß (Hg.), Zeugnis und Dialog (FS Klaus Wittstadt), Würzburg 1996, 571-578. Eine originelle Gesamtdarstellung aus deutscher „liberaler" Perspektive bietet: Otto Hermann Pesch, Das Zweite Vatikanische Konzil (1962-1965), Vorgeschichte, Verlauf – Ergebnisse, Nachgeschichte, Würzburg 1993.

[4] Vgl. Giuseppe Alberigo, Criteri ermeneutici per una storia del Concilio Vaticano II, in: Weiß, Zeugnis und Dialog (wie Anm. 3), 101-117; Maria Teresa Fattori/Alberto Melloni (Hg.), L'evento e le decisioni. Studi sulle dinamiche del Concilio Vaticano II (Testi e ricerche di scienze religiose N.S. 20), Bologna 1997.

[5] Franz-Xaver Kaufmann/Arnold Zingerle (Hg.), Vatikanum II und Modernisierung. Historische, theologische und soziologische Perspektiven, Paderborn 1996.

[6] Paolo Prodi/Wolfgang Reinhard (Hg.), Il concilio di Trento e il moderno (Annali dell'Istituto storico italo-germanico, Quaderno 45), Bologna 1996; vgl. u.a. Klaus Ganzer, Il concilio di Trento: stimolo o impedimento per la Chiesa dell'età moderna? In: ebd. 159-186.

[7] Angesichts sehr begrenzter finanzieller Ressourcen konnte dieser Schritt nicht in der ursprünglich geplanten Ausführlichkeit vollzogen werden: Die Förderung des Gesamtprojekts – vgl. Peter Hünermann (Hg.), Das II. Vatikanum. Christlicher Glaube im Horizont globaler Modernisierung. Einleitungsfragen (Programm und Wirkungsgeschichte des II. Vatikanums 1), Paderborn 1998 – durch die Volkswagenstiftung ist ausgelaufen. Die ursprünglich geplanten zwei Symposien zur Vorbereitung und Durchführung wie zur Rezeption und Realisation des Konzils mußten daher zusammengezogen und inhaltlich reduziert werden. Insbesondere mußte leider auf die Teilnahme mehrerer ausländischer Gesprächspartner verzichtet werden.

[8] Hubert Wolf (Hg.), Antimodernismus und Modernismus in der katholischen Kirche. Beiträge zum theologiegeschichtlichen Vorfeld des II. Vatikanums (Programm und Wirkungsgeschichte des II. Vatikanums 2), Paderborn 1998.

[9] Dazu Hubert Wolf (Hg.) unter Mitarbeit von Claus Arnold, Die katholisch-theologischen Disziplinen in Deutschland 1870-1962. Ihre Geschichte, ihr Zeitbezug (Programm und Wirkungsgeschichte des II. Vatikanums 3), Paderborn 1999.

des Konzils geblickt werden. Die Beschränkung auf die Situation in den deutschsprachigen Ländern erfolgte dabei nicht aus dem Interesse, den „deutschen" Beitrag zum Konzil besonders hochzuhalten – dazu hätten andere Länder bzw. Sprachgruppen vielleicht mehr Anlaß (Nach einem zeitgenössischen Diktum etwa ist ein ökumenisches Konzil eine Versammlung der belgischen Bischöfe in Anwesenheit des Weltepiskopats[10]). Sie soll vielmehr eine Kontextualisierung des Konzils ermöglichen und die von ihm gespiegelten oder ausgelösten theologischen und gesellschaftlichen Transformationsprozesse ins Licht setzen. Eine solche Betrachtungsweise wurde auch schon – zum Teil in sehr differenzierter Weise – auf andere Länder und Sprachgruppen[11], ja sogar schon auf einzelne Städte[12] angewendet. Wenn auch die deutschsprachige Forschung gerade im Vergleich etwa zu Italien, Frankreich und Belgien einen gewissen Nachholbedarf hat, so liegen vor allem durch das Verdienst von Klaus Wittstadt doch schon bedeutsame Studien zum Themenkreis vor[13], an die hier angeknüpft werden kann. Angesichts der eingangs skizzierten Situation bezieht der vorliegende Band dabei bewußt die Frage der „Rezeption" bzw. „Umsetzung" des Konzils ein[14].

Im Blick auf die einzelnen *Beiträge* bietet sich auch die Gelegenheit, *resümierend auf die bisherige Diskussion im Arbeitskreis* zurückzublicken. *Roland Götz* stellt die Kontinuitäten zur Vorkonzilszeit heraus, welche die Rolle der deutschen

[10] Zit. nach Gilles Routhier, Introduction, in: ders. (Hg.), L'Eglise canadienne et Vatican II (Héritage et projet 58), Québec 1997, 7-22; 8. Vgl. auch die Einschätzung: „Concilium Vaticanum, id est Lovaniense primum"; zit. nach Johan Ickx, Belgien, in: Erwin Gatz (Hg.), Kirche und Katholizismus seit 1945 Bd. I: Mittel-, West- und Nordeuropa, Paderborn 1998, 19-46; 32.

[11] Routhier, L'Eglise canadienne (wie Anm. 10); Claude Soetens (Hg.), Vatican II et la Belgique, Ottignies 1996; für den belgischen und niederländischen Bereich siehe auch die Beiträge von Jan Grootaers, Actes et acteurs à Vatican II (Bibliotheca Ephemeridum Theologicarum Lovaniensium 139), Löwen 1998, 340-556; vgl. auch Augusto d'Angelo, Vescovi, Mezzogiorno e Vaticano II. L'episcopato meridionale da Pio XII a Paolo VI, Rom 1998.

[12] Luc Perrin, Paris à l'heure de Vatican II (Eglises/Sociétés), Paris 1997.

[13] Klaus Wittstadt/Wim Verschooten (Hg.), Der Beitrag der deutschsprachigen und osteuropäischen Länder zum Zweiten Vatikanischen Konzil (Instrumenta Theologica 16), Löwen 1996.

[14] Vgl. die Einschätzung von Victor Conzemius, Die Schweizer Kirche und das II. Vatikanische Konzil, in: Wittstadt/Verschooten, Beitrag (wie Anm. 13), 87-108; 108: „Das eigentliche Konzil begann erst 1965, nachdem die Bischöfe in ihre Diözesen zurückgekehrt waren. Wie hier die Umsetzung durchgeführt wurde, ist das wichtigste Problem des konziliaren Prozesses, wichtiger z. B. als die Exegese von konziliaren Texten und ihr Zustandekommen. H. Küng hat [...] die Historiker vor der Auffassung gewarnt: *quod non est in actis non est in mundo.* Als Historiker möchte ich den Theologen in Erinnerung rufen, daß nicht alles in Texte gepackt werden kann. Ein anständiger Kompromiß gehört zur Lebenswirklichkeit. Texte treffen Menschen, von denen die einen stärker der überlieferten pyramidalen, die anderen einer wiederentdeckten Communio-Struktur anhangen. Sie haben miteinander auszukommen; mit Schuldzuweisungen aufeinander einzuschlagen ist wenig hilfreich. Der ‚Verrat am Konzil' besteht heute für mich in diesem unerträglichen verdeckten Schisma, in das wir im deutschen Sprachraum hineingeschlittert sind und das so vieles lahmlegt. Bei einem Pastoralkonzil, das sich bewußt neuer Festlegungen und einer allzu juristischen Sprache enthielt, gilt es dies zu bedenken, weil es stärker verändernd in das Leben von Menschen eingreift. Eine kritische Evaluation der Durchführung des Konzils täte not. Küng und Ratzinger sind zusammenzurufen. Nur müßte man ihre Redezeit jeweils strengstens begrenzen". Die Problematik als solche wurde freilich schon lange gesehen: Hermann J. Pottmeyer/Giuseppe Alberigo/Jean-Pierre Jossua (Hg.), Die Rezeption des Zweiten Vatikanischen Konzils, Düsseldorf 1986.

Bischöfe auf dem Konzil prägten: durch die Liturgische Bewegung, die Bibelbewegung, die „Una Sancta" und die Neuansätze in der deutschen Theologie, die sich entsprechend in den Voten zu Liturgie, Episkopat und Ökumene niederschlugen. Daß es hier keine direkte theologische Kontinuität zum „Modernismus" welcher Couleur auch immer gab, sich der theologische „Aufbruch" vielmehr vom „ultramontanen mainstream" her vollzog[15] – man denke nur an die prägende Rolle der deutschen Jesuiten und Germaniker! – ist nun wohl unbestritten. Die „modernistische" Kontinuität bzw. der durch den Antimodernismus erzeugte Reformstau[16] zeigte sich nicht auf dem Konzil in Rom, sondern in der „Heimat". Götz stellt mit Wolfgang Weiß fest, die deutschen Bischöfe hätten sich zunehmend gesorgt, daß ihre Tätigkeit „in ein falsches Licht geraten" könnte, zumal „in Deutschland sich Stimmen regten, welche radikalere und tiefgehendere Reformen forderten". „Revolution war ja nie die Absicht der deutschen Bischöfe gewesen, aber doch entschiedene Durchsetzung des als notwendig Erkannten". Die neuen Stimmen in Deutschland waren aber (wenigstens zum Teil) nicht aus dem Nichts entstanden. Das Netzwerk des Rheinischen Reformkreises „Freunde einer Erneuerung der Kirche" (1942-1955) etwa hatte schon zuvor zahlreiche Reformtheologen in Deutschland und Österreich verbunden[17]. Im Vorfeld dieses Kreises entstanden die anonymen „Katholizismus"-Bücher der Jahre 1937 und 1940, welche die „radikalen" antiromanischen, antihierarchischen, antijuridischen und antiintellektualistischen Reformforderungen der Nachkonzilszeit vorwegnahmen. Im Kreis orientierte man sich – unter Anleitung von Oskar Schroeder – bewußt an den Modernisten und Reformkatholiken der Zeit vor 1914. Hier wurde ein Geschichtsbild entwickelt, das eine liberalkatholische Traditionslinie von Sailer, Wessenberg und Möhler über Hermes, Günther und die „Katholische Tübinger Schule" zu Schell, Muth, Loisy und Tyrrell zog. Dieses Geschichtsbild, das nach dem II. Vatikanum – nicht zuletzt durch Schroeder selbst[18] – Konjunktur bekommen sollte[19], ist also keine Erfindung der 60er und 70er Jahre, sondern war schon 1943 voll ausgebildet. Der Kreis zerbrach zwar endgültig 1955 sowohl unter dem antimodernistischen Druck von außen als auch an internen Differenzen, doch hatte man bereits eine beachtliche Breitenwirkung erzielt. Einzelne Mitglieder, vor allem Joseph Thomé und Oskar Schroeder, standen zur Konzils-

---

[15] Klaus Schatz, Allgemeine Konzilien – Brennpunkte der Kirchengeschichte (UTB 1976), Paderborn 1997, 263f: „[Es] muß gleichzeitig auch gesagt werden, daß historisch-genetisch in den wenigsten Fällen eine Linie von diesen ‚oppositionellen' Strömungen [Jansenismus, katholische Aufklärung, liberaler Katholizismus, Reformkatholizismus, ‚Modernismus'] zum 2. Vatikanum führte. Die Entwicklungslinien, die faktisch im 2. Vatikanum kulminierten, vollzogen sich vom ultramontanen ‚mainstream' des Katholizismus aus, der seit der Mitte des 19. Jahrhunderts triumphierte."

[16] Vgl. dazu Hubert Wolf, Einleitung: (Anti-)Modernismus und Vatikanum II, in: ders. (Hg.), Antimodernismus (wie Anm. 8), 15-38.

[17] Vgl. dazu demnächst Hubert Wolf/Claus Arnold (Hg.), Der Rheinische Reformkreis. Dokumente zu Modernismus und Reformkatholizismus 1942-1955, 2 Bde., Paderborn 2000 (im Druck).

[18] Oskar Schroeder, Aufbruch und Mißverständnis. Zur Geschichte der reformkatholischen Bewegung, Graz 1969.

[19] Vgl. z.B. Mark Schoof, Der Durchbruch der neuen katholischen Theologie. Ursprünge – Wege – Strukturen, Wien 1969.

zeit gewissermaßen schon bereit, um nun endlich in eine offene Reformdiskussion eintreten zu können. Thomé gründete, sehr zum Ärger seines Bischofs Pohlschneider, die „Solidaritätsgruppe katholischer Priester und Laien im Bistum Aachen"[20] und Schroeder unterstützte u.a. den „Freckenhorster Kreis"[21]. Die deutschen Konzilsbischöfe, die zum Teil noch wie der Aachener Pohlschneider an den antimodernistischen Aktionen der Vorkonzilszeit persönlichen Anteil hatten, nun aber nicht mehr zu den alten Mitteln greifen konnten, standen in dieser Situation etwas hilflos da. Die vorsichtige Öffnung des ultramontanen mainstream, der theologisch durch die Arbeit der deutschen (und französischen) Theologen, vor allem auch Jesuiten und Dominikanern, seinen eigenen neuscholastischen Denkhorizont überwunden hatte, brachte damit zumindest in Deutschland eine bislang minoritäre Reformbewegung zu öffentlicher Wirkung, die weit über das Erreichte hinausdrängte. Daß gerade im Bereich der Liturgie in Deutschland schon lange vor dem Konzil eine überaus brisante „progressiv-reaktionäre" Spannung bestand, hat Theodor Maas-Ewerd detailliert nachgewiesen[22]. Eine zu starke historische Konzentration auf das „Konzil" kann also Kontinuitäten im deutschen Katholizismus verdecken, die vom Konzil zum Teil nur katalysiert oder legitimiert wurden.

Diese Gesamteinschätzung der deutschen Situation bestätigt sich im Beitrag von *Sylvie Toscer*. Gerade im Falle von Kardinal Frings läßt sich eine interessante, freilich etwas anders gelagerte, Parallele zur Vorkonzilszeit ziehen. Das 1958 ins Leben gerufene Hilfswerk „Misereor" war nicht nur Ausdruck einer bestimmten deutschen „Opfertheologie" (H. H. Schwedt) der Nachkriegszeit und ein wichtiger Faktor für den internationalen Einfluß des deutschen Episkopats, sondern vor allem auch Ausdruck des episkopalen Selbstbewußtseins, das eine solche Aktion an Rom vorbei überhaupt erst denkbar machte. Nicht nur eine vorsichtige theologische Öffnung (verbunden mit den Namen seiner Ratgeber Ratzinger und Jedin), sondern auch dieses episkopale Selbstbewußtsein prägten dann die Rolle des sonst eher konservativen Frings auf dem Konzil[23]. Er stand damit nicht allein da: „Beaucoup des évêques étaient moins soucieux d'un renouveau de la théologie que de briser le pouvoir de la curie, qui se situait au-dessus des évêques"[24].

---

[20] August Brecher, Josef Thomé 1891-1980. Mündiges Christsein zwischen Gesetz und Freiheit, in: Karl Schein (Hg.), Christen zwischen Niederrhein und Eifel. Lebensbilder aus zwei Jahrhunderten, Bd. III, Mönchengladbach 1993, 137-155, 216f.

[21] Vgl. Oskar Schroeder, „Abschreckende Barmherzigkeit". Zum Dekret über die Laisierung von Priestern, in: Werkhefte 25 (1971) 195f; ders., Auseinandersetzung zwischen Priestern und ihrem Bischof. Dokumentation über den Konflikt von Bischof Tenhumberg von Münster und dem „Freckenhorster Kreis", ebd., 26 (1972) 347-355; ders., Die Gewissenszweifel des Papstes, ebd., 27 (1973) 177f; ders., Roma locuta – causa turbata oder: Das Übel der Verwirrung kommt von hoch oben (Hadrian VI), ebd., 246-248.

[22] Theodor Maas-Ewerd, Die Krise der Liturgischen Bewegung in Deutschland und Österreich. Zu den Auseinandersetzungen um die „liturgische Frage" in den Jahren 1939 bis 1944 (Studien zur Pastoralliturgie 3), Regensburg 1981.

[23] Norbert Trippen, Josef Kardinal Frings (1887-1978). Persönlichkeit eines Konzilsvaters, in: Wittstadt/ Verschooten, Beitrag (wie Anm. 13) 67-85.

[24] Edward Schillebeeckx, Je suis un théologien heureux, entretiens avec Francesco Strazzari, Paris 1995, 46; zit. nach Alberigo/Melloni, Storia, Bd. II (wie Anm. 3), 241.

Die Studien von *Günther Wassilowsky* und *P. Ludger Ägidius Schulte OFM Cap* führen dann auf das Gebiet des konkreten theologischen „Beitrags" deutscher Theologen zum Konzil. Der Gesamtüberblick über die Entwicklung der deutschen katholisch-theologischen Disziplinen hatte gezeigt, wie schwierig es ist, theologische „Entwicklungslinien" auf das Konzil hin zu ziehen[25]. Peter Walters Untersuchung der Ekklesiologie deutscher Dogmatik-Lehrbücher etwa ergibt ein ernüchterndes Gesamtbild, trotz der wegweisenden Bemühungen von Karl Adam (dessen „Wesen des Katholizismus" von Paul VI. rezipiert wurde), Michael Schmaus und Karl Rahner[26]. Unter den Bedingungen des Antimodernismus hatte sich in Deutschland ein wissenschaftlicher Normalbetrieb entwickelt, in dem sich die historischen Fächer notgedrungen auf den engen Spielraum „positiver Arbeit" zurückgezogen hatten und in einer ziemlich sterilen Iuxtaposition neben den neuscholastisch dominierten systematischen Fächern standen. Dennoch bot gerade die „Schultheologie" der letzteren eine gemeinsame Basis, auf der sich die konziliare Öffnung ereignen konnte. Nicht zufällig spielten auch hier wieder die Theologen der Gesellschaft Jesu eine besondere Rolle – zur theologischen kam die organisatorisch-spirituelle Kohärenz hinzu, die einen zielgerichteten Diskussionsprozeß möglich machte. Wassilowskys quellenmäßig gestützter Einblick in die „Textwerkstatt" der Theologen Rahner, Semmelroth usw. räumt auf mit der Engführung auf die Rolle der theologischen Einzelpersönlichkeiten und räumt auch auf mit allen möglichen Verschwörungstheorien bzw. der Konstruktion großer geistesgeschichtlicher reformtheologischer Entwicklungslinien. Nicht irgendeine „modernistische" Theologie ist von den deutschen Bischöfen und ihren theologischen Beratern auf dem Konzil forciert worden; vielmehr ging die Erneuerung von der ursprünglich durchaus antimodernistischen[27] traditionellen Schultheologie aus: die Neuscholastik hat sich selbst überwunden. (Ob dabei auch die internen Gegensätze von Thomismus und Molinismus eine Rolle spielten, v.a. die molinistische Verhältnisbestimmung von Natur und Gnade, die eine positivere Haltung zur Zeitkultur ermöglichte, stellt eine interessante Frage dar[28]). Diese Art der theologiegeschichtlichen Konzilsforschung, die auch schon von Roman Siebenrock angewandt wurde[29], kann man getrost als wegweisend bezeichnen. Die Historisierung, betrieben mit den guten alten historisch-kriti-

---

[25] Wolf, Disziplinen (wie Anm. 9).

[26] Peter Walter, Die deutschsprachige Dogmatik zwischen den beiden Vatikanischen Konzilien untersucht am Beispiel der Ekklesiologie, in: Wolf, Disziplinen (wie Anm. 9), 129-163.

[27] Der teilweise antimodernistische Charakter der vorkonziliaren Theologie Karl Rahners ist der von einigen Kritikern übersehene Kernpunkt der Edition: Hubert Wolf (Hg.), Karl Rahner. Theologische und philosophische Zeitfragen im katholischen deutschen Raum (1943), Ostfildern 1994. Eine Neuedition mit Zusammenfassung der Diskussion und bedenkenswerten Kritikpunkten nun bei Albert Raffelt (Bearb.), Hörer des Wortes. Schriften zur Religionsphilosophie und zur Grundlegung der Theologie (Karl Rahner. Sämtliche Schriften 4), Freiburg i.Br. 1997.

[28] Dies ist der interessante Punkt des Beitrags von David Berger, Ratio fidei fundamenta demonstrat. Fundamentaltheologisches Denken zwischen 1870 und 1960, in: Wolf, Disziplinen (wie Anm. 9), 95-127. Die von Berger ansonsten verfochtene, deutlich kirchenpolitisch positionierte Repristinierung des Thomismus bleibt fragwürdig.

[29] Roman Siebenrock, „Meine schlimmsten Erwartungen sind weit übertroffen", in: Wittstadt/ Verschooten, Beitrag (wie Anm. 13), 123-139.

schen Werkzeugen, führt hier zu valenten theologischen Interpretationen. In der „Textwerkstatt" erfolgte, wie Wassilowsky ausführt, eine „apertura ad intra", die auch die konziliare „apertura ad extra" ermöglichte.

Das weite Feld der „Vorbereitung" des Konzils, seines „Echos" von der Ankündigung bis zum Abschluß und seiner „Rezeption" wird in mehreren Beiträgen angegangen. Zunächst weitet sich der Blick über die alte Bundesrepublik hinaus auf die damalige „DDR" und den deutschsprachigen Raum. Die enge theologisch-kirchliche Verflechtung macht diese Einbeziehung nötig. Es geht dabei nicht um eine Vereinnahmung der – auf dem Symposium von Josef Pilvousek scherzhaft so genannten – „Satelliten", sondern um eine differenzierte Gesamtsicht, bei welcher der jeweilige Eigenbeitrag deutlich wird. *Rudolf Zinnhobler* zieht eine nüchterne Bilanz sowohl des beeindruckenden österreichischen theologischen Beitrags (Kardinal König, Rahner, Zauner, Klostermann) als auch der „Dynamik" der nachkonziliaren Reform und ihrer „Gremialisierung". *Markus Ries* demonstriert im Hinblick auf die Schweiz, wie das „Konzil" als Ereignis eine Bewegung innerer Pluralisierung auslöste, die sich heute im Hinblick auf die kirchliche Einheit kaum noch vermitteln läßt. *Josef Pilvousek* bietet auf einer soliden archivarischen Quellenbasis interessante Einblicke in die mitunter sehr praktischen Schwierigkeiten, die eine Konzilsteilnahme unter den Bedingungen der SED-Diktatur mit sich brachte und beleuchtet unter anderem die theologisch-politische Position von Kardinal Bengsch, der sich angesichts der prekären politischen Lage sowohl gegen eine ausdrückliche Verurteilung des Kommunismus als auch gegen die Pastoralkonstitution „Gaudium et spes" aussprach, weil sie von den kommunistischen Machthabern mißbraucht werden könnte. Die Rezeption des Konzils in der DDR wirkte durch die erneuerte weltkirchliche Perspektive vor allem gegen die staatlich gewollte Isolation der katholischen Kirche.

Die Situation in der alten Bundesrepublik läßt sich im Rahmen dieses Bandes nur exemplarisch erkunden[30]. Am Beispiel der Diözese Münster kann *Wilhelm Damberg* zeigen, wie sich das Konzil in die bestehenden Trends einschrieb und wie diese wiederum die „Rezeption" prägten. Schon ab 1950 wurde in Münster die Tendenz zur „Entchristlichung" festgestellt, der Gottesdienstbesuch brach bereits seit 1951 langsam ab. Bischof Keller setzte das Modell der katholischen Aktion dagegen: die geschlossene Schlachtordnung katholischer Elite-Laien sollte der Kirche den Weg bahnen. Gleichzeitig vollzog sich eine organisatorische Straffung der Diözese, die eine Zentralisierung und Episkopalisierung mit sich brachte. Letztere wurde vom Konzil dann theologisch sanktioniert. Bischof Höffner konstatierte aber bereits 1963 im Inneren des Katholizismus eine „Gärung und Unsicherheit", die einerseits aufgestaut, andererseits durch das Konzil freigesetzt worden sei. Höffner dachte auch nach 1965 im Schema der acies ordinata. Dennoch setzte sich in der Diözese das Paradigma des Dialoges durch; dieser wandte sich aber nicht mehr primär an die Gesellschaft, sondern nach innen: Themen waren vor allem die Liturgie, die Entstehung der Räte usw. Damberg stellt hier eine interessante Parallelität zu gesamtgesellschaftlichen Trends fest:

---

[30] Vgl. den nüchternen Gesamtüberblick von Erwin Gatz, Deutschland – Alte Bundesrepublik, in: ders. (Hg.) Kirche und Katholizismus (wie Anm. 10), 53-131.

neben dem „Individualisierungsprozeß" gibt es auch kirchliche Entsprechungen
zur Planungseuphorie der 60er Jahre und zur allgemeinen Professionalisierung.
Das „Konzil" oder gar seine Texte machten es also nicht allein.

Der Beitrag von *Oliver Schütz* zur Rolle der katholischen Akademien in Vorbereitung, Begleitung und Rezeption des Konzils ruft bei aller historischen Distanzierung doch ins Gedächtnis, welche positive Neuorientierung im Umkreis
des Konzils geschehen konnte: auch hier wurden Kräfte, die bereits wirkten,
durch den Katalysator Konzil freigesetzt. Schütz kann bei seiner Darstellung, und
zwar mit quellenmäßiger Fundierung, nahe am positiven „liberal-katholischen"
Selbstbild bleiben. Denn in den Akademien wurden tatsächlich bewußt deutsche
reformkatholische Traditionen aufgenommen und eine „Begegnung von Kirche
und Welt" im Geiste Karl Muths angestrebt. Die Chance, die das Konzil bot,
wurde beherzt ergriffen und die Gelegenheit zur Steuerung der Rezeption genutzt. Charakteristisch ist etwa die selektive Rezeption der Konzilstexte, von denen die „progressiven" in den Vordergrund gestellt wurden[31].

Norbert Lüdecke schließlich rückt einen oft vernachlässigten Aspekt der „Rezeption" des Konzils in den Mittelpunkt: den CIC von 1983. Dieser hat ja auch für den
deutschsprachigen Raum Geltung. Lüdecke erweist den Codex als legitime Umsetzung des Konzils, die gleichzeitig ein Licht zurück auf das Konzil wirft. Gegen den
normativen Anspruch der Canones und gegen die geltende Auslegung und Anwendung der Konzilstexte helfen keine historisch-interpretativen Aus- und Umwege[32].
Lüdecke warnt deshalb zurecht davor, „harte Realitäten weich zu formulieren". *Peter Hünermann* formuliert in seinem Nachwort Desiderate, die auf dem weiten Feld
der Erforschung des II. Vatikanums und seiner Rezeption noch bleiben.

Das Interesse unseres Arbeitskreises war ein *theologiegeschichtliches*. Im
Rückblick auf die nun vorliegenden drei Bände, mit denen das geplante Arbeitsprogramm endet, erweist sich, daß gerade bei der deutschen Theologiegeschichte des 20. Jahrhunderts manche Perspektiven schief werden, wenn man sie auf
das II. Vatikanum hinbiegt. Die forscherliche Vatikanumsmüdigkeit, die den einen oder anderen während der Arbeit der vergangenen fünf Jahre ergriffen haben
mag, rührt vor allem von diesen Teleologien her. Die Theologie- und Kirchengeschichte des 20. Jahrhunderts ist nicht nur „Vorfeld" bzw. Rezeptionsboden des
„Konzils". Wer die historisch-kritische Anstrengung nicht scheut, auf den warten
im biographischen wie im strukturgeschichtlichen Bereich noch ganze Erlebnis-
und Denkwelten, die der Analyse harren[33] und letztlich auch unser Verständnis
der Bedeutung des II. Vatikanums vertiefen werden.

---

[31] Vgl. auch unlängst Gotthard Fuchs/Andreas Lienkamp (Hg.), Visionen des Konzils. 30 Jahre
Pastoralkonstitution „Die Kirche in der Welt von heute", Münster 1997. – Sehr anregend zu
diesem Problemkreis: Mariano Delgado, Kritische Anmerkungen zur selektiven Rezeption des
Konzils in Lateinamerika, in: Hünermann, Horizont (wie Anm. 7), 205-209.

[32] Auch die geltende lehramtliche bzw. offizielle Konzilsinterpretation wäre differenziert zu un-
tersuchen: vgl. z. B. Rileggiamo il Concilio. Catechesi di Giovanni Paolo II (Quaderni di
Ecclesia Mater 10), Rom 1995/96; Il Concilio Vaticano II. Carisma e profezia. Tommaso
Stenico a colloquio con S. E. card. Francis Arinze u.a., Vatikanstadt 1997.

[33] Vgl. z. B. jetzt Thomas Schulte-Umberg, Charisma und Profession. Herkunft und Ausbildung
des Klerus im Bistum Münster 1776-1940 (VKZG.F 85), Paderborn 1999.

Die Rolle der deutschen Bischöfe auf dem Konzil

Von Roland Götz

EINLEITUNG

Bei Anhängern wie Kritikern des II. Vatikanum ist es unumstritten, daß die Rolle der deutschen Bischöfe auf dem Konzil weit größer war, als es ihrem relativ bescheidenen zahlenmäßigen Anteil von gerade einmal 2% unter den rund 2.500 Konzilsvätern entsprochen hätte[1].

Der schärfste und hartnäckigste Konzilskritiker, der ehemalige Erzbischof von Dakar und Generalobere der Väter vom Heiligen Geist Marcel Lefebvre, diagnostizierte, „liberale und modernistische Richtungen" hätten zum Schaden der Kirche auf dem Konzil „einen entscheidenden Einfluß gewonnen" „dank eines wahren Komplotts der an den Ufern des Rheins residierenden Kardinäle" und mit der Unterstützung Papst Pauls VI.[2]

---

[1] Aus den Diözesen der Bundesrepublik Deutschland und der Deutschen Demokratischen Republik nahmen 53 Erzbischöfe (EB), Bischöfe (B) und Weihbischöfe (WB) an mindestens einer Periode des Konzils teil: WB Julius Angerhausen (Essen), WB Hugo Aufderbeck (Fulda, Sitz Erfurt), WB Heinrich Baaken (Münster), B Alfred Bengsch (Berlin; seit 1962 persönlicher Titel EB), B Adolph Bolte (Fulda), WB Joseph Ludwig Buchkremer (Aachen), WB Wilhelm Cleven (Köln), EB Julius Kardinal Döpfner (München und Freising), B Isidor Marcus Emanuel (Speyer), WB Joseph Ferche (Köln), B Joseph Freundorfer (Augsburg), EB Josef Kardinal Frings (Köln), WB Augustin Frotz (Köln), WB Karl Gnädinger (Freiburg), B Rudolf Graber (Regensburg), B Franz Hengsbach (Essen), WB Josef Hiltl (Regensburg), B Joseph Höffner (Münster), WB Antonius Hoffmann (Passau), WB Friedrich Hünermann (Aachen), EB Lorenz Jaeger (Paderborn; seit 1965 Kardinal), B Heinrich Maria Janssen (Hildesheim), WB Walther Kampe (Limburg), WB Alfons Karl Kempf (Würzburg), B Wilhelm Kempf (Limburg), B Simon Konrad Landersdorfer OSB (Passau), B Carl Josef Leiprecht (Rottenburg), WB Johannes Lenhardt (Bamberg), WB Johannes Neuhäusler (München und Freising), WB Paul Nordhues (Paderborn), WB Heinrich Pachowiak (Hildesheim), B Johannes Pohlschneider (Aachen), WB Joseph Reuß (Mainz), WB Friedrich Rintelen (Paderborn, Sitz Magdeburg), WB Johannes von Rudloff (Osnabrück), EB Hermann Schäufele (Freiburg), WB Gerhard Schaffran (Breslau, Sitz Görlitz), WB Eduard Schick (Fulda), WB Karl Schmidt (Trier), EB Josef Schneider (Bamberg), WB Bernhard Schräder (Osnabrück, Sitz Schwerin), B Joseph Schröffer (Eichstätt), WB Wilhelm Sedlmeier (Rottenburg), B Otto Spülbeck (Meißen), B Josef Stangl (Würzburg), WB Bernhard Stein (Trier), B Josef Stimpfle (Augsburg), WB Heinrich Tenhumberg (Münster), WB Heinrich Theissing (Berlin), B Hermann Volk (Mainz), B Matthias Wehr (Trier), B Helmut Hermann Wittler (Osnabrück), WB Joseph Zimmermann (Augsburg). ASCOV Indices 801-926 („Index patrum qui Concilio personaliter interfuerunt"). Darüber hinaus können zu den „deutschen" Konzilsvätern gerechnet werden: Kurienkardinal Augustin Bea SJ, sieben Generalobere exemter Orden, zwölf emeritierte Missionsbischöfe und der Apostolische Exarch der Ukrainer in Deuschland, Platon Kornyljak. – Mit Rücksicht auf den Beitrag von Josef Pilvousek beschränke ich mich im folgenden vornehmlich auf die Rolle der westdeutschen Bischöfe auf dem Konzil.

[2] Marcel Lefebvre, J'accuse le Concile!, Martigny 1976, 7f („grace au véritable complot des cardinaux des bords du Rhin"); Priesterbruderschaft St. Pius X. (Hg.), Damit die Kirche fort

Der amerikanische Konzilsberichterstatter Ralph M. Wiltgen faßte seine Sicht des dominierenden deutschen Einflusses in das Bild vom Rhein, der in den Tiber fließt, und stellte gar eine Art „Dominotheorie" auf: „Da die Stellungnahme der deutschsprachigen Bischöfe regelmäßig von der europäischen Allianz übernommen wurde und da die Stellungnahme der Allianz im allgemeinen vom Konzil übernommen wurde, hätte ein einzelner Theologe erreichen können, daß das ganze Konzil seine Ansichten übernimmt, falls sie von den deutschsprachigen Bischöfen übernommen worden wären. Einen solchen Theologen gab es: P. Karl Rahner S.J."[3].

Soweit es die bisher veröffentlichten Quellen zulassen[4], soll im folgenden die wirkliche Rolle der deutschen Bischöfe in den Blick genommen werden anhand ihrer Erwartungen an das Konzil, ihrer Vertretung in wichtigen Gremien, ihrer Vorgehensweise und ausgewählter Beiträge im Konzilsverlauf.

I. Reaktionen auf die Konzilsankündigung

Die Konzilsankündigung Johannes' XXIII. im Januar 1959 wurde von den deutschen Bischöfen durchweg mit Überraschung und Begeisterung aufgenommen.

Der frühere Fuldaer Bischof Eduard Schick gestand im Rückblick seine Überraschung offen: „Ich kannte Art und Formen eines Konzils nur aus der Kirchengeschichte [...] Es fiel mir ein Gespräch ein, das ich als Regens mit dem Spiritual des Priesterseminars, einem Jesuitenpater, über das Stichwort Konzil geführt hatte. Er war der Meinung, daß es nach der Primatserklärung des Papstes auf dem I. Vatikanum in der Kirchengeschichte Konzilien nicht mehr geben würde. Ich konnte diese Konsequenz damals nicht nachvollziehen. Aber daß ich selbst noch ein Konzil als Bischof miterleben sollte, stand in meinen Gedanken außerhalb aller Möglichkeiten"[5].

Der Kölner Erzbischof Josef Kardinal Frings hatte dagegen bereits bei seiner Heimkehr vom Konklave 1958 zu seinem Sekretär geäußert: „Ich habe das Ge-

---

bestehe. S.E. Erzbischof Marcel Lefebvre, der Verteidiger des Glaubens, der Kirche und des Papsttums. Dokumente, Predigten und Richtlinien. Eine historiographische Dokumentation, Stuttgart 1992, 166.

[3] Ralph M. Wiltgen, Der Rhein fließt in den Tiber. Eine Geschichte des Zweiten Vatikanischen Konzils, Feldkirch 1988, 82.

[4] Über die deutschen Quellen und ihre jeweilige Zugänglichkeit informiert: Klaus Wittstadt, Deutsche Quellen zum II. Vatikanum, in: Jan Grootaers/Claude Soetens (Hg.), Sources locales de Vatican II. Symposium Leuven – Louvain-La Neuve 23-25-X-1989 (Instrumenta Theologica 8), Leuven 1990, 19-32. – Für mannigfache Anregungen und Hilfe bei der Literaturbeschaffung danke ich sehr herzlich Frau Karin Nußbaum, die inzwischen ihre theologische Diplomarbeit vorgelegt hat: Die deutschen Bischöfe und das Zweite Vatikanische Konzil. Eine Untersuchung aufgrund der Edition der lateinischen Konzilsakten, masch. Diplomarbeit, Ludwig-Maximilians-Universität München 1999.

[5] Hans Bauernfeind/Karl Schlemmer, Vermächtnis eines Konzilsvaters. Gespräch mit Bischof em. Prof. Dr. Dr. theol. h.c. Eduard Schick (Fulda), in: AnzSS 106 (1997) 260-265; 260.

fühl, es muß jetzt bald ein allgemeines Konzil stattfinden." Er erklärt dies in seinen „Erinnerungen": „Ich kam darauf, weil ungefähr hundert Jahre seit dem Vatikanischen Konzil vergangen waren, aber auch deshalb, weil die beiden Päpste Pius XI. und Pius XII. die päpstliche Lehrautorität ziemlich stark strapaziert hatten, und ich meinte, es sei jetzt bald an der Zeit, daß auch die Bischöfe wieder einmal ihre Stimme erheben könnten"[6]. Unerwartet kam für Frings nur, wie schnell seine Ahnung in Erfüllung ging.

Der Berliner Bischof und spätere Münchener Erzbischof Julius Kardinal Döpfner bestätigt die „lebhafte Resonanz" der Konzilsankündigung, „obwohl sich kaum jemand im klaren war, *was* genau die Aufgabe des Konzils sein sollte. So stark war das Gefühl, die Kirche entspreche nicht den Anforderungen der Zeit und müsse in Bewegung kommen." Döpfner empfand die Ankündigung als befreiend, da sich nun die Kirche als ganze, „die Hirten an der Spitze, zum Neudurchdenken ihrer Position, zum Weiterschreiten" bekannte. Gerade weil das Ziel der Konzilsarbeit nicht bereits vorgegeben war, „konnte sich der Gedanke festsetzen, daß die Erneuerung selbst Aufgabe dieses Konzils sein müßte"[7].

Zugleich wies Kardinal Döpfner im Rückblick darauf hin, daß „der Kairos für eine Neubesinnung" längst dagewesen sei, wenn auch zunächst nur in „Einzelinitiativen und regionalen Anstrengungen" und unter der Gefahr, „an einer mehr defensiven und konservativen Ausrichtung der kirchlichen Führung" zu scheitern[8].

II. Zur Situation der Kirche in Deutschland

Die zitierten Äußerungen stammen aus einem Vortrag, den der Kardinal im Februar 1965 in Paris hielt. Für seine französischen Hörer legte er hier auch die kirchliche Situation in Deutschland und die Traditionsströme dar, die – in seiner Sicht – den Hintergrund für das Auftreten der deutschen Bischöfe auf dem Konzil bildeten. Anknüpfend an Döpfners Stichworte soll im folgenden eine Skizzierung dieses Hintergrundes versucht werden.

An erster Stelle wird die Liturgische Erneuerung genannt[9]. Ihre Anfänge lagen um die Jahrhundertwende in französischen und deutschen Benediktinerabteien.

---

6   Josef Frings, Für die Menschen bestellt. Erinnerungen des Alterzbischofs von Köln, Köln ⁵1974, 247.
7   Julius Döpfner, Deutscher Katholizismus und konziliare Erneuerung. Erfahrungen des Bischofs in Würzburg, Berlin und München (Katholische Akademie in Bayern. Akademievorträge 6), Würzburg 1965, 7f.
8   Ebd., 7.
9   Ebd., 17f. Vgl. Erwin Iserloh, Innerkirchliche Bewegungen und ihre Spiritualität, in: HKG (J) Bd. VII, 301-337; 303-308; Hermann Volk, Ihr seid eine neue Schöpfung. Nachdenkliches über Kirche, Konzil und Ökumene, Freiburg i.Br.-Basel-Wien 1987, 66f; Otto Hermann Pesch, Das Zweite Vatikanische Konzil (1962-1965). Vorgeschichte, Verlauf, Ergebnisse, Nachgeschichte, Würzburg 1993, 112-114; Erwin Gatz, Deutschland. Alte Bundesrepublik, in: ders. (Hg.), Kirche und Katholizismus seit 1945 Bd. I: Mittel-, West- und Nordeuropa, Paderborn-München-Wien-Zürich 1998, 53-131; besonders 84-86.

Sie erfaßte zunächst Akademikerkreise, wurde dann jedoch durch die Jugendbewegung begeistert aufgegriffen. Um die Entwicklung einerseits zu kontrollieren, andererseits zu schützen, richtete die Fuldaer Bischofskonferenz 1940 ein „Liturgisches Referat" ein; 1947, im Jahr der Enzyklika *Mediator Dei*, entstand das Liturgische Institut in Trier. „[...] vieles, was zunächst verschwiegen experimentiert wurde, dann mit päpstlicher oder bischöflicher Sondergenehmigung sich weiter verbreitete"[10], ging in die liturgischen Reformen der 50er Jahre und schließlich in die Liturgiekonstitution ein. Eine wichtige Etappe vor dem Konzil stellten dafür die „aus dem Geist der Liturgischen Bewegung" gestalteten Feiern des Eucharistischen Weltkongresses 1960 in München dar[11].

Die liturgische Bewegung erstrebte auch ein neues Erleben von Kirche als Gemeinschaft[12]. Hatte 1921 Romano Guardini angekündigt „Die Kirche erwacht in den Seelen"[13], so faßte 1923 Karl Adams Kultbuch „Das Wesen des Katholizismus" die Kirche in das Bild des „Leibes Christi" – ein Leitgedanke, der 1943 durch die Enzyklika *Mystici corporis* lehramtliche Bestätigung erfuhr.

Die Neubesinnung auf die Begegnung mit Christus in der Kirche und das Neuerwachen christozentrischer Frömmigkeit waren ihrerseits vorbereitet worden durch das vertiefte Kennenlernen Christi in der Hl. Schrift in der Bibelbewegung[14]. Was mit Bibelkreisen, volkssprachlichen Bibelausgaben und einer Fülle von Jesusbüchern begann, führte 1933 zur Gründung des Katholischen Bibelwerks in Stuttgart.

Liturgische Bewegung, neue Kirchen- und Christusfrömmigkeit sowie Bibelbewegung waren – wie schon angesprochen – aufs engste verbunden mit der schon in die Zeit vor den Ersten Weltkrieg zurückreichenden katholischen Jugendbewegung – einer Bewegung, durch die auch ein Teil der späteren deutschen Konzilsväter beeinflußt war.

Einen weiteren Teilbereich des deutschen Konzils-Hintergrundes bildet die politisch-gesellschaftliche Situation der deutschen Kirche im 19. und 20. Jahrhundert mit dem Ende der Reichskirche, staatlichem Zugriff, Minderheitenstellung und kultureller Inferiorität gegenüber dem Protestantismus, Kulturkampf und Revolution. Franz Xaver Kaufmann hat betont, daß gerade der ultramontane Abwehrkampf eine *organisatorische* Modernisierung des deutschen Katholizismus mit sich brachte – „im Aufbau von aufs Religiöse spezialisierten Organisationsstrukturen auf Diözesan- und Pfarrebene, in der zunehmenden Professionalisierung des Klerus, in der Nutzung des Prinzips der freien Assoziation zur Bildung von Vereinen, Verbänden und politischen Parteien"[15]. Eine Vielzahl katholischer

---

[10] Döpfner, Katholizismus (wie Anm. 7), 17.

[11] Gatz, Deutschland (wie Anm. 9), 93. Zum Eucharistischen Weltkongreß siehe die Dokumentation: Richard Egenter/Otto Pirner u.a. (Hg.), Statio orbis. Eucharistischer Weltkongreß 1960 in München, Bd. I–II, München 1961.

[12] Iserloh, Innerkirchliche Bewegungen (wie Anm. 9), 308-310; Pesch, Konzil (wie Anm. 9), 136.168.175-178.

[13] Romano Guardini, Vom Sinn der Kirche, Mainz 1922, 1.

[14] Döpfner, Katholizismus (wie Anm. 7), 18f; Iserloh, Innerkirchliche Bewegungen (wie Anm. 9), 309f; Pesch, Konzil (wie Anm. 9), 274f.

[15] Franz-Xaver Kaufmann, Das Zweite Vatikanische Konzil als Moment einer Modernisierung des Katholizismus, in: Klaus Wittstadt/Wim Verschooten (Hg.), Der Beitrag der deutschspra-

Verbände entstand, die in zumindest relativer Eigenständigkeit auch gegenüber den Bischöfen tätig sein konnten. Dies sollte – gegenüber dem Konzept einer kirchlich geleiteten „Katholischen Aktion" – eine wichtige Traditionslinie hin zu den deutschen Konzilsbeiträgen zum Thema Laienapostolat werden[16]; nicht zufällig war der Essener Bischof Franz Hengsbach hier führend beteiligt. Bereits in den Christlichen Gewerkschaften war überkonfessionelle Zusammenarbeit praktiziert worden; nach dem Zweiten Weltkrieg kam es zur Bildung von Einheitsgewerkschaften und christlichen Unionsparteien. Die Bemühungen um eine verstärkte katholische Präsenz im Raum von Wissenschaft und Kultur gipfelten (ebenfalls nach dem Zweiten Weltkrieg) in der Einrichtung Katholischer Akademien mit dem Auftrag „des Dialogs und der freien Begegnung katholischer Gedanken mit den Fragen und Strömungen der Zeit"[17].

Ein bedeutsames Moment sollte auf dem Konzil die lange Tradition deutscher Bischofskonferenzen bilden. Angesichts der Revolution von 1848 waren die deutschen Bischöfe erstmals in Würzburg zusammengetreten, seit 1850 bestand die Freisinger, seit 1867 die Fuldaer Bischofskonferenz als Institution (wenn auch ohne feste Statuten und Verwaltungsapparat), seit 1933 tagten alle deutschen Diözesanbischöfe (nicht die Weihbischöfe) auch gemeinsam in der Fuldaer Konferenz, seit 1945 unter Leitung des Kölner Erzbischofs Kardinal Frings[18].

Die Bischöfe aus einem politisch geteilten Land an der Nahtstelle der beiden großen Machtblöcke und Weltanschauungen (am 13. August 1961 wurde die Mauer gebaut) mußten aus persönlicher Betroffenheit besonders sensibilisiert sein für die Auseinandersetzung mit dem dialektischen Materialismus, für Fragen der Religionsfreiheit und des Weltfriedens[19].

Im auch konfessionell geteilten Deutschland stand die ökumenische Bewegung natürlich vor allem unter der Perspektive des Verhältnisses zum Protestantismus[20]. Überkonfessionelle Zusammenarbeit bewährte sich in der Zeit der NS-Diktatur. 1938 gründete Max Joseph Metzger die „Una sancta"-Bewegung; auf Initiative des Paderborner Erzbischofs Lorenz Jaeger (des Beauftragten der Fuldaer Bischofskonferenz für die Una-Sancta-Arbeit) und des evangelisch-lutherischen Bischofs von Oldenburg, Wilhelm Stählin, berieten seit 1946 jährlich Theologen beider Konfessionen über gemeinsame und trennende Glaubensleh-

---

chigen und osteuropäischen Länder zum Zweiten Vatikanischen Konzil (Instrumenta Theologica 16), Löwen 1996, 3-24; 12.

16 Vgl. Döpfner, Katholizismus (wie Anm. 7), 27-29; Franz-Xaver Kaufmann, Zur Einführung: Probleme und Wege einer historischen Einschätzung des II. Vatikanischen Konzils, in: ders./Arnold Zingerle (Hg.), Vatikanum II und Modernisierung. Historische, theologische und soziologische Perspektiven, Paderborn-München-Wien-Zürich 1996, 9-34; 17f; Gatz, Deutschland (wie Anm. 9), 71-78.

17 Döpfner, Katholizismus (wie Anm. 7), 28. Vgl. Gatz, Deutschland (wie Anm. 9), 83f.

18 Wolfgang Weiß, Die deutsche Bischofskonferenz und das II. Vatikanum, in: Wittstadt/Verschooten, Beitrag (wie Anm. 15), 27-44; 27 (Literatur).

19 Döpfner, Katholizismus (wie Anm. 7), 29f.

20 Vgl. Ebd., 24-26; Heinz-Albert Raem, Die ökumenische Bewegung, in: Erwin Gatz (Hg.), Katholiken in der Minderheit. Diaspora – Ökumenische Bewegung – Missionsgedanke (Geschichte des kirchlichen Lebens in den deutschsprachigen Ländern seit dem Ende des 18. Jahrhunderts. Die katholische Kirche 3), Freiburg i.Br.-Basel-Wien 1994, 143-212; 145-164.

ren[21]. Dem besseren Verständnis anderer Konfessionen sollte auch 1957 die Gründung des „Johann-Adam-Möhler-Instituts für Konfessions- und Diasporakunde" in Paderborn dienen. Schon im Vorfeld dazu hatte Erzbischof Jaeger mit dem früheren Rektor des Päpstlichen Bibelinstituts, Pater Augustin Bea SJ, Gespräche geführt; nach der Konzilsankündigung spielte Jaeger eine wesentliche Rolle bei der Errichtung des „Sekretariats für die Einheit der Christen" (offiziell vollzogen am 5. Juni 1960) und war von Anfang an dessen Mitglied[22].

Kardinal Döpfner wies 1965 ausdrücklich darauf hin, daß „die tragenden Bewegungen katholischer Erneuerung in Deutschland nicht möglich gewesen" wären „ohne die Vorarbeit und die führende Mithilfe der wissenschaftlichen Theologie", namentlich der theologischen Fakultäten an den staatlichen Universitäten, ohne die allmähliche Überwindung einer eng geführten Scholastik durch Romantik und historische Schule, Theologiegeschichte, Dogmengeschichte und wissenschaftliche Exegese seit dem 19. Jahrhundert[23]. Mit der Entwicklung und Wandlung der Theologie im Vorfeld des II. Vatikanum hat sich 1997 ein eigenes Symposium befaßt[24]. Darum hier nur soviel: Sicher stehen die deutschsprachigen Theologen auf dem Konzil für sehr unterschiedliche theologische Ansätze, sicher darf man auch keine allzu direkte Linie zwischen den früheren „Modernisten" und den deutschen Periti ziehen. Doch lassen sich bei ihnen, die durchweg neuscholastisch ausgebildet waren, als Grundlinien ihrer Theologie festmachen[25]: „eine starke Bindung an historisch-positive Forschungsarbeit, eine kritische, durch die Diskussion mit dem protestantischen Vorbild geläuterte Exegese, die es intellektuell unverantwortlich werden ließ, gewisse kirchliche Präjudize einfach stehenzulassen. [...] Personalität und subjektive Gottesbegegnung wurden als notwendige Kategorien des Glaubenslebens neu entdeckt." Und die Theologen aus dem deutschen Sprachraum betonten „die Ökumene als Anliegen der Kirche".

---

[21] Erwin Iserloh, Die Geschichte der ökumenischen Bewegung, in: HKG (J) Bd. VII, 458-473; 468f; Volk, Schöpfung (wie Anm. 9), 81-82.183f.

[22] Klaus Wittstadt, Die Verdienste des Paderborner Erzbischofs Lorenz Jaeger um die Errichtung des Einheitssekretariats, in: Josef Schreiner/Klaus Wittstadt (Hg.), Communio Sanctorum. Einheit der Christen – Einheit der Kirche (FS Paul-Werner Scheele), Würzburg 1988, 181-203; Pesch, Konzil (wie Anm. 9), 68f; Raem, Bewegung (wie Anm. 20), 166f.

[23] Döpfner, Katholizismus (wie Anm. 7), 19f.

[24] Hubert Wolf/Claus Arnold (Hg.), Die katholisch-theologischen Disziplinen in Deutschland 1870-1962. Ihre Geschichte und ihr Zeitbezug (Programm und Wirkungsgeschichte des II. Vatikanums 3), Paderborn-München-Wien-Zürich 1999. Vgl. dazu auch: Peter Hünermann, Deutsche Theologie auf dem Zweiten Vatikanum, in: Wilhelm Geerlings/Max Seckler (Hg.), Kirche sein. Nachkonziliare Theologie im Dienst der Kirchenreform (FS Hermann Josef Pottmeyer), Freiburg i.Br.-Basel-Wien 1994, 141-162; 154-161; Hermann Josef Pottmeyer, Die Voten und ersten Beiträge der deutschen Bischöfe zur Ekklesiologie des II. Vatikanischen Konzils, in: Wittstadt/Verschooten, Beitrag (wie Anm. 15), 143-155; 153-155.

[25] Klaus Wittstadt, Am Vorabend des II. Vatikanischen Konzils (1. Juli-10. Oktober 1962), in: Giuseppe Alberigo/Klaus Wittstadt (Hg.), Geschichte des Zweiten Vatikanischen Konzils (1959-1965) Bd. I: Die katholische Kirche auf dem Weg in ein neues Zeitalter. Die Ankündigung und Vorbereitung des Zweiten Vatikanischen Konzils (Januar 1959 bis Oktober 1962), Mainz-Leuven 1997, 457-560; 507-509; vgl. ders., Perspektiven einer kirchlichen Erneuerung – Der deutsche Episkopat und die Vorbereitungsphase des II. Vatikanums, in: Kaufmann/Zingerle, Vatikanum II (wie Anm. 16), 85-106; 87f.

Bei aller durch das Thema gebotenen Beschränkung kann man die deutsche Entwicklung freilich nicht isoliert betrachten; denn – so nochmals Kardinal Döpfner – „viele Ansätze der kirchlichen Erneuerung und des lebendigen Glaubensvollzuges in Deutschland haben ihren Anstoß aus Frankreich erhalten. [...] Die Avantgarde des deutschen Katholizismus orientierte sich schon in den ersten Jahrzehnten dieses Jahrhunderts gerne an den aufbrechenden geistigen Stömungen im französischen Katholizismus"[26]. Deutsche Konzilstheologen und Vertreter der französischen „Nouvelle théologie" arbeiteten – ebenso wie Bischöfe beider Länder – oft eng zusammen[27]. Andererseits waren die Schriften etwa eines Romano Guardini schon lange im englischsprachigen Raum in großem Ausmaß rezipiert[28].

III. Die Voten der deutschen Bischöfe

Im Januar 1959 hatte Johannes XXIII. die Einberufung eines ökumenischen Konzils angekündigt. Am 18. Juni versandte Kardinalstaatssekretär Domenico Tardini ein Rundschreiben, in dem alle Bischöfe der Welt aufgefordert wurden, freimütig Vorschläge für das Konzil einzureichen[29].

Fast alle deutschen Bischöfe sandten Voten ein[30]. In Länge und Duktus sehr unterschiedlich, teils eine detaillierte Auflistung von Änderungswünschen zum Kirchenrecht, teils auf einige zentrale Punkte konzentriert, zeichneten sich in ihnen doch einige Schwerpunktthemen ab[31]: An der Spitze die auf dem I. Vatika-

---

[26]	Döpfner, Katholizismus (wie Anm. 7), 5.20; vgl. Wittstadt, Perspektiven (wie Anm. 25), 90f; Gatz, Deutschland (wie Anm. 9), 89.

[27]	Zu den französischen Periti: Wittstadt, Vorabend (wie Anm. 25), 513-518. – Vgl. Herbert Vorgrimler, Karl Rahner verstehen. Eine Einführung in sein Leben und Denken (Herderbücherei 1192), Freiburg i.Br.-Basel-Wien 1985, 188f (Brief Karl Rahners aus Rom, 22. Oktober 1962); Yves Congar, Erinnerungen an eine Episode auf dem II. Vatikanischen Konzil, in: Elmar Klinger/Klaus Wittstadt (Hg.), Glaube im Prozeß. Christsein nach dem II. Vatikanum (FS Karl Rahner), Freiburg i.Br.-Basel-Wien 1984, 22-64.

[28]	Robert A. Krieg, Romano Guardini's Reception in North America, in: Geerlings/Seckler, Kirche sein (wie Anm. 24), 93-110.

[29]	ADCOV I,2,1 Xf.

[30]	ADCOV I,2,1 561-733; Keine Antwort liegt vor vom wohl durch die Vorbereitung des Eucharistischen Weltkongresses vollständig in Anspruch genommenen Münchener Erzbischof Joseph Kardinal Wendel († 31. Dezember 1960), ebenso von den Weihbischöfen Heinrich Baaken (Münster), Wilhelm Cleven (Köln), Joseph Ferche (Köln), Joseph Freusberg (Fulda), Josef Hiltl (Regensburg), Heinrich Roleff (Münster) und Wilhelm Tuschen (Paderborn). Die erst im Juni 1959 ernannten bzw. konsekrierten Weihbischöfe Alfred Bengsch (Berlin), Bernhard Schräder (Osnabrück, Sitz Schwerin) und Ferdinand Piontek (Breslau, Sitz Görlitz) waren wohl nicht in die Umfrage einbezogen. – Mathijs Lamberigts/Claude Soetens (Hg.), Á la veille du Concile Vatican II. Vota et réactions en Europe et dans le catholicisme oriental (Instrumenta Theologica 9), Löwen 1992; Pottmeyer, Voten (wie Anm. 24), 143-149; Wittstadt, Perspektiven (wie Anm. 25), 91-93; Victor Conzemius, Die Modernisierungsproblematik in den Voten europäischer Episkopate in: Kaufmann/Zingerle, Vatikanum II (wie Anm. 16), 107-129.

[31]	Conzemius, Modernisierungsproblematik (wie Anm. 30), 118f.

num nicht erfolgte Umschreibung der eigenständigen Rolle des Episkopats in der
Kirche, dann die Einführung der Muttersprache in der Liturgie, die Rolle der Lai-
en in der Kirche, entschlossene Schritte in Richtung Ökumenismus sowie eine
Reform des Breviers und die Abschaffung des Index; ebenfalls wiederholt gewünscht wurde die Wiederherstellung des Diakonates als eines eigenständigen
Amtes. Waren damit die deutschen Voten – wenigstens im Vergleich zu denen
aus den meisten anderen Ländern – im Hinblick auf die großen Themen des bevorstehenden Konzils „recht vorausschauend"[32], so ließen sie doch „die späteren
Konzilsereignisse nicht vorausahnen"[33].

Wie sonst nur die nationalen Bischofskonferenzen von Mexiko und Indonesi-
en gab die Fuldaer Bischofskonferenz auch ein gemeinsames Votum ab[34]. Dazu
richtete sie drei Bischofsausschüsse ein, die sich mit den zu behandelnden Lehr-
gegenständen, kirchenrechtlichen und disziplinären Fragen und der Wiedervereinigung der getrennten Christen befassen sollten[35]. Entsprechend weist die gemeinsame Stellungnahme der Konferenz vom 27. April 1960[36] drei Hauptteile
auf.

Der erste trägt die Handschrift von Kardinal Döpfner. Schon in seinem persönlichen Votum[37] hatte er auf die Diasporasituation und die teilweise Herrschaft
des dialektischen Materialismus in seinem Bistum Berlin hingewiesen; zur Be-
stärkung der Gläubigen und um weit darüber hinaus den Menschen neue Gewißheit zu vermitteln, sollte das Konzil in einem „anthropologischen Symbolum"
feierlich die Würde des Menschen proklamieren, seine Geschöpflichkeit, Personalität, seine religiöse und moralische Anlage und die Bestimmung zur Gemeinschaft. Diese Punkte wurden nahezu wörtlich in die Stellungnahme der Bischofskonferenz „circa doctrinam de dominio Dei et de dignitate hominis contra
hodiernos materialismi errores" übernommen[38].

Der folgende Teil „circa doctrinam de ecclesia a concilio proponendam"[39]
dürfte maßgeblich durch Erzbischof Jaeger geprägt worden sein; denn schon im

---

[32] Ebd., 122.
[33] Kaufmann, Einführung (wie Anm. 16), 26f.
[34] Zur Besonderheit dieses Vorgangs: Conzemius, Modernisierungsproblematik (wie Anm. 30), 117.123f.
[35] Weiß, Bischofskonferenz (wie Anm. 18), 28; Klaus Wittstadt, Der deutsche Episkopat und das Zweite Vatikanische Konzil bis zum Tode Papst Johannes' XXIII., in: Manfred Weitlauff/Karl Hausberger (Hg.), Papsttum und Kirchenreform. Historische Beiträge (FS Georg Schwaiger), St. Ottilien 1990, 745-763; 747f. – Volk, Schöpfung (wie Anm. 9), 44: „Wie ich viel später hörte, wurde das Votum der Fakultät von Münster [deren Dekan Volk damals noch war; ADCOV I,4,2 795-803] zur Grundlage der Stellungnahme der Deutschen Bischofskonferenz gemacht."
[36] ADCOV I,2,1 734-771. – Hierzu: Weiß, Bischofskonferenz (wie Anm. 18), 28-30; Wittstadt, Episkopat (wie Anm. 35), 751f.
[37] ADCOV I,2,1 577-593; Klaus Wittstadt, Kardinal Döpfners Vorstellungen vom Zweiten Vati-kanischen Konzil nach seinen „Consilia et Vota", in: WDGB 52 (1990) 439-446; Hermann J. Pottmeyer, Die Vorbereitung des Schemas „De ordine sociali" des 2. Vaticanums und die Kon-zilsvoten der deutschen Bischöfe, in: Georg Giegel/Peter Langhorst/Kurt Remele (Hg.), Glau-be in Politik und Zeitgeschichte (FS Franz Josef Stegmann), Paderborn 1995, 55-63; 59-62.
[38] ADCOV I,2,1 740-743.
[39] Ebd., 743-759.

ersten Satz wird die ökumenische Ausrichtung deutlich: „Alle wissen heute, daß die Ekklesiologie die Hauptkontroverslehre zwischen Katholiken und Protestanten ist." Stets mit Blick auf die aktuelle wissenschaftliche und ökumenische Diskussion wird eine umfassende Lehre über die Kirche vorgeschlagen, die den Fragen der getrennten Christen mit einer einladenden Darlegung der ganzen katholischen Wahrheit aus den Quellen der Offenbarung, mit biblischen und patristischen Argumenten antworten soll – den Fragen des Verhältnisses von sichtbarer und unsichtbarer Kirche, der von Christus gewünschten Einheit, der Aufgaben der Kirche, des kirchlichen Amtes, der apostolischen Sukzession, der Aufgaben von Bischöfen und Papst, der Stellung der Laien und des Verhältnisses zwischen dem Wort Gottes in Schrift und Tradition und dem Lehramt der Kirche. Abschließend wird die Einladung von Beobachtern aus den getrennten christlichen Gemeinschaften und die Einrichtung einer päpstlichen Kommission zur Förderung der Einheit der Christen befürwortet. Im übrigen durchzieht das ökumenische Anliegen auch fast alle Stellungnahmen der einzelnen Bischöfe[40].

Die Aussagen des dritten Hauptteils „circa res liturgicas"[41] gehen auf die Arbeit des Liturgischen Institutes in Trier zurück. Hauptpunkte einer Erneuerung sollten sein: Die Reform des kirchlichen Kalenders, des Breviers, des Pontifikale und des Rituale; eine erneuerte Meßfeier mit einer größeren Auswahl von Perikopen, wieder eingeführten Fürbitten, Konzelebration, fallweiser Kelchkommunion, Trennung der liturgischen Handlungsorte und Zelebration „versus populum"; schließlich – ein unter allen europäischen Episkopaten wiederkehrender Wunsch[42] – größerer Raum für die Volkssprache.

In einem Anhang[43] zur kirchlichen Disziplin werden die Bekräftigung der Zölibatsverpflichtung, eine Kurienreform, die Stärkung der Kompetenzen der Bischöfe (auch gegenüber den Orden), Stellung und Aufgaben der Laien, der Ablaß, die Abschaffung des Antimodernisteneides, die Bücherzensur und eine Reihe kirchenrechtlicher Fragen angesprochen.

Wesentliche Themen des Konzils – wie Liturgiereform, Quellen der Offenbarung, Ekklesiologie und Ökumene – sind also hier bereits präsent. Und die deutschen Bischöfe sahen sich damit ganz auf einer Linie mit den Anliegen des Papstes.

IV. Vor dem Konzil

Eine Reihe von Bischöfen äußerte sich zu den Aufgaben des kommenden Konzils auch in Vorträgen und Schriften[44].

---

[40] Wittstadt, Episkopat (wie Anm. 35), 750; ders., Perspektiven (wie Anm. 25), 88f; Conzemius, Modernisierungsproblematik (wie Anm. 30), 118-120.124.

[41] ADCOV I,2,1 759-762.

[42] Conzemius, Modernisierungsproblematik (wie Anm. 30), 123.

[43] ADCOV I,2,1 762-771.

[44] Wittstadt, Perspektiven (wie Anm. 25), 96-101.

Besonders bemerkenswert ist das Buch von Erzbischof Jaeger „Das ökumenische Konzil. Die Kirche und die Christenheit", das allein bis Oktober 1960 drei
Auflagen erreichte und nochmals das Anliegen der kirchlichen Einheit, aber auch
einen notwendigen Neuansatz der Mission und das Eingehen auf „die Problematik des modernen Menschen und des technischen Zeitalters" betonte[45].

Im November 1961 sprach Kardinal Frings im Rahmen einer Vortragsreihe in
Genua über „Das Konzil und die moderne Gedankenwelt", nach einem Konzept
des jungen Bonner Fundamentaltheologen und späteren Konzilstheologen des
Kardinals, Joseph Ratzinger[46]. Die darin gegebene Zeitdiagnose und die Forderung, daß die Kirche „in einem noch volleren Sinn als bisher Weltkirche werden" und „nach einer neuen Form der Verkündigung Ausschau [...] halten" müsse, daß deshalb nicht mehr „alle Gesetze für jedes Land gleichermaßen gelten
können" und so der bischöflichen Gewalt und den Einzelkirchen eine besondere Aufgabe zukomme, daß das Christentum alle „Anzeichen totalitären Verhal-
tens" vermeiden, vielmehr der Welt eine universale Hoffnung geben solle, um
so „dem Menschen von heute das Haus der Kirche wieder als sein Vaterhaus zugänglich zu machen, in dem er freudig und geborgen wohnen kann"[47] – dies alles „machte erheblichen Eindruck"[48] und fand auch die Anerkennung Johannes'
XXIII.

Das Konzilsengagement der deutschen Bischöfe war also groß – ebenso die
Enttäuschung, als im Juni 1960 die Zusammensetzung der vorbereitenden Kommissionen bekanntgegeben wurde, die die Aufgabe hatten, aus den eingegangenen Voten Schemata zu erstellen und (mit Ausnahme nur des neuen Einheitssekretariats) durchweg von der Kurie und Angehörigen römischer Hochschulen
dominiert waren. „Nun können wir alle Hoffnung begraben", soll damals ein
deutscher Bischof gesagt haben, „denn jetzt sei es klar, daß das Konzil ganz im
Sinne der Kurie verlaufen werde"[49].

Als 1961 die etwa 85-köpfige Zentralkommission (u.a. mit den Kardinälen
Frings und Döpfner) begann, die vorgelegten 72 Schemata zu prüfen, stellte sich
heraus, daß sie – nach Frings – „alle in einem ganz konservativen Geiste entworfen waren" und daß „diejenigen, die dem Konzil einen fortschrittlicheren Verlauf
wünschten, in einer fast hoffnungslosen Minderheit waren. Es waren die Kardinäle aus Mitteleuropa, der eine oder andere aus dem nördlichen Amerika und
aus dem südlichen Afrika, die an unsere Seite traten. [...] Es kam zu heftigen Zu-
sammenstößen mit der konservativen Gruppe, die vor allem von [Kardinal Alfre-
do] Ottaviani geführt wurde. Es ging besonders um Thesen, die vom Sekretariat
für die Einheit der Christen unter Kardinal Bea aufgestellt worden waren. Sie waren heiß umkämpft, besonders die Frage über die religiöse Freiheit"[50].

---

[45] Lorenz Jaeger, Das ökumenische Konzil. Die Kirche und die Christenheit. Erbe und Auftrag
   (KKSMI 4), Paderborn ³1960, besonders 108-117.
[46] Josef Frings, Das Konzil und die moderne Gedankenwelt, Köln 1962; Frings, Menschen (wie
   Anm. 6), 248f.
[47] Frings, Konzil (wie Anm. 46), 11.16.29f.
[48] Frings, Menschen (wie Anm. 6), 249.
[49] Ebd., 247f.
[50] Ebd., 249f.

Wie schon im Vorfeld die später so genannte „Allianz" unter den Vätern zunächst durch gemeinsame Kritik zusammenfand, wird noch deutlicher aus den Erinnerungen des Mechelner Kardinals Leo Suenens: „Während wir die Vorbereitungstexte des Konzils diskutierten, konnte man bemerken, daß einige Kardinäle sich immer ähnlich verhielten. Man hat sie später ‚die Kardinäle von Nordeuropa' genannt. Zu ihnen gehörte auch der kanadische Kardinal [Paul Emile] Léger [von Montreal]. Wir meldeten uns stets zu Wort, um zu sagen, das vorliegende Schema sei wertlos und solle dem Konzil nicht unterbreitet werden. [...] Dies haben wir bei vielen Vorbereitungsschemata des Konzils wiederholt. Dabei hatte ich zum ersten Mal die Gelegenheit, die improvisierten Wortmeldungen von Kardinal Döpfner zu bewundern. [...] Zusammen mit einigen anderen Kardinälen schrieben wir einen gemeinsamen Brief an Papst Johannes XXIII., um ihm zu sagen: ‚Eure Heiligkeit, diese Schemata muß man um Gottes willen begraben und darf sie dem Konzil nicht unterbreiten! Sie werden mit Sicherheit zurückgewiesen werden.' .. Wir haben also gemeinsam diesen aussichtslosen Kampf versucht, und das hat uns zusammengebracht"[51]. Ein noch im Mai 1962 von den Kardinälen Frings und Döpfner unternommener Versuch, den Papst zu einer Verschiebung des Konzilsbeginns zu bewegen, weil „die Vorbereitungen noch nicht vertrauenerweckend schienen", mußte bei Johannes XXIII. erfolglos bleiben[52].

Über die im Sommer 1962 allen Konzilsteilnehmern zugestellten ersten sieben Schematexte beriet im September in Mainz auf einem dreitägigen Treffen unter Leitung von Bischof Hermann Volk eine Anzahl von ihren jeweiligen Bischöfen entsandter Theologen[53]: Johann Baptist Hirschmann (für Bischof Hengsbach), Otto Semmelroth, Alois Grillmeier (für Bischof W. Kempf) und Heinrich Bacht aus Frankfurt, Eduard Stakemeier aus Paderborn (für Erzbischof Jaeger), Joseph Ratzinger aus Bonn (für Kardinal Frings), Johannes Feiner aus Chur und Karl Rahner aus Innsbruck (für den Wiener Erzbischof Kardinal Franz König). Vorangegangen waren Besprechungen Rahners mit Kardinal Döpfner in München[54]. „Meine schlimmsten Erwartungen sind weit übertroffen", sagte der Mainzer Weihbischof Joseph Reuß zu Karl Rahner, und einhellig war die Ablehnung der dogmatisch-moraltheologischen Schemata als „einer müden, grauen römischen Schultheologie, die gar nicht imstande ist zu merken, wie wenig sie es vermag, so zu sprechen, daß sie von einem Menschen von heute verstanden wird"[55]. Gefallen fand dagegen das von der Liturgischen Bewegung geprägte Liturgieschema, darum sollten die Konzilsberatungen auch damit beginnen.

---

[51] Leo Jozef Suenens, Kirche und Bischofsamt nach dem Zweiten Vatikanischen Konzil. In memoriam Julius Cardinal Döpfner. Vortrag bei der Jahresfeier der Katholischen Akademie in Bayern am 1. April 1977 in München, München 1977, 16f.

[52] Frings, Menschen (wie Anm. 6), 251.

[53] Weiß, Bischofskonferenz (wie Anm. 18), 32f; Roman Siebenrock, „Meine schlimmsten Erwartungen sind weit übertroffen". Analyse der Kritik an den Schemata der Zentralkommission im August/September 1962 durch eine deutsche Gruppe von Theologen und Bischöfen nach den Notizen und Erläuterungen Karl Rahners für Kardinal König, in: Wittstadt/Verschooten, Beitrag (wie Anm. 15), 121-139; Wittstadt, Vorabend (wie Anm. 25), 477.

[54] Siebenrock, Erwartungen (wie Anm. 53), 122.

[55] Ebd., 137.

Diese Wertungen fanden Eingang in eine ganze Reihe von „Animadversiones" deutscher Bischöfe, die noch im September nach Rom gesandt wurden. Ganz ähnlich war übrigens – unabhängig davon – das Ergebnis eines Treffens von 17 niederländischen Bischöfen in 's-Hertogenbosch[56]. Doch erst nach Konzilsbeginn konnte deutlich werden, wie verbreitet dieses Unbehagen unter den Konzilsvätern war.

Am Sonntag, den 23. September 1962, wurde in den Kirchen der Bundesrepublik Deutschland bei allen Gottesdiensten ein Aufruf der deutschen Bischöfe zum Konzilsbeginn verlesen, den die Bischofskonferenz bei ihrem Treffen in Fulda vom 27.-30. August beschlossen hatte und der neben konventionellen Mahnungen zur Umkehr auch einige für das Konzil später bedeutsame Akzente enthält[57]. Die Gläubigen wurden einerseits zur Selbstbesinnung angesichts von Materialismus, der „unersättlichen Genußgier und Vergnügungssucht unserer Tage" und „der heillosen Zerrüttung so vieler Ehen und Familien" aufgerufen. Eingestanden wurde die „schmerzliche Tatsache", daß im Zuge der stürmischen Industrialisierung Deutschlands „viele Christen die Verbindung mit der Kirche verloren und ihr religiöses Leben aufgaben". „Unser Confiteor vor dem Konzil soll auch das jahrhundertealte Ärgernis der Spaltung der Christenheit nicht umgehen. Gerade in Deutschland, wo die abendländische Glaubensspaltung ihren Ursprung hatte, leiden wir besonders an dieser tiefen Wunde des mystischen Leibes Christi. [...] In dieser historischen Stunde rufen wir unsere Diözesanen auf zur ernsten Sühne für all die furchtbaren Verbrechen, die von gottlosen Machthabern im Namen unseres Volkes gegen die grundlegenden Menschenrechte verübt wurden. Erneut erinnern wir in diesem Sühneappell insbesondere an die unmenschliche Vernichtungsaktion gegen das jüdische Volk [...]". Neben Gebet und Buße wurden auch die „persönlichen Werke der Caritas" und die „Mitsorge für die Weltmission sowie die großen Hilfsaktionen ‚Misereor' und ‚Adveniat'" empfohlen.

V. DIE DEUTSCHEN BISCHÖFE AUF DEM KONZIL

Anfang Oktober reisten die deutschen Bischöfe mit Flugzeug und Auto an und bezogen nahezu durchweg Quartiere in geistlichen Häusern[58]. Drei (darunter Kardinal Döpfner) wohnten im Germanicum, vier (darunter Kardinal Frings) im deutsch-österreichischen Priesterkolleg „Santa Maria dell'Anima".

Hier fand am 10. Oktober, dem Vortag der Konzilseröffnung, das erste Treffen der deutschen Bischöfe (einschließlich der auf der Fuldaer Bischofskonferenz sonst nicht vertretenen Weihbischöfe) statt. Diese Zusammenkünfte[59] – regel-

[56] Wiltgen, Rhein (wie Anm. 3), 23f; Wittstadt, Vorabend (wie Anm. 25), 479.
[57] Text in: HerKorr 17 (1962/63) 49-51.
[58] Wittstadt, Vorabend (wie Anm. 25), 556; Josef Zimmermann, Erlebtes Konzil. Briefe vom Zweiten Vatikanischen Konzil 1962-1965, Augsburg 1966, 9.
[59] Frings, Menschen (wie Anm. 6), 252.291.245 („Die Fuldaer Konferenz hat sich auch bewährt, als das Konzil begann. Wir waren wohl die ersten, die als geschlossene Nationalkonferenz auf

mäßig am Montagabend, aber nach Bedarf auch zusätzlich – stellen eine wichtige „Substruktur" des Konzils und eine entscheidende Voraussetzung für die deutsche Wirksamkeit dar. Diese Gelegenheit zum Kennenlernen und zu Gesprächen weitete sich bald auf die ganze deutsche Sprachgruppe aus; mit den Bischöfen aus Österreich und der deutschsprachigen Schweiz, den deutschen Missionsbischöfen und den Bischöfen von Luxemburg, Brixen und Straßburg war hier eine auch zahlenmäßig nicht ganz geringe Gruppe von Vätern versammelt. Einberufung und Vorbereitung lagen bei Kardinal Frings, in der Leitung wechselte er sich mit dem Wiener Kardinal König ab.

Im Gegensatz zur Konzilsaula war im überschaubaren Rahmen die direkte, offene Debatte möglich – zur Vor- und Nachbereitung der Generalkongregationen, zur Klärung wichtiger Fragen. Bischöfe und Theologen hielten Vorträge[60], Kommissionsmitglieder berichteten von den Kommissionsarbeiten. Das Vorgehen in den Generalkongregationen wurde besprochen, und angesichts der beschränkten Redezeit wurden die einzelnen Beiträge aufeinander abgestimmt, um Wiederholungen zu vermeiden und die Zeit möglichst effektiv zu nutzen. Solche Beiträge wurden dann jeweils im Namen von 60-80 Vätern vorgetragen, was ihnen natürlich verstärktes Gewicht verlieh[61].

Einen kleinen Einblick in dieses Vorgehen bietet eine Briefstelle Rahners vom 7. Oktober 1963: „Eben nochmals [den Innsbrucker Administrator Paulus] Rusch angerufen. Er hat die Sache weitergegeben an den Weihbischof von Fulda [Eduard Schick], damit er darüber redet[62]. Denn Rusch muß heute über die Kollegialität in der Schrift reden[63] und braucht dafür die ganze Zeit von 10 Minuten. Man muß die Themen so verteilen und sich die Bälle gegenseitig zuspielen. Am Donnerstag hab ich mit [dem Münchener Kanonisten Klaus] Mörsdorf [...] einen Text für die Aula und entsprechende Verbesserungsvorschläge für den Schematext selbst gemacht über das Verhältnis der zwei potestates und der drei munera im Amt der Kirche [...] Das hat [der Bischof von Münster Joseph] Höffner[64] anzubringen übernommen"[65].

Die Väter konnten sich der Zuarbeit der deutschsprachigen Periti und der bischöflichen Konzilstheologen bedienen[66], von denen wichtige Namen ja bereits

---

traten."); Wolfgang Seibel, Zwischenbilanz zum Konzil. Berichte und Dokumente der deutschen Bischöfe, Recklinghausen 1963, 16-17.25f; Weiß, Bischofskonferenz (wie Anm. 18), 34; Zimmermann, Konzil (wie Anm. 58), 10.12.136; Joseph Ratzinger, Kardinal Frings und das II. Vatikanische Konzil, in: Dieter Froitzheim (Hg.), Kardinal Frings. Leben und Werk, Köln ²1980, 191-205; 199f.

60 Vgl. einen Brief Karl Rahners an Herbert Vorgrimler, Rom, 19. Oktober 1962: „Letzte Woche habe ich vor den deutschen, österreichischen und Schweizer Bischöfen über das zweite dogmatische Schema [über das „Depositum fidei"] 3/4 Stunden geredet. Wirklich so massiv, wie wenn ich Dir etwas sagte. Frings war Vorsitzender der Versammlung. Er sagte am Schluß dieser Abschlachtung, er sei mit allem einverstanden, eine Diskussion sei eigentlich überflüssig. Und niemand widersprach". Vorgrimler, Rahner (wie Anm. 27), 187f.

61 Weiß, Bischofskonferenz (wie Anm. 18) 37.

62 ASCOV II,2 396-399 (10. Oktober 1963, im Namen der deutschsprachigen und skandinavischen Bischöfe).

63 ASCOV II,2 477-479 (11. Oktober 1963, im Namen von 69 deutschen und österreichischen Bischöfen).

64 ASCOV II,2 522-524 (14. Oktober 1963, im Namen von 69 deutschsprachigen Bischöfen).

65 Vorgrimler, Rahner (wie Anm. 27), 211.

genannt wurden: Dieser „Braintrust" lieferte Redevorlagen, Texte für Eingaben und Modi und (im Fall der Dekrete über die Offenbarung und die Kirche) auch ganze Schema-Neuentwürfe, die die endgültigen Texte oft in erheblichem Maß beeinflußt haben. Allerdings blieben diese Vorlagen mitnichten unverändert; so seufzte Rahner im Oktober 1963 einmal über Kardinal Döpfner: „Ich habe ihm gestern den Text gemacht und er hat natürlich daran herumgeändert"[67].

Diese Aktivitäten waren dann – wie noch darzulegen ist – immer noch mit Vätern anderer Sprachgruppen besprochen und abgestimmt.

Wenn nach Franz Xaver Kaufmann[68] die Kommunikationsstruktur des Konzils gekennzeichnet ist durch eine unendliche Vielzahl „von Gesprächen in Cafeterias[69], Zusammenkünften in kirchlichen Häusern, nächtlichen Debatten um entscheidende Textstücke, mutigen Reden in der Konzilsaula und überlegten Modi der Konzilsväter", wenn es hierbei insbesondere auf „die Vernetzung unendlich

---

[66] Karl Neufeld, Der Beitrag Karl Rahners zum II. Vatikanum, in: Wittstadt/Verschooten, Beitrag (wie Anm. 15), 109-119; Wittstadt, Vorabend (wie Anm. 25), 507-513. Siehe hierzu vor allem den Beitrag von Günther Wassilowsky in diesem Band.

[67] Vorgrimler, Rahner (wie Anm. 27), 210. Vgl. Klaus Wittstadt, Julius Kardinal Döpfner und das Zweite Vatikanische Konzil, in: WDGB 53 (1991) 291-304; 297f; Gerhard Gruber, Moderator des II. Vatikanums, in: Klaus Wittstadt (Hg.), Julius Kardinal Döpfner 26. August 1913 bis 24. Juli 1976 (WDGB 58 [Ergänzungsband]), Würzburg 1996, 182-191; 189 (35). – Die Arbeitsweise von Kardinal Frings schildert sein ehemaliger Konzilstheologe Joseph Ratzinger: „Wie hat der Erzbischof eigentlich seine Reden gebaut? Es wäre viel zu simpel, hier auf seine Haustheologen zu verweisen. Frings hat nie den kürzesten Weg zu einer Rede gewählt, nämlich sich einfach einen Text verfassen zu lassen – das wäre übrigens schon bei seinem Augenleiden und dem Zwang zum freien Sprechen schwierig gewesen. Der Weg begann damit, daß er sich zunächst das betreffende Schema vorlesen ließ. Diese Lektüre wurde vielfach durch Zwischenfragen unterbrochen, bei denen der sprachliche und gedankliche Sinn des Textes geklärt und so auch schon in einem ersten Schritt die sachliche Durchdringung vorbereitet wurde. Dann wurden die problematischen Stellen noch einmal vorgenommen, nochmals gelesen, nochmals interpretiert und nun auch schon inhaltlich diskutiert. So ergab sich schließlich von selbst ein Gespräch über das Ganze, in dem die Hauptlinien der Stellungnahme erarbeitet wurden. In diesem Stadium wurde dann der Entwurf eines Redetextes in Auftrag gegeben. Hernach ließ er sich diesen Redetext vorlesen; er wurde dann wieder in ähnlicher Weise diskutiert, wie vorhin das Schema, wobei sich zwangsläufig die verschiedensten Änderungen ergaben. Anschließend begann Frings mit dem Memorieren, bei dem sich ihm Formulierungen und Gedanke endgültig klärten. Die von ihm erarbeitete Redefassung diktierte er dann seinem Sekretär. Übrigens kam es vor, daß er im nochmaligen Memorieren nach dem Diktat den Text abermals umstieß und dann erst die endgültige Fassung festlegte. Was seine Mitarbeiter in diesem ganzen Prozeß immer wieder bewegte, war zunächst die Lernbereitschaft und die Demut des greisen Kardinals. Er wollte das ganze Geflecht der Argumentation, der historischen und der sachlichen, so genau wie möglich kennenlernen; er war immer bereit, bisher Angenommenes im Licht neuer Gründe zu überprüfen, sich zu korrigieren und neue Einsicht aufzunehmen. Aber ebenso deutlich war, daß er Begründung heischte und Überzeugung von den Quellen des Glaubens her suchte. Frings hat nie einfach eine Expertenrede vorgetragen, sondern nur das, was ihm im sorgsamen Disput selbst zur Überzeugung geworden war. Seine Reden waren zuletzt immer wirklich *seine* Reden, auch und gerade wenn ihm für die Urteilsbildung das Gespräch notwendig schien." Ratzinger, Frings (wie Anm. 59), 202f; vgl. Frings, Menschen (wie Anm. 6), 266.

[68] Kaufmann, Konzil (wie Anm. 15), 23.

[69] Zur Konzilscafeteria „Bar Jona": Frings, Menschen (wie Anm. 6), 262; Wittstadt, Vorabend (wie Anm. 25), 549.

vieler kleiner Zirkel" und „die Verbindung einer informellen und einer formellen Struktur" ankommt, dann waren die montäglichen Zusammenkünfte in der „Anima" sicher ein entscheidender „Knoten" in diesem Kommunikationsnetz.

Auf dem schon erwähnten ersten Treffen am 10. Oktober hielt nicht nur Joseph Ratzinger einen „schönen Vortrag"[70] über das Offenbarungsschema, es wurde auch besprochen, „welche deutschen Bischöfe als Mitglieder der Kommissionen geeignet seien, und es wurden verschiedene Namen genannt. [...] Bezüglich dieser Frage hatte" – so Frings – „[der Bonner Kirchenhistoriker] Professor [Hubert] Jedin mir den Tip gegeben, die Wahl der Kommissionsmitglieder sei außerordentlich wichtig für den weiteren Verlauf des Konzils"[71]. So waren die berühmten Ereignisse der ersten Generalkongregation am 13. Oktober doch nicht so spontan und überraschend, wie es den Anschein haben mochte[72].

Das Generalsekretariat hatte schon für diesen Termin die Wahl der Kommissionsmitglieder angesetzt und für die Väter, die einander zum großen Teil noch nicht kannten, Namenslisten vorbereitet mit der Erwartung, daß die Mitglieder der vom Papst ernannten vorbereitenden Kommissionen wiedergewählt würden. Aus der Reihe der zehn Konzilspräsidenten ergriffen nun unprogrammgemäß die Kardinäle Achille Liénart von Lille und Frings (dieser zugleich im Namen der Kardinäle Döpfner und König) das Wort und forderten die Verschiebung dieser wichtigen Entscheidung, um Gelegenheit zum Kennenlernen und zur Erstellung von Wahlvorschlägen durch die Bischofskonferenzen zu geben[73]. Trotz des offiziellen Beifallverbots verzeichnete das Protokoll bei diesen Beiträgen sechsmal „Plausus in aula".

Joseph Ratzinger: „Das Konzil war entschlossen, selbständig zu handeln und sich nicht zum Vollstreckungsorgan der vorbereitenden Kommissionen zu degradieren"[74]. Kardinal Frings im Rückblick: „Man hat sich vielfach darüber gewundert, daß ich auf dem Konzil und schon zu Anfang eine führende Rolle einnahm

---

[70] Zimmermann, Konzil (wie Anm. 58), 10.

[71] Frings, Menschen (wie Anm. 6), 252; vgl. Hubert Jedin, Lebensbericht. Mit einem Dokumentenanhang, hg. von Konrad Repgen (VKZG.Q 35), Mainz 1984, 203f.

[72] Andrea Riccardi, La tumultuosa apertura dei lavori, in: Giuseppe Alberigo/Alberto Melloni (Hg.), Storia del concilio Vaticano II. Bd. II: La formazione della coscienza conciliare. Il primo periodo e la prima intersessione (ottobre 1962 – settembre 1963), Bologna 1996, 21-86; 50f. – Zu den Ereignissen und ihrer Bewertung: Frings, Menschen (wie Anm. 6), 253-255; Hubert Jedin, Kardinal Frings auf dem Zweiten Vatikanischen Konzil, in: Gabriel Adriányi (Hg.), Festgabe für Bernhard Stasiewski zum 75. Geburtstag, Leverkusen-Opladen-Bonn 1980, 7-16; 9f; Joseph Ratzinger, Die erste Sitzungsperiode des Zweiten Vatikanischen Konzils. Ein Rückblick, Köln 1963, 14f; Ratzinger, Frings (wie Anm. 59), 193f; Volk, Schöpfung (wie Anm. 9), 49f; Zimmermann, Konzil (wie Anm. 58), 14-17; Seibel, Zwischenbilanz (wie Anm. 59), 169-171.

[73] ASCOV I,1 207f; zweisprachig bei Froitzheim, Kardinal Frings (wie Anm. 59), 214-217. – Der Text der Rede von Kardinal Frings lautet: „Ehrwürdige Väter, wir d.h. Julius Kardinal Döpfner, Franz Kardinal König und ich, Kardinal Frings, stimmen dem zu, was Kardinal Liénart gesagt hat. Wir schlagen vor, daß die Wahl der Kommissionsmitglieder verschoben wird bis zur nächsten Generalkongregation [...], damit nicht eine Sache von so großer Wichtigkeit mehr oder weniger dem Zufall überlassen bleibt, und damit die Väter einige Tage Zeit haben, um sorgfältig zu überlegen und untereinander abzusprechen, wen sie für besonders geeignet halten. Dixi."

[74] Ratzinger, Erste Sitzungsperiode (wie Anm. 72), 14.

und mich neuen Dingen geöffnet zeigte. Aber während des Konzils waren wir Bischöfe eben in einer ganz außergewöhnlichen Lage. [...] Wir waren aufgerufen, zusammen mit dem Papst der ganzen Kirche neue Gesetze zu geben und die Wahrheiten des Glaubens in neue Ausdrucksformen zu fassen. Das war eine gewaltige Aufgabe, die die Initiative des einzelnen aufs stärkste hervorrief"[75].

Das Präsidium verschob die Wahl. In den folgenden hektischen Tagen kamen die bereits aus der Vorbereitungszeit bestehenden Kontakte zum Tragen. Kardinal Frings lud noch am selben Nachmittag die Kardinäle Bernard Jan Alfrink (Utrecht), Suenens, Liénart, König und Döpfner sowie weitere Mitteleuropäer zu sich zur Erstellung einer gemeinsamen Liste. Sie sollte aber nicht auf die eigenen Herkunftsländer beschränkt bleiben, sondern – um bessere Chancen zu haben – bewußt universal angelegt sein. Mit Hilfe zahlreicher Gespräche, des Telephons und eines altersschwachen Vervielfältigungsapparats[76] gelang es, eine gemeinsame Liste der Bischofskonferenzen von Deutschland, Österreich, Belgien, Frankreich, der Schweiz, der Niederlande, Jugoslawiens und Skandinaviens vorzulegen[77]. Von dieser 109 Namen umfassenden Liste waren schließlich 80 unter den 160 gewählten Kommissionsmitgliedern[78]. Deutschland allein war mit 11 Vätern in allen Kommissionen bis auf eine vertreten.

Angesichts dessen, daß viele Bischöfe einander ja nicht kannten, dürften gerade die Bekanntheit und das internationale Ansehen, das Kardinal Frings als Repräsentant der deutschen Hilfswerke im Weltepiskopat genoß, hier wie überhaupt bei den Abstimmungen eine erhebliche Rolle gespielt haben[79].

---

[75] Frings, Menschen (wie Anm. 6), 255f.
[76] Ebd., 254; Ratzinger, Kardinal Frings (wie Anm. 59), 193.
[77] ASCOV I,1 41-44.
[78] Wahlergebnis: Ebd., 80-89. – Zu den deutschen Vertretern in den einzelnen Kommissionen siehe: Wittstadt, Deutsche Quellen (wie Anm. 4), 24f. – Wiltgen, Rhein (wie Anm. 3), 18f.
[79] Luitpold A. Dorn, Paul VI. Der einsame Reformer, Graz-Wien-Köln 1989, 169: „Da gab es viele Konzilsväter aus der Dritten Welt, die wenig Latein verstanden und sich um den theologischen Krimskrams nicht kümmerten, die nur den Namen Frings hörten, damit finanzielle Hilfestellung der deutschen Ortskirche für ihre eigenen Diözesen verbanden und so abstimmten, wie es der Kölner Kardinal vorgeschlagen hatte."; Wiltgen, Rhein (wie Anm. 3), 55; Norbert Trippen, Joseph Kardinal Frings (1887-1978). Persönlichkeit eines Konzilsvaters, in: Wittstadt/Verschooten, Beitrag (wie Anm. 15), 67-85; 75f; Hubert Wolf, Vom Nutzen der Historie für die Interpretation des II. Vatikanums, in: Peter Hünermann/Jan-Heiner Tück (Hg.), Das II. Vatikanum. Christlicher Glaube im Horizont globaler Modernisierung. Einleitungsfragen (Programm und Wirkungsgeschichte des II. Vatikanums 1), Paderborn-München-Wien-Zürich 1998, 159-164; 160. – Zimmermann, Konzil (wie Anm. 58), 17: „Als ich sie [die gewählten Kommissionsmitglieder] bei ihrer Verlesung fortlaufend mit den Namen unseres Wahlvorschlags verglich, stellte ich mit freudigem Erstaunen fest, daß bis zu 90 Prozent unsere Kandidaten durchgegangen waren. Man sagte mir, daß dies nicht zuletzt den Bischöfen der Länder zu verdanken war, die uns wegen der Aktionen ‚Misereor' und ‚Adveniat' sehr gewogen sind." – Vgl. den Bericht Bischof Hengsbachs im „Ruhrwort" vom 15. Dezember 1962: „Viele, viele Bischöfe aus aller Welt, zumal aus Lateinamerika, kamen auf uns zu, ums uns und durch uns den deutschen Katholiken zu danken und uns erneut ihre oft unglaubliche Not zu schildern." (Seibel, Zwischenbilanz [wie Anm. 59], 17); ähnlich der Fastenhirtenbrief Bischof Leiprechts 1963: „Jeder Konzilsteilnehmer wußte, daß der andere sein Bruder in Christus war. [...] Darum konnten auch die an materiellen Gütern armen Bischöfe aus den Missionsländern getrost ihre Sorgen ausbreiten vor ihren Mitbrüdern, in deren Diözesen die wirtschaftlichen Verhältnisse günstiger sind. Sie haben es getan mit einer Offenheit und einem Vertrauen, wie es

Joseph Ratzinger wertete das Wahlergebnis: „Jene Bischöfe, von denen man eine Fortführung des Impulses der ersten Generalkongregation erwarten durfte, erhielten bei weitem die größten Mehrheiten. Insofern hatte das Konzil in diesen ersten Tagen bereits seine Richtung grundsätzlich bestimmt"[80].

Die Wahl brachte für die „Fortschrittlichen" einen Umschlag in ihrer Position: von der Minderheit während der Konzilsvorbereitung hin zur Majorität. Eine internationale Bischofsgruppe hatte sich herausgebildet, deren Kern die Mitteleuropäer stellten[81]. Aber auch zahlreiche Missionsbischöfe konnten dazu gerechnet werden, zum Teil ja europäischer Herkunft und zudem wohl aus ihrer pastoralen Situation heraus auch grundsätzlich geneigt zu einer Theologie, die Kirche als geschichtliche Größe betrachtete, zu Dezentralisierung und Stärkung des Bischofsamtes[82]; denn ebenso wie Zentral- und Nordeuropa waren ihre Sprengel nicht geschlossen katholisch und standen damit im Gegensatz zu den staatskirchlichen Systemen etwa in Italien und Spanien, deren Bischöfe (zusammen mit den Vertretern der Kurie) den Kern der „Konservativen" darstellten. Eine kleine italienische Gruppe allerdings um den Mailänder Erzbischof Kardinal Giovanni Battista Montini konnte man auch zu den Sympathisanten der „Allianz" zählen. Am Tag vor der Kommissionswahl hatte Kardinal Döpfner Montini aufgesucht, und gegen Ende der ersten Periode (am 5. Dezember 1962) hat dieser mit einer prinzipiellen Erklärung zum Kirchenschema[83] seine Position klargemacht[84].

Überhaupt hatten sich nun – wo sie bisher nicht existierten – „schnell und spontan [...] nationale und regionale Bischofskonferenzen" gebildet[85]. Man darf sie sich aber keinesfalls als abgeschlossene Einheiten vorstellen. Für den gegenseitigen Kontakt bestand ein Ausschuß von 18 Konferenzen, in dem Bischof Jo-

---

eben nur unter Brüdern in Christus möglich ist. Wie innig haben sie den katholischen Christen aus den deutschen Diözesen gedankt für ihre großzügige Hilfe in den Werken ‚Misereor' und ‚Adveniat'. Diese Dankbarkeit war so herzlich und aufrichtig, daß wir manchmal fast in Verlegenheit gekommen sind. Denn gemessen an der übergroßen Not in einem weiten Teil der Welt ist es ja nicht viel, was wir tun konnten. Daß alles getan wurde in der Liebe Christi zu den Brüdern und Schwestern, das hat diese Gaben noch viel wertvoller gemacht." (Ebd., 55). – Zur Geschichte der deutschen Hilfswerke siehe den Beitrag von Sylvie Toscer in diesem Band; Erwin Gatz, Karitas und kirchliche Hilfswerke, in: HKG (J) Bd.VII, 437-458; 454f; Karl Josef Rivinius, Die Entwicklung des Missionsgedankens und der Missionsträger, in: Gatz, Katholiken (wie Anm. 20), 213-305; 291-293.

80 Ratzinger, Erste Sitzungsperiode (wie Anm. 72), 20.
81 Ebd. 18f; Hilari Raguer, Fisionomia iniziale dell'assemblea, in: Alberigo/Melloni, Storia II (wie Anm. 72), 193-258; 230-233; Seibel, Zwischenbilanz (wie Anm. 59), 43-51; Döpfner, Katholizismus (wie Anm. 7), 8f; Frings, Menschen (wie Anm. 6), 250. – Zu den Kontakten unter den Ex-Germanikern siehe: Zimmermann, Konzil (wie Anm. 58), 27.113.224.
82 Klaus Schatz, Allgemeine Konzilien – Brennpunkte der Kirchengeschichte (UTB 1976), Paderborn-München-Wien-Zürich 1997, 290f.
83 ASCOV I,4 291-294.
84 Klaus Wittstadt, Julius Kardinal Döpfner – Eine bedeutende Persönlichkeit des II. Vatikanischen Konzils, in: Wittstadt/Verschooten, Beitrag (wie Anm. 15), 45-66; 54.59f; Wittstadt, Episkopat (wie Anm. 35), 759f; Klaus Wittstadt, Vorschläge von Julius Kardinal Döpfner an Papst Paul VI. zur Fortführung der Konzilsarbeiten (Juli 1963), in: Wittstadt, Döpfner (wie Anm. 67), 135-156; 140.
85 Döpfner, Katholizismus (wie Anm. 7), 9.

seph Höffner von Münster die deutschsprachigen Bischöfe vertrat[86]. Die jeweiligen Treffen wurden auch von Mitgliedern anderer Konferenzen besucht; so kam
der Brixener Bischof Joseph Gargitter als italienischer Vertreter in die „Anima",
Bischof Léon-Arthur Elchinger von Straßburg für die Franzosen[87]. Bischof Höffner besuchte auch die spanische Bischofskonferenz.

Das Erlebnis der Kirche als Weltkirche – es kehrt in den Predigten, Zeitungsartikeln, Hirtenbriefen und Interviews, in denen die deutschen Konzilsväter den
Gläubigen daheim von der ersten Sitzungsperiode berichteten, als erster und
überwältigender Eindruck immer wieder[88]. Und die internationalen Kontakte
machten sicher ein Gutteil des deutschen „Erfolges" aus.

Es ist hier nun weder möglich noch notwendig, durch die vier Tagungsperioden alle Aktivitäten der deutschen Bischöfe (114 Reden[89] und mindestens noch einmal so
viele schriftlich eingereichte Stellungnahmen) weiterzuverfolgen. Einige Schwerpunkte müssen genügen, wobei vorab festgestellt werden kann, daß vielbeachtete und
als wegweisend empfundene Stellungnahmen am Beginn der jeweiligen Debatten
über ein Thema oft von den Kardinälen Frings oder Döpfner vorgebracht wurden.

Die Konzilsberatungen begannen in der 4. Generalkongregation mit dem von
deutscher Seite grundsätzlich befürworteten Liturgieschema, allerdings mit einem Mißklang: Frings und Döpfner mußten feststellen, daß im vorgelegten Text
die Bemerkungen der Zentralkommission nicht berücksichtigt worden waren[90].
Döpfners Rede über Kompetenzen der Bischofskonferenzen im liturgischen Bereich (9. November 1962) war mit ihren ekklesiologischen Implikationen schon
ein Vorverweis auf die Kirchendebatte[91].

Für die Ablehnung des Offenbarungsschemas gingen die Bischöfe der „Allianz" erstmals geschlossen in die Offensive[92]. Die Abstimmung, ob der vorgelegte Entwurf als Diskussionsgrundlage abgelehnt werden solle, verfehlte zwar
(dank trickreicher Fragestellung) knapp die nötige Zweidrittelmehrheit. Doch
manifestierte sich hier der Wille der überwiegenden Mehrheit so eindrucksvoll,
daß der Papst selbst das Schema absetzen ließ. Rahner und Ratzinger hatten zuvor für die deutschsprachigen Bischöfe einen völlig neuen Text entworfen, der

---

[86] Seibel, Zwischenbilanz (wie Anm. 59), 26f.

[87] Klaus Wittstadt, Der Straßburger Bischof Léon-Arthur Elchinger. Ein Anwalt der Menschen
und der Humanität auf dem Zweiten Vatikanischen Konzil, in: Geerlings/Seckler, Kirche sein
(wie Anm. 24), 117-139; 118. – Ratzinger, Frings (wie Anm. 59), 199f.

[88] Vgl. Seibel, Zwischenbilanz (wie Anm. 59), 12-30.

[89] Siehe die Übersicht im Anhang. „Spitzenreiter" bei den Reden waren: Kardinal Frings (19),
Kardinal Döpfner (16), Kardinal Jaeger (14), Bischof Volk (10), Weihbischof Reuß (7), Bischof Hengsbach (6) sowie die Bischöfe Höffner, W. Kempf und Weihbischof Schick (je 5).
Rechnet man auch Kardinal Bea zu den „deutschen" Konzilsvätern, wären dessen 19 Wortmeldungen noch hinzuzuzählen. – Kardinal Döpfner hielt von den deutschen Bischöfen durchweg die längsten Reden; bei ihm sind auch besonders zahlreich Abweichungen des nachträglich schriftlich eingereichten Redetextes von der gehaltenen Rede festzustellen.

[90] Wittstadt, Döpfner (wie Anm. 84), 54.

[91] ASCOV I,4 183-189; Ratzinger, Erste Sitzungsperiode (wie Anm. 72), 30f.

[92] In der 59. Generalkongregation folgten fast unmittelbar aufeinander die ablehnenden Stellungnahmen der Kardinäle Liénart, Frings, Léger, König, Alfrink, Suenens, Joseph Ritter (St. Lou-
is) und Bea; ASCOV I,3 32-36.41-52; Weiß, Bischofskonferenz (wie Anm. 18), 34f; Zimmermann, Konzil (wie Anm. 58), 38-41.

durch Kardinal Frings weiteren Kardinälen (Alfrink, König, Liénart, Suenens, Montini, Siri) vorgelegt und auf deren positive Reaktion hin für alle Väter vervielfältigt worden war[93].

Ebenso war beim Kirchenschema ein Gutachten Rahners Grundlage für die Ablehnung durch Frings im Namen der deutschsprachigen Bischöfe[94]. Gegen Ende der Sitzungsperiode zirkulierte ein Neuentwurf von einer Reihe deutschsprachiger Bischöfe und Berater.

Das Liturgieschema noch nicht verabschiedet, die anderen Vorlagen zur Neubearbeitung an Kommissionen verwiesen, ein weitgehender Neuansatz nötig – die Bilanz der ersten Periode konnte frustrierend wirken. Der Augsburger Weihbischof Josef Zimmermann trug in sein „Konzilsheft" ein[95]: Am 27. November, nach der Verweisung des Schemas über die Kommunikationsmittel in die Kommission: „So hatten wir also wieder ein Schema ‚erledigt'. Aber wie! Es könnte einem angst und bange werden." Am 1. Dezember zum Beschluß, das Schema über die Einigung der Christen ebenfalls überarbeiten zu lassen: „Auch vorerst erledigt. Gott sei uns gnädig!" Und schließlich: „Ein Schema nach dem andern abgelehnt, der Papst schwerkrank! Beten wir!"

Vor allem auch auf deutsche Bitten war der Beginn der zweiten Sitzungsperiode auf Herbst 1963 verschoben worden; inzwischen war intensive Kommissionsarbeit für das am 5. Dezember verkündete, auf 20 Schemata gestraffte Konzilsprogramm nötig, gelenkt durch eine neue Koordinierungskommission, deren Mitglied Kardinal Döpfner war[96]. Neben anderen hatte sich Döpfner noch im November mit Vorschlägen für den weiteren Ablauf des Konzils an den Papst gewandt und holte auch in der Folgezeit Gutachten (u.a. von Hubert Jedin) für eine Verbesserung der Geschäftsordnung ein[97].

Die deutschen Konzilsteilnehmer nutzten die Sitzungspause ihrerseits[98]: Gleich nach Weihnachten trafen sich eine Reihe von Theologen in München, um „über das Konzilsschema *De ecclesia* [zu] brüten [...] für die deutschen Bischöfe, die dies bis Februar brauchen"[99]. Am 5. und 6. Februar 1963 folgten die

---

[93] Vgl. Karl Rahners Brief aus Rom, 12. November 1962: „Diese Woche fängt also die Dogmatik hier an. Ich bin gespannt, wie das geht. Hoffnung ist nicht groß bei mir. Aber wir werden tun, was wir können. In den letzten Tagen hab ich ein lateinisches Antigutachten gegen das erste dogmatische Schema [über die zwei Quellen der Offenbarung] gemacht. Heute nachmittag bekommen es alle deutschen Bischöfe in die Hand. Die Germaniker haben es schon in 400 Exemplaren abgezogen. Morgen muß ich den südamerikanischen Bischöfen einen Vortrag halten. Vielleicht bekommen wir doch eine gute Drittelminderheit zusammen, die das Ärgste verhindern kann. Frings ist optimistisch. Andere wie ich weniger. Videbimus. Frings verbreitet auch in ca. 2000 Exemplaren eine Art Schema, das Ratzinger und ich verbrochen haben. Dafür sind aber die Aussichten nach meiner Meinung gleich null". Vorgrimler, Rahner (wie Anm. 27), 191f.

[94] Vgl. ebd. 192f; Weiß, Bischofskonferenz (wie Anm. 18), 35f; Pottmeyer, Voten (wie Anm. 24), 149-153; Zimmermann, Konzil (wie Anm. 58), 50-52.

[95] Zimmermann, Konzil (wie Anm. 58), 47-49.

[96] Wittstadt, Döpfner und das Zweite Vatikanische Konzil (wie Anm. 67), 301.

[97] Wittstadt, Vorschläge (wie Anm. 84), 138f; Jedin, Lebensbericht (wie Anm. 71), 208f.

[98] Wiltgen, Rhein (wie Anm. 3), 65-66.80-84; Weiß, Bischofskonferenz (wie Anm. 18), 36; Frings, Menschen (wie Anm. 6), 267.

[99] Brief von Karl Rahner an Herbert Vorgrimler, Innsbruck, 17. Dezember 1962. Vorgrimler, Rahner (wie Anm. 27), 193.

deutschsprachigen Bischöfe und Vertreter benachbarter Länder. Am 21. Februar
konnte der Eichstätter Bischof Joseph Schröffer, Mitglied der Theologischen
Kommission, den Text als Äußerung der deutsch-österreichischen Bischofskonferenz in Rom übergeben[100]. Kardinal Döpfner und die anderen Kommissionsmitglieder versorgten ihre Kollegen mit neuesten Informationen über den römischen Stand der Dinge und brachten deren Anregungen wiederum in die
Kommissionsarbeit ein. Ende August trafen sich erneut in Fulda vier Kardinäle
und 70 Bischöfe aus zehn Ländern zur Diskussion der neuen Schemata über Offenbarung, Kirche und die Gottesmutter. Diese intensive Aktivität gab in Zei-
tungsberichten Anlaß zu Spekulationen über eine „„Verschwörung' gegen und
‚Attacke' auf die Römische Kurie", was von Kardinal Frings umgehend als
„dumme Ungerechtigkeit" zurückgewiesen wurde[101], entsprach man doch einem
päpstlichen Aufruf zur Mitarbeit[102].

Am 3. Juni 1963 war Papst Johannes XXIII. gestorben. Mit Kardinal Montini
wurde ein Mann gewählt, den die „Fortschrittlichen" zu ihren Freunden zählen
durften. An seinem Krönungstag (30. Juni) bat Paul VI. Kardinal Döpfner um ein
Gutachten über die Fortführung des Konzils[103]. Döpfner lieferte schon im Juli
Vorschläge zur Änderung der Geschäftsordnung und einen klaren Plan für den
weiteren Konzilsablauf: Straffung der Arbeit zugunsten der Kommissionssitzun-
gen, Stärkung der Koordinierungskommission, Verbesserung der Pressearbeit und
Reihenfolge der noch zu behandelnden Schemata unter Betonung der Ekklesiologie.

Im September revidierte Paul VI. die Geschäftsordnung[104] und ernannte die Kardinäle Döpfner, Giacomo Lercaro (den „ausgesprochen progressistischen"[105] Erzbischof von Bologna[106]), Suenens und den armenischen Patriarchen Kardinal Grégoire Pierre Agagianian zu Moderatoren, denen nun in ständiger Abstimmung mit
Papst, Koordinierungskommission, den übrigen Kommissionen und dem erweiterten Präsidium die Leitung der Generalkongregationen, die Gestaltung der Tagesordnung und damit auch eine führende Rolle für die Linie des Konzils oblag[107].

Hinsichtlich der Bedeutung der Auswahl der Moderatoren stimmen Joseph
Ratzinger und Ralph M. Wiltgen überein[108]: „Die Wahl der Personen war zu-

---

[100] ASCOV I,4 601-639; Pottmeyer, Voten (wie Anm. 24), 153.

[101] Wiltgen, Rhein (wie Anm. 3), 83.

[102] Brief Johannes' XXIII. an alle Konzilsväter vom 6. Januar 1963; AAS 55 (1963) 149-159, besonders 153. – Wittstadt, Döpfner und das Zweite Vatikanische Konzil (wie Anm. 67), 302.

[103] Wittstadt, Vorschläge (wie Anm. 84); Evangelista Vilanova, L'intersessione (1963-1964), in:
Giuseppe Alberigo/Alberto Melloni (Hg.), Storia del concilio Vaticano II Bd.III: Il concilio
adulto. Il secondo periodo e la seconda intersessione (settembre 1963 – settembre 1964), Bologna 1998, 367-512; 368f.

[104] ASCOV II,1 21-46.

[105] Hubert Jedin, Das Zweite Vatikanische Konzil, in: HKG (J) Bd. VII, 97-151; 119.

[106] Zu ihm siehe: Giacomo Lercaro, Lettere dal Concilio 1962-1965, hg. von Giuseppe Battelli,
Bologna 1980 (mit zahlreichen, hohe Wertschätzung bezeugenden Erwähnungen deutscher
Konzilsväter).

[107] ASCOV V,3 693-696; Wittstadt, Döpfner und das Zweite Vatikanische Konzil (wie Anm. 67)
302; Wittstadt, Vorschläge (wie Anm. 84), 145-147.

[108] Joseph Ratzinger, Das Konzil auf dem Weg. Rückblick auf die zweite Sitzungsperiode des
Zweiten Vatikanischen Konzils, Köln 1964, 15; Wiltgen, Rhein (wie Anm. 3), 85.

gleich eine Entscheidung. Wenigstens die drei Kardinäle Lercaro, Suenens und Döpfner waren in ihrer theologischen Richtung völlig eindeutig vorgestellt durch die erste Sitzungsperiode, so daß durch ihre Ernennung zugleich der Papst selbst dem Konzil ein theologisches Profil vorgab und ein Bekenntnis über seine eigene Haltung ablegte" (Ratzinger). Mit einer Mehrheit unter den Moderatoren und einem erheblichen Anteil in Präsidium und Koordinierungskommission besetzte die „europäische Allianz" nun wirklich entscheidende Schaltstellen.

An Döpfners energischer Debattenleitung gab es auch Kritik, am Drängen auf Beschleunigung und wegen angeblicher Bevorzugung oder Benachteiligung bestimmter Redewünsche[109]. Mit dem Abdrehen des Mikrophons, wenn Väter die ihnen zustehende Redezeit überzogen, hat allerdings nicht Döpfner angefangen; Kardinal Ottaviani war hier schon in der ersten Sitzungsperiode (30. Oktober 1962) das „Opfer" von Kardinal Alfrink[110].

Die Beratung des auf deutsche und belgische Entwürfe zurückgehenden neuen Kirchenschemas[111] zu Beginn der zweiten Periode fand unter intensiver Beteiligung der deutschen Bischöfe statt, und bei ihren Wortmeldungen konnten sie stets eine große Mehrheit hinter sich wissen[112]. Dies zeigte sich eindrucksvoll bei der gegen viele Widerstände doch durchgesetzten Vorabstimmung über fünf besonders umstrittene Punkte zu Bischofsamt, Kollegialität und ständigem Diakonat (29. Oktober 1963)[113].

Atemberaubend war der 8. November 1963: Nachdem er beim Morgengottesdienst in der „Anima" den „dienstuenden Kleriker um ein besonderes Gebetsgedenken" für seine geplante Intervention gebeten hatte, trug Kardinal Frings seine aufsehenerregende Kritik an der Verfahrensweise des Heiligen Offizium vor, die der Kirche zum Schaden und Andersgläubigen zum Anstoß gereiche[114]. Solches konnte nur ein allseits hochangesehener Konzilsvater wagen. Frings erntete großen Beifall in der Aula, und Paul VI. forderte ihn noch am selben Abend auf, Vorschläge für eine Reform des Offiziums vorzulegen[115].

Sonst seien nur noch zwei wegweisende Formulierungsvorschläge aus dem deutschsprachigen Teilnehmerkreis erwähnt: Das Begriffspaar „Kirchen und kirchliche Gemeinschaften" von Kardinal König[116] und die Neufassung der

---

[109] Wiltgen, Rhein (wie Anm. 3), 111f. – Vgl. dazu: Wittstadt, Döpfner (wie Anm. 84), 58; Zimmermann, Konzil (wie Anm. 58), 81.

[110] ASCOV I,2 20; Wiltgen, Rhein (wie Anm. 3), 29.

[111] Pottmeyer, Voten (wie Anm. 24), 153; Ratzinger, Konzil auf dem Weg (wie Anm. 108), 25.

[112] Weiß, Bischofskonferenz (wie Anm. 18), 37.

[113] ASCOV II,3 573-575; 574; Jedin, Das Zweite Vatikanische Konzil (wie Anm. 105), 121f; Frings, Menschen (wie Anm. 6), 271.

[114] ASCOV II,4 616-618; Frings, Menschen (wie Anm. 6), 269-275.279-280.303; Ratzinger, Konzil auf dem Weg (wie Anm. 108), 45f; Zimmermann, Konzil (wie Anm. 58), 94f; Joseph Famerée, Vescovi e diocesi (5-15 novembre 1953), in: Alberigo/Melloni, Storia III (wie Anm. 103), 133-207; 143-149.

[115] Jedin, Frings (wie Anm. 72), 13. – Der von Frings mit Joseph Ratzinger und dem Löwener Kanonisten Willem Onclin erarbeitete und schon am 18. November vorgelegte Entwurf „wurde allerdings in dieser Form nicht angenommen. Es erfolgte aber ein Wechsel in den Personen." Frings, Menschen (wie Anm. 6), 279.

[116] Ratzinger, Konzil auf dem Weg (wie Anm. 108), 70.

päpstlichen Approbationsformel mit kollegialer Note für die Beschlüsse des Konzils[117].

Obwohl die zweite Periode den Durchstoß auch der deutschen Anliegen gebracht hatte, hatte sich die Stimmung gewandelt: „Stärker als bei dem freudigen Aufbruch von damals, als alles noch Hoffnung und Zukunft war, ist mit den voranschreitenden Tagen die Nüchternheit und die verbleibende Schwere der menschlichen Dinge bewußt geworden. Die Skepsis derer ist wieder lauter geworden, die fürchten, es werde am Ende doch alles beim alten bleiben, und deutlicher geworden ist der Widerstand derer, die am Bestehenden hängen und im Kommenden das Ungewisse fürchten"[118].

In der Tat traten dann in der dritten Periode verstärkt organisierte Gruppen „konservativer" Konzilsväter auf, von denen der „Coetus Internationalis Patrum" der bekannteste sein dürfte[119]. Andererseits – so hat Wolfgang Weiß festgestellt – waren die deutschen Bischöfe zunehmend besorgt, daß ihre Tätigkeit „in ein falsches Licht geraten" könnte, zumal „in Deutschland sich Stimmen regten, welche radikalere und tiefgehendere Reformen forderten"[120]. Revolution war ja nie die Absicht der deutschen Bischöfe gewesen, aber doch entschiedene Durchsetzung des als notwendig Erkannten. So ist in der dritten Sitzungsperiode das Bemühen um Ausgleich unverkennbar, auch mit der wiederholt diagnostizierten Folge der Ambivalenz mancher Texte.

Gelegenheit zu ausgleichender Tätigkeit bot diese krisenreiche Periode reichlich[121]: Etwa in der leidenschaftlich umstrittenen, aus deutscher Sicht im Hinblick auf den Protestantismus besonders sensiblen Frage eines Marienschemas bzw. Marienkapitels in der Kirchenkonstitution und der marianischen Ehrentitel, in der wieder einmal die Autorität von Kardinal Frings den Weg zu einem Kompromiß wies[122]; bei der päpstlichen Vorschaltung einer „Nota explicativa praevia" bei *Lumen gentium*, der von der Minorität erwirkten Verschiebung der Abstimmung über die Religionsfreiheit[123] und den vom Papst nahegelegten Umformulierungen im Ökumenismus-Dekret.

Daß die politisch brisante sogenannte „Judenerklärung" ein besonderes Anliegen der deutschen Bischöfe war, ist aus der Erfahrung des Nationalsozialismus unschwer verständlich. Zu Beginn der Debatte hatten sie erklärt: „Wir deutschen Bischöfe begrüßen das Dekret besonders deshalb, weil wir uns des schweren Unrechts bewußt sind, das im Namen unseres Volkes an den Juden begangen worden ist"[124]. Am 12. Mai 1965 wandte sich der „sonst schweigsame" Würzburger Bischof Stangl leidenschaftlich gegen die – aus Sorge um das Schicksal der Chri-

---

[117] Frings, Menschen (wie Anm. 6), 279; Jedin, Lebensbericht (wie Anm. 71), 213f.

[118] Ratzinger, Konzil auf dem Weg (wie Anm. 108), 76.

[119] Wiltgen, Rhein (wie Anm. 3), 152-154; Raguer, Fisionomia (wie Anm. 81), 221-226.

[120] Weiß, Bischofskonferenz (wie Anm. 18), 40-44.

[121] Frings, Menschen (wie Anm. 6), 281f; Weiß, Bischofskonferenz (wie Anm. 18), 42.

[122] Frings, Menschen (wie Anm. 6), 281; Pesch, Konzil (wie Anm. 9), 194; Joseph Ratzinger, Ergebnisse und Probleme der dritten Konzilsperiode, Köln 1965, 29-31.

[123] Zur Neuheit der Aussagen zur Religionsfreiheit gegenüber der Lehrtradition: Joseph Ratzinger, Die letzte Sitzungsperiode des Konzils, Köln 1966, 9.24.

[124] LThK.E III 440f. – Vgl.: Pesch, Konzil (wie Anm. 9), 299; Wiltgen, Rhein (wie Anm. 3), 178; Zimmermann, Konzil (wie Anm. 58), 134; Frings, Menschen (wie Anm. 6), 279.286.

sten in den arabischen Ländern erwogene – Absetzung von der Tagesordnung[125].
Gegen Ende der vierten Sitzungsperiode folgte dann am Rand des Konzils eine
Begegnung und der Briefwechsel mit den polnischen Bischöfen, der die deutsch-
polnische Aussöhnung nach dem Zweiten Weltkrieg mit einleitete[126].

Groß war das deutsche Engagement in der sich über die beiden letzten Peri-
oden erstreckenden Diskussion über das Laienapostolat – hier war Bischof
Hengsbach Relator[127] – und die „Kirche in der Welt von heute". Der Entwurf von
Gaudium et spes war erst im Lauf des Jahres 1964 aus der Arbeit französischer
Theologen erwachsen, als Redaktor wirkte eine Zeit lang der deutsche Moral-
theologe Bernhard Häring. Deutsche Väter sprachen zu Einzelfragen wie Ehe,
Wirtschaftsordnung (wofür die Bischöfe Höffner und Hengsbach anerkannte Ex-
perten waren) oder Kirche und Wissenschaft, warnten aber auch generell vor der
„Dogmatisierung einer seichten Fortschrittsideologie"[128] und der Unterschätzung
des Marxismus[129]. Kardinal Frings konnte hier auch mit Bezug auf das deutsche
Beispiel die Aufforderung an die Bischofskonferenzen einbringen, durch bischöfliche Werke Armut und Hunger in der Welt überwinden zu helfen (5. November
1964)[130], wie er sich auch wiederholt zum Fürsprecher der Mission machte[131].
Die Leitung der Unterkommission X „De pace" lag beim Eichstätter Bischof und
späteren Kurienkardinal Joseph Schröffer[132].

Der letzte große Auftritt eines deutschen Bischofs auf dem Konzil, schon
außerhalb des eigentlichen Beratungsprogramms, gebührte Kardinal Döpfner, inzwischen als Nachfolger von Frings neuer Vorsitzender der deutschen Bischofskonferenz, mit einer eindrucksvollen Rede über die theologischen Grundsätze einer erneuerten Ablaßlehre[133].

Ralph M. Wiltgen resümiert die Rolle der deutschen Bischöfe auf dem Konzil:
„Fast niemand war in dieser großen Versammlung einflußreicher gewesen als
Kardinal Frings. Ohne die Organisation, die er inspiriert und geleitet hatte, hätte
das Konzil wohl überhaupt nicht effizient arbeiten können"[134]. Aus eigener Be-

---

[125] LThK.E III 463f.

[126] Frings, Menschen (wie Anm. 6), 301f; Zimmermann, Konzil (wie Anm. 58), 228f; Jedin, Lebensbericht (wie Anm. 71), 216; Gatz, Deutschland (wie Anm. 9), 102 (Literatur).

[127] Zu Bischof Hengsbachs Relatoren-Tätigkeit: ASCOV III,4 15-24.222-224; ASCOV IV,2 303-
305; ASCOV IV,3 13-16; ASCOV IV,6 12-15.574-578.

[128] Weiß, Bischofskonferenz (wie Anm. 18), 42, mit Bezug auf die kritische Rede von Kardinal
Frings am 27. Oktober 1964 (ASCOV III,5 562f); vgl. auch die Reden von Jaeger (21. Sep-
tember 1965; ASCOV IV,1 575f), Döpfner (22. September 1965; ASCOV IV,2 28-33) und
Höffner (4. Oktober 1965; ASCOV IV,3 288-291).

[129] Pesch, Konzil (wie Anm. 9), 325.329f; Weiß, Bischofskonferenz (wie Anm. 18), 42f; Ratzinger,
Letzte Sitzungsperiode (wie Anm. 123), 25-30; Frings, Menschen (wie Anm. 6), 293.299f.

[130] ASCOV III,6 301-303.

[131] Vgl. die Reden vom 7. November 1964 (ASCOV III,6 374-376) und 8. Oktober 1965
(ASCOV IV,3 739f).

[132] Frings, Menschen (wie Anm. 6), 303f.

[133] ASCOV IV,6 332-335; Wittstadt, Döpfner und das Zweite Vatikanische Konzil (wie Anm.
67), 303f; Ratzinger, Letzte Sitzungsperiode (wie Anm. 123), 70f; Zimmermann, Konzil (wie
Anm. 58), 214f.

[134] Wiltgen, Rhein (wie Anm. 3), 295. – Vgl. Wittstadt, Episkopat (wie Anm. 35), 763: „Die engagierte und konstruktive Mitarbeit des deutschen Episkopats an den Zielen Johannes' XXIII.

obachtung berichtet Hubert Jedin, daß, wenn eine Frings-Rede angekündigt wurde, „die Seitenschiffe von St. Peter (einschließlich der Bar) sich leerten, weil man diesen Redner nicht verpassen wollte"[135].

Bischof Elias Mchonde aus Tansania – einer der insgesamt 1014 ausländischen Väter, die während der Konzilszeit auf Einladung der Bundesregierung die Bundesrepublik Deutschland besuchten – sagte am 5. Dezember 1965, kurz vor Konzilsschluß, mit einigem Pathos im Bonner Münster[136]: „Euer Vaterland hat in den letzten Jahren auch durch das Wirken Eurer Bischöfe auf dem Zweiten Vatikanischen Konzil einen großen Namen bekommen. Im Konzilspräsidium sitzt Euer Kardinal Frings [...] Als Moderator ist Julius Kardinal Döpfner [...] tätig. In der Konzilskommission für die Einheit der Christen arbeitet der jüngste Kardinal, Lorenz Jaeger, [...] und als Leiter des Sekretariates für die Einheit der Christen hat sich mit Augustin Kardinal Bea ein weiterer Deutscher Verdienste für die Kirche erworben. Mit diesen vier Namen ist im Konzil ein Programm verbunden, und die Geschichte des Zweiten Vatikanischen Konzils wird an diesen vier deutschen Kardinälen nicht vorbeigehen können."

ZUSAMMENFASSUNG

Thesenhaft läßt sich die zuletzt so gerühmte Rolle der deutschen Bischöfe auf dem Konzil zusammenfassen:

Wichtige Anliegen, die Johannes XXIII. mit dem Konzil verband (etwa das ökumenische), besaßen in der deutschen Kirche aufgrund der eingangs skizzierten historischen Gegebenheiten bereits eine Tradition.

Die Herkunft aus einem nicht geschlossen katholischen, dazu geteilten Land ließ die deutschen Bischöfe für nicht-uniforme, offene Lösungen mit Betonung örtlicher Kompetenzen eintreten. Damit konnten sich auch Vertreter der Dritten Welt identifizieren.

Die organisatorische Tradition der Fuldaer Bischofskonferenz bildete eine Grundlage für die Herauskristallisierung einer Gruppe von Vätern und für intensive Arbeit auf dem Konzil und zwischen den Sitzungsperioden.

Diese Gruppe umfaßte zwar geschlossen (trotz sicher zum Teil bestehender unterschiedlicher Einzelpositionen) die deutschen Bischöfe, blieb aber (im Gegensatz zu einigen anderen Gruppen) nicht national oder sprachlich abgeschlossen, sondern umfaßte auch Bischöfe der Nachbarländer mit verwandter Ausrichtung (Österreich, Schweiz, Niederlande, Belgien, skandinavische Länder) und hatte intensiven Kontakt zur „Dritten Welt".

Die Zusammenarbeit der „zentraleuropäischen Gruppe" bahnte sich schon im Vorfeld des Konzils an, von einer Verschwörung mit „wohlvorbereiteter Strate-

---

half die oft nur emotional begründeten, inhaltlich eher noch vagen und gedanklich noch unstrukturierten Vorstellungen des Papstes auszuformulieren und damit an die konkrete Umsetzung heranzuführen."

[135] Jedin, Frings (wie Anm. 72), 16.

[136] KNA Sonderdienst Zweites Vatikanisches Konzil 1965, Nr. 91/92, (7. Dezember 1965), Nr. 4.8.

gie"[137] kann aber keine Rede sein. Nachdem der grundsätzliche Umschwung geschafft war, bemühte man sich auch um die Integration der Minorität.

Gegen die Verschwörungs-These sprechen nicht zuletzt die großen Mehrheiten für die „deutschen" Positionen, sobald es zur Abstimmung kam.

Diese Gruppe hatte die Unterstützung beider Konzilspäpste.

Auch deshalb war sie in wichtigen organisatorischen Positionen (im Präsidium, bei den Moderatoren, in allen Kommissionen) vertreten, und sie hat die daraus erwachsenden Möglichkeiten der Einflußnahme genutzt.

Zudem stand ihr theologischer Sachverstand aus den Universitäten und Hochschulen in großem Umfang zur Verfügung. Sie profitierte vom gewonnenen Ansehen der deutschen Theologie im Ausland.

Unter den deutschen Bischöfen waren tatkräftige, charismatische Gestalten mit weitem Ansehen und persönlichem Vertrauenskapital – an der Spitze die Kardinäle Frings und Döpfner (und, wenn man ihn zu den „deutschen" Bischöfen rechnen will, Kardinal Bea).

Schließlich: Das Auftreten der deutschen Bischöfe auf dem Konzil dürfte (zusammen mit den kirchlichen Hilfswerken) das Bild der Deutschen in der Welt nach dem Zweiten Weltkrieg positiv beeinflußt haben.

---

[137] Ratzinger, Frings (wie Anm. 59), 193.

Anhang:
Die Redebeiträge der deutschen Bischöfe in den Generalkongregationen des Konzils[138]

I. Sitzungsperiode (36 Generalkongregationen, 640 Reden, 29 Reden deutscher Bischöfe)

1. GK (13.10.62)	Frings[139]	Verschiebung der Kommissionswahl
3. GK (20.10.62)	Schröffer[140]	Kritik an ungenauen Formulierungen der Konzilsbotschaft an die Welt

Debatte über die Liturgie (ab 22. Oktober 1962):

4. GK (22.10.62)	Frings[141]	Forderung nach Vorlage des ursprünglichen Textes; für die Volkssprache
	Döpfner[142]	ebenso; für mehr Kompetenzen der Bischofskonferenzen
	W. Kempf[143]	Erneuerung der Liturgie zur Minderung der Konfessionsunterschiede
5. GK (23.10.62)	Volk[144]	Bedeutung der Liturgie für die Gläubigen
9. GK (29.10.62)	Spülbeck[145]	Liturgie als Hilfe gegen atheistische Riten
10. GK (30.10.62)	Stein[146]	Bedeutung von Lesungen und Predigt
11. GK (31.10.62)	Jaeger[147]	häufigere Kommunion unter beiderlei Gestalt
13. GK (6.11.62)	Hengsbach[148]	Austeilung aller Schemata, die gleiche Themen behandeln
14. GK (7.11.62)	W. Kempf[149]	Letzte Ölung v.a. für Sterbende
	Frings[150]	Brevierreform
15. GK (9.11.62)	Döpfner[151]	liturgische Kompetenzen der Bischofskonferenzen
16. GK (10.11.62)	Reuß[152]	volkssprachliches Breviergebet

---

[138] Die folgende Übersicht beruht auf der Zusammenstellung von Karin Nußbaum, Die deutschen Bischöfe (wie Anm. 4), 261-273. Ich danke Frau Nußbaum nochmals herzlich für die Erlaubnis zur Benützung.
[139] ASCOV I,1 208; Froitzheim, Frings (wie Anm. 59), 216.
[140] ASCOV I,1 245.
[141] Ebd., 309f.
[142] Ebd., 319-322.
[143] Ebd., 332f.
[144] Ebd., 355f.
[145] Ebd., 576f.
[146] ASCOV I,2 49-51.
[147] Ebd., 76-78.
[148] Ebd., 166f.
[149] Ebd., 297-300.
[150] Ebd., 327f.
[151] Ebd., 398-403.
[152] Ebd., 447-449.

18. GK (13.11.62)	W. Kempf[153]	Kirchenmusik als Teil der Liturgie
	Volk[154]	volkssprachliche Gemeindelieder in der Messe
	Pohlschneider[155]	keine Wiedereinführung der alten Fastengebote; Geist der Buße v.a. im Leben der Priester

Debatte über die Offenbarung (ab 14. November 1962):

19. GK (14.11.62)	Frings[156]	Ablehnung des Schemas (zu lang, zu wenig pastoral); Kritik am Begriff der „zwei Offenbarungsquellen"
20. GK (16.11.62)	Bengsch[157]	Ablehnung des Schemas; wissenschaftliche Theologie positiv zu bewerten
	Reuß[158]	Ablehnung des Schemas; Forderung nach dessen Aussetzung
21. GK (17.11.62)	Döpfner[159]	Ablehnung des Schemas; Kritik an einseitiger Vorbereitung
	Frings[160]	Erläuterung seines Verständnisses der Offenbarungsquellen
24. GK (21.11.62)	Jaeger[161]	Offenbarung in Schrift und Tradition mit gewissem Vorrang der Schrift

Debatte über die Sozialen Kommunikationsmittel (ab 23. November 1962):

| 27. GK (26.11.62) | Höffner[162] | Nutzung der positiven Aspekte für die Kirche |
| | W. Kempf[163] | positive Bewertung des Schemas |

Debatte über das Kirchenschema (ab 1. Dezember 1962):

| 32. GK (3.12.62) | Döpfner[164] | Ablehnung des Schemas (zu lang, zu wenig biblisch, ohne Leitidee, zu juridisch, Bischofskollegium zu wenig berücksichtigt) |

[153] Ebd., 659f.
[154] Ebd., 662-665.
[155] Ebd., 673-675.
[156] ASCOV I,3 34-36.
[157] Ebd., 87-89.
[158] Ebd. 91f.
[159] Ebd., 124-126.
[160] Ebd., 139.
[161] Ebd., 288f.
[162] Ebd., 505f.
[163] Ebd., 510.
[164] ASCOV I,4 183-189.

33. GK (4.12.62)	Frings[165]	Ablehnung des Schemas (zu juridisch, zu wenig Bezug auf griechische und mittelalterliche Tradition)
	Hengsbach[166]	Heranziehung von Laien für die Kommissionen
36. GK (7.12.62)	Volk[167]	Ablehnung des Schemas; Forderung nach breiterem biblischem Fundament

II. *Sitzungsperiode* (43 Generalkongregationen, 637 Reden, 29 Reden deutscher Bischöfe)

Debatte über das neue Kirchenschema (ab 30. September 1963):

37. GK (30.9.63)	Frings[168]	allgemeine Billigung des Schemas; Kirche als Ursakrament
40. GK (3.10.63)	Volk[169]	Kirche steht unter dem Wort Gottes; Kirche nicht identisch mit Reich Gottes
42. GK (7.10.63)	Döpfner[170]	Möglichkeit der Wiedereinführung des Diakonats als eines eigenen Standes
45. GK (10.10.63)	Schick[171]	Bedeutung der Ortsgemeinde und der Priester
	Jaeger[172]	Mysteriumscharakter der Kirche; Einmaligkeit des Apostelkollegiums
46. GK (11.10.63)	Wittler[173]	Verleihung der bischöflichen Vollmachten allein durch Weihe; legitime Ausübung nur in Gemeinschaft des Bischofskollegiums
47. GK (14.10.63)	Frings[174]	Fundierung der bischöflichen Kollegialität und des päpstlichen Primats aus Schrift und Tradition
	Schneider[175]	Bischöfe als Nachfolger der Apostel
	Höffner[176]	Unterscheidung zwischen drei „munera" und zwei „potestates" in der Kirche

[165] Ebd., 218-220 (im Namen der deutschsprachigen Bischöfe).
[166] Ebd., 254f.
[167] Ebd., 386-388.
[168] ASCOV II,1 343-346 (im Namen von 66 deutschsprachigen und skandinavischen Bischöfen); Wolfgang Seibel/Luitpold A. Dorn, Tagebuch des Konzils. Die Arbeit der zweiten Session, Nürnberg-Eichstätt 1964, 16f.
[169] ASCOV II,2 45-47 (im Namen der deutschsprachigen und anderer Bischöfe); Seibel/Dorn, Tagebuch II (wie Anm. 168), 27f.
[170] ASCOV II,2 227-230; Seibel/Dorn, Tagebuch II (wie Anm. 168), 36.
[171] ASCOV II,2 396-399 (im Namen der deutschsprachigen und skandinavischen Bischöfe); Seibel/Dorn, Tagebuch II (wie Anm. 168), 49f.
[172] ASCOV II,2 399-402; Seibel/Dorn, Tagebuch II (wie Anm. 168), 50.
[173] ASCOV II,2 453-457; Seibel/Dorn, Tagebuch II (wie Anm. 168), 55.
[174] ASCOV II,2 493-495; Seibel/Dorn, Tagebuch II (wie Anm. 168), 58f.
[175] ASCOV II,2 508f; Seibel/Dorn, Tagebuch II (wie Anm. 168), 59.
[176] ASCOV II,2 522-524 (im Namen von 69 deutschsprachigen Bischöfen); Seibel/Dorn, Tagebuch II (wie Anm. 168), 59f.

50. GK (17.10.63)	Hengsbach[177]	Kritik am Aufbau des Schemas; Mitwirkung der Laien an der Sendung der Kirche
51. GK (18.10.63)	Schröffer[178]	Volk Gottes; Weltaufgabe der Laien; allgemeines Priestertum
	Jaeger[179]	Volk Gottes; allgemeines Priestertum
57. GK (29.10.63)	Döpfner[180]	Leben nach den evangelischen Räten
59. GK (31.10.63)	Emanuel[181]	korrekte Bezeichnungen des Standes der Heiligen im liturgischen Kalender
	Leiprecht[182]	Stellung der Orden in der Kirche
	Schick[183]	Kritik an ungenügender biblischer Fundierung des Schemas

Debatte über die Bischöfe (ab 5. November 1963):

61. GK (6.11.63)	Schäufele[184]	Betonung der bischöflichen Vollmachten; Bischofsrat an der Seite des Papstes
63. GK (8.11.63)	Frings[185]	Kritik an Vorgehensweise der Konzilskommission und des Hl. Offiziums; Kurienreform
64. GK (11.11.63)	Döpfner[186]	Verteidigung der Abstimmungen vom 30.10.63; Stellung der Koadjutoren und Weihbischöfe
	Pohlschneider[187]	Seelsorge-, nicht Leitungsaufgaben für Weihbischöfe
65. GK (12.11.63)	Volk[188]	Zusammengehörigkeit von Hirten- und Weihegewalt; Verringerung der Zahl der Weihbischöfe
	Reuß[189]	Aufwertung der rechtlichen Stellung der Weihbischöfe
66. GK (13.11.63)	Frings[190]	positive Erfahrungen aus der Geschichte der deutschen Bischofskonferenz

177 ASCOV II,3 17-19; Seibel/Dorn, Tagebuch II (wie Anm. 168), 75f.
178 ASCOV II,3 70-74 (im Namen von 69 vor allem deutschsprachigen Vätern); Seibel/Dorn, Tagebuch II (wie Anm. 168), 80f.
179 ASCOV II,3 92-95 (im Namen mehrerer Bischöfe); Seibel/Dorn, Tagebuch II (wie Anm. 168), 81.
180 ASCOV II,3 603-616 (im Namen von 79 deutschsprachigen und skandinavischen Vätern); Seibel/Dorn, Tagebuch II (wie Anm. 168), 112-114.
181 ASCOV II,4 30-33; Seibel/Dorn, Tagebuch II (wie Anm. 168), 124.
182 ASCOV II,4 41-43 (im Namen der deutschsprachigen Bischöfe); Seibel/Dorn, Tagebuch II (wie Anm. 168), 124f.
183 ASCOV II,4 70f; Seibel/Dorn, Tagebuch II (wie Anm. 168), 125.
184 ASCOV II,4 495-497 (im Namen der deutschsprachigen und skandinavischen Bischöfe); Seibel/Dorn, Tagebuch II (wie Anm. 168), 138.
185 ASCOV II,4 616-618; Seibel/Dorn, Tagebuch II (wie Anm. 168), 147-149; Froitzheim, Frings (wie Anm. 59), 217-220.
186 ASCOV II,4 711-715; Seibel/Dorn, Tagebuch II (wie Anm. 168), 156f.
187 ASCOV II,4 733f; Seibel/Dorn, Tagebuch II (wie Anm. 168), 158.
188 ASCOV II,5 22-24; Seibel/Dorn, Tagebuch II (wie Anm. 168), 163.
189 ASCOV II,5 32-34; Seibel/Dorn, Tagebuch II (wie Anm. 168), 165.
190 ASCOV II,5 66-69; Seibel/Dorn, Tagebuch II (wie Anm. 168), 170f.

68. GK (15.11.63)	Stein[191]	ausreichende Größe der Diözesen nötig; Stellung der Weihbischöfe in der Diözese

Debatte über den Ökumenismus (ab 18. November 1963):

72. GK (21.11.63)	Höffner[192]	bischöfliche Sorge um Glaubensabfall durch Industrialisierung, Atheismus und Materialismus
	Volk[193]	Kirche muß nach wahrer Universalität und Katholizität streben
73. GK (22.11.63)	Jaeger[194]	Prinzipien des katholischen Ökumenismus; Betonung der Gemeinsamkeit der Christen
75. GK (26.11.63)	Hengsbach[195]	internationale interkonfessionelle Zusammenarbeit auf sozialem und politischem Gebiet; Mischehen
77. GK (28.11.63)	Frings[196]	Einheit der Kirche; Beibehaltung von Konfessionsschulen; Mischehen

III. Sitzungsperiode (48 Generalkongregationen, 618 Reden, 37 Reden deutscher Bischöfe)

81. GK (16.9.64)	Döpfner[197]	biblische, christozentrische und ökumenische Ausrichtung der Marienverehrung
82. GK (17.9.64)	Jaeger[198]	Vermeidung des Begriffs der „Mittlerschaft" Mariens; ökumenische Ausrichtung der Mariologie
	W. Kempf[199]	Betonung des ekklesiologischen Aspekts der Lehre über Maria
83. GK (18.9.64)	Frings[200]	Schema soll als Kompromiß angenommen werden

---

[191] ASCOV II,5 246-248; Seibel/Dorn, Tagebuch II (wie Anm. 168), 185f.
[192] ASCOV II,5 670f; Seibel/Dorn, Tagebuch II (wie Anm. 168), 215.
[193] ASCOV II,5 687-689; Seibel/Dorn, Tagebuch II (wie Anm. 168), 218.
[194] ASCOV II,5 759-762; Seibel/Dorn, Tagebuch II (wie Anm. 168), 223.
[195] ASCOV II,6 87-89; Seibel/Dorn, Tagebuch II (wie Anm. 168), 238.
[196] ASCOV II,6 194f; Seibel/Dorn, Tagebuch II (wie Anm. 168), 246f.
[197] ASCOV III,1 449-452 (im Namen von 90 deutschsprachigen und skandinavischen Vätern); Luitpold A. Dorn/Georg Denzler, Tagebuch des Konzils. Die Arbeit der dritten Session, Nürnberg-Eichstätt 1965, 28.
[198] ASCOV III,1 517-519; Dorn/Denzler, Tagebuch III (wie Anm. 197), 32f.
[199] ASCOV III,1 521-523; Dorn/Denzler, Tagebuch III (wie Anm. 197), 33.
[200] ASCOV III,2 10f; Dorn/Denzler, Tagebuch III (wie Anm. 197), 37; Froitzheim, Frings (wie Anm. 59), 221f.

Debatte über die Religionsfreiheit (ab 23. September 1964):

87. GK (24.9.64)	Pohlschneider[201]	elterliches Erziehungsrecht

Debatte über die Nichtchristlichen Religionen (ab 25. September 1964):

89. GK (28.9.64)	Frings[202]	Eph 2 als klassische Bezugsstelle für das Verhältnis von Juden und Christen; stärkere Betonung der Gemeinsamkeiten der Religionen
	Jaeger[203]	Betonung des gemeinsamen Offenbarungserbes von Juden und Christen angesichts der deutschen Verbrechen an den Juden
90. GK (29.9.64)	Stein[204]	„Vaterschaft" Gottes gegenüber allen Menschen

Debatte über die Offenbarung (ab 30. September 1964):

91. GK (30.9.64)	Döpfner[205]	Lob für Neufassung des Schemas; biblische, personale und gnadenhafte Sicht des Glaubens; kein bloßes Festhalten am Glaubensbegriff des I. Vatikanum
92. GK (1.10.64)	Jaeger[206]	Dialogcharakter und Geschichtlichkeit der Offenbarung
	Reuß[207]	Glaube als Akt des ganzen Menschen
94. GK (5.10.64)	Schick[208]	Bibellesung als Fundament des Glaubens; ökumenische Zusammenarbeit bei Verbreitung der Bibel; Zusammenarbeit von Exegeten und Dogmatikern
95. GK (6.10.64)	Volk[209]	Glaube als Antwort an den sich offenbarenden Gott

Debatte über den Laienapostolat (ab 6. Oktober 1964):

97. GK (8.10.64)	Tenhumberg[210]	Eigenständigkeit des Sendungsauftrags der Laien in der Welt; Beiziehung von Laien zur Aufarbeitung des Schemas

[201] ASCOV III,2 488-490; Dorn/Denzler, Tagebuch III (wie Anm. 197), 71.
[202] ASCOV III,2 582-584; Dorn/Denzler, Tagebuch III (wie Anm. 197), 85.
[203] ASCOV III,2 600-602; Dorn/Denzler, Tagebuch III (wie Anm. 197), 87.
[204] ASCOV III,3 33-35; Dorn/Denzler, Tagebuch III (wie Anm. 197), 94.
[205] ASCOV III,3 145-150 (im Namen von 78 deutschsprachigen und skandinavischen Bischöfen); Dorn/Denzler, Tagebuch III (wie Anm. 197), 102f.
[206] ASCOV III,3 195-197; Dorn/Denzler, Tagebuch III (wie Anm. 197), 106.
[207] ASCOV III,3 203; Dorn/Denzler, Tagebuch III (wie Anm. 197), 203.
[208] ASCOV III,3 309-311 (im Namen der deutschsprachigen und skandinavischen Bischöfe); Dorn/Denzler, Tagebuch III (wie Anm. 197), 121.
[209] ASCOV III,3 344f; Dorn/Denzler, Tagebuch III (wie Anm. 197), 125f.
[210] ASCOV III,4 91-94 (im Namen von 83 deutschsprachigen und skandinavischen Bischöfen); Dorn/Denzler, Tagebuch III (wie Anm. 197), 137f.

99. GK (12.10.64)	Höffner[211]	Warnung vor triumphalistischer Vermischung von irdischer Ordnung und eschatologischem Reich Gottes; Zusammenarbeit mit Christen anderer Konfessionen

Debatte über Dienst und Leben der Priester (ab 13. Oktober 1964):

100. GK (13.10.64)	Hiltl[212]	angemessene Bezahlung der Hausangestellten von Priestern

Debatte über die Ostkirchen (ab 15. Oktober 1964):

103. GK (16.10.64)	Stangl[213]	Kritik an Darstellungsform; Verwendung von Zitaten östlicher Väter; „communicatio in sacris"

Debatte über die Kirche in der Welt von heute (ab 20. Oktober 1964):

105. GK (20.10.64)	Döpfner[214]	Schema ist geeignete Diskussionsgrundlage; stärkere Behandlung des Atheismus nötig
107. GK (22.10.64)	Stimpfle[215]	Forderung nach klarer Verurteilung des militanten Atheismus
109. GK (26.10.64)	Tenhumberg[216]	Kirche hat Zeichen der Zeit oft nicht oder zu spät erkannt
	Spülbeck[217]	antiquierte Sprache der Kirche; Aufforderung zu Gespräch der Kirche mit der wissenschaftlichen Welt
110. GK (27.10.64)	Frings[218]	Bedeutung der Offenbarungswahrheiten von Schöpfung, Inkarnation, Kreuz und Auferstehung für das Leben in der Welt
	Volk[219]	Ermutigung der Gläubigen zu einem christlichen Leben in jeder Zeit
	Cleven[220]	Verhältnis der Christen zum wissenschaftlichen Fortschritt; katholische Inferiorität; Ermutigung zu freier wissenschaftlicher Arbeit für Wahrheit und Wohlstand

[211] ASCOV III,4 191-194; Dorn/Denzler, Tagebuch III (wie Anm. 197), 151f.
[212] ASCOV III,4 258f; Dorn/Denzler, Tagebuch III (wie Anm. 197), 164.
[213] ASCOV III,5 42f; Dorn/Denzler, Tagebuch III (wie Anm. 197), 184.
[214] ASCOV III,5 228-232 (im Namen von 83 deutschsprachigen und skandinavischen Bischöfen); Dorn/Denzler, Tagebuch III (wie Anm. 197), 206f.
[215] ASCOV III,5 324-327; Dorn/Denzler, Tagebuch III (wie Anm. 197), 220f.
[216] ASCOV III,5 528f; Dorn/Denzler, Tagebuch III (wie Anm. 197), 235f.
[217] ASCOV III,5 547-550; Dorn/Denzler, Tagebuch III (wie Anm. 197), 238f.
[218] ASCOV III,5 562f; Dorn/Denzler, Tagebuch III (wie Anm. 197), 243f.
[219] ASCOV III,5 586-588 (im Namen von 70 deutschsprachigen und anderen Vätern); Dorn/Denzler, Tagebuch III (wie Anm. 197), 244f.
[220] ASCOV III,5 588-590; Dorn/Denzler, Tagebuch III (wie Anm. 197), 246.

111. GK (28.10.64)	Schick[221]	Kritik an unzureichender biblischer und theologischer Fundierung
112. GK (29.10.64)	Stimpfle[222]	Freiheit in Erziehung, Wissenschaft, kirchlicher Verwaltung und Gesetzgebung
	Frotz[223]	Personwürde der Frau; veränderte Lebensbedingungen; Frauenbildung
113. GK (30.10.64)	Reuß[224]	Ehe als personale Gemeinschaft; Selbstverantwortung der Eheleute für Kinderzahl
115. GK (5.11.64)	Frings[225]	Überwindung von Armut und Hunger in der Welt durch bischöfliche Hilfswerke

Debatte über die Missionen (ab 6. November 1964):

117. GK (7.11.64)	Frings[226]	Mission zu unterscheiden von Glaubensverkündigung in entchristlichten Ländern; Einrichtung eines „Zentralrats für Mission" bei der Propagandakongregation; jährliche Sammlung für die Mission
119. GK (10.11.64)	Hengsbach[227]	gemeinsame Bemühungen aller Christen um den Weltfrieden

Debatte über die Orden (ab 10. November 1964):

120. GK (11.11.64)	Döpfner[228]	Ablehnung des Schemas; Forderung nach geistlicher Erneuerung des Ordenslebens und Anpassung an die Erfordernisse der Zeit sowie besserer Bildung der Ordensmitglieder; Problem der Vielfalt der Ordenstypen

Debatte über die Ausbildung der Priester (ab 12. November 1964):

122. GK (14.11.64)	Döpfner[229]	Billigung des Schemas; Gnadenhaftigkeit der Berufung; Bedeutung der christlichen Familie für Berufung; positive Begründung der Keuschheit; Vorbereitung auf Zusammenarbeit mit Laien

---

[221] ASCOV III,5 733-735; Dorn/Denzler, Tagebuch III (wie Anm. 197), 253f.
[222] ASCOV III,6 38f; Dorn/Denzler, Tagebuch III (wie Anm. 197), 261.
[223] ASCOV III,6 42-44; Dorn/Denzler, Tagebuch III (wie Anm. 197), 262.
[224] ASCOV III,6 88-91 (im Namen von 145 Vätern aus verschiedenen Nationen); Dorn/Denzler, Tagebuch III (wie Anm. 197), 274f.
[225] ASCOV III,6 301-303; Dorn/Denzler, Tagebuch III (wie Anm. 197), 298f.
[226] ASCOV III,6 374-376; Dorn/Denzler, Tagebuch III (wie Anm. 197), 312f.
[227] ASCOV III,7 52-54 (im Namen von mehr als 70 Vätern aus verschiedenen Nationen); Dorn/Denzler, Tagebuch III (wie Anm. 197), 335f.
[228] ASCOV III,7 431-436; Dorn/Denzler, Tagebuch III (wie Anm. 197), 344f.
[229] ASCOV III,7 711-714; Dorn/Denzler, Tagebuch III (wie Anm. 197), 365f.

	Jaeger[230]	Billigung des Schemas; Kritik an Darstellungsform
124. GK (17.11.64)	Reuß[231]	Lob für Verzicht auf zu detaillierte Aussagen zur Priesterausbildung; Notwendigkeit einer positiven Sinngebung des Zölibats

Debatte über die Christliche Erziehung (ab 17. November 1964):

126. GK (19.11.64)	Pohlschneider[232]	Bedeutung des Themas Schule und Erziehung; kein Monopol für staatliche Schulen; Zusammenarbeit weltlicher und kirchlicher Autoritäten im Erziehungswesen

Debatte über die Ehe (ab 19. November 1964):

127. GK (20.11.64)	Döpfner[233]	dringende Notwendigkeit eines neuen Mischehenrechts

IV. Sitzungsperiode (41 Generalkongregationen, 332 Reden, 19 Reden deutscher Bischöfe)

Debatte über die Religionsfreiheit (ab 15. Sptember 1965):

128. GK (15.9.65)	Frings[234]	Billigung des Schemas; Forderung nach historisch und religionsgeschichtlich richtigeren Aussagen
129. GK (16.9.65)	Jaeger[235]	Billigung des Schemas; Religionsfreiheit von moralischer Freiheit zu unterscheiden

Debatte über die Kirche in der Welt von heute (ab 21. September 1965):

132. GK (21.9.65)	Jaeger[236]	Warnung vor unrealistischem Technik-Optimismus; nachkonziliare Sonderkommission soll kurzes Kompendium der Theologie erarbeiten

---

[230] ASCOV III,7 731-734; Dorn/Denzler, Tagebuch III (wie Anm. 197), 366f.

[231] ASCOV III,8 177-179; Dorn/Denzler, Tagebuch III (wie Anm. 197), 381.

[232] ASCOV III,8 398-401 (im Namen von 70 Bischöfen aus verschiedenen Nationen); Dorn/ Denzler, Tagebuch III (wie Anm. 197), 401-403.

[233] ASCOV III,8 626-629; Dorn/Denzler, Tagebuch III (wie Anm. 197), 413.

[234] ASCOV IV,1 201-203; Luitpold A. Dorn/Wolfgang Seibel, Tagebuch des Konzils. Die Arbeit der vierten Session, Nürnberg-Eichstätt 1966, 24f.

[235] ASCOV IV,1 239-242 (im Namen der deutschen Bischofskonferenz); Dorn/Seibel, Tagebuch IV (wie Anm. 234), 28f.

[236] ASCOV IV,1 575f; Dorn/Seibel, Tagebuch IV (wie Anm. 234), 48f.

133. GK (22.9.65)	Döpfner[237]	Billigung des Schemas; Warnung vor Weckung unerfüllbarer Hoffnungen
135. GK (24.9.65)	Frings[238]	Kritik an unklarer Begrifflichkeit („Volk Gottes", „Welt"); Forderung nach gründlicher Umarbeitung
	Volk[239]	Forderung nach stärkerer theologischer Darlegung
137. GK (28.9.65)	Schick[240]	Gottebenbildlichkeit und Geschöpflichkeit des Menschen
	Bengsch[241]	Wunsch nach nur kurzer Darlegung der Normen für Dialog mit der Welt
138. GK (29.9.65)	Volk[242]	Bedeutung der Ehe
139. GK (30.9.65)	Reuß[243]	Geburtenregelung; Bedeutung der ehelichen Liebe
141. GK (4.10.65)	Frotz[244]	Gleichberechtigung und Verschiedenheit der Geschlechter
	Spülbeck[245]	Dialog der Kirche mit der Naturwissenschaft
	Hengsbach[246]	Kritik an unzureichenden Aussagen zum wirtschaftlichen und sozialen Leben
	Höffner[247]	ebenso; Kritik an Fortschrittsoptimismus

Debatte über die Missionen (ab 7. Oktober 1965):

144. GK (7.10.65)	Jaeger[248]	Heilsbotschaft ruft zur Entscheidung auf; Spaltung der Christenheit als Hindernis für die Mission
145. GK (8.10.65)	Frings[249]	Billigung des Schemas; Bedeutung der Mission; Heilsbedeutung der Kirche

Debatte über Dienst und Leben der Priester (ab 13. Oktober 1965):

150. GK (15.10.65)	Döpfner[250]	Kritik an Art der Darstellung; unzureichende Aussagen über Probleme des Priesters in der modernen Welt und den Zölibat

[237] ASCOV IV,2 28-33 (im Namen von 91 deutschsprachigen und skandinavischen Vätern); Dorn/Seibel, Tagebuch IV (wie Anm. 234), 55f.
[238] ASCOV IV,2 405f; Dorn/Seibel, Tagebuch IV (wie Anm. 234), 66f.
[239] ASCOV IV,2 406-410; Dorn/Seibel, Tagebuch IV (wie Anm. 234), 68f.
[240] ASCOV IV,2 636-639; Dorn/Seibel, Tagebuch IV (wie Anm. 234), 83.
[241] ASCOV IV,2 653-660; Dorn/Seibel, Tagebuch IV (wie Anm. 234), 82f.
[242] ASCOV IV,3 50f; Dorn/Seibel, Tagebuch IV (wie Anm. 234), 91.
[243] ASCOV IV,3 84-88; Dorn/Seibel, Tagebuch IV (wie Anm. 234), 97f.
[244] ASCOV IV,3 251f; Dorn/Seibel, Tagebuch IV (wie Anm. 234), 110.
[245] ASCOV IV,3 252-254; Dorn/Seibel, Tagebuch IV (wie Anm. 234), 110f.
[246] ASCOV IV,3 269-277; Dorn/Seibel, Tagebuch IV (wie Anm. 234), 114.
[247] ASCOV IV,3 288-291 (im Namen von 80 deutschsprachigen Bischöfen); Dorn/Seibel, Tagebuch IV (wie Anm. 234), 112-114.
[248] ASCOV IV,3 714f; Dorn/Seibel, Tagebuch IV (wie Anm. 234), 139.
[249] ASCOV IV,3 739f (im Namen auch vieler in der Mission tätiger Bischöfe); Dorn/Seibel, Tagebuch IV (wie Anm. 234), 144f.
[250] ASCOV IV,4 764-777 (im Namen von 65 deutschsprachigen und skandinavischen Vätern); Dorn/Seibel, Tagebuch IV (wie Anm. 234), 182-184.

	Jaeger[251]	Erfordernisse der Ostkichen und der Missionsländer nicht genügend berücksichtigt
158. GK (11.11.65)	Döpfner[252]	theologische Grundsätze für Reform des Ablaßwesens

---

[251] ASCOV IV,4 792-794; Dorn/Seibel, Tagebuch IV (wie Anm. 234), 185f.
[252] ASCOV IV,6 332-335 (im Namen der deutschen Bischöfe); Dorn/Seibel, Tagebuch IV (wie Anm. 234), 251-253.

Das bischöfliche Werk Misereor und die Rolle von Kardinal Frings auf dem Konzil

Von Sylvie Toscer

Im Oktober 1962 wurde das Zweite Vatikanische Konzil eröffnet, vier Jahre nachdem Kardinal Frings die bischöfliche Aktion Misereor im August 1958 ins Leben gerufen hatte[1]. Die Ergebnisse des Konzils sind sehr unterschiedlich bewertet worden. Was die deutsche Öffentlichkeit vom Konzil im Gedächtnis behalten hat, sind vor allem die Konzilsreden von Kardinal Frings, seine Opposition gegen Kardinal Ottaviani und gegen die Kurie. Frings, so wurde behauptet, habe sich von einem konservativen Kardinal zu einem „progressiven" entwickelt[2].

Diese These möchte ich widerlegen und zeigen, daß kein Bruch zwischen den Interventionen Frings auf dem Konzil und seinem früheren Handeln besteht. Genauerhin geht es um die Kontinuität zwischen den Anliegen und Motiven von Kardinal Frings bei der Gründung von Misereor und seinen Konzilsreden. Das bischöfliche Werk Misereor spielte nämlich nicht nur eine wichtige Rolle für die moralische Rehabilitierung des westlichen Nachkriegsdeutschland im Ausland und für die Mobilisierung der deutschen Katholiken, sondern eben auch für das Selbstverständnis der deutschen Bischöfe auf dem Konzil und die Resonanz, die sie dort finden konnten. Ich werde mich auf Kardinal Frings konzentrieren, weil er als Vorsitzender der Fuldaer Bischofskonferenzen und als Gründer von Misereor eine entscheidende Rolle auf dem Konzil spielte. Außerdem soll auf folgendes Paradox eingegangen werden: Wie läßt sich erklären, daß die deutschen Bischöfe, die eine Pionierrolle in Sachen Entwicklungshilfe spielten, im Gegensatz zu ihren französischen Kollegen nicht besonders als Sprecher der Entwicklungsländer auf dem Konzil auftraten?

I. DIE ENTSTEHUNG VON MISEREOR

Schon in den fünfziger Jahren bemühte sich Kardinal Frings darum, die Kölner Katholiken für eine gemeinsame Aktion zugunsten des Auslands zu mobilisieren, wobei er seine Dankbarkeit für die nach dem Krieg geleistete ausländische Hilfe und seinen Willen, aus der Isolierung herauszutreten, bekundete. 1954 ver-

---

[1] Dieser Beitrag bietet einen thematischen Querschnitt aus meiner gedruckten Dissertation: Sylvie Toscer, Les Catholiques allemands à la conquête du développement, Paris 1997. Für weiterführende Literatur und Einzelnachweise sei auf sie verwiesen.

[2] „Zwei Konzilsjahre genügten, um Kardinal Frings zum Symbol für den Erneuerungswillen der Kirche zu wandeln", in: Der Spiegel, Nr. 50, 11. Dezember 1963, 41.

suchte er das Erzbistum Köln in eine besondere Beziehung zu einem Missions-
bistum zu bringen. Seine Wahl fiel dabei auf ein japanisches Erzbistum. So entwickelte sich eine Partnerschaft zwischen den Erzdiözesen Köln und Tokyo.
Dies war eine einmalige Initiative, denn sie bedeutete eine direkte Teilnahme der
Bischöfe an der Missionstätigkeit – unabhängig von Rom. Kardinal Frings war
nicht an einer Förderung der Päpstlichen Werke der Glaubensverbreitung interessiert. Er war der Meinung, daß der allgemeine Verkündigungsauftrag, der den
Aposteln gegeben wurde, auch die Bischöfe als Nachfolger der Apostel betraf.
Diese Idee stieß auf ein großes Hindernis: die Päpstlichen Werke der Glaubensverbreitung in Aachen und die Propaganda-Kongregation in Rom befürchteten
nämlich, daß eine solche Beziehung zwischen den Erzbistümern Köln und Tokyo die Erträge der Päpstlichen Werke beeinträchtigen könnte. Eine noch größere Schwierigkeit aber lag darin, daß „jetzt zum erstenmal nicht auf dem Weg
über Rom, sondern – an Rom vorbei – ein Bistum unmittelbar mit einem Missi-
onsbistum in die Beziehung besonderer Gebetsgemeinschaft und Freundschaft
treten wolle und daß ein Bischof – unabhängig von Rom und exemten Orden –
als missionierende Kraft auftrete"[3]. Wie würde der Papst darauf reagieren, da die
Mission ausschließlich der päpstlichen Autorität unterlag? In einem Gespräch
mit Pius XII. in Rom konnte Kardinal Frings schließlich das Zögern des Papstes
überwinden. Er betonte unter anderem seinen Willen, das Zugehörigkeitsgefühl
der Katholiken des Kölner Erzbistums zur Weltkirche zu stärken. Durch diese
Initiative gab Kardinal Frings schon zu verstehen, wie er sich die Rolle eines Bischofs vorstellte.

   In den fünfziger Jahren kam es zu einzelnen Aktionen der deutschen Katholiken gegen den Hunger in der Welt, die von katholischen Verbänden und Bewegungen getragen wurden. Pax Christi war eine der ersten katholischen Bewegungen in Deutschland, die sich mit dem Problem des Hungers in der Welt
beschäftigte, wobei Alfons Erb, der Vize-Präsident von Pax Christi, eine entscheidende Rolle spielte. Im Mai 1956 richtete Pax Christi einen Appell an die
deutschen Katholiken: „Uns hat man geholfen [...]. Was tun wir nach 10 Jahren,
um uns an dem Kampf wider die Hungersnot in der Welt verantwortlich mitzu-
beteiligen"[4]? Im April 1958 schlug Alfons Erb auf der vorbereitenden Tagung
für den Katholikentag in Berlin die Idee zu einer in allen Diözesen Deutschlands durchzuführenden Kollekte gegen das Elend in der Welt vor. Die Idee für
„Misereor" stammt direkt von ihm. Durch den Erfolg der Partnerschaft mit Tokyo[5] und der einzelnen Aktionen gegen den Hunger in der Welt sowie durch
die Vorschläge von Alfons Erb und vom Kölner Generalvikar Josef Teusch ermuntert, beschloß Kardinal Frings, eine Aktion der deutschen Katholiken gegen den Hunger in der Welt ins Leben zu rufen, wie er in seiner Rede vor
der Vollversammlung der deutschen Bischöfe in Fulda im August 1958 ankündigte.

---

[3] Dieter Froitzheim (Hg.), Kardinal Frings. Leben und Werk, Köln 1979, 53.
[4] Leitartikel: Pax Christi, 13. Mai 1956, 1.
[5] 1954 betrug die Höhe der aufgebrachten Spenden 200 000 DM.

1. Motive und Anliegen Kardinal Frings'

Wie bei der Partnerschaft zwischen Köln und Tokyo ging es dem Kölner Erzbischof darum, die deutschen Katholiken für ein großes Projekt zu mobilisieren und diese Aktion mit einer religiösen Erneuerungs- und Bußbewegung zu verbinden: „Es tut sich hier die Möglichkeit auf, dem praktischen Materialismus praktisch, durch ein religiöses Tun, zu begegnen, nämlich in einem freiwilligen Verzicht auf Güter dieser Welt um der Not Christi willen"[6]. Kardinal Frings betrachtete Misereor auch als Antwort der deutschen Katholiken auf die Hilfe, die die Deutschen selbst in der Not der Nachkriegszeit empfangen hatten. Er wies auf verschiedene Formen der Hilfe hin, wobei er sich dann sehr ausdrücklich für ein bischöfliches Werk erklärte. Ihm lag am Herzen, daß die deutschen Bischöfe die ganze Angelegenheit, d.h. sowohl die Durchführung der Sammlung als auch die spätere Verteilung, in die Hand nehmen, wie er klar erkennen ließ: „Das entstehende Werk bedarf m.E. einer so großen Autorität, wie sie ihm nur die Bischöfe verleihen können. Der Umfang, aber auch die Eigentümlichkeit der Aufgaben ordnet sich keiner der bestehenden Organisationen ein. Weder das Zentralkomitee noch die Päpstlichen Werke der Glaubensverbreitung noch etwa die Caritas oder die Hoheneck-Zentrale würden sich im Rahmen ihrer Aufgaben bewegen, wenn ihnen diese neuen Aufgaben übertragen würden"[7]. Durch die Gründung des bischöflichen Werks Misereor relativierte Kardinal Frings die Daseinsberechtigung der bestehenden laikalen oder päpstlichen katholischen Initiativen. Entscheidend war von Anfang an die Rolle der Bischöfe für Misereor, wie an der vorläufigen Ordnung des bischöflichen Werkes Misereor abzulesen war: „Das Werk Misereor ist ein bischöfliches Werk. Träger des Werkes sind die deutschen Bischöfe. Ihnen steht insbesondere die Sammlung, Verwaltung und Verwendung der aufkommenden Mittel sowie die Berufung und Abberufung des Geschäftsführers des Werkes und des Vorsitzenden des Beirates. Die bischöfliche Kommission beschließt insbesondere über die Leitung des Werkes und über die Richtlinien der Arbeit, über die Verwaltung der eingekommenen Mittel und deren Verwendung, über Weisungen an den Geschäftsführer des Werkes und die Organe des e.V. sowie über Richtlinien an den Vorsitzenden des Beirates"[8].

2. Die Abkehr vom päpstlichen Zentralismus und die Abgrenzung von Mission und Nothilfe

Das Neue an Misereor war auch, daß es von Rom total unabhängig war. Die Initiative von Kardinal Frings zeigte eine gewisse Kühnheit, insofern als er sich nicht scheute, sich dem Vatikan entgegenzusetzen. Er erklärte sich bereit, über

---

6 Josef Frings, Rede vor der Vollversammlung der deutschen Bischöfe in Fulda, 15.-21. August 1958, in: Bischöfliche Kommission für Misereor (Hg.), Misereor, Zeichen der Hoffnung. Beiträge zur kirchlichen Entwicklungsarbeit (FS Gottfried Dossing), München 1976, 13-34; 21.

7 Ebd., 25.

8 Vorläufige Ordnung für Aufbau und Arbeitsweise des Bischöflichen Werkes Misereor, Dezember 1959 (Archiv des Deutschen Caritasverbandes, 187 I + 369)

den Nuntius offiziell das Staatssekretariat in Rom über die Initiative zu informieren, wollte aber nicht auf die Zustimmung des Papstes angewiesen sein: „Wir
können auch nicht vor jeder Initiative uns erst den Segen Roms holen. Im übrigen
gibt uns das Verhalten des Heiligen Vaters in der Sache Tokyo die Gewißheit, daß
auch in dieser Frage sein Wohlwollen nicht ausbleiben wird"[9]. Schon im September 1958 hatte Kardinal Frings erklärt, daß die Verteilung des Fastenopfers
nicht durch die Propagandakongregation in Rom, sondern ausschließlich durch
die Bischofskommission geregelt werden sollte. Für ihn war Misereor die Gelegenheit, Rom zu umgehen, sich dem päpstlichen Zentralismus zu entziehen und
die Verantwortung und Autonomie der Bischöfe gegenüber Rom zu stärken. Entscheidend war auch bei Misereor die Abgrenzung von der Mission. In seiner programmatischen Rede vom August 1958 erklärte Kardinal Frings: „Bei dem hier
zu gründenden Werk geht es nicht um ein Mittel der Mission [...]. Es soll kein
missionarisches Unternehmen werden"[10]. Daß Misereor vielmehr als Ergänzung
zur missionarischen Arbeit gedacht wurde, stieß auf Widerstand innerhalb des
Katholizismus, vor allem bei den Missionaren, mit denen Misereor zusammen-
arbeiten wollte, da sie eine Gefährdung des Gleichgewichts der kirchlichen Arbeiten befürchteten. Dazu kam auch eine Abgrenzung von der Nothilfe, d.h. von
der traditionellen caritativen Arbeit, wie sie bisher von dem Caritasverband geleistet wurde. Misereor entschied sich von Anfang an für eine strukturelle Hilfe,
für Entwicklungshilfe, und zwar mehrere Jahre, bevor das Konzept sich in der
katholischen Kirche durchsetzte. Der Geschäftsführer Misereors, Gottfried Dossing, spielte eine entscheidende Rolle bei der Festsetzung der Hilfskriterien. Er
erklärte, daß es bei dieser Aktion „nicht nur darauf ankam, den augenblicklichen
Hunger mit einer Handvoll Reis zu stillen, sondern den Entwicklungsländern
auch eine strukturelle Hilfe zu bieten, damit sie auf die Dauer von den Plagen des
Hungers und der Krankheiten möglichst weitgehend befreit werden"[11]. Trotz
vielseitiger Kritik konnte Gottfried Dossing sein Konzept durchsetzen, wobei er
insbesondere auf die Opposition des Kölner Generalvikars Josef Teusch stieß, der
darauf hinwies, daß „Der Herr selbst unmittelbar, nicht strukturell geholfen habe"[12]. Das Ergebnis der ersten Kollekte übertraf alle Hoffnungen. Im Februar
1959 riefen die Bischöfe ihre Gläubigen zu Opfern für die Hungernden und
Kranken in der Welt auf und erzielten dabei durch Kollekten und Spenden eine
Summe von über 32 Millionen Mark. Der Erfolg der ersten Fastenaktion wurde
von Rom begrüßt, wobei der Heilige Stuhl seinen Willen, sich in diese Aktion der
deutschen Katholiken einzuschalten, sehr klar ausdrückte: „Euer Eminenz werden persönlich am besten beurteilen, ob und in welcher Weise der Heilige Stuhl
in diese weltweite Aktion der deutschen Katholiken eingeschaltet werden kann,
um dadurch zugleich die Ziele der Aktion nur noch zu fördern"[13]. Es gelang aber

---

[9] Frings, Rede (wie Anm. 6), 34.
[10] Ebd., 20.
[11] Gottfried Dossing an das ZdK, 31. Dezember 1958 (Archiv des ZdK).
[12] Josef Teusch an Josef Kardinal Frings, 7. Januar 1960 (Historisches Archiv des Erzbistums
Köln, Gen 23 3a).
[13] Prälat Bruno Wüstenberg an Josef Kardinal Frings, 23. April 1959 (Historisches Archiv des
Erzbistums Köln, Gen 23 3a)

den deutschen Bischöfen, sich dem Druck des Vatikans, der die Verwaltung und Verwendung der Geldmittel kontrollieren wollte, zu entziehen. Der Erfolg Misereors erhöhte das Ansehen und die Autorität der Bischöfe, insbesondere von Kardinal Frings, nicht nur in der katholischen Kirche in Deutschland, sondern auch in der Weltkirche, wie sich auf dem Konzil beobachten ließ.

II. KARDINAL FRINGS UND DAS KONZIL

Nach seiner Rückkehr vom Konklave, das in Rom zur Wahl des Nachfolgers von Pius XII. 1958 stattgefunden hatte, schrieb Kardinal Frings seine Eindrücke nieder, die seine späteren Interventionen auf dem Konzil ankündigten: „Ich habe das Gefühl, es muß jetzt ein allgemeines Konzil stattfinden. Ich kam darauf, weil ungefähr hundert Jahre seit dem vatikanischen Konzil vergangen waren, aber auch deshalb, weil die beiden Päpste Pius XI. und Pius XII. die päpstliche Lehrautorität stark strapaziert hatten.[...] Ich meinte, es sei jetzt an der Zeit, daß auch die Bischöfe wieder einmal ihre Stimme erheben könnten"[14]. Aufschlußreich war auch die Antwort des Geschäftsführers von Misereor, Gottfried Dossing, auf die Frage, was er vom Konzil erwarte: „Man kann eine Klärung der Stellung der Bischöfe erwarten. Für unsere Arbeit ist es wichtig, engen Kontakt mit dem Episkopat der Entwicklungsländer zu haben. Wir müssen wissen: Was will der einzelne Bischof und was wollen wir? Will der einzelne Bischof nur die Macht der Kirche ausbauen oder will er eine echte Selbsthilfe?"[15] Seit Jahrhunderten und durch das erste Vatikanische Konzil verstärkt, hatten sich vor allem die vertikalen Strukturen der katholischen Kirche entwickelt. Die Hierarchisierung des Kirchenbegriffs war durch die Theologie unterstrichen worden, die den Akzent auf die Stellung des Papstes als des sichtbaren Hauptes der Kirche gelegt hatte. Insofern war die Einheit der Kirche bisher nur im Blick auf Rom sichtbar. Was Kardinal Frings wünschte, war eine stärkere Betonung der episkopalen Elemente im Kirchenaufbau. Seit dem I. Vatikanum hatte es in der katholischen Kirche keine allgemeine Versammlung gegeben, in der die Bischöfe der ganzen Welt die Möglichkeit hatten, sich gegenseitig kennenzulernen und über die Probleme ihrer Länder über die Grenzen hinaus zu diskutieren. Dies hatte zur Folge, daß sie voneinander Kenntnis nahmen, daß die katholische Kirche sich als Weltkirche erleben konnte. Diese Erfahrung bestimmte sofort den Ton und die Orientierung des Konzils. Von Anfang an kehrte sich die Dynamik des Konzils gegen den Einfluß der Kurie auf die Organisation und die Thematik des Konzils. Das eigentliche Konzil, das am 11. Oktober 1962 mit über 2000 Teilnehmern begann, umfaßte vier Tagungsperioden. Kardinal Frings gehörte zur Zentralkommission, der der Papst selbst vorstand, die zunächst 85, später 102 und endlich 827 Mitglieder

---

[14] Josef Frings, Für die Menschen bestellt. Erinnerungen des Alterzbischofs von Köln, Köln 1973, 52
[15] Gottfried Dossing, 6. Januar 1961, (Archiv des Deutschen Caritasverbandes, 187 I + 369).

umfaßte. Die erste Intervention von Kardinal Frings in der Generalkongregation vom 13. Oktober 1962 gab dem Konzil entscheidende Impulse. Das Konzilssekretariat hatte nämlich Listen mit den Namen von Mitgliedern der alten Vorbereitungskommissionen zur Akklamation vorgelegt. Die Kardinäle Frings und Liénart griffen das Wahlverfahren für die Konzilskommissionen an. Sie beantragten eine Verschiebung der für diesen Tag vorgesehenen Wahlen, damit die Bischöfe sich zunächst einmal kennenlernen. In ihren Augen war es nur die Konsequenz der Einberufung des Konzils und der konkrete Ausdruck der Katholizität. Kardinal Frings setzte sich von Anfang an für die Rechte der Bischöfe ein. Er schlug Treffen der einzelnen Bischofskonferenzen und eine spätere Wahl vor. Dieser Vorschlag wurde mit großer Zustimmung aufgenommen. Die ursprünglich vorgeschlagenen Kandidaten wurden bis auf einzelne Ausnahmen nicht gewählt. Von vornherein wurde die neue Macht der Bischöfe als Gegengewicht zu den römischen Zentralbehörden erkennbar.

Es waren in den vier Sitzungsperioden des Konzils 19 Reden, in denen Kardinal Frings zu den meisten wichtigen Themen Stellung nahm und mit denen er das Konzil prägte. Als Mitglied des Präsidialkollegiums erhielt er immer als einer der ersten das Wort und konnte so die Richtung eher prägen als die späteren Redner. Dazu berief ihn der Nachfolger Johannes XXIII., Paul VI., 1963 in das Präsidium des Konzils. In dieser Funktion konnte er stärkeren Einfluß auf die Debatten ausüben. Seine Interventionen liegen insgesamt in der Kontinuität seiner früheren Erfahrung, vor allem als Gründer von Misereor. In seiner berühmten Rede vom 8. November 1963 empfahl Kardinal Frings eine Änderung des Prozeßverfahrens des Heiligen Offiziums, was dessen Leiter, der Kurienkardinal Ottaviani, als persönlichen Angriff gegen sich verstand und sehr heftig zurückwies. Am 13. November 1963 standen die Umgestaltung und die Rechtsstellung der Bischofskonferenzen an der Tagesordnung. Die bisher informellen Bischofskonferenzen sollten mit einem genauen rechtlichen Statut ausgestattet und institutionell ausgebaut werden. Kardinal Frings hielt eine flammende Rede, in der er stark für die Freiheit der Bischofskonferenzen eintrat. Er warnte vor einer zu weiten Ausdehnung ihrer rechtlichen Macht, wobei er die entscheidende Rolle der Bischofskonferenzen für den Einfluß des Katholizismus in Deutschland unterstrich und auf die Gründung der bischöflichen Werke Misereor und Adveniat verwies. Dabei spendeten afrikanische und südamerikanische Bischöfe dem Kölner starken Beifall. In den ersten beiden Sitzungsperioden des Konzils setzte sich Kardinal Frings sehr stark für die Lehre von der Kollegialität der Bischöfe und gegen den päpstlichen Zentralismus ein. Nach dem Tod Johannes XXIII. im Juni 1963 wollten starke Kräfte der römischen Kurie die Zentralgewalt Roms stärken. Unter dem Beifall der Konzilsväter wies Kardinal Frings die Kardinäle Ottaviani und Ruffini, die heftigsten Gegner jeder Reform, in die Schranken. Es ist zu beachten, daß er durch seine Interventionen die konziliare Meinungsbildung stark beeinflußte und viele seiner Vorschläge in die endgültige Fassung der Dekrete aufgenommen wurden.

Obwohl das Thema Entwicklungshilfe zu keiner der zehn vorbereitenden, thematisch gebundenen Kommissionen gehörte, die der Papst im Juni 1960 zur Vorbereitung des Konzils gebildet hatte, waren doch die Interventionen der Konzils-

väter in der 3. Sitzungsperiode insgesamt von der Sorge um die Entwicklungsländer beherrscht. Paradoxerweise traten aber die deutschen Bischöfe im Gegensatz zu den französischen und brasilianischen Bischöfen nicht besonders als
Sprecher der Entwicklungsländer auf. Daß das Kapitel 3 des 2. Teils des sogenannten Schemas XIII, der Grundlage für die künftige Pastoralkonstitution *Gaudium et Spes*, sich mit dem Thema Entwicklung befassen sollte, wurde erst im
Jahre 1964 beschlossen. Im Oktober 1964 wurde dann das Schema XIII als Diskussionsgrundlage den Konzilsvätern dargelegt. Vor allem in der letzten Sitzungsperiode zeigten die Debatten den Widerspruch zwischen dem französischen
und dem deutschen Episkopat. Während die französischen Bischöfe den besonders europäischen Charakter des Schemas XIII unterstrichen, behaupteten mehrere deutsche Bischöfe – unter anderem Hengsbach und Höffner, die beide Mitglieder der bischöflichen Kommission von Misereor waren –, die Probleme der
Industrieländer seien zu schnell behandelt worden. Außerdem waren die französischen Bischöfe der Meinung, daß der Text zu viele religiöse Betrachtungen, zu
viel über übernatürliche Wahrheiten auf Kosten der zeitlichen Wahrheiten umfaßte, während Kardinal Frings dagegen behauptete, das Schema XIII sei wenig
gehaltvoll, was die Glaubenslehre und die Doktrin betreffe[16]. Er verlangte sogar
eine totale Überarbeitung des Textes, da er seiner Meinung nach zu wenig Wert
auf die menschliche Sünde legte. Die Interventionen der deutschen Konzilsväter
wurden von den Franzosen als Ausdruck eines deutschen Angriffs betrachtet, was
im Grunde vielmehr auf die verschiedenen historischen Erfahrungen und theologischen Traditionen der Franzosen und Deutschen hinwies. Zu den Schwerpunkten der Konzilsreden von Kardinal Frings gehörte die Kritik an der Zentralisierung der päpstlichen Macht, was im Hinblick auf Misereor nichts Neues
bedeutete. In der Kontinuität seiner früheren Erfahrungen trat er auch für die
Gründung einer von Rom unabhängigen, internationalen Kooperationsstruktur
zwischen den bestehenden Entwicklungshilfeorganisationen ein. Dies wurde
schließlich im Dezember 1965, kurz vor Ende des Konzils, vom Staatssekretär
Cicognani gebilligt. Der Vatikan war sehr mißtrauisch gegen den Zusammenschluß der bestehenden Hilfswerke mit Sitz in Brüssel und stellte eine Reihe von
Hindernissen gegen das Funktionieren einer solchen internationalen Struktur.
1966 verlangte Staatssekretär Cicognani die Verlagerung des Sitzes nach Rom.
Er hatte nämlich vor, diese internationale Kooperationsstruktur in die römische
Kurie einzubeziehen und sie zu einer Abteilung des Staatssekretariats zu machen.
Dieser Vorschlag wurde aber heftig abgelehnt. Es blieb nicht dabei: Die Gründung der päpstlichen Kommission Cor Unum im Jahre 1971 wurde unter anderem als Gegenoffensive des Vatikans verstanden. Sie wurde von den deutschen
Bischöfen als Versuch des Vatikans betrachtet, sich die Kontrolle über die katholische Entwicklungshilfe zu sichern, wie der Entwurf der deutschen Bischofskonferenz zu erkennen ließ: „Die Kooperation der deutschen Hilfswerke mit Cor
Unum wird angestrebt, wobei die deutsche Bischofskonferenz davon ausgehen
wird, daß die Freiheit des direkten Kontaktes und des Dialogs mit den Projekt-

---

16 Intervention Kardinal Frings' vom 24. September 1965. Vgl. dazu den Beitrag von Roland
  Götz in diesem Band.

verantwortlichen in den Entwicklungsländern und die Eigenständigkeit in der Geldvergabe gewährleistet wird"[17].

---

[17] Beschlußvorschlag der Kommission „Iustitia et Pax", 15. September 1971 (Archiv des Deutschen Caritasverbandes 187 I +369).

Einblick in die ‚Textwerkstatt' einer Gruppe deutscher Theologen auf dem II. Vatikanum

Von Günther Wassilowsky

EINLEITUNG

Wenn Karl Rahner in Interviews auf seinen Konzilseinfluß angesprochen wurde, reagierte er geradezu stereotyp mit Abwehr. Teilte der Interviewer Prädikate wie ‚Schlüsselfigur', ‚heimlicher Architekt' oder ‚Holy Ghost Writer' des Konzils zu, konnte er sich dessen gewiß sein, daß Rahner Einhalt gebieten wird: „Ach, das sind so Sprüche, die keinen Sinn haben. [...] Gut, ich war beim Zweiten Vatikanischen Konzil dabei. Ich hatte auch Kontakte mit deutschen Bischöfen, mit österreichischen Bischöfen. Ich war einmal bei den brasilianischen Bischöfen zum Vortrag eingeladen, oder mehrmals. Ich war einmal bei den polnischen Bischöfen. Ich war Mitglied der Theologischen Kommission, die sowohl das Dekret über die Kirche wie auch über die göttliche Offenbarung gemacht hat. Ich war bei der Kommission dabei, die diese Erklärung über das Verhältnis der Kirche zur heutigen Welt erstellt hat. Aber auf dem Zweiten Vatikanischen Konzil waren von der Natur der Sache her so viele Köche dabei, so viele Mitarbeiter, so viele Theologen und Bischöfe, wenn es da hunderte und aberhunderte Verbesserungsvorschläge bei jedem Dekret von zweitausend Bischöfen gegeben hat, und wenn Sie bedenken, daß ich zum Beispiel in der Theologischen Kommission wahrhaftig auch bei den Theologen, im Unterschied zu den Bischöfen, absolut nicht der Chef war, dann muß man nicht so tun, als ob ich eine Schlüsselposition im Zweiten Vatikanischen Konzil gehabt habe"[1].

Welche Regeln erteilt eine solche Antwort der historischen Erforschung des Rahnerschen Konzilsbeitrags oder generell dem Versuch einer Charakterisierung der Arbeit von Konzilstheologen? Ich erkenne hinter Rahners Stereotype drei verschiedene, sich aber durchaus nicht ausschließende Interpretationshorizonte. Aus diesen Selbstrelativierungen spricht zunächst ein bestimmtes Verständnis theologischer Arbeit für das Konzil, wie es auch andere Konzilstheologen immer wieder für sich in Anspruch genommen haben: von Anfang an sei ihre Arbeit *unpersönlich* gedacht gewesen[2]. Ohne die Kategorie ‚Ordensexi-

---

[1] Karl Rahner, Erinnerungen im Gespräch mit Meinold Krauss, Freiburg i.Br. 1984, 89f.

[2] „Sie wurde im Dienste des Konzils geleistet und hat daher die Grenzen eines persönlichen Gedankens, einer persönlichen These gesprengt, um in die Formen einer Lehre der Kirche einzugehen [...]", Yves Congar, Schlußwort, in: Guilherme Baraúna (Hg.), De Ecclesia. Beiträge zur Konstitution „Über die Kirche" des Zweiten Vatikanischen Konzils, Bd. II, Freiburg i.Br. 1966, 589-597; 592. Ähnlich: Joseph Kardinal Ratzinger, Geleitwort, in: Thomas Weiler, Volk Gottes – Leib Christi. Die Ekklesiologie Joseph Ratzingers und ihr Einfluß auf das II. Vatikanische Konzil, Mainz 1997, XIIIf.

stenz'[3] hier überstrapazieren zu müssen, legt es die nüchterne Persönlichkeit des Jesuiten Rahner nahe, daß er, resistent gegenüber jeder Form von Selbstprofilierung, seinen ‚Dienst am Konzil' zumindest tendenziell heruntergespielt hat. Damit aber wäre Vorsicht geboten, solchen Äußerungen Rahners unbedingte historische Dignität beizumessen. Ein zweiter Interpretationsansatz: Versteht man Rahners Selbsteinschätzung maßgeblich vor dem Horizont der Kategorie ‚Ereignis Konzil' – von der her er ja selbst im obigen Zitat zumindest implizit argumentiert –, dann gewinnen die Relativierungen bezüglich seiner Position einige historische Glaubwürdigkeit. Dann wäre die Arbeit der Periti schließlich völlig aufgegangen im Ereignis, hätte sich gänzlich vermischt in der Vielzahl der Einflüsse und wäre jetzt nicht mehr im einzelnen kenntlich zu machen. Bei allzu starker Gewichtung dieses Aspektes müßte jedes Unternehmen, das im Nachhinein die Zugabe eines einzelnen Koches ermitteln will, vor dem großen Brei kapitulieren. Im Falle Rahners ist eine Rekonstruktion seines genuinen Beitrags seitens namhafter Schüler-Interpreten auch für undurchführbar erklärt worden[4]. Schließlich blickt eine dritte Perspektive hinter Rahners Abwehrhaltung nicht vornehmlich auf bestimmte Charakterzüge oder das Kommunikationsereignis II. Vatikanum, sondern rechnet Rahner prinzipiell größere Anteile in den konziliaren Entscheidungsfindungsprozessen an, als er selbst öffentlich zugegeben hatte und vermutet den Grund für sein Herunterspielen vielmehr darin: Rahner erkannte die Gefährlichkeit einer derartigen Frage. Hatte er doch bereits auf dem Konzil erlebt, wie schnell und argwöhnisch gegen einzelne, sogenannt progressive Theologen mit dem Verdikt Verschwörung konterminiert wurde[5]. Und gelingt es erst einmal, eine konziliare Errungenschaft auf das starke Agieren einzelner Teile im Konzil, gar nur auf einzelne Theologen, zurückzuführen, dann ist der Weg zur Feststellung der Partikularität der Aussage selbst nicht mehr weit. Auch nachkonziliar ist mittels dieser Methode versucht worden, eine ‚Rhein-Gruppe' mythologisch aufzuladen und in ihr insbesondere den Deutschen konzilsmanipulierende Alleingänge nachzuweisen, um

3   Grundsätzlich als Interpretationsrahmen des Rahnerschen Werkes dargelegt von: Karl Heinz Neufeld, Ordensexistenz, in: Albert Raffelt, Karl Rahner in Erinnerung, Düsseldorf 1994, 28-43; und appliziert auf das Verstehen von Rahners Konzilsengagement in: ders., Der Beitrag Karl Rahners zum II. Vatikanum, in: Klaus Wittstadt/Wim Verschooten (Hg.), Der Beitrag der deutschsprachigen und osteuropäischen Länder zum Zweiten Vatikanischen Konzil, Leuven 1996, 109-119; 109f.

4   So Herbert Vorgrimler, Rahner verstehen. Eine Einführung in sein Leben und Denken, Freiburg i.Br. 1985, 124, und Karl Heinz Neufeld (wie Anm. 3), 109; Franz Kardinal König hält die Einlösung des von Karl Lehmann geäußerten Desiderates, daß nämlich eine Geschichte des Einflusses Karl Rahners auf das II. Vatikanum geschrieben werden müsse, zumindest für „nicht leicht", in: Erinnerungen an Karl Rahner als Konzilstheologen, in: Albert Raffelt (wie Anm. 3), 149-165; 150.

5   Im Sommer 1963 wurden z.B. in der italienischen Presse die Treffen des deutschen Episkopates zwischen der ersten und zweiten Konzilsperiode als eine „Verschwörung gegen Rom" bezeichnet; vgl. KNA-Sonderdienst 36/36 (1963) 25; Josef Schmitz van Vorst, Die Italiener und das Konzil, in: FAZ, Nr. 221, 24. September 1963, 2. Oder: Ende der ersten Sessio meldete der Osservatore Romano, Nr. 49, 8. Dezember 1962, Yves Congar habe auf dem Konzil ein *paraconcilio* veranstaltet, „che non aveva lo Spirito Santo".

in einem zweiten Schritt den ‚römischen Tiber' von allen ‚liberalen Einflüssen' wieder rein zu waschen[6.]

Soll nun trotz der angeklungenen Schwierigkeiten das Projekt nicht aufgegeben werden, den Beitrag deutscher Theologen im Konzilsereignis zu eruieren, können Rahners Stereotype als Plädoyer für eine streng historisierende Behandlung gelesen werden, die der Komplexität der Prozesse und dem Selbstverständnis der Periti dadurch Rechnung trägt, daß sie nur mit äußerster Vorsicht und in möglichst positioneller Abstinenz exklusive Genealogien konstatiert. Jede verklärende Behandlung des Themas ‚Die Deutschen und das Zweite Vatikanum' ist nicht nur kontraproduktiv, weil sie einer tendenziösen Konzilshermeneutik gleich welcher Couleur möglicherweise falsche historische Daten liefert, sondern sie ist v.a. methodisch obsolet und dient weder der Erforschung eines theologischen Werkes, noch einem Aggiornamento des Konzils in der katholischen Kirche von heute.

Ich will im folgenden darüber berichten, welche Möglichkeiten sich derzeit der Erforschung des Konzilsbeitrags eines deutschen Peritus bieten. In einem zweiten Schritt werde ich dann die Arbeit einer Gruppe deutscher Theologen um Karl Rahner innerhalb eines bestimmten Zeitrahmens exemplarisch vorführen, indem ich deren Bemühungen rekonstruiere, das vorbereitete *De Ecclesia*-Schema während der ersten Konzils- und Intersession durch Kritik und einen Alternativvorschlag zu erneuern. Abschließend werde ich versuchen, das spezifische Charakteristikum der Arbeitsweise deutscher Wissenschaftler auf dem II. Vatikanischen Konzil zu formulieren.

I. Zur Erforschung des Beitrags eines deutschen Konzilstheologen

Peter Hünermann hat im Dezember 1993 in Würzburg auf dem letzten Symposion, das sich der Rolle deutschsprachiger Theologie auf dem Konzil widmete, auf Problematik wie auf Unentbehrlichkeit historischer Einzeluntersuchungen über den unmittelbaren Konzilseinfluß von Theologen aufmerksam gemacht[7]. Selbst wählte er dann einen anderen methodischen Zugang zu seinem Thema „Deutsche Theologie auf dem Konzil", wandte sich nicht den unmittelbaren Konzilsakteuren, sondern der *Scientific Community* der deutschen Theologenschaft in den Jahrzehnten vor dem Konzil zu, um dort nach den *Voraussetzungen* für den Konsensbildungsprozeß auf dem Konzil zu suchen, der schließlich zu jenen theologischen Grundintuitionen des II. Vatikanums geführt hat, von denen die ver-

---

6 Diesem Programm verpflichtet sich die gesamte Darstellung von Ralph M. Wiltgen, Der Rhein fließt in den Tiber. Eine Geschichte des Zweiten Vatikanischen Konzils, Feldkirch 1988.

7 Peter Hünermann, Deutsche Theologie auf dem Zweiten Vatikanum, in: Wilhelm Geerlings/Max Seckler (Hg.), Kirche sein. Nachkonziliare Theologie im Dienst der Kirchenreform (FS Hermann Josef Pottmeyer), Freiburg i.Br. 1994, 141-162.

abschiedeten Texte dann zeugen. Eine solche Methode hat den Vorzug, die inhaltliche Korrespondenz zwischen dem Konzilsvorfeld und den finalen Resultaten des Konzils in systematisch gesammelter Form bestimmen zu können. Zudem stellen ihre Ergebnisse der historischen Forschung erste formale Objekte bereit, mit denen diese sich dann ins Ereignis selbst begeben kann. Was ein Vorgehen dieser Art aber nicht leisten wird und auch nicht leisten darf, ist evident: es vermag noch nicht, den Graben, der zwischen den zurecht als *Anbahnung* charakterisierten Innovationen im vorkonziliaren Deutschland und den schließlich auf dem Konzil getroffenen Entscheidungen klafft, historisch begründet mit einem eindeutigen Kausalzusammenhang aufzufüllen. Um eben diesen Zusammenhang genau zu ermitteln, braucht es die historische Rekonstruktion der Rolle deutscher Bischöfe und Theologen bei der Genese der Konzilstextur. Auf ihr kann eine präzisere systematische Rekonstruktion der Konzilsaussagen dann aufruhen. Bei der Vorläufer-Debatte in Bezug auf die Modernisten ist vor teleologischen Fallen gewarnt worden[8]; die Gefahr konstruierender Geschichtsschreibung ist nicht gebannt, wenn nun die deutsche Theologie im allgemeinen zu Ehren kommen soll.

Der hier anvisierte Typ Konzilsforschung befindet sich, insbesondere was die Erforschung des Beitrags der deutschen Theologen betrifft, ganz am Anfang. Eine Erklärung dafür ist leicht gegeben: die Methode hat ein enormes Quellenproblem. Die Positionen der deutschen Bischöfe sind über ihre in den *Acta Synodalia* veröffentlichen Reden in der Generalkongregation noch relativ einfach zu bestimmen. Man würde allerdings die theologische Eigenleistung der deutschen Bischöfe gehörig verkennen, verstände man sie lediglich als ein Sprachrohr ihrer Berater. Ohne also die Vorarbeit des Peritus zur Bischofsrede in Händen zu halten, gelangt jeder Forscher an eine Grenze, wenn er mehr als geistige Verwandtschaften zwischen der publizierten Theologie des Beraters und der vorgetragenen Rede des Bischofs anmelden will. Ganz zu schweigen im Konstatieren von *Einflüssen* auf den Endtext. Denn der Weg, den ein bestimmter Gedanke durch das Ereignis genommen hat, ist durch die Parallelisierung einer Redesentenz mit einem Stück Endtext, noch nicht abgesteckt. In der einzigen bislang vorliegenden Studie zu einem deutschen Konzilstheologen von Thomas Weiler über den „Einfluß" Joseph Ratzingers auf die Ekklesiologie des Konzils tritt diese Grenze offen zutage[9]. Die fleißige Dissertation kommt über die Feststellung von Analogien zwischen dem ekklesiologischen Schrifttum Ratzingers vor dem Konzil und den Konzilsreden Kardinal Frings nicht hinaus.

Ergiebig für die Erforschung der Periti-Arbeit wäre eine Untersuchung der Kommissionsunterlagen. Da in naher Zukunft aber nicht zu erwarten ist, daß vom

---

[8] Vgl. die Kontroverse um Otto Weiß, Der Modernismus in Deutschland. Ein Beitrag zur Theologiegeschichte, Regensburg 1995, angestoßen durch die Rezension von Friedrich Wilhelm Graf, Gerechtigkeit für Margarinekatholiken. Otto Weiß will die Modernisten zu Vorläufern des Zweiten Vatikanischen Konzils und zu Propheten einer besseren Kirche machen, in: FAZ, Nr. 13, 16. Januar 1996, 31. Weitergeführt und wissenschaftlich ausgetragen findet sich der Disput in den Beiträgen von Graf und Weiß in: Hubert Wolf (Hg.), Antimodernismus und Modernismus in der katholischen Kirche. Beiträge zum theologiegeschichtlichen Vorfeld des II. Vatikanums, Paderborn 1998.

[9] Weiler, Volk Gottes (wie Anm. 2).

Archiv des II. Vatikanischen Konzils im Vatikan offene Einsicht gewährt wird, bleibt eine dritte Ebene, die im Falle der hier interessierenden deutschen Theologen eine echte Kommunikationsebene darstellt: herangezogen werden sollen direkt für das Konzil erstellte Produkte aus den ‚Textwerkstätten‘ der Theologen. Je nach Art der Texte, kann nach eingehender Analyse der Beiträge selbst in einem zweiten Schritt deren Einwirkung auf Kommissionsarbeiten, Folgeschemata und auf die von ihnen beratenen Bischöfe untersucht werden. Im wesentlichen handelt es sich um Gutachten zu aktuellen Schemata, auch um komplett ausgearbeitete Alternativschemata, Stellungnahmen zu diskutierten Einzelfragen (oft in der Form von Flugblättern), Entwürfe für Reden und für gemeinsame Erklärungen des Episkopates. Meiner Beobachtung zufolge haben sich solche Produkte in vielen Fällen unmittelbarer in die konkrete Entwicklung eines Konzilstextes ‚eingeschrieben‘, als das in der Regel einzelne Statements in der Aula getan haben.

Es ist mir nicht möglich, einen umfassenden Bericht über den Erhalt derartiger Dokumente in den Nachlässen aller deutscher Periti zu geben[10]. Auf der Suche nach der Spur von Karl Rahner im Ereignis stellte sich jedoch schnell heraus, daß zumindest sein Beitrag unmöglich isoliert von anderen Konzilstheologen zu verfolgen ist. Der Konzilsnachlaß Rahners – dessen Hauptbestand sich in Würzburg befindet[11] – erschließt sich zu einem Großteil nicht aus sich selbst, sondern nur durch die Gegenlektüre jener Archive, welche die Unterlagen seiner Hauptgesprächspartner während des Konzils beherbergen. Innerhalb der deutschen *periti conciliares* und *privati* bildete sich in den Wochen unmittelbar vor der Konzilseröffnung eine Arbeitsgruppe[12] heraus, zu deren hartem Kern die Jesuitenpatres Karl Rahner, Otto Semmelroth, Alois Grillmeier und Bischof Hermann Volk aus Mainz gehörten. Die Gruppe arbeitete in unterschiedlicher Intensität und an verschiedenen Projekten bis in die zweite Session hinein. Dann verlor sie an Bedeutung, weil ihre Mitglieder zunehmend von der Arbeit in den einzelnen Subkommissionen absorbiert wurden. Zeitweilig traten andere Theologen hinzu, teils zur Beratung, teils zu aktiver Mitarbeit: die beiden Jesuiten Josef Hirschmann und

---

[10] Über die Quellenbestände einiger Diözesanarchive, die vornehmlich Unterlagen der bischöflichen Konzilsteilnehmer beherbergen, erteilt Klaus Wittstadt eine erste Auskunft in: Deutsche Quellen zum II. Vatikanum, in: Jan Grootaers/Claude Soetens, Sources locales de Vatican II, Leuven 1990, 19-32.

[11] Anfang der 80er Jahre hat Karl Rahner seine Konzilsunterlagen seinem ehemaligen Assistenten Elmar Klinger übergeben. Das Material befindet sich mittlerweile im Institut für Fundamentaltheologie der Universität Würzburg und ist dort in 30 Ordnern den jeweiligen Konzilstexten zugeteilt. Das Archiv (KRA-EK) enthält insbesondere zu den drei Konzilskonstitutionen, aber auch allen anderen verabschiedeten Dekreten und Erklärungen, umfangreiche Sammlungen verschiedenster Textsorten. Nur ein Bruchteil davon stammt m.E. von Rahner selbst.

[12] Im August/September 1962 findet eines der ersten Treffen dieser Gruppe statt. Die Randglossen und Erläuterungen, die Karl Rahner währenddessen und im Anschluß daran in die vier lehrhaften Schemata der Vorbereitungskommission einträgt, bespricht Roman Siebenrock, „Meine schlimmsten Erwartungen sind weit übertroffen“, in: Wittstadt/Verschooten, Beitrag (wie Anm. 3), 123-139. Der Artikel Siebenrocks bietet erstmals die Analyse eines konkreten Konzilsbeitrags im Stil der hier beschriebenen Konzilsforschung.

Friedrich Wulf, sowie die Professoren Joseph Ratzinger, Klaus Mörsdorf, Hubert Jedin, Michael Schmaus und Rudolf Schnackenburg.

Bislang bin ich in den Archiven auf keinen einzigen ‚Rahner-Text' gestoßen, von dem ich behaupten würde, daß Rahner ihn ‚alleine' verfaßt hat. Auch wenn man sich auf Texte konzentriert, bei denen eine Beteiligung Rahners nachgewiesen werden kann, gilt es sich vor Augen zu halten: selbst ein schließlich von Rahner formuliertes Papier objektiviert stets das Gespräch einer ganzen Gruppe. Deshalb ermöglicht in vielen Fällen erst die Sichtung der Quellen aus den Nachlässen Semmelroth und Grillmeier in Frankfurt/St. Georgen[13], wie auch der Konzilsunterlagen in den Diözesanarchiven von Mainz, München und Wien[14] die Dokumente aus dem Nachlaß Rahner zu identifizieren. Denn die Mehrzahl der sich dort befindenden Texte verweist weder auf Autoren noch auf ein Entstehungsdatum. Existiert keine handschriftliche Vorstufe zu einem Typoskript, beginnt jeweils eine mühsame Beweisführung in der Verfasserfrage, bei der häufig die Briefkorrespondenz innerhalb der Gruppe entscheidende Hinweise liefert.

Ein Dokument, das für die Erforschung des deutschen Konzilsbeitrags eine Erkenntnisquelle von unbeschreiblichem Wert darstellt, ist das Konzilstagebuch von Otto Semmelroth[15]. Semmelroth berichtet nahezu täglich von den gesamtkonziliaren Entwicklungen, den Zusammenkünften und Projekten der Deutschen über alle vier Sessiones hinweg. Eine Edition dieses Textes würde viel Licht in Spekulationen über die Deutschen auf dem Konzil werfen und zu Entmythologisierung beitragen.

Überhaupt wäre eine Herausgabe der gesammelten, vom deutschen Episkopat dem Konzil vorgelegten *propositiones*, zusammen mit den unmittelbar dazugehörigen Vorarbeiten der Theologen, ein nächster Schritt, um die Erforschung des deutschen Konzilsbeitrags voranzubringen. Eine solche Edition wäre momentan einfacher zu realisieren, als der auf lange Sicht anzustrebende Aufbau eines zentralen deutschen Konzilsarchivs.

Nun aber zu den Akteuren selbst.

---

[13] Das Archiv der Jesuitenhochschule St. Georgen/Frankfurt a.M. (ASG) verwahrt die Nachlässe von Semmelroth, Hirschmann und Grillmeier. Nahezu ungeordnet ist das Material in 80 Mappen gesammelt (manche Dokumente und handschriftliche Einträge machen die Zuordnung des Grundbestandes einer Mappe an einen der drei Patres möglich). Das gesamte Konzilsarchiv von St. Georgen befindet sich auch auf Microfiche am Istituto per le scienze religiose in Bologna (ISR).

[14] Aus dem deutschsprachigen Episkopat sind es vorwiegend die Kardinäle Döpfner und König, sowie Bischof Volk mit denen die Gruppe arbeitet. Die Dokumente aus dem Nachlaß König, die für die Bestimmung des Beitrags von Rahner relevant sind, befinden sich in Fotokopie auch im Karl-Rahner-Archiv in Innsbruck (KRA). Im wesentlichen ist dies die Korrespondenz Rahner-König, offizielle Schemata mit Randglossen und die Gutachten für König aus der Vorbereitungszeit, die von Herbert Vorgrimler bereits herausgegeben wurden in: Karl Rahner, Sehnsucht nach dem geheimnisvollen Gott, Profil – Bilder – Texte, Freiburg i.Br. 1990, 95-165.

[15] Das Original des Tagebuchs (TBOS) liegt im Archiv der Norddeutschen Provinz S.J. in Köln. Alois Kardinal Grillmeier hat mir eine Photokopie zur Verfügung gestellt.

II. DER BEITRAG EINER GRUPPE DEUTSCHER THEOLOGEN ZUR ERNEUERUNG DER KONZILIAREN EKKLESIOLOGIE

Am Vorabend zum 14. November 1962, dem Beginn der Diskussion von *De fontibus revelationis*, tagte die Theologische Kommission (ThK) zum ersten Mal in der Besetzung ihrer neu nominierten Mitglieder[16]. Kommissionspräsident Ottaviani legte den Anwesenden zwei Texte über die Offenbarung vor, die ohne Wissen der Kommission während der vergangenen Tage auf dem Konzil entstanden waren. Nach Auskunft des Sitzungsberichtes von Sekretär Tromp[17] war es schließlich Aufgabe von Bischof Parente, die Schemata aus der Vorbereitung nachdrücklich zu verteidigen und „nicht ohne Schärfe" darüber zu handeln, mit welchem Recht, ohne eine ausdrückliche Aufforderung seitens der ThK, überhaupt neue Texte parallel zu den offiziellen verfaßt werden dürften. Die *Relatio* Tromps bemerkt zwar, daß die Herkunft dieser Alternativtexte unklar gewesen sei, über das Konzilstagebuch von Yves Congar erhalten wir aber folgende Hinweise: „Es ist entsetzlich gewesen. Ottaviani hat zwanzig Minuten lang gesprochen. Tromp fünfundvierzig. Parente ebenfalls zwanzig. Ihm ging es um ein deutsches und ein englisches Schema (einem anderen hat er dessen Namen zugeflüstert). Dieses englische Schema sind in Wirklichkeit die ins Englische übertragenen *Animadversiones* von P. Schillebeeckx"[18].

Bei dem deutschen Schema handelte es sich um den berühmtgewordenen Entwurf *De revelatione Dei et hominis in Jesu Christo facta*, den Karl Rahner zusammen mit Joseph Ratzinger aufgesetzt hatte[19]. Ursprünglich ist dieser Text nur Teil eines größeren „Rahner-Planes"[20], der die vier weitschweifigen lehrhaften Schemata aus der Vorbereitung[21] durch ein einziges Schema in vier Teilen ersetzen wollte. Mit diesem Plan war Rahner am 9. Oktober bereits in Rom eingetroffen, hatte ihn zwei Tage später Semmelroth, Grillmeier und Volk unterbreitet

---

[16] Auf Antrag der Kardinäle Liénart und Frings in der ersten Generalkongregation sind neue Kandidatenlisten für die Kommissionen erstellt worden. Die neu gewählten Mitglieder wurden am 20. Oktober 1962 bekanntgegeben.

[17] Im ‚Fondo Florit' am ISR/Bologna sind die Sitzungsprotokolle von Sebastian Tromp aus der Theologischen Kommission erhalten geblieben: *Relationes Secretarii S. Tromp S.J. de laboribus Commissionis de Doctrina Fidei et Morum (Dec. 1960 – Dec. 1965).* Bei den wenigen Informationen, die über die Kommissionsarbeit zu beschaffen sind, sind diese recht sachlich erstatteten Berichte Tromps sehr wertvoll.

[18] Das Konzilstagebuch von Yves Congar befindet sich in Kopie am ISR/Bologna. Teile daraus, u.a. die hier zitierte Passage, sind veröffentlicht in: Yves Congar, Erinnerungen an eine Episode auf dem II. Vatikanischen Konzil, in: Elmar Klinger/Klaus Wittstadt (Hg.), Glaube im Prozess. Christsein nach dem II. Vatikanum (FS Karl Rahner), 22-32; 30.

[19] Semmelroth nennt in TBOS 28. Oktober 1962 den Text „das von Ratzinger durchgearbeitete Schema von P. Rahner" und bestätigt damit die Bestimmung der vornehmlichen Autorenschaft Rahners, die E. Klinger mit dem Untertitel „Karl Rahner unter Mitwirkung von Joseph Ratzinger" bei der deutschen Erstveröffentlichung andeutet; ebd., 33-50.

[20] TBOS 10. Oktober 1962.

[21] *De Fontibus Revelationis; De deposito Fidei pure custodiendo; De ordine morali Christiano; De castitate, matrimonio, familia, virginitate.*

und für die moraltheologischen Teile nach Mitarbeitern gesucht[22]. Die Erfahrungen der ersten Konzilswochen – insbesondere die zutage getretenen Differenzen auf den von Bischof Volk organisierten Zusammenkünften mit den Franzosen, die eher für eine Korrektur der Vorlagen, als für deren radikale Substitution votierten[23] – ließen Rahner nach und nach Abstand nehmen von seinem Plan. Der Offenbarungstext ist gleichsam ein Relikt des ursprünglichen Großprojektes. Kurz vor der Eröffnung der Offenbarungsdebatte hatte nun Kardinal Frings dem Rahner-Ratzinger-Schema noch einmal auf breitester Ebene Geltung zu verschaffen versucht, indem er es von den Vorsitzenden der Bischofskonferenzen von Österreich (Kardinal König), Belgien (Kardinal Suenens), Frankreich (Kardinal Liénart) billigen und durch eine publikatorische Großaktion[24] im Konzilsgeschehen großflächig streuen ließ. Nicht viele inoffizielle Texte des Konzils dürften einen solchen Bekanntheitsgrad erreicht haben. Für Rahner selbst sind die Aussichten des Textes, nach einer eventuellen Ablehnung des offiziellen Schemas als Ersatz zu dienen, zu diesem Zeitpunkt „gleich null"[25]. Daß aber die Aktion von Kardinal Frings für Karl Rahner kein ganz ungefährliches Unternehmen darstellte, das deutete sich bereits im eingangs erwähnten Sitzungsbericht der ThK an. Sollte das Gerücht, das am 13. November 1962 in Rom kursierte, nicht völlig einer Entsprechung in der Wirklichkeit entbehren, dann hätte die weitläufige Veröffentlichung seines Alternativtextes ohne offiziellen Auftrag nämlich leicht das Aus für den immer noch mit der Vorzensur belegten Karl Rahner im Ereignis Konzil bedeuten können: „Kardinal Ottaviani habe vom Papst verlangt", so Otto Semmelroth im Tagebuch, „daß P. Rahner aus Rom entfernt werde. Was natürlich verständlich wäre, wenn Ottaviani den neuen Schemenvorschlag gesehen hat und gehört hat, daß er zum Teil von Rahner stammt"[26].

Ohne diesen hier grob skizzierten Vorgang während der ersten Konzilswochen ist das Agieren der Deutschen in der ekklesiologischen Debatte nicht zu verstehen. Die ersten internationalen Kontaktaufnahmen hatten nun stattgefunden und auch bereits strategische Meinungsverschiedenheiten zutage gefördert. Das kompromißlose Eintreten der Deutschen für eine Ersetzung der Vorbereitung muß beurteilt werden vor dem Hintergrund der Mühen, die später aufgebracht werden mußten, um die Durchsetzung zum Teil kleinster Verbesserungen im Detail zu erreichen. Von Beginn an hatten sie erkannt, daß Textgrundlagen Niveauvorgaben

---

[22] Für die beiden moraltheologischen Kapitel sollten der Moraltheologe der Gregoriana P. Josef Fuchs SJ und P. Johannes B. Hirschmann SJ aus St. Georgen gewonnen werden. P. Fuchs wird noch P. Bernhard Häring CSsR engagieren. Ebenso wird P. Bruno Schüller SJ aus Deutschland für eine Woche eigens nach Rom kommen.

[23] Dies geht hervor aus den Berichten über diese deutsch-französischen Zusammenkünfte im Oktober 1962 im Tagebuch von Yves Congar (wie Anm. 18), 24, und im nun veröffentlichten Tagebuch von Marie-Dominique Chenu, Notes quotidiennes au Concile. Journal de Vatican II 1962-1963. Édition critique et introduction par Alberto Melloni, Paris 1995, 74-78.

[24] Rahner spricht von 2000 Exemplaren, in: Karl Rahner, Kleine Brieffolge aus der Konzilszeit, in: Vorgrimler, Rahner (wie Anm. 4), 171-220; 192 (fortan zitiert als KorrKR-HV und Briefdatum); im TBOS 8. November 1962 sind es 2500 und 3000 bei Congar (wie Anm. 18), 28.

[25] KorrKR-HV 12. November 1962.

[26] TBOS 13. November 1962.

für alles künftige Arbeiten bedeuten. Und schließlich ist an der heftigen Reaktion der führenden Architekten der Vorbereitung, Rahner ganz aus dem Geschehen
zu eliminieren, abzulesen, daß ein Text wie das Rahner-Ratzinger-Schema mitnichten in den Konzilswirren völlig untergegangen ist, sondern große Aufmerksamkeit auf sich zog. Einmal ganz davon abgesehen, welche inhaltliche Inspiration von diesem Offenbarungstext auf die Entwicklung von *Dei verbum* ausging,
der Text hatte in der Phase der Selbstwerdung des Konzils eine nicht zu über-
schätzende Signalwirkung, denn er brachte das Konzil überhaupt erst auf den Gedanken, daß es selbstproduktiv eigene Texte hervorzubringen imstande ist.

1. Kritik

Bis zum 26. November 1962 wurden die Konzilsteilnehmer darüber im Unklaren
gelassen, ob das *De Ecclesia*-Schema[27] noch vor dem Abschluß der ersten Sessio
zum Thema in der Generalkongregation gemacht würde. Als nach Wochen der
Spekulation Generalsekretär Felici schließlich doch die eigentliche Zentralthe-
matik des Konzils für den Dezemberbeginn als letzten Diskussionsgegenstand
der Sitzungsperiode ankündigte, war von Vätern wie Theologen für eine ernst-
hafte Behandlung des konziliaren Herzstücks noch einmal die Mobilisierung aller Kräfte verlangt. Manch ein Streiter war aus den zermürbenden Gefechten der
zurückliegenden eineinhalb Konzilsmonate nicht ohne gefährliche Ermüdungser-
scheinungen hervorgegangen, so daß Otto Semmelroth am 30. November schreiben kann: „Mittags hatte ich die Gelegenheit, mit Kardinal Döpfner über das
Schema *De Ecclesia* zu sprechen. Er – und vielleicht auch manch andere Bischöfe – sind anscheinend den anstrengenden Kampf einigermaßen leid und müde.
Sie sind in gefährlicher Weise geneigt, mit dem Schema gnädig umzugehen. Ich
konnte ihm in zwanzigminütiger Besprechung doch die einzelnen wichtigsten
Momente so darstellen, daß er selbst die Konsequenz zog, daß wohl Non-placet
das entsprechende Votum sein müsse. Am Montag werde ich den deutschsprachigen Bischöfen einen Vortrag über das Schema halten können. Und ich hoffe,
daß ich ihnen deutlich machen kann, wie unzulänglich, ja gefährlich dieses Schema ist."
    Die besagte deutsche Theologengruppe hatte der offiziellen Vorlage über die
Kirche zunächst keinen eigenen Entwurf gegenübergestellt. Zum einen waren die
Schwierigkeiten wegen des Offenbarungstextes gerade erst abgeklungen und zum
anderen war auch die Zeit zwischen Ankündigung und Beginn der ekklesiologischen Debatte eindeutig zu kurz, um ein eigenes *De Ecclesia* zu konzipieren.
Stattdessen trifft man auf der Suche nach ersten schriftlich konservierten Reaktionen der Deutschen auf die vorbereitete Ekklesiologie in den Archiven auf ein
14-seitiges Dokument, das mit *Animadversiones de Schemate ‚De Ecclesia'* überschrieben ist[28]. Es handelt sich hierbei um ein ausführliches Gutachten, das dem
offiziellen Kirchentext zunächst in einigen *generalia* und dann äußert detailliert

---

[27] ASCOV I/4 12-91.
[28] ASG 25.43; KRA-EK 59.

Kapitel für Kapitel Mängel aufweist. In den drei Tagen vom 28. bis zum 30. November hatten sich Otto Semmelroth und Karl Rahner zusammengesetzt, um diese Kritik auszuarbeiten[29]. In ihr klingen bereits sämtliche zentralen ekklesiologischen Kontroversen des Konzils an. In nuce sind die wesentlichen inhaltlichen Positionen enthalten, die eine Mehrheit der deutschen Bischöfe und Theologen in den späteren Debatten verfechten werden. Um einen ersten inhaltlichen Eindruck zu erhalten, fasse ich einige der in den einleitenden *Animadversiones* getroffenen Urteile zusammen. Jedes der vom Gutachten angesprochenen ekklesiologischen Einzelthemen böte Material für eine eigene Untersuchung.

Rahner und Semmelroth erklären allererst die in der Vorlage angewandte theologische Methode für grundsätzlich verfehlt. Das Schema sei im Stil einer scholastischen Erörterung erstellt und entbehre jenen pastoralen Charakter, den heute auch ein Lehrtext aufweisen müsse (*quam hodie etiam decretum doctrinale praestare debet*). Auch wenn sich die beiden Dogmatiker nicht explizit darauf berufen, steht ihr hartnäckig wiederkehrendes Insistieren auf die pastorale Ausrichtung auch jedes lehrhaften Sprechens in offensichtlich engster Verwandtschaft zur päpstlichen Eröffnungsansprache. An einem Text wie den *Animadversiones* wird man demonstrieren können, auf welche Weise die von Johannes XXIII. vorgegebene Programmatik vom Konzil schließlich in concreto eingeklagt und angewandt wurde. Immer wieder bedauern Rahner und Semmelroth, daß das Schema Lehren vortrage in völligem Absehen davon, welche Schwierigkeiten oder gar Gefahren diese Aussagen in der konkreten Praxis erzeugen. Zieht eine Doktrin gefährliche Konsequenzen nach sich, könne sie schlechterdings der heilsamen Ankunft des Evangeliums in der gegenwärtigen Welt dienen. Die beiden Jesuiten stellen für die Formulierung einer Lehre das Kriterium der praktischen Anwendbarkeit auf. Sie melden an all den Stellen Widerspruch an, an denen sie eine Theologie entdecken, die ihre Aussagen völlig abgehoben von Lebensverhältnissen und Weltwirklichkeit entwickelt und dann im zweiten Schritt daraus Maximen christlichen Handelns und Muster christlicher Deutung für die Praxis

---

[29] Karl Rahner erwähnt in KorrKR-HV 5. Dezember 1962 ein *Elaborat*, das er zu *De Ecclesia* erstellt hat und in 1300 Exemplaren vervielfältigt wurde. Aus TBOS 28. November 1962 geht hervor, daß es sich bei dem von Rahner als *Elaborat* bezeichneten Text um eine *Kritik* am ‚Römischen Schema‘ handelt und daß Rahner diesen Text nicht alleine, sondern gemeinsam mit Semmelroth ausgearbeitet hat. Um dieses Rahner-Semmelroth-Elaborat nun unter den Dokumenten der Archive zu identifizieren, ist wiederum eine Bemerkung Karl Rahners in einem Brief an Vorgrimler von Nutzen. Nach der Versammlung aller deutschen Bischöfe am 5. und 6. Februar 1963 in München schreibt Rahner an Vorgrimler, daß Semmelroth vor den Bischöfen eine Kritik vortrug, die er „noch einmal zusammenfassend nach unserer [Rahners und Semmelroths] römischen Kritik verfaßt hatte." (KorrKR-HV 11. Februar 1963). Das auf dieser Tagung in München verabschiedete ‚Deutsche Schema‘ ist in den AS publiziert. Dort ist ihm eine Kritik am römischen *De Ecclesia* mit dem Titel *Annotationes criticae ad schema De ecclesia* (AS I/4 602-608) vorangestellt, bei der es sich um den Vortrag Semmelroths handeln dürfte. Einmal ganz abgesehen von inhaltlichen Indizien, die für die Autorenschaft Rahners und Semmelroths sprechen, ist bei einem Textvergleich des Gutachtens mit der in den AS veröffentlichten Kritik unschwer zu erkennen, daß die *Animadversiones de Schemate De Ecclesia* die materiale und formale Grundlage für die *Annotationes criticae ad Schema De Ecclesia* gebildet haben und es sich bei erstem eindeutig um den Text handelt, aus dem Semmelroth für seine zwei Monate später gehaltene Münchner Kritik exzerpiert.

deduziert. Geharnischt fällt Rahners und Semmelroths Urteil über den vom Schema verwendeten Staatsbegriff aus. Die in der Kritik anzutreffenden Beobachtungen zur modernen Gesellschaftsentwicklung dürfen für ihre Zeit als in verblüffender Weise weitsichtig und treffend gelten. Die beiden Zeitgenossen erkannten bereits 1962 im Pluralismus geradezu *das* Charakteristikum des Gesellschaftsgefüges der Moderne. Diesen Pluralismus müsse eine konziliare Betrachtung über die Aufgaben des Staates berücksichtigen. Es fehle z.B. in den pluralistischen Systemen jene allen Gesellschaftsvorgängen übergeordnete und sie durchwaltende ideologische und funktionale Steuerung, die das Schema bei seiner Aufgabenzuschreibung an den Staat noch voraussetzte. Wenn das Schema also wirklich seiner pastoralen und praktischen Zielsetzung folgen wolle, so konstatieren die Kritiker prononciert, dann dürfe es die Augen nicht nur auf eine bestimmte abstrakte Idee über den Staat richten, sondern müsse von einem Staat ausgehen, wie er sich heute konkret präsentiere – in Formen, die sich auch untereinander noch einmal „entsetzlich" (*crudeliter*) voneinander absetzen. Vor dem Hintergrund solcher Äußerungen und deren geschehener bzw. verweigerter Rezeption durch das Konzil müßte wohl der Modernisierungsgrad ausgemessen werden, den das II. Vatikanum dem Katholizismus und seiner Theologie bewußtermaßen verordnen wollte.

Methodische Zweifel an der Theologie des Schemas entstehen aber nicht nur betreffs seiner Ignoranz gegenüber gewandelter soziologischer Wirklichkeit, sondern auch angesichts der mangelnden bibeltheologischen Reflektiertheit des Textes. Es bedarf keines eingehenden Nachweises, daß das römische Schema nicht gerade biblischer Inspiration entsprungen ist. Schriftzitate werden lediglich sekundär als wörtliche Beweise (*dicta probantia*) für eine These herangezogen. Auch hier werden Rahner und Semmelroth im folgenden äußerst problematische Deduktionsvorgänge diagnostizieren. Die Verwendung einzelner Abschnitte aus der Schrift geschieht ohne Rücksicht auf Ergebnisse, wie sie die exegetische und bibeltheologische Forschung auch im katholischen Raum unmittelbar in den Jahren vor dem Konzil hervorgebracht hatte. Am stärksten erheben die *Animadversiones* Einspruch beim deduktiven Gebrauch des Leib Christi-Bildes im ersten Kapitel des Schemas. Dort werden in wuchernder Spekulation einzelne Eigenschaften der Kirche aus dem Bild des Leibes Christi logisch abgeleitet; völlig ignorant gegenüber ihrem Enthaltensein in der biblisch-paulinischen Verwendung des Bildes. Nach Rahners und Semmelroths Dafürhalten werde die Argumentation ohnehin nur mit Enzykliken der letzten Jahrhunderte geführt und könne deswegen unmöglich der ganzen Lehre von Schrift und Tradition gerecht werden. Dem Schema fehle insgesamt eine organische, durchsichtige Struktur und rechte Ordnung der Kapitel in sich.

Bedauert wird auch das Fehlen ökumenischen Geistes im Schema. Dieses Defizit komme insbesondere in der allgemein harten Sprechweise zum Ausdruck. Ebenso in der Schwächung des Fortschritts in der Episkopatslehre, welcher so sehr von den Orientalen und Protestanten erwartet würde. Dann erscheine der antiökumenische Duktus des Schemas in der rigiden Gliedschaftslehre, die den getauften Nichtkatholiken einfachhin ihre Würde der Taufe abspreche. Die ungenügende Wertschätzung der Laien und ihrer Funktion in der Kirche wird beklagt; und damit zusammenhängend: die Hervorhebung der Autorität der Hierarchie, deren Dienstfunktion (*functio ministerialis*) viel zu sehr in der Weise strenger Regierender beschrieben werde.

Bevor die beiden Jesuiten dann ihr Plädoyer bezüglich der weiteren Handhabe des Schemas abgeben, listen sie jene im Schema enthaltenen Einzellehren auf, die sie in der nachfolgenden Kapiteldurchsicht einer eingehenden Untersuchung unterziehen werden: So beanstanden sie, die Wesensbestimmung der Kirche monistisch, allein in Rücksicht auf das Bild des mystischen Leibes durchzuführen; sie sehen Mängel in der Lehre des Episkopates und seiner Kollegialität, der Ständelehre, der Lehre über die Laien. Im Zusammenhang der Lehre über das Verhältnis zwischen Kirche und Staat monieren sie das völlige Schweigen des Schemas über die Freiheit des religiösen Gewissens (*libertas conscientiae religiosae*), als des eigentlichen Problems dieses Themenkomplexes. Der Lehre über die Sendung der Kirche zu den nichtchristlichen Völkern fehle eine richtige Einschätzung der Situation dieser Völker und ihrer Regierungen.

Am Ende lassen Rahner und Semmelroth ihre *generalia* in eine eindeutige Option münden. Die ablehnende Haltung bezüglich des vorbereiteten *De Ecclesia* ist kategorisch; ganz analog zu dem, wofür sie bei den ersten vier lehrhaften Schemata plädiert hatten. Auch hier wird ein Votieren für die Beibehaltung des Schemas und eine Veränderung durch Einzeleingaben für nicht genügend gehalten, um die „absolut notwendigen Verbesserungen" unterzubringen. Als der Text der *Animadversiones* am 30.11.62 soweit fertiggestellt war und zur Vervielfältigung gegeben werden konnte, hat Otto Semmelroth im Tagebuch über das erste Kirchenschema des Konzils nochmals folgendermaßen resümiert: „Der Eindruck, den man von diesem Schema haben muß, ist nun doch sehr negativ. Die ekklesiologische Arbeit der Theologie der letzten Jahrzehnte ist gar nicht berücksichtigt. Die ganze Anlage ist höchst unglücklich, sowohl im Ton wie in der Struktur und in vielen einzelnen Aussagen. Das Schema kann kaum ein anderes Schicksal bekommen wie das *De fontibus revelationis*. Die theologische Vorbereitungskommission hat eine außerordentliche Verantwortung auf sich geladen mit ihrer schlechten, absolut einseitigen Arbeit, die nun bewirkt, daß alle ihre Schemata durchfallen und das Konzil fast ohne greifbares Ergebnis vertagt wird"[30].

Einen Tag später, am 1. Dezember 1962, setzte dann eine fünf Tage andauernde erste Debatte in der Generalkongregation über die vorgelegte Ekklesiologie ein[31]. Von den insgesamt 76 Rednern sind es die Kardinäle Döpfner und Frings und die Bischöfe Volk und Hengsbach, die dem deutschen Episkopat angehören[32]. Kardinal König wird als erster der deutschsprachigen Allianz das Wort ergreifen. Durch die Identifizierung der *Animadversiones* ist es möglich, einen

---

[30] TBOS 30. November 1962.

[31] Die Reden finden sich publiziert in: AS I/4 121-393.

[32] Vgl. den neusten zusammenfassenden Kommentar zu diesen Generalkongregationen, was die wichtigsten Reden insgesamt betrifft: Giuseppe Ruggieri, Il difficile abbandono dell'ecclesiologia controversista, in: Giuseppe Alberigo/Alberto Melloni (Hg.), Storia del concilio Vaticano II, Volume II, Bologna 1996, 309-383; besonders 357-372. Und was die deutschen Reden im besonderen betrifft: Hermann J. Pottmeyer, Die Voten und ersten Beiträge der deutschen Bischöfe zur Ekklesiologie des II. Vatikanischen Konzils, in: Verschooten/Wittstadt, Beitrag (wie Anm. 3), 143-155; besonders 149-152.

Eindruck davon zu gewinnen, welche Rezeption ein solches Gutachten der Theologen im deutschen Episkopat erfahren hat, wie ein solcher Text in den Bischofsreden wieder auftaucht und in welchem Umfang welche Theologen hinter welchen Bischöfen gestanden haben. Nachweise im einzelnen zu erbringen, würde den hier gegebenen Rahmen sprengen, so daß ich mich auf die Präsentation von Untersuchungsergebnissen beschränken muß. Aus einem Textvergleich geht hervor, daß drei der fünf ekklesiologischen Reden deutschsprachiger Bischöfe von den Untersuchungen leben, wie sie die beiden deutschen Dogmatiker mit den *Animadversiones* schriftlich vorgelegt haben. Es hat geradezu den Anschein, als ob sich die Bischöfe abgesprochen hätten, wer welche Optionen aus dem Gutachten an welchem Tag vorträgt. Die Reden von König, Döpfner und Volk zeugen deutlich nicht nur von einer Inspiration durch die *Animadversiones*, sondern hängen bis in die Formulierungen hinein (wenn auch in unterschiedlichem Maße) von ihnen ab[33]. Bei der Volk-Rede darf Semmelroths Verfasserschaft als nachgewiesen gelten[34], bei der König-Rede wird man aufgrund weitgehendster Übereinstimmung mit dem Wortlaut zahlreicher *Animadversiones* eine Redaktion der Rede durch Rahner vermuten können und bei Döpfners Statement belegt die uneingeschränkt inhaltliche Kongruenz den starken Einfluß des Gutachtens auf eine der wichtigsten Bischofsreden während der ersten Sitzungsperiode.

Exemplarisch sei wenigstens die Stoßrichtung der Döpfner-Rede[35] hier kurz vorgestellt. Die Ganzherzigkeit und theologische Fundiertheit der Rede, mit der Döpfner noch vor der vielbeachteten Suenens-Rede der gesamten Entwicklung von *Lumen gentium* einen Weg weisen wollte, würde nicht vermuten lassen, daß Döpfner noch einige Tage zuvor von Otto Semmelroth auf die Notwendigkeit, jetzt zu intervenieren erst aufmerksam gemacht werden mußte. Die Konstitution *De Ecclesia* sei das Zentrum des gesamten II. Vatikanischen Konzils, von dem als Fundament vieles andere abhinge; so eröffnet Döpfner. Von Semmelroth ist ein Vortrag erhalten, den er am Tag der Döpfner-Rede, dem 3. Dezember 1962, während der allmontäglichen Zusammenkunft der deutschsprachigen Bischofskonferenz im Kolleg der Anima und zwei Tage später vor der deutschen Presse im überfüllten Saal des Generalates der Salvatorianer gehalten hat[36]. Bevor Semmelroth im Vortrag die mit Rahner zusammen beobachteten Mängel am Schema

---

[33] Obwohl sich einige Inhalte der Reden von Frings und Hengsbach auch in den *Animadversiones* finden, kann hier keine unmittelbare textliche Abhängigkeit nachgewiesen werden. Frings z.B. lehnt das Schema vornehmlich aufgrund der mangelnden Katholizität seiner Enzyklikentheologie ab. Frings-Berater Joseph Ratzinger beschreibt das Thema Katholizität als ein ureigenes Anliegen des Misereor- und Adveniat-Gründers, in: Joseph Ratzinger, Buchstabe und Geist des Zweiten Vatikanums in den Konzilsreden von Kardinal Frings, in: IkaZ 16 (1987) 251-265; 260.

[34] Das geht aus Semmelroths Aufzeichnungen vom 2. Dezember 1962 und 4. Dezember 1962 hervor.

[35] AS I/4 183-189.

[36] Semmelroth hat eine Vortragsgliederung mit umfangreichen Stichworten und die vom Deutschen Pressebüro herausgegebene „Handreichung der Deutschsprachigen Sektion Nr. 23" seinem Tagebuch beigelegt. Vgl. auch den Niederschlag des Semmelroth-Vortrags im Artikel von Josef Schmitz van Vorst, Was ist das eigentlich: Kirche? In: FAZ, Nr. 289, 12. Dezember 1962, 20.

vorstellt, begründet er dreifach die zentrale Bedeutung des Themas Kirche für das begonnene Konzil: „Man darf nicht meinen, weil das Schema über die Kirche erst gegen Ende der ersten Konzilsperiode vorgelegt wurde, sei die Kirche ein weniger wichtiges Thema. Aus drei Gründen ist gerade das Gegenteil der Fall: 1. Geschichtlich ist dem jetzigen Konzil durch die unvollendet gebliebene Thematik des I. Vatikanischen Konzils die Kirche als Thema aufgegeben. Damals sollte eine ganze Lehre über die Kirche, und nur als Teil davon die Lehre vom Primat und der Unfehlbarkeit des Papstes vorgelegt werden. Durch den vorzeitigen Abbruch des Konzils kam es nicht mehr dazu. 2. Die innerkirchliche Situation macht die Kirche zum zentralen Thema. Das gesamte Kirchenbewußtsein der Gläubigen, die Stellung der Laien in der Kirche, die Frage nach der Stellung der Bischöfe sind aktuellste Fragen aus dem Bereich der Lehre der Kirche. 3. Das ökumenische Bemühen, das eine ausdrücklich gesetzte Aufgabe des Konzils ist, verlangt vor allem eine Selbstdarstellung der Kirche. Die Lehre der Kirche ist zweifellos der am meisten unterscheidende Kontroversgegenstand unter den christlichen Bekenntnissen."

Es ist nicht zu übersehen: Semmelroths Eintreten dafür, daß das Konzil die fundamentale Bedeutung seiner Ekklesiologie erkennen möge, hat in der Rede des Kardinals seinen Niederschlag gefunden. In der schriftlich eingereichten Rede-Fassung folgen der Vorbemerkung über die Zentralität der Ekklesiologie weitere interessante *Adnotationes praeliminares*, die Döpfner aber beim mündlichen Vortrag in der Aula vermutlich aus Zeitgründen weglassen mußte. Daß das Konzil tatsächlich jene große Frucht bringe, die alle von ihm erwarten, hänge ganz davon ab, ob das Konzil die Kirche Christi als letztes und einziges Zeichen und Instrument des Heils in der heutigen Welt verständlich darzustellen (*repraesentare*) und zu bezeugen (*testificari*) vermöge. Eine Kirchenkonstitution, die eine solche Grundidee vorstellt (und in den von Döpfner verwendeten Termini *signum* und *instrumentum* wird deutlich, daß hier die *sakramentale* Grundidee von Kirche gemeint ist), könne allen anderen Konzilsdekreten als Fundament dienen.

Im Text, den Döpfner in der Aula vorträgt, führt er dann auch die *idea ecclesiologica populi Dei* als eine *idea fundamentalis* an, die dem Schema helfen würde, sich in seinen einzelnen Fragen zu orientieren. Sowohl der Hinweis auf die sakramentale Ekklesiologie als auch der Vorschlag, alle Aussagen im Kapitel über das Amt durch eine vorgeschaltete theologische Entfaltung des Volk Gottes-Gedankens grundzulegen, hat Döpfner den *Animadversiones* entnommen. Gerade letzteres mag aufhorchen lassen, weil die Konzilshistoriographie im allgemeinen die *Emendationes* von Kardinal Suenens als verantwortlich für die konziliare Theologie vom Volk Gottes betrachtet. Und zweifellos erteilten sie den entscheidenden Impuls für den endgültigen Durchbruch der Volk Gottes-Theologie. Bevor jedoch Suenens im Sommer 1963 der Koordinierungskommission vorschlagen konnte, jene im Text verstreuten Aussagen, die alle Glieder betreffen, in einem eigenen Kapitel zusammenzufassen, mußten die Volk Gottes-Aussagen erst einmal wenigstens disparat im Text untergebracht werden. Rahners und Semmelroths *Animadversiones* antizipieren im November 1962 den Vorschlag Suenens, sie verlangen zwar kein eigenes Kapitel, doch ihr Eintreten für eine eigene *expositio de populo Dei* entspricht von der Sache her ganz dem, was im darauffolgenden Sommer den gesamten Aufbau von Schema II noch einmal neu ordnen sollte[37].

Hinter Döpfners Suche nach einer *idea fundamentalis* steht sein Unbehagen an der Konzeptionslosigkeit sowohl des Kirchenschemas im besonderen, als auch der bislang geleisteten konziliaren Arbeit insgesamt. Ich sehe kein anderes Ziel, das die deutschen Bischöfe zusammen mit ihren Theologen in dieser ersten Phase des Ringens um die konziliare Ekklesiologie so forciert angestrebt hätten: Nach ihrer Meinung sollte es auf dem II. Vatikanum zur Formulierung einer umfassenden und nach einer erkennbaren Leitidee organisierten Gesamtdarstellung des Selbstverständnisses der Kirche kommen. Das erste Schema hat diese Absicht, auch nach der eigenen Auskunft seiner Verfasser[38], nie verfolgt. Mit seinen verdeckten Anathema stand es noch ganz im Zeichen gegenreformatorischer Kirchenlegitimierung. Das Gutachten Rahners und Semmelroths und die Reden der deutschen Bischöfe verlangten statt fundamentaltheologischer Apologie nun eine dogmatische Konstitution über die Kirche. Ihre Forderung ergab sich aus der pastoralen Zielsetzung des Konzils. Denn um der durch die Moderne angefragten kirchlichen Identität zu neuem Selbst- und Fremdverständnis zu verhelfen, bedurfte es jetzt einer *positiven* Gesamtdarlegung in Rücksicht auf Welt und andere Kirchen.

Döpfner hat das Auditorium nach seinem *Non-Placet* nicht entlassen, ohne konstruktiv dem Konzil einen Plan für den Fortgang der Arbeiten anzubieten: Am Ende der Session sollen die Bischöfe danach gefragt werden, ob sie dem Schema prinzipiell zustimmen können oder nicht. Innerhalb eines festgelegten Intervalls müsse die Möglichkeit sowohl für Einzelne als auch für Gruppen bestehen, den Kommissionen schriftliche Vorschläge einzureichen. Bis zum Beginn der nächsten Konzilsperiode wäre dann ein neues Schema auszuarbeiten, gemäß den Väterwünschen und mit der Hilfe von Periti, „die kompetent in der

---

[37] In der schriftlich eingereichten Fassung erörtert Döpfner mit den Worten der *Animadversiones* ausführlich die Vorteile des Volk Gottes-Gedankens und auch er ermahnt das Schema beim Versuch, alle Wahrheiten über die Kirche aus dem Leib Christi-Bild zu deduzieren. Alle weiteren Kritikpunkte der Döpfner-Rede finden sich ohne Ausnahme in den *Animadversiones*: Döpfner verurteilt unter anderem die bibeltheologisch nicht zu rechtfertigende Identifikation von Reich Gottes und Kirche, ein den pluralistischen Gesellschaften nicht gerecht werdendes Kapitel über Kirche und Staat und legt dann den Schwerpunkt seiner Rede auf die ungenügend vorgetragene Lehre von der Kollegialität der Bischöfe. Auch hier erscheinen die Positionen der *Animadversiones*: Betonung des *ius divinum* des Episkopates; des unfehlbaren ordentlichen Lehramtes, das Papst und Bischöfe zusammen ausüben; der Verleihung der bischöflichen Vollmacht nicht als Teilhabe an der päpstlichen Vollmacht, sondern als Teilhabe durch Kooptation zum Bischofskollegium.

[38] Yves Congar, der als Mitglied der Theologischen Vorbereitungskommission für das erste *De Ecclesia* mitverantwortlich ist, erklärt rechtfertigend in einem unveröffentlichten Text vom Sommer 1963 den Charakter von Schema I: „Die vorbereitende theologische Kommission hatte nicht die Absicht gehabt, ein Schema „De Ecclesia“ vorzuschlagen, sondern nur eine feierliche Lehre (deren Autorität noch genauer umschrieben werden müsse) über einige Punkte der Ekklesiologie deren augenblicklicher Stand noch eine Erläuterung und eine neue Betonung zu verlangen schien.“ Das Zitat stammt aus einem mit „Vertraulich“ überschriebenen deutschsprachigen Textes aus dem ASG 27.65 und ist betitelt mit „Bemerkungen über das Schema der Verfassung: *De Ecclesia* von P. Congar O.P.“

Sache sind"[39]. Es ist nicht zu verkennen, daß Döpfner mit diesem Plan bereits das deutsche Alternativ-Schema im Visier hatte. Die „atemberaubende Kritik"[40] erübrigte schließlich eine formelle Abstimmung. Ansonsten ist das weitere Prozedere faktisch dem Vorschlag Döpfners gefolgt[41].

2. Alternative: Das ‚Deutsche Schema'

Durch die ablehnende Kritik hatte sich das Konzil selbst in eine zweite Vorbereitung gestoßen. Die Deutschen sind dieser selbstverordneten Produktivität durch die Erstellung eines kompletten *De Ecclesia*-Alternativschemas nachgekommen, das – gemessen an seiner Bedeutung für die Entwicklung von *Lumen gentium* – bislang in der Literatur nur marginal Berücksichtigung erfährt. Seit Leonardo Boff 1972 in seiner vielbeachteten Dissertation einen „Entwurf der deutschen Bischöfe" als den „weitaus besten aller Texte, die abgegeben worden sind"[42] vorgestellt hat, wird in der ekklesiologischen Forschung vereinzelt darauf hingewiesen[43]. Die historische Konzilsforschung ist seiner genauen Herkunft und Entstehungsgeschichte bis heute nicht nachgegangen.

Ich werde auf der Basis der erschlossenen Quellen im folgenden nur zusammenfassend die Stationen der Genese des ‚Deutschen Schemas' nachzeichnen können. Die den Text leitenden ekklesiologischen Prinzipien müssen monographisch analysiert werden[44]. Mir geht es hier um eine mehr grundsätzliche Beobachtung des Erarbeitungsprozesses eines solchen Konzilstextes.

Der offizielle Auftrag zur Erstellung eines eigenen *De Ecclesia*-Schemas wurde noch in Rom während einer ‚Anima-Konferenz' erteilt. In Kardinal Döpfner wird man seinen maßgeblichen Promotor sehen dürfen. Bereits in Rom stand fest, daß der neue Text im Februar den versammelten Bischöfen während einer Konferenz in Döpfners Residenzstadt München zur Beratung vorgelegt werden soll. Damit war von Anfang an klar, wann das Schema fertiggestellt sein mußte. Weil die Zeit drängte, setzten nur zwei Tage nach der Rückkehr nach Deutschland am 10. Dezember 1962 die ersten Vorbereitungen ein[45]. In den

---

[39] AS I/4 186.

[40] Otto Hermann Pesch, Das Zweite Vatikanische Konzil, Vorgeschichte – Verlauf – Ergebnisse – Nachgeschichte, Würzburg 1993, 141.

[41] Vgl. die Aufforderungen von Generalsekretär Pericles Felici in der letzten Generalkongregation der Sessio I: AS I/4 366.

[42] Leonardo Boff, Die Kirche als Sakrament im Horizont der Welterfahrung, Paderborn 1972, 250-257, hier 251.

[43] Der ansonsten umfassende Artikel von Matthäus Bernards, Zur Lehre von der Kirche als Sakrament, in: MThZ 20 (1969) 29-54, erwähnt das ‚Deutsche Schema' noch nicht. Erst nach und stets in Anlehnung an Boff kommen einige deutsche Arbeiten zur Sakramentalität der Kirche auf den Entwurf zumindest kurz zu sprechen. Zuletzt: Josef Meyer zu Schlochtern, Sakrament Kirche. Wirken Gottes im Handeln der Menschen, Freiburg i.Br. 1992, 47; Pottmeyer, Voten (wie Anm. 32), 153.

[44] Im Rahmen meiner Dissertation rekonstuiere ich das ‚Deutsche Schema' sowohl historisch als auch systematisch.

[45] TBOS 10.10.62: „Nachmittags war Bischof Volk hier, um die Vorbereitung für die theologische Arbeit an dem Schema De Ecclesia zu besprechen. Im Februar soll eine Bischofskonfe-

knapp zwei Monaten verbleibender Zeit trafen sich Theologen und Bischöfe in verschiedenen Zusammensetzungen, um das deutsche *De Ecclesia* auszuarbeiten. Aus diesen Treffen gingen Entwürfe hervor, die mehrmals redigiert wurden.

Ich konnte in den Archiven insgesamt drei Vorstufen zu dem am 5. Februar 1963 verabschiedeten Text identifizieren. Die *früheste Version* des ‚Deutschen Schemas‘ ist eine 12-seitige, maschinengeschriebene Skizze[46]. Es handelt es sich hierbei noch nicht um einen ausgearbeiteten fließenden Text. Unter Überschriften sind Stichworte, mitunter ganze Sätze und Bibelverweise gestellt. Die Skizze ist das Ergebnis aus Zusammenkünften von Bischof Volk mit den Patres Semmelroth und Grillmeier in Frankfurt und Mainz Mitte Dezember 1962 (bei einem Treffen ist noch der Frankfurter Moraltheologe Hirschmann dabei)[47]. Die Beratungen dieser Gruppe finden aber nicht im luftleeren Raum statt, sondern rekurrieren auf Vorlagen. Die strukturelle Anordnung zumindest der ersten Skizze geht z.B. auf einen Vorschlag Schillebeeckx‘ zurück, wie er ihn in der *conclusio generalis* seiner Schema I-Kritik vorgelegt hatte[48]. Schließlich wird P. Grillmeier – der forthin innerhalb der Gruppe für das ‚Deutsche Schema‘ die Rolle des Sekretärs übernimmt – beauftragt, das Besprochene in eine schriftliche Form zu bringen[49].

Die Fassung I bildete die Diskussionsgrundlage für die wohl entscheidendste Sitzung im Prozeß der Erstellung des ‚Deutschen Schemas‘. Zu Volk, Grillmeier und Semmelroth treten nun Rahner und die Professoren Schmaus, Ratzinger und Schnackenburg, sowie die Bischöfe Döpfner und Schröffer[50] hinzu. Damit haben sich in der Woche nach dem Weihnachtsfest vom 28. bis zum 30. Dezember 1962 vielleicht die wichtigsten deutschen Konzilstheologen zusammengefunden, um über die deutsche Konzilsvorlage zu beraten. Das Treffen ist bezeugt durch vier

renz in München sein, und Kardinal Döpfner, der sie vorbereiten und leiten soll, hat Bischof Volk, P. Rahner, Grillmeier, Prof. Schmaus und mich zur theologischen Vorbereitung berufen.“

46 Das Dokument liegt im KRA-EK unter Nr. 57 ohne Angabe von Autoren und Datum. Vom Text selbst aber ergibt sich eindeutig die Identifizierung als frühe Vorstufe zum verabschiedeten ‚Deutschen Schema‘.

47 TBOS 14.12.62: „Heute nachmittag war Bischof Volk hier, um mit P. Grillmeier und mir zu überlegen, wie wir in der nächsten Zeit vorangehen sollen. Wir kamen überein, daß wir am nächsten Dienstag nach Mainz fahren und dort einen Tag mit dem Bischof zusammen einen Aufriß eines neuen Schemas De Ecclesia besprechen wollen.“
TBOS, 18.12.63: „Heute waren P. Grillmeier und ich den ganzen Tag in Mainz im Bischofshaus. Nachmittags kam auch P. Hirschmann noch, und wir skizzierten den Vorschlag für ein neues Schema De Ecclesia. In der Woche nach Weihnachten wollen wir in München mit Kardinal Döpfner, Bischof Volk, Prälat Schmaus, Prof. Ratzinger, Prof. Schnackenburg, P. Rahner, P. Grillmeier und ich die Sache drei Tage lang durchsprechen.“

48 Die *Animadversiones in „Secundam seriem“ schematum Constitutionum et decretorum de quibus disceptabitur in Concilii sessionibus DE ECCLESIA ET DE BEATA MARIA VIRGINE* (ASG 25.9) verfaßte Edward Schillebeeckx zur selben Zeit (das Dokument weist das Datum 30.11.62 auf) wie Rahner und Semmelroth ihre *Animadversiones*. In den inhaltlichen Plädoyers in vielem deckungsgleich, sind Schillebeeckx‘ Bemerkungen im Vergleich zu den *Animadversiones* aber allgemeiner gehalten und benennen weniger minutiös einzelne Mängel am offiziellen Schema.

49 Brief von Grillmeier an P. Gumpel vom 20.02.63 (ASG 25.15).

50 Der Eichstätter Bischof wurde während der ersten Sitzungsperiode Mitglied der ThK.

Briefe[51] und das Semmelroth-Tagebuch[52]. Es gibt den Auftakt zum *zweiten Entwurf*, dessen Redaktion in der Hauptsache Grillmeier zusammen mit Rahner übernommen hat[53]. Der Text entsteht im Anschluß an das Treffen unter großem Termindruck innerhalb eines Zeitraums von vier Wochen. Als Ergebnis liegt ein 22-seitiger ausformulierter Text in vier Kapiteln und 33 Artikeln vor.

In seiner *Lumen gentium*-Synopse hat Giuseppe Alberigo eine Vorstufe des deutschen *De Ecclesia* veröffentlicht und sie auf den Dezember 1962 datiert[54]. In Anlehnung an diese Datierung wird in der Konzilsliteratur seitdem davon ausgegangen, daß ein Druck des deutschen Schemaentwurfes schon gegen Ende der ersten Sitzungsperiode zirkulierte[55]. Mit den vorliegenden Quellen kann aber nachgewiesen werden, daß es sich bei dem in der Synopse abgedruckten Text bereits um das *dritte Stadium* des ‚Deutschen Schemas' handelt und mit einem ersten promulgierten Druck des Schemas nicht vor Ende Januar 1963 gerechnet werden

---

[51] Jüngst äußerte sich Kardinal Ratzinger erinnernd darüber in einem Brief an T. Weiler vom 18.12.1995: „Der deutsche Entwurf für ein neues Schema De Ecclesia wurde meiner Erinnerung nach hauptsächlich in der Weihnachtswoche 1962 in der Katholischen Akademie zu München beraten. An dieser Sitzung habe ich selbstverständlich teilgenommen. Ich weiß nicht mehr im einzelnen, wer die anderen Teilnehmer waren. Mit Sicherheit kann ich mich an die Patres Rahner, Grillmeier und Semmelroth erinnern. Unter den Bischöfen war begreiflicherweise besonders Bischof Volk aus Mainz aktiv.", in: Weiler, Volk Gottes (wie Anm. 2), 212. Grillmeier schreibt über das Treffen in seinen Briefen an den Straßburger Bischof Léon Arthur Elchinger (ASG 25.16) und P. Gumpel (ASG 25.15). Vgl. auch die kurze Erwähnung im veröffentlichten Brief Rahners an Vorgrimler in: KorrKR-HV 17.12.62.

[52] Dort heißt es an den ersten beiden Sitzungstagen: „Die Konferenz fand im neuen Haus der katholischen Akademie Bayern statt. Es waren da die Bischöfe Volk und Schröffer, und die Theologen Prälat Schmaus, Professor Ratzinger und Schnackenburg, P. Rahner, Grillmeier und ich. Daß Prof. Schnackenburg dabei war, hatte ich selbst angeregt. Gerade beim Schema De Ecclesia ist es unmöglich, ohne Exegeten zu arbeiten. Und Schnackenburg hat ja die Kirche im NT besonders bearbeitet. Im Laufe der Besprechungen zeigte sich eindeutig, wie gut es war, daß er dabei war. Er weiß nicht nur in der Exegese, sondern auch in der protestantischen Theologie gut Bescheid und ist menschlich ein sehr angenehmer Mitarbeiter." (28.12.62) „Heute wurde den ganzen Tag intensiv am Schema De Ecclesia gearbeitet. [...] Es ist sehr interessant, geradezu spannend [...]." (29.12.62)

[53] Als zweite Fassung betrachte ich den Text, der sich im ASG unter der Nr. 23.3 mit vorwiegend die Latinität verbessernden Korrekturen Semmelroths und im KRA-EK unter der Nr. 89 befindet.
TBOS 26.01.63 verrät, wer an der Ausformulierung der zweiten Fassung beteiligt gewesen ist: „Wir besprachen dann intensiv den von P. Grillmeier und Rahner ausgearbeiteten Entwurf des neuen Schemas durch." Daß Rahner ganze Teile der Redaktion der II. Fassung übernommen hat, belegen eindeutig ganze Abschnitte, die in Rahners Handschrift zwischen die getippten Seiten des Dokumentes KRA-EK 89 in der Handschrift Rahner gelegt sind. Die Paragraphen 28 „De primatu Romani Pontificis" und 29 „De munere Episcopi singularis et praesertim Residentialis", deren Grundbestand bis in die Endfassung des ‚Deutschen Schemas' auch erhalten bleiben, liegen z.B. komplett in Rahners Handschrift vor.

[54] Giuseppe Alberigo/Franca Magistretti (Hg.), Constitutionis Dogmaticae Lumen Gentium Synopsis historica, Bologna 1975, 381-391. Die Archivdokumente KRA-EK 52 und ASG 23.2, welche eine Folgefassung der Fassung II aufweisen, sind textlich mit der Synopsenfassung identisch. Beim Dokument im ASG vermerkt Semmelroth am oberen Rand: „In München vorgelegtes, dann überarbeitetes Schema".

[55] Pottmeyer, Voten (wie Anm. 32), 153; Joseph Komonchak, The initial debate about the church, in: Étienne Fouilloux (Hg.), Vatican II commence... . Approches Francophones, Leuven 1993, 329-352; 343.

darf[56]. Einer solchen Datierungskorrektur mag man auf den ersten Blick nicht viel Bedeutung beimessen, für die Chancen, die dem Text der Deutschen bei der Entscheidung für einen neuen ekklesiologischen Grundlagentext faktisch zugekommen sind, ist dieser Monat aber sehr entscheidend. Um so früher ein Text im Ereignis kursierte, desto weitreichender konnte seine Verbreitung und desto größer sein Bekanntheitsgrad sein.

Auch diese dritte Fassung des ‚Deutschen Schemas‘ ist maßgeblich aus der Besprechung der Vorgängerfassung erwachsen[57]. Am 26. und 27. Januar 1963 findet eine weitere Zusammenkunft, diesmal bei Bischof Volk in Mainz, statt. Der Kreis deutscher Theologen, die sich des ‚Deutschen Schemas‘ angenommen haben, wird nun international erweitert. Hier wird insbesondere das Wissen um die Teilnahme von Gérard Philips von großer Bedeutung sein. Neben dem Belgier stoßen zur oben genannten deutschen Gruppe (ohne Schmaus) nun noch der Franzose Yves Congar und die Holländer Piet Smulders und Edward Schillebeeckx[58] dazu. Die schon in Rom während der ersten Sitzungsperiode praktizierte Sprengung nationaler Isolierung wird nun auch bei der Erstellung des ‚Deutschen Schemas‘ für wertvoll gehalten. Das ‚Deutsche Schema‘ verliert durch die erbetene Mitarbeit nichtdeutscher Theologen vollends den Charakter eines im Alleingang verfolgten deutschen Sonderprojektes. Wie die Übernahme schon der Schillebeeckx-Gliederung gezeigt hat, will das *De Ecclesia* der Deutschen von Beginn an bis zu der Einladung der Franzosen zur Zusammenarbeit bei der Endredaktion nicht nur ein *deutscher* Beitrag sein, sondern achtet auf breite Konsensbildung und Bereicherung durch andere Gruppen. Erst einen Tag vor dem Treffen der Theologen in Mainz ist Grillmeier von einer Tagung aus Straßburg zurückgekehrt, auf der er einige französische Konzilsteilnehmer über die deutschen Bemühungen um einen *De Ecclesia*-Text in Kenntnis setzte und selbst „von der französischen Einstellung erfuhr"[59]. Das ‚Deutsche Schema‘ zieht in diesen Tagen erstmals über den Kreis der Deutschen hinaus Aufmerksamkeit auf sich.

Am 5. und 6. Februar sollte das neue *De Ecclesia* endlich den in der Münchner Akademie unter dem Vorsitz der drei Kardinäle Döpfner, Frings und König ver-

---

[56] Selbst die Auskunft von Coautor Ratzinger kann nach dem uns vorliegenden Quellenmaterial historisch nicht korrekt sein, wenn er von einem „von deutschen Theologen verfaßten Textentwurf" berichtet, der „von den deutschen Bischöfen auf einer Versammlung in München vom 28. bis 30. Dezember 1962 gebilligt und gleichfalls in abgezogenen Blättern unter den Konzilsvätern verbreitet wurde.", Joseph Ratzinger, Die Kirche als Heilssakrament, in: ders., Theologische Prinzipienlehre. Bausteine zur Fundamentaltheologie. München 1982, 45-57; 46.

[57] „Mit besonderer Hilfe von P. Rahner wurde aus diesem 2. Entwurf der 3. Entwurf, der dann am 5. Februar (sowie am 6.) in München [...] vorgelegt wurde", so bestimmt der Hauptredaktor Grillmeier die genauere Verfasserschaft des dritten Textstadiums; vgl. Brief Grillmeiers vom 20.02.63 an P. Gumpel (ASG 25.15).

[58] Semmelroth vergißt ihn in seiner Aufzählung (TBOS 26.01.63). Vgl. aber den Brief Grillmeiers an Gumpel vom 20.02.63.

[59] Brief Grillmeiers vom 20.02.63 an P. Gumpel (ASG 25.15). In dem Brief vom 20.01.63 an Bischof Elchinger (ASG 25.16), der der Straßburger Tagung vorsteht, entschuldigt Grillmeier seine Mitbrüder Rahner und Semmelroth: „Leider werde ich morgen nur allein kommen können. P. Rahner hat hier eine solche Fülle von Arbeit, daß er nicht kommen kann. P. Semmelroth ist aber gesundheitlich nicht in der Lage, die Reise zu unternehmen."

sammelten Bischöfen aus Deutschland[60] und Österreich sowie Vertretern des
französischen[61], schweizer, italienischen[62], belgischen, holländischen und skandinavischen Episkopates vorgelegt werden. Außer den Theologen, die bei der ersten Zusammenkunft in München zugegen waren, nahmen noch teil: Heribert
Schauf, Friedrich Wulf und einige nicht bekannte Begleiter von Bischöfen. Nachdem Döpfner mit einem Bericht über die Beschlüsse der Koordinierungskommission die Tagung eröffnet, Semmelroth ein letztes Mal mit den Hauptpunkten
der *Animadversiones* Kritik übt und der Aachener Dogmatiker und getreue Adla-
tus von Tromp, Heribert Schauf, mit einer heftigen Gegenrede zu Semmelroth
die Entwürfe der Theologischen Vorbereitungskommission noch einmal stark
machen will[63], kommt es schließlich zur Vorlage des neuen Produktes. Von den
an seiner Abfassung beteiligten Theologen wird eine Vorstellung und Erläuterung
der einzelnen Kapitel übernommen. In der sich daran anschließenden Diskussion
konnten sich die Verfasser einer einmütig positiven Aufnahme ihrer Arbeit ge-
wahr werden[64]. Zwar werden noch einige ultimative Veränderungsauflagen beschlossen, doch im Gesamt hat der deutsch-österreichische Episkopat die Vorlage der Theologen für gut befunden, den Text approbiert und seine Eingabe beim
Generalsekretariat veranlaßt. In den folgenden Tagen wird schließlich die endgültige *vierte Edition* des ,Deutschen Schemas' erstellt werden, gemäß den in
München aufgegebenen Verbesserungsvorschlägen[65].

Bleibt zuletzt die Frage aufzuwerfen, mit welchen Hoffnungen die Absender
ihr Paket auf die Reise geschickt hatten. In den Briefen, die Grillmeier nach der
endgültigen Fertigstellung des Entwurfes schrieb, ist zu beobachten, wie sich die
Erwartungen in der Schwebe hielten. Zumindest von Grillmeier wurde zum da-

[60] Mit Ausnahme der erkrankten Bischöfe Schäufele, Tenhumberg und Sedlmeier waren alle
deutschen Bischöfe anwesend; vgl. Heribert Schauf, Zur Textgeschichte grundlegender Aussagen aus „Lumen Gentium" über das Bischofskollegium, in: AKathKR 141 (1972) 5-147; 50.

[61] Bischof Elchinger vertrat den französischen Episkopat; vgl. dazu Rahners Bemerkungen in:
KorrKR-HV 11.02.63.

[62] Der Bologneser Kardinal Lercaro schickte einen Beobachter nach München.

[63] Vgl. Schauf, Textgeschichte (wie Anm. 60), 50ff.

[64] Am Ende des zweiten Sitzungstages beschließt Semmelroth seinen Bericht von der Tagung
folgendermaßen: „Wir erlebten die große Freude, daß der vorbereitete Entwurf mit einigen
Abänderungswünschen mit fast 100% Stimmen von den Bischöfen als Vorschlag des deut-
schen und österreichischen Episkopates für Rom angenommen wurde.", TBOS 6.2.63. Bei
Rahner ist der Freude über die positive Aufnahme ihrer Arbeit bei den deutschen Bischöfen in
Bezug auf die Reaktion der ,Römer' der ihm eigene skeptische Realismus beigemischt; vgl.
KorrKR-HV 11.02.63.

[65] Diese Fassung IV ist schließlich zusammen mit einem Begleitschreiben von Kardinal Döpfner
und den von Otto Semmelroth in München gehaltenen *Adnotationes criticae ad schema De
Ecclesia* veröffentlicht in AS I/4 601-639. Im KRA-EK ist die Endfassung unter Nr. 67 abge-
heftet.
Am 18. Februar ist der Entwurf soweit fertiggestellt, daß der Sekretär von Kardinal Döpfner,
Gerhard Gruber, sich des Versandes annehmen konnte. Ein an diesem Tag verfaßter Brief von
ihm an Grillmeier (ASG 25.14) gibt genaueren Aufschluß über die Verbreitung des Textes: „So
konnte heute der Versand beginnen: Exz. Schröffer konnte auf der Durchreise die Stücke für
den Hl. Vater, für Kard. Cicognani, Kard. Ottaviani (jeweils mit Begleitbrief von Kard. Döpfner), ferner 20 Stücke für die Kommissionsmitglieder, 5 für P. Rahner und 5 zur Reserve nach
Rom mitnehmen."

maligen Zeitpunkt nicht ausgeschlossen, daß das ‚Deutsche Schema' als „Grundlage weiterer Arbeitens" genommen werden konnte[66]. Neben dieser Maximalerwartung rechnete Grillmeier aber auch mit der Möglichkeit, den Entwurf binnen kurzer Zeit in einem, wie er es selbst nannte, „kurialen Papierkorb"[67] wiederzufinden. In dem offiziellen Begleitschreiben, das Kardinal Döpfner Entwurf und Kritik beilegte[68] will die *Adumbratio* ein positiver Vorschlag sein, der ein konziliares *De Ecclesia* verbessern und vervollständigen (*emendari et compleri*) soll. Jede Ankündigung, die offiziell angeboten hätte, das ‚Deutsche Schema' als künftiges *De Ecclesia* zu verwenden, wäre allerdings auch einer Anmaßung gleichgekommen. Dies hatte schließlich das Konzil selbst – faktisch hat es dann leider nur eine kleine Subkommission der ThK getan – zu entscheiden. Jedenfalls hatten die deutschen Theologen und Bischöfe ihr Bestes gegeben, um dem Konzil einen Text anzubieten, der ohne Zweifel ihren eigenen fundamentalen theologischen Überzeugungen entsprungen ist, aber anderseits auch darauf achten wollte, eine Alternative mit Chancen zu sein, was bedeutete einen „mittleren Weg zwischen den verschiedenen Tendenzen [zu] beschreiten, die während der Konzilsdiskussion zutage getreten sind"[69].

Trotz dieser Rücksichtnahme hat sich die deutsche Vorlage einen systematischen Kern erhalten, von dem her sie ihre Einzeloptionen entwickelt. Diesen Kern bildet eindeutig die Idee der Kirche als eines fundamentalen, universalen und eschatologischen Sakramentes des Heils der Welt. Das Proömium nennt sachlich die Globalisierung der modernen Welt als aktuellen soziologischen Ausgangspunkt für eine solche Idee. In betont biblischer und pastoraler, d.h. Verständigung statt Verurteilung suchender Sprache, werden im folgenden mittels der sakramentalen Ekklesiologie die einzelnen diskutierten Fragen einer Lösung zugeführt. So bieten die Deutschen z.B. im Streit um die biblische Figur zur Wesensbeschreibung mit ihrer Rede von der Kirche als Sakrament dem Konzil einen systematischen Metabegriff an, um die in den pluriformen Bildern der Bibel liegende Einheit zu bestimmen, und eben nicht, wie es in *Mystici Corporis*, Schema I und einer nachkonziliaren Kontroverse geschieht, das eine Bild in Konkurrenz gegen ein anderes zu setzen. Gleichsam unter dem Metabegriff ‚Sakrament'

---

[66] Im ersten Brief (ASG 25.15) vom 20.02.63 schreibt Grillmeier an P. Gumpel, der Grillmeier gebeten hatte, einen Passus über die Heiligenverehrung im Schema unterzubringen: „Freilich bestehen hier zwei Schwierigkeiten: 1. Die gemachte Arbeit muß überhaupt die nötige Gnade in Rom finden und als Grundlage weiteren Arbeitens genommen werden. 2. Die Koordinierungskommission muß damit einverstanden sein. Ich glaube erst, wenn diese Schritte geklärt sind, kann man die weiteren Schritte unternehmen. Es bleibt aber immer noch die Frage: in wessen Hände kommt der neue Entwurf? Wenn alles in römischen Händen bleibt, dann wird es an ihnen sein, den nötigen Vorstoß zu machen [...]."

[67] Mit dieser Vermutung schließt Grillmeier seinen zweiten Brief (ASG 25.17) an P. Gumpel vom 20.02.63 ab. In einem am selben Tag geschriebenen Brief Grillmeiers an Kardinal Döpfner (ASG 25.11) äußert er sich aufgrund etwaig festzustellender Schwächen des Textes ähnlich zurückhaltend: „Hoffentlich haben die neu eingearbeiteten Texte und Änderungen die Billigung von Ew. Eminenz gefunden. Leider mußte alles sehr schnell gemacht werden. So wird sich noch mancher Defectus herausstellen. Römische Augen werden dies schnell feststellen."

[68] AS I/4 601f.

[69] Ebd. 602.

sollen die in der Bibel verwendeten Bilder allesamt zur Beschreibung verschiedener Aspekte der einen Natur der Kirche ausgewertet werden.

Ein Hauptmotiv für die Favorisierung des Theologumenon ‚Sakrament Kirche' wird man in der deutschen Entschiedenheit zu ökumenischem Fortschritt suchen müssen. Mit einer sakramental konzipierten Definition von Kirche, die das Moment verfaßter Sichtbarkeit mit dem Moment der unsichtbaren Gnade in einer einzigen komplexen Wirklichkeit begrifflich synthetisierte, konnte es nun gelingen, den Heilsexklusivismus und die juridisch verengte Perspektive nachtridentinischer Ekklesiologie ökumenisch (bzw. in gestufter Ordnung sogar universal) zu weiten, ohne daß damit die historische Ausdrücklichkeit, mit der die Gnade Christi in der katholischen Kirche erscheint, nivelliert werden mußte.

Hinter allen vom ‚Deutschen Schema' getroffenen Grundsatzentscheidungen steht augenfällig die sakramentale Ekklesiologie[70]. Damit dies nun von den Mitgliedern der Koordinierungskommission und der ThK wirklich erkannt und nachvollzogen werden konnte, hat Karl Rahner in den Tagen vor der Abgabe auf ausdrücklichen Wunsch der Bischöfe Schröffer und Rusch (Innsbruck) noch einen neunseitigen ausführlichen Kommentar verfaßt, der im Gegensatz zum Schema selbst, vom Genre eines wissenschaftlich explizierenden Textes ist und insofern reichen Aufschluß gibt über das, was die Verfassergruppe selbsterklärtermaßen angestrebt hat[71].

Vor allen inhaltlichen Einzelimpulsen, die vom ‚Deutschen Schema' ausgegangen sein mögen, wird man aber allererst die Tatsache gewichten müssen, daß mit diesem Text im Konzilsgeschehen zum ersten Mal eine elaborierte und nach erkennbaren theologischen Prinzipien organisierte Gesamtdarstellung des Selbstverständnisses der katholischen Kirche kursiert ist.

Abschließend seien noch einige kurze Hinweise zur tatsächlich geschehenen Rezeption des ‚Deutschen Schemas' durch das Konzil angefügt. Die Verzweigtheit dieser Rezeption verrät etwas von der spezifischen Komplexität der Vorgänge und Einflußnahmen auf dem II. Vatikanum. Bekanntermaßen hat der Text *Concilium duce Spiritu* aus der Feder des Löwener Suenens-Berater Gérard Philips am Ende das Rennen unter den am 26. Februar 1963 der ekklesiologischen Subkommission vorliegenden neuen *De Ecclesia*-Texten gemacht. Sein *Alternativ*charakter ist von der neueren Forschung in Zweifel gezogen worden, da er von Anfang an allzuviele Übernahmen aus Schema I enthalte[72]. Jedenfalls hat die zuständige Unterkommission der ThK, deren Aufgabe es war, spätestens bis zum Beginn der II. Session dem Konzil ein neues *De Ecclesia* anzubieten, bei ihrer Überarbeitung des Philips-Schemas nach eigener Auskunft[73] neben den anderen

---

[70] So z.B. dem Repräsentationsgedanken in der Amtstheologie oder hinter den als ‚Zeichen' charakterisierten Evangelischen Räten im Ordenskapitel.

[71] Auch dieser Kommentar liegt als Dokument ohne Verfasser und Datum in den Archiven nur mit der Überschrift „Quaedam annotationes de tentamine quodam schematis De Ecclesia" (KRA-EK 53; ASG 23.21). Der in Anm. 65 zitierte Brief von Gruber an Grillmeier gibt den Hinweis auf die Existenz eines solchen Rahnertextes. Im ASG befindet sich eine Ausgabe des Kommentars, die Semmelroth nach Erhalt eines ähnlichen Briefes von Gruber (ASG 23.44) mit „Rahner im Auftrag von Exz. Schröffer und Exz. Rusch" überschrieben hat.

[72] Vgl. Ruggieri, Difficile abbandono (wie Anm. 32), 332.

[73] Vgl. *Relatio Secretarii* (wie Anm. 17) vom 26.02.63.

neuen Vorschlägen[74] auch das ‚Deutsche Schema' herangezogen. Um die vollständige Wirkung des ‚Deutschen Schemas' auf die Genese der Textur des offiziellen Folgeschemas von 1963 zu erfassen, genügt es allerdings nicht, nur den
Übergang vom Philips-Schema auf Schema II nachzuvollziehen, um an dieser
Stelle nach Modifikationen zu suchen, die vom ‚Deutschen Schema' herreichen.
Der Einfluß deutscher Ekklesiologie ist noch maßgeblicher als in Redaktionsar-
beit der Subkommission eine Stufe früher zu veranschlagen: im Übergang zur
letzten und schließlich vorgelegten Fassung des Philips-Textes. Zieht man nämlich die verschiedenen Stadien des Philips-Schemas heran (ich gehe von insgesamt vier verschiedenen Fassungen aus[75]), springt leicht ins Auge, daß in die dritte Fassung von *Concilium duce Spiritu* ganze Textpassagen und zahlreiche kleine
Details aus dem ‚Deutschen Schema' eingearbeitet worden sind. Was an Neuerung im Schema II auf den ersten Blick auf das Konto Philips geht, stellt sich in
nicht wenigen Fällen bei tiefer Betrachtung ‚deutschen' Ursprungs heraus.

Nun hatte Philips von Beginn an auf die Mitarbeit anderer Theologen, und insbesondere von Rahner, bei seinem Entwurf gehofft[76]. Die erste Version seines
Schemas präsentierte Philips den Theologen Rahner, Semmelroth, Ratzinger, Lé-
cuyer, Colombo und McGrath schon in Rom bei einer von ihm und Congar organisierten Zusammenkunft am 25. Oktober 1962[77]. Bereits diese erste Fassung
greift ausdrücklich einen Vorschlag von Bischof Volk auf, nämlich den lehrhaften
Texten ein kerygmatisches Proömium voranzustellen, das wenigstens kurz auf
die veränderte Situation der Christen in der modernen Welt eingehen soll[78]. Als
weiteres Indiz für die frühe Einwirkung der deutschen Theologen auf das Philips-
Schema darf z.B. gelten, daß nach mehreren Zusammenkünften im Oktober und

---

[74] Neben dem deutschen Text, gab es einen ‚römischen' von Parente, einen chilenischen und einen französischen, vgl. Komonchak, Initial debate (wie Anm. 55), 346.

[75] Ruggieri, Difficile abbandono (wie Anm. 32), 326, spricht von drei Fassungen, vernachlässigt
aber die letzte und schließlich angenommene Revision des Textes vom Februar 1963. Damit
ergeben sich folgende Textstufen: Fassung I: *Schema Constitutionis De Ecclesia*, eine Vorstufe zu der in der Alberigo-Synopse in der Spalte ‚2' abgedruckten Fassung. Der Text muß zwischen dem 19. Oktober 1962 und dem 25. Oktober 1962 verfaßt worden sein, da er einen Vorschlag Volks aufgreift, von dem Philips bei einer Sitzung am 19. Oktober erfahren haben muß,
und der Text nach TBOS 25.10.62 bereits bei einer Sitzung sechs Tage später zur Besprechung
vorliegt. Er ist erhalten in KRA-EK 46. Fassung II: *Schema Contitutionis De Ecclesia*. Der
Text ist identisch mit der in der Synopsenspalte ‚2' abgedruckten Fassung, der sich nach Al-
berigo/Magistretti, Constitutionis (wie Anm. 54), XX, ab dem 22. November in den Konzilserig-
nis findet (KRA-EK 42). Fassung III: Hier handelt es sich mehr oder weniger um eine Übertragung von Fassung II ins Französische. Sie ist überschrieben ist mit „Ce que nous attendons
et ésperons de la Constitution dogmatique sur l'Eglise" und findet sich in den Archiven mit einem Begleitschreiben Philips' vom 25. November 1962 (KRA-EK 41; ASG 25.24). Schließlich die der Subkommission vorliegende Fassung IV vom Februar 1963: *Adumbratio Schematis constitutionis dogmaticae De Ecclesia*. Sie entspricht dem Text von Spalte ‚2bis' in der
Alberigo-Synopse (KRA-EK 65).

[76] Das entnimmt Komonchak, Initial debate (wie Anm. 55), 335, dem Congar-Tagebuch.

[77] TBOS 25.10.62.

[78] Den Vorschlag hatte Volk am 19.10.62 in einem von ihm selbst zusammengerufenen internationalen Kreis von Theologen und Bischöfen, zu dem auch Gérard Philips gehört hat, gemacht; vgl. TBOS 19.10.62; Chenu, Notes (wie Anm. 23), 74; Congar, Erinnerungen (wie
Anm. 18), 23.

November 1962 Philips' zweite Fassung einen eigenen Abschnitt *Ecclesia est sacramentum integrale salutis* aufweist.

Der Austausch zwischen dem Belgier und unserer deutschen Theologengruppe beginnt also nicht erst mit der schon erwähnten Teilnahme Philips bei der Januarsitzung zur Erstellung des ‚Deutschen Schemas'. Damals dürfte Philips mit dem neuen Produkt der Deutschen erstmalig in Kontakt gekommen sein. Und er wird es schließlich für die letzte Revision seines eigenen Schemas in großem Maß heranziehen. Am eklatantesten ist die Übernahme des Proömiums aus dem ‚Deutschen Schema', womit als erwiesen gelten darf, daß der Grundbestand für den verabschiedeten Artikel 1 von *Lumen gentium* vom ‚Deutschen Schema' herreicht[79]. Im KRA-EK findet sich sogar ein Exemplar des Proömiums[80] aus der letzten Fassung des ‚Deutschen Schemas', das Rahner handschriftlich so korrigiert, daß am Ende die Version entsteht, wie sie das Philips-Schema und, abgesehen von minimalen Einzelkorrekturen, schließlich auch Schema II und alle Folgeschemata aufweisen. Dieses Dokument könnte ein Hinweis sein, daß zumindest Karl Rahner, der ja dann als einziger unserer deutschen Gruppe schon im Februar 1963 amtlicher Peritus der ekklesiologischen Subkommission wurde[81], bei der Erstellung der eingereichten Version des Philips-Schemas sogar beteiligt gewesen ist.

Darüber zu mutmaßen, welche Faktoren schließlich dazu geführt haben, daß die Wahl auf den Text von Philips fiel, wäre Gegenstand einer eigenen Untersuchung. Spätestens als die Koordinierungskommission Ende Januar ihre Vorgaben für ein künftiges *De Ecclesia* publizierte, wurde eine Entscheidung zugunsten des Philips-Textes zunehmend wahrscheinlicher, denn der entsprach verblüffenderweise haargenau dem Gliederungsvorschlag der Koordinierungskommission[82]. Aus der *Relatio Secretarii* vom 26. Februar[83] geht jedenfalls hervor, daß sich in der entscheidenden Subkommissionssitzung Kardinal König als erster aller Anwesenden und Bischof Schröffer nach anfänglichem Zögern für den Philips-Text stark gemacht hatten – und nicht für das ‚Deutsche Schema'. Das mag auf den ersten Blick erstaunen. In Anbetracht dessen, daß Ottaviani einen *De*

---

[79] Für eine sachgerechte Interpretation von LG 1, wo die Sakramentsdefinition ja völlig unerklärt auftaucht, wird man letztlich von LG 1 aus wie durch ein Fenster auf das ‚Deutsche Schema' blicken müssen, um von dort her die Konzilsaussage zu begreifen.

[80] KRA-EK 67.

[81] Vgl. auch KorrKR-HV 27.02.63.

[82] Darauf hat Komonchak, Initial debate (wie Anm. 55), 344 aufmerksam gemacht. Die Tatsache, daß dieser Aufriß der Koordinierungskommission von Kardinal Suenens vorgelegt wurde, der auch als der Auftraggeber des Schemas von Philips' gilt, deutet auf eine geschickte holländische Strategie hin.

[83] „Die 26 febr. Subcommissio hora 10 congressa est in aula ‚Consultae' S. Officii. Aderat quoque Em.mus Praeses Commissionis Em.mus *Ottaviani*, qui exposuit se rogasse Exc.mum D. *Parente* ut componeret novum Schema ex antiquo secundum normas datas a Commissione Coordinatrice. Card.lis autem *König* proposuit ut basis esset schema iam prius factum ab Ill.mo *Philips* et ad eius sententiam accesserunt Em.mus *Léger* et Exc.mi garrone et charue, qui ultimus putabat schema parente esse quidem bonum, sed schema *Philips* melius correspondere desideriis Card.lium Coordinatorum. Exc.mus *Schröffer* initio haesitans, tandem accessit ad sententiam Em.mi Card.lis *König*." in: Relatio Secretarii vom 26.02.63 (wie Anm. 17).

Ecclesia-Entwurf von Parente verteidigte – einen Text, den Rahner handschriftlich mit den Worten glossiert: „fürchterliche Schulthesensammlung, eines Konzils unwürdig"[84] – erscheint das Votieren für das Philips-Schema als ein Kompromiß. Und in dessen vierter Fassung war ja der Bestand wenigstens einiger
Aussagen aus dem ‚Deutschen Schema‘ inzwischen gesichert.

Ich verlasse an dieser Stelle die Geschichte des ‚Deutschen Schemas‘, um die
historischen Details durch den Versuch einer grundsätzlichen Charakterisierung
des Arbeitsstils der deutschen Konzilstheologen zusammenzufassen.

III. Die deutschen Konzilstheologen in kollektiver Wahrheitsfindung

Die Redaktions- und Rezeptionsgeschichte des ‚Deutschen Schemas‘ dürfte etwas vom realen Kommunikationsgeschehen unter den genannten Theologen des
II. Vatikanischen Konzils dokumentiert haben. Wie eingangs angedeutet, erwachsen aus diesem Befund Konsequenzen für das theologiehistorische Fragen
nach dem Einfluß *einzelner* Periti. Im seltensten Fall geht ein Dokument aus den
von mir konsultierten Archiven auf einen einzelnen Autor zurück, vielmehr bildet
es gewöhnlich wie ein Spiegel den kollektiven Wahrheitsfindungsprozeß einer
ganzen Gruppe von Theologen ab. Sind verschiedene Überarbeitungen eines Textes erhalten geblieben, läßt sich an der allmählichen Reifung des Textes der ko-
operative Arbeitsstil besonders gut ablesen. Damit aber würde ein Unternehmen,
das aus den Quellen z.B. den Beitrag Rahners als einen genuin eigenen zu ab-
strahieren beabsichtigte, nicht nur in der Durchführung scheitern, sondern eben
auch die Dynamik der Entstehung dieser Texte verkennen. Im Falle der hier zur
Sprache gekommenen deutschen Periti ist es daher angezeigt, statt nach einzelnen Theologen, nach dem Beitrag der Kommunikation innerhalb einer bestimmten Gruppe von Theologen zu fragen.

Der kommunikative Prozeß des Konzils als ganzem wird unter rein soziologi-
schem Gesichtspunkt als ein „äußerst unwahrscheinliches Phänomen"[85] empfunden. Wer nun die Arbeit der deutschen Theologen im speziellen verfolgt, den
wird die organisierte Kooperation und das Zustandekommen der gemeinsamen
Stellungnahmen und Alternativtexte sicher ähnlich beeindrucken. Insbesondere
aus der Perspektive der stark divergierenden nachkonziliaren Theologie mag man
dieses Faszinosum nach seinen Bedingungen und Faktoren befragen. Franz-Xaver Kaufmann hat die Frage nach den Voraussetzungen in Hinblick auf religiöse
Verständigungsprozesse im allgemeinen gestellt und ist sie unter Zuhilfenahme

---

[84] KRA-EK 66.

[85] Franz-Xaver Kaufmann, Zur Einführung: Probleme und Wege einer historischen Einschätzung des II. Vatikanischen Konzils, in: ders./Arnold Zingerle (Hg.), Vatikanum II und Modernisierung. Historische, theologische und soziologische Perspektiven, Paderborn 1996, 9-
34; 27.

kommunikationstheoretischer Ergebnisse angegangen[86]. Angewendet auf den theologischen Kommunikationsprozeß innerhalb unserer deutschen Gruppe ist aus der Perspektive der Kommunikationstheorie davon auszugehen, daß die am Diskurs Beteiligten einerseits einen ähnlichen *kollektiven Wissensvorrat* und andererseits ähnliche *Relevanzstrukturen* aufgewiesen haben müssen, damit eine Verständigung unterhalb der Periti möglich wurde. Einen (neben anderen) entscheidenden *Bestand gemeinsamen Wissens* bildete ohne Zweifel die Neoscholastik, die Rahner, Semmelroth und Grillmeier in der ordensinternen Spielart der 20er und 30er Jahre allesamt in Valkenburg genossen hatten. Von dieser Basis waren sie mehr oder weniger schon bei ihren vorkonziliaren Arbeiten aufgebrochen und auf dem Konzil hatten sie eine klare Vorstellung davon, mit welchem Gedanken sie sich von ihr entfernten. Was die verbindenden *Relevanzstrukturen* (d.h. die Wertorientierungen, Einstellungen, Motive) angeht, dürfte die Tatsache nicht bedeutungslos sein, daß die Patres der Kerngruppe demselben Orden angehörten. Womit ich keinesfalls harmonisieren möchte, daß man viele Konflikte auf dem Konzil nicht auch sehr überzeugend als jesuitische Lagerkämpfe lesen könnte[87]. In unserer Gruppe kommt neben der homogenen jesuitischen Sozialisation wohl auch der Habitus einer bestimmten Theologengeneration zum Tragen, mit dem ich das hohe Maß an Bereitschaft, die eigenen Interessen zugunsten eines gemeinsam errungenen Konsenses hintanzustellen, erklären möchte[88].

Bei aller Betonung der Homogenität der Gruppe ist gleichzeitig darauf hinzuweisen, daß ihren einzelnen Mitgliedern notwendigerweise verschiedene Aufgaben zukamen bzw. sich im Laufe der Zeit Rollen ausdifferenziert haben. Rahner war oft der inspirierende Initiator eines gemeinsamen Projektes; er war in einzelnen Themen, die ihm wichtig erschienen, engagiert. Dort aber dann außerordentlich stark und federführend. In Grillmeier wird man häufig denjenigen erkennen können, der sich für die mühsame Arbeit des Schriftführers bereitstellte. Semmelroth brachte insbesondere in Fragen der Ekklesiologie größte Kompetenzen ein und war durchgängiger als Rahner in den Diskussionen präsent, die zu *Dei verbum* und *Lumen gentium* geführt haben. Dazu kommen die anderen Theologen, die nur sporadisch zum Kern der Gruppe beratend hinzutraten, um als Spezialisten Gesichtspunkte einzubringen[89].

Würde man nun die Arbeitsweise der theologischen Experten auf dem II. Vatikanum durch einen ausführlichen Vergleich mit der Arbeit von Theologen auf anderen Konzilien kontrastieren, dann käme man vermutlich zu dem Ergebnis, daß sich die Austauschprozesse – sowohl innerhalb einer nationalen Theologenschaft

---

[86] Franz-Xaver Kaufmann, Glaube und Kommunikation: Eine soziologische Perspektive, in: Dietrich Wiederkehr, Der Glaubenssinn des Gottesvolkes – Konkurrent oder Partner des Lehramts? (QD 151), Freiburg i.Br. 1994, 132-160; besonders 144f.

[87] Schließlich waren Sebastian Tromp und der Moraltheologe der Gregoriana, Franz-Xaver Hürth, Jesuiten. Ebenso einer der großen Gegenspieler Rahners in der Subkommission zur Bischofskollegialität, der Ekklesiologe J. Salaverri aus Salamanca.

[88] Wo, so wird man sich im Nachdenken über das ‚berufliche Ethos' der Konzilstheologen fragen dürfen, ist bei der Erstellung des ‚Deutschen Schemas' z.B. jemand wie Hans Küng gewesen?

[89] Hirschmann in der Moraltheologie, Wulf in der Ordenstheologie, Schnackenburg in der Exegese, Ratzinger u.a. in der Kollegialitätslehre, Jedin bezüglich der Geschäftsordnung des Konzils, Mörsdorf in juristischen Themen.

als auch über die nationalen Grenzen hinweg – in der Konzilientradition der Kirche noch nie so komplex und verzweigt gestaltet haben, wie auf dem letzten Konzil. Angeregt vom ursprünglichen Interesse des Forschungsprojektes „Globalkultur und christlicher Glaube"[90] dürfte eine solche Beobachtung die Frage aufwerfen, inwiefern der von den Wissenschaftlern auf dem Konzil praktizierte neue Arbeitsstil in Verbindung steht mit der eigentümlichen Programmatik des II. Vatikanums. Anders gefragt: Korreliert diese kollektive Methode theologischer Wahrheitsfindung unter den Periti mit dem spezifischen Beratungsgegenstand des jüngsten Konzils, das, anstatt in einer aktuell aufgekommenen einzelnen Streitfrage zu entscheiden, in neuer Weise (nämlich in Auseinandersetzung mit den globalen Transformationsprozessen der Moderne) und zum ersten Mal in einem umfassenden Sinn von der Kirche selbst erzählen wollte? Auf der Ebene der Bischöfe hat man immer gesehen, daß eine Vergewisserung in der *gemeinsamen* Wahrheit über das Wesen kirchlicher Gemeinschaft notwendig auch einer *kollegialen* Form bedarf. Wenn aber stimmt, daß es Wahrheiten gibt, die überhaupt nur in einem Gespräch gefunden werden können[91], dann wäre die historisch erkundete kollegiale Arbeitsweise unter denen, die den allgemeinen konziliaren Suchprozeß maßgeblich mit ihren Texten gespeist haben, schon erkenntnistheoretisch nicht zufällig gewesen. Dann konnte es im Konzilsergebnis nur deshalb zu jener umfassenden *apertura ad extra* kommen, weil das II. Vatikanum mit der freien Zulassung der relativ früh in Gang gekommenen Meinungsbildung unter den Theologen zunächst einmal eine *apertura ad intra* vollzogen hatte[92]. Diese *Öffnung des Konzils nach innen* hat sich einer deutschen Theologengruppe zugewandt, an deren Gespräch Karl Rahner mit großem Engagement und im Glauben an eine Leitung durch den Heiligen Geist beteiligt gewesen ist. Ich will schließen mit dem Eindruck, der in Rahner unmittelbar nach dem Konzil zurückblieb. In seinem berühmten Vortrag während des Münchner Festaktes zum Konzilsabschluß hat er ihn folgendermaßen zusammengefaßt: „Es war ein Konzil in Freiheit. Ich habe selber gewiß hinter fast alle Kulissen des Konzils geschaut. Ich kenne die Menschlichkeiten, Schwächen, Borniertheiten, Wichtigtuereien und was es sonst noch gibt, wo Menschen eben Menschen sind und gerade so Gottes Werk tun müssen. Aber ich kann bezeugen, es war wirkliche Freiheit da, Freiheit, in der man auf allen Seiten ehrlich bemüht war, Gottes Sache, der Wahrheit und der Liebe zu dienen. [...]. Das eigentlich geistesgeschichtlich Erstaunliche und Wunderbare an diesem Konzil in Freiheit aber besteht darin, daß es ihm gelang, *in* dieser Freiheit zu einer gemeinsamen Aussage und zu einem gemeinsamen Entschluß zu kommen"[93].

---

90 Peter Hünermann (Hg.), Das II. Vatikanum – christlicher Glaube im Horizont globaler Modernisierung. Einleitungsfragen, Paderborn 1998.

91 Darüber reflektiert Karl Rahner in dem im Konzilsjahr 1964 erschienenen Aufsatz: Kleines Fragment „Über die kollektive Findung der Wahrheit", in: Schriften zur Theologie, Bd. VI, Einsiedeln 1965, 104-110.

92 Und die eingangs geschilderte Episode zum Rahner-Ratzinger-Offenbarungsschema hat gezeigt, daß eine solcher freier Meinungsaustausch unter den Theologen durchaus noch zu Konzilsbeginn nicht für alle selbstverständlich gewesen ist und anfänglich auch unterbunden werden sollte.

93 Karl Rahner, Das Konzil – Ein neuer Beginn. Vortrag beim Festakt zum Abschluß des II. Vatikanischen Konzils im Herkulessaal der Residenz in München am 12. Dezember 1965, Freiburg i.Br. 1965, 8.

P. Friedrich Wulf SJ – sein Einfluß in Entwicklung und Rezeption des Ordensdekretes „Perfectae Caritatis"

Von P. Ludger Ägidius Schulte OFMCap.

„Der Unterschied zwischen den Pflichten der Mönche und Ordensfrauen und denen der Christen in der Welt ist keinesweges so groß, als so viele leider meinen"[1]. Diese, heutigen nachkonziliaren Ohren wenig Aufmerksamkeit erregende Formulierung[2], entstammt einem Aufsatz aus dem Jahr 1947 mit dem Titel: „Der Laie und die christliche Heiligkeit". Es ist die Feder des gerade frisch eingesetzten neuen Schriftleiters Friedrich Wulf SJ, die dies in „Geist und Leben" (bis dahin „Zeitschrift für Aszese und Mystik" genannt) zu Papier bringt. Der noch junge Jesuit handelt hier zum ersten Mal über die Frage nach dem Verhältnis des Rätelebens und der allgemeinen Verpflichtung zum Vollkommenheitsstreben aller Christen, aber bei weitem nicht zum letzten Mal, denn er sollte zum „Altmeister"[3] der gegenwärtigen Diskussion um den theologischen Bestimmungsversuch des Ordenslebens in der vorkonziliaren, konziliaren und nachkonziliaren Zeit werden.

I. Biographische Notizen

Friedrich Clemens Wulf wurde am 8. Oktober 1908 in Düsseldorf geboren. Er stammte aus einer Handwerkerfamilie. Mit seinem Bruder Hans Wulf (1907-1968) trat er im April 1927 der Gesellschaft Jesu bei. Seine philosophisch-theologischen Studien absolvierte er in Valkenburg. Nach der Priesterweihe 1938 und dem Abschluß der letzten Studien in Valkenburg 1939 wurde er für ein Sonderstudium der Spiritualität freigestellt. Die Wirren des Krieges ließen ihn statt in Rom in Tübingen seine Promotion betreiben, wo ihn wohl die väterliche Freund-

---

[1] Friedrich Wulf, Der Laie und die christliche Heiligkeit, in: GuL 20 (1947) 11-26; 22.

[2] Sei es, weil das konziliare Gedankengut fußgefaßt hat oder sei es, weil das Ordensleben in der Wahrnehmung der Theologie der Gegenwart keine Rolle spielt, was der Ausfall in den aktuellen ekklesiologischen Entwürfen belegt (vgl. die ekklesiologischen Entwürfe bei Medard Kehl, Peter Hünermann, Siegfried Wiedenhofer, Jürgen Werbick bei denen die Orden gar nicht mehr vorkommen!), was möglicherweise eine Folge des „Dauerfrontenkrieges" zwischen „Laien und Kleriker" ist, bzw. einer zu hoch angesetzten Gemeindetheologie seit Ende der 60er Jahre.

[3] Anneliese Herzig, „Ordens-Christen". Theologie des Ordenslebens in der Zeit nach dem Zweiten Vatikanischen Konzil, Würzburg 1991, 286. Hans Waldenfels, Frauen in der Kirche. Fallbeispiel: Karmelitinnen, in: StZ 210 (1992) 673-684; 673.

schaft Theodor Steinbüchels über so manche Schwierigkeit mit seinem wenig kirchlich und jesuitenfreundlich gesonnen Doktorvater Prof. Dannenbauer hinweghalf. Das Thema der Dissertation aus dem Jahre 1946 intoniert bereits einen der späteren Fragekreise: „Beruf und Berufsethos der Laien in der Karolingerzeit. Kirchliche Idee und Wirklichkeit." Denn tatsächlich belegt die Zielumschreibung der Studie eine deutliche Suche nach einer Antwort auf die ‚moderne' Problematik einer Trennung zwischen religiösem Vollzug und ‚weltlicher Welt' und läßt in der Bearbeitung der Fragestellung bereits das damit verknüpfte Problem der Ständeordnung anklingen.

1945 beauftragte ihn die Ordensleitung mit der Neuherausgabe der „Zeitschrift für Aszese und Mystik", deren erstes Heft erst 1947 nun unter dem Titel „Geist und Leben" erscheinen konnte und damit einen nicht geringen Programmwechsel signalisiert. Sie trug deutlich die Handschrift Wulfs, der vier Leitideen für seine Erneuerungsbemühungen als wegweisend angibt. Sie geben beispielhaft Zeugnis vom Wandel der Theologie der Spiritualität seit der Nachkriegszeit: „Erstens sollte unsere Spiritualität, viel stärker als das bisher gewesen war, theologisch unterbaut werden, und zweitens sollte sie existentieller sein, d.h. den Menschen in seiner Existenz und in seinem personalen Sein ansprechen. [...] Drittens wollte ich die überlieferte Frömmigkeit des 19. Jahrhunderts in der Kirche, die bis Mitte unseres Jahrhunderts noch gedauert hat, nämlich diesen starken Moralismus und Aszetismus überwinden und hinweisen auf den Vorrang und auf den Vorgang der Gnade vor dem Tun. Und viertens wollte ich stärker die Humanwissenschaften miteinbringen, weil der Mensch ja nicht nur aus Geist und Seele besteht, sondern ein leibhaftes Wesen ist und sein Umfeld in der Welt und in der Kommunikation mit Menschen hat. Da ist viel zu wenig bisher getan worden. Das Konzil hat mich letztlich dann noch einmal darauf gebracht, wie wenig oder gar nichts da vorhanden ist"[4]. Aus diesen Perspektiven heraus vertieft Wulf u.a. die überkommenen geistlich-aszetischen Begrifflichkeiten und die sich darin verbalisierenden Lebenshaltungen; gleichzeitig ist er um eine Abwehr des publizistischen Verschleißes zentraler Begriffe des geistlichen Lebens wie Gebet, Mystik, Meditation, Spiritualität usw. bemüht. Hierzu dient ihm sowohl die dogmatische und bibeltheologisch erneuerte Frömmigkeit als auch die Vorliebe seiner Zeit für eine heilsgeschichtliche und heilstheologische Schau des christlichen Weges. Er untersucht dazu die geistes- und frömmigkeitsgeschichtlichen Entwicklungen und versucht phänomenologisch die Glaubenserfahrung in ihren Phasen und Stufen zu erhellen[5].

Wulf „war ein geistiger ‚Wünschelrutengänger' und spürte früher als andere auf, was die Stunde geschlagen hatte. Es gibt kaum ein Problem oder eine Entwicklung von Gewicht, die in ihm nicht einen sensiblen, sachkundigen und kritischen Beobachter und Analytiker fand"[6].

---

4 „... heute sehe ich das anders". Pater Friedrich Wulf im Gespräch mit Mareike Eggers, in: Christophorus 35 (1990) 21-30; 26.
5 Vgl. Vorwort, in: Friedrich Wulf, Geistliches Leben in der heutigen Welt. Geschichte und Übung der christlichen Frömmigkeit, Freiburg i.Br.-Basel-Wien 1960, 7.
6 Corona Bamberg, Wer war P. Friedrich Wulf? Ein Porträt, in: GuL 63 (1990) 243-256; 244.

Sein Schaffen ging deshalb schon bald, ohne großes Aufsehen, über die Schriftleitung von „Geist und Leben" hinaus. Seine Tätigkeit auf dem II. Vatikanum, besonders mündete in die Autorenschaft des Dekretes *Perfectae caritatis* für die Ordenschristen. Durch 32 stürmische und turbulente Jahre hindurch verfolgte er bis zum März 1979 sein prägendes Programm für „Geist und Leben". Er verstarb kurz vor Vollendung des 82. Lebensjahres am 2. Mai 1990 in München.

II. Sein Weg zum Konzil

Das Ordensthema und die damit verbundenen Fragestellungen waren ein beständiges Thema in „Geist und Leben"[7]. 1961 kam es dort zu einer folgenreichen Auseinandersetzung. Ein von Wulf verfaßter, aber nur mit drei Sternchen gekennzeichneter Artikel: „‚Zeitgemäße Anpassung' der weiblichen Orden und Genossenschaften und die Nachwuchsfrage"[8], rief heftige Reaktionen hervor, ungewöhnlich starke positive wie, vor allem, negative. Schützend glaubten sich die großen katholischen Frauenverbände vor die angeblich in ihrer Ehre angegriffenen Frauenorden stellen zu müssen. Und aus den Orden selbst meldeten sich entrüstete Stimmen. Sie alle begriffen nicht, daß hier nicht den Orden ans Zeug geflickt werden sollte, sondern daß es längst fällig war, sich zu überlegen, wie Ordensleben in der gewandelten Zeit auszusehen habe. Was die einen aufregte, fand das Interesse von Kardinal Frings, dem damaligen Vorsitzenden der Deutschen Bischofskonferenz. Er ließ sich von den Vorgängen unterrichten und lud Friedrich Wulf als Referenten zur Frühjahrsvollversammlung 1962 nach Hofheim ein. Die beiden Vorträge „Neue theologische Sicht der evangelischen Räte" und „Erneuerung der konkreten Formen" fanden starken, auch kritischen Widerhall. Noch im gleichen Jahr – Pfingsten 1962 – hielt Wulf zwei Grundsatzreferate mit gleicher Ausrichtung vor den Höheren Oberinnen der Bundesrepublik (VOD). Sie trafen ins Mark[9].

Dies und grundlegende Ausarbeitungen für Kardinal Döpfner zum Thema Orden, als Antwort auf den ersten Entwurf eines Ordenschemas zum II. Vatikanum mit dem Arbeitstitel *Status perfectionis*, veranlaßten den Rottenburger Bischof Leiprecht, der in der Deutschen Bischofskonferenz für die Ordensleute verantwortlich zeichnete, ihn zum Konzilsberater für das II. Vatikanum zu wählen.

---

7 Vgl. z.B. den Hinweis bei Wilhelm Pesch, Literatur zu den Evangelischen Räten, in: Ordenskorrespondenz 7 (1966) 197-204; 197.

8 GuL 34 (1961) 129-140. Vgl. dazu und zum folgenden auch die (namentlich nicht gekennzeichneten) Hinweise Wulfs in: Friedrich Wulf/Corona Bamberg u.a. (Hg.), Nachfolge als Zeichen. Kommentarbeiträge zum Beschluß der Gemeinsamen Synode der Bistümer in der Bundesrepublik Deutschland über die Orden und andere geistliche Gemeinschaften, Würzburg 1978, 18.

9 Die Referate befinden sich in: Friedrich Wulf, Zur Frage der Erneuerung und Anpassung der tätigen Orden und Genossenschaften, o.O. 1962.

Denn als Bischof Leiprecht von Rottenburg auf dem Konzil in die Ordenskommission gewählt wurde, riet ihm Kardinal Döpfner, Friedrich Wulf zum Peritus zu nehmen, da der eigentliche Peritus Leiprechts, Hans Küng, dem Thema gegenüber nur wenig Interesse zeigte.

Das vorbereitende Schema „Status perfectionis", das der Deutschen Bischofskonferenz zur Beratung vorlag, stand später nie in der sich erst 1962 konstituierten „Kommission für die Ordensleute", noch in der Peterskirche zur Debatte. Es wurde einer entschiedenen Kürzung durch den Sekretär der Religiosenkongregation, Erzbischof P. Philippe OP, unterzogen, ohne wesentlich Neues zu präsentieren[10]. Diese Fassung wurde auf Wunsch der Deutschen Bischofskonferenz, namentlich durch Bischof Leiprecht, von Friedrich Wulf und einer kleinen Arbeitsgruppe, die Wulf nun seinerseits zusammenstellte, um die Konzilsarbeit zu unterstützen, einer kritischen Würdigung unterzogen. Mitglieder der Arbeitsgruppe waren P. Emanuel von Severus OSB, P. Stefan Pfürtner OP und P. Audomar Scheuermann OFM. In diesem Kreis wurde das Schema, das nicht nur mit dem Titel *Status perfectionis* noch völlig einer einseitigen Tradition verhaftet war, „unter der entscheidenden intellektuellen Führung [...] von P. Wulf", im Pfarrhaus zu Nürtingen (Diözese Rottenburg) völlig neu erarbeitet, wie P. Emanuel von Severus OSB berichtet[11]. Es wurden hier nicht nur Teile ergänzt, sondern ein Alternativvorschlag erarbeitet. Das leitende Stichwort dieses Eigenentwurfes wurde die „sequela Christi", d.h. es kam zu einer deutlich bibeltheologisch-christozentrischen Fundierung des Ordensverständnisses. Wulf trug den Entwurf in München 1963 der Deutschen Bischofskonferenz vor, wo die dort entwickelten Gedanken breite Aufnahme fanden. Kardinal Döpfner war es, der den Grundüberlegungen dieses Entwurfs auf dem Konzil Gehör verschaffte. Denn als nun der gekürzte Text von Philippe am 9.3. der Koordinierungskommission zur Approbation übergeben wurde, kam es in der Sitzung vom 27.3, deren Relator Kardinal Julius Döpfner war, zu einer erheblichen Kritik. Drei Punkte sind es, die auf dieser Sitzung angemahnt wurden: „1. Es fehle an einer biblischen und theologischen Vertiefung der üblichen Vorstellungen vom Ordensstand und von den Räten, ohne die aber eine zeitgemäße Erneuerung der Orden nicht zu denken sei. Insbesondere sei die christologische und ekklesiologische Sicht des Rätestandes zuwenig berücksichtigt. 2. Es sei kaum in hinreichender Weise dem Wunsch der Väter nach eindeutigen und konkreten Richtlinien für eine zeitgemäße Erneuerung entsprochen. 3. Es dürfe nicht nur immer vor der Welt und dem Weltgeist gewarnt werden [...]"[12]. Auffällig ist nun, daß die vorgetragenen Kritikpunkte sich genau mit den hervorragenden Konstruktionspunkten einer erneuerten Theologie des Ordensleben, wie sie Wulf in der vorkonziliaren Debatte vertrat, treffen[13].

---

[10] Vgl. zu den Vorgängen auf dem Konzil: Friedrich Wulf, Einführung in das Dekret über die zeitgemäße Erneuerung des Ordenslebens, in: LThK.E II 250-307; 251-253.

[11] Interview des Verfassers mit P. Emanuel von Severus OSB (Manuskript), Maria Laach, Juni 1996, 8.

[12] Wulf, Einführung (wie Anm. 10), 251.

[13] Ludger Schulte, Aufbruch aus der Mitte. Zur Erneuerung der Theologie christlicher Spiritualität im 20. Jahrhundert – im Spiegel und von Wirken und Werk Friedrich Wulfs (1908-1990), Würzburg 1998, 268-338.

Der Sekretär der Religiosenkongregation, Philippe, sah diese Kritik nicht als elementar an, sondern entnahm dem Sitzungsprotokoll, das im Schlußsatz noch einmal die Einwände unterstrichen hatte, daß die Substanz des Kurzschemas gebilligt sei, so daß eine Plenarsitzung der Koordinierungskommission, die für Mai vorgesehen war, nicht mehr nötig schien, da die Zeit drängte, das Schema möglichst bald allen Konzilsvätern zugänglich zu machen, damit diese ihre Bemerkungen und Wünsche noch frühzeitig genug vor Wiederbeginn des Konzils einsenden könnten. Einige Mitglieder der Kommission waren mit diesem Vorgehen nicht einverstanden. So teilte Kardinal Döpfner als verantwortlicher Relator der Koordinierungskommission für das „Religiosenschema" seine schon im amtlichen Protokoll geäußerten Wünsche noch einmal ausführlich in Form von genau formulierten Texten, die in das Schema aufgenommen werden sollten, dem römischen Sekretariat der Ordenskommission mit. Wulf bemerkt zu diesem Vorgang: „Letztere fanden wegen der konzilsamtlichen Stellung des Kardinals Berücksichtigung. Etwa die Hälfte von ihnen wurde, zum Teil wörtlich, dem Entwurf noch eingefügt; die Nichtaufnahme der übrigen Texte – es waren im Hinblick auf die oben genannten Beanstandungen des Protokolls die wichtigeren – wurde in zahlreichen Anmerkungen begründet"[14]. Der Eigenentwurf der Deutschen Bischofskonferenz wurde aber als ganzer den Konzilsmitgliedern mit der korrigierten Fassung zugänglich gemacht[15]. Man darf berechtigt davon ausgehen, daß die Texte ihren Hauptverfasser in Friedrich Wulf haben.

Wird ferner die Tatsache zur Kenntnis genommen, daß mit der erfolgenden Wahl Leiprechts zum Vorsitzenden der Kommission des II. Vatikanums für die weitere Erstellung des Ordensdekretes auch Wulf eine maßgebliche Rolle bei der Abfassung der Texte erhielt, so ist die Aussage Leiprechts nur allzu verständlich: Er ist zu dem engsten Kreis der Mitarbeiter am Konzilsdekret zu zählen[16]. Auch wenn Wulfs Einführung in das Ordensdekret *Perfectae Caritatis* für die Ergänzungsbände des „Lexikon für Theologie und Kirche" diese Zusammenhänge bescheiden verschweigt, gilt er deshalb nicht umsonst als einer der berufensten Interpreten des Ordensdekretes und dessen Ausführungsbestimmungen. „Seine Einführungen und Kommentare gehören zum Besten, was darüber geschrieben wurde", so das Urteil des Kommissionsvorsitzenden Bischof Leiprecht[17]. Ja, darüber hinaus ist die kritische Bemerkung Friedrich Wulfs selbst ernstzunehmen: „Die meisten Kommentare zu diesem Dekret [...] haben kaum genügend deutlich gemacht, wie umfassend und in welcher Tiefe hier Kritik an der traditionellen Begründung und Deutung des Ordenslebens geübt wurde"[18].

---

14 Wulf, Einführung (wie Anm. 10), 252.
15 Der Entwurf der deutschen Bischofskonferenz findet sich in: ASCOV I/4 630-632.
16 Carl Joseph Leiprecht, Im Dienst an der Kirche, in: Heinrich Schlier u.a. (Hg.), Strukturen christlicher Existenz. Beiträge zur Erneuerung des geistlichen Lebens (FS Friedrich Wulf), Würzburg 1968, 7-10; 7.
17 Ebd., 8.
18 Friedrich Wulf, Theologische Phänomenologie des Ordenslebens, in: MySal IV,2 450-487, 455.

III. Seine theologische Stossrichtung auf dem Konzil

Was ist nun aber die Stoßrichtung des „Peritus" Leiprechts in der Erneuerung des Ordensverständnisses und Ordenslebens, die sowohl Spuren im Dekret hinterlassen als auch die späteren Rezeptionsbemühungen mit beeinflußt haben? Es versteht sich von selbst, daß es sich hierbei nicht um eine monokausale Ableitung eines vielschichtigen Diskussionsprozesses auf dem II. Vatikanum auf eine Person hin handeln soll. Das wäre unhaltbar. Es soll nur festgehalten werden, wie die zentrale Vertiefung des bisherigen Ordensverständnisses auf diesem Konzil ihre Korrespondenz in den Bemühungen Wulfs hat und in ihm einen Innovator, selbst über die Zeit des Vatikanums hinaus, findet.

Grundsätzlich: Nachzeichnen läßt sich gerade an der Person Wulfs, daß die wegweisenden Gedanken, die auf dem II. Vatikanum zum Durchbruch gelangen, einen weiten Anweg hinter sich haben und bereits im 19. Jahrhundert eine Vorausbildung besitzen, nach dem Ersten und schließlich mit Unabweislichkeit nach dem Zweiten Weltkrieg erneut zur Geltung kommen. Schlagwortartig wären hier im Hinblick auf die Ordensthematik folgende Faktoren zu nennen, die sich auch in Wulfs Bemühungen vor, auf und nach dem Konzil verifizieren lassen: die Stunde des Laien und die Frage nach der Laienspiritualität, die eine Suche nach einer neuen Ständelehre freisetzt; die Neuaufbrüche in der Moraltheologie, vor allem ihre Befreiung aus den Fängen der Kasuistik durch die Rückgewinnung ihres theologischen Charakters, weiter die erneuerte Verhältnisbestimmung von Aszese und Mystik in der Moraltheologie unter dem Prius der Gnade, allgemein die Neuhinwendung zur Mystik, die Neuzuordnung von Apostolat und Kontemplation, die anthropologische Wende in der Glaubensbegründung, und schließlich nicht zuletzt die heilsgeschichtliche und heilstheologische Neuausrichtung der Theologie[19].

Was aber bringt Friedrich Wulf, vermittelt durch die Deutsche Bischofskonferenz und als Peritus des Kommissionsvorsitzenden für die Erarbeitung des Ordensdekretes, getragen von diesen grundsätzlichen Verschiebungen, konkret ein, wenn auch unter Kompromiß und nicht, wie er selber oft bedauert hat, immer konsequent?

1. Die ekklesiologische Gesamtsicht

Zur neuen ekklesiologischen Gesamtperspektive, unter der das Ordensleben auf dem II. Vatikanum neu verhandelt wird[20], lassen sich folgende Beobachtungen machen: Schon *vorkonziliar* zeichnete sich der Primat einer „totalen" Ekklesiologie im Denken Wulfs ab. Die aus ihr gewonnene Einheit aller Stände hat Priorität vor jedweder Unterscheidung. Die gemeinsame Berufung zur Heiligkeit wird zum Band der Einheit. Analogie, Verschränkung und Ergänzung markieren folglich die spirituelle Betrachtung der Stände. Die existentiell verstandenen Be-

---

[19] Schulte, Aufbruch (wie Anm. 13), 197-258.
[20] Vgl. den Kommentar Wulfs zu LG 5 und 6, in: LThK.E I 284-313.

griffe der Nachfolge, der Sendung, des Dienstes bzw. des Heilsdienstes und der Gemeinschaft sind die zunehmend maßgebenden Begriffe vor einer statischen Aufteilung in Kleriker und Laien sowie Ordenschristen und Nichtordenschristen. Das klassisch kirchliche Ständedenken ist überholt. Das Ordensleben wird tiefer in das Mysterium der Kirche verwurzelt.

Bermerkenswert sind nun zwei Beobachtungen Georg Jelichs in seiner gründlichen Studie zum Wandel des Ordensverständnisses auf dem II. Vatikanum[21]. Zum einen, daß „im Werdegang beider Konzilsdokumente [gemeint ist LG 5 u. 6 sowie PC] [...] ein wachsendes Verständnis für die ekklesiologische Verfaßtheit des Ordensstandes zu beobachten ist"[22]. Zum anderen stammen interessanterweise die entscheidenden Beiträge zur Beibehaltung der engen Verknüpfung von der allgemeinen Berufung zur Heiligkeit und dem Rätestand im sogenannten Kapitelstreit um LG 5 u. 6 von Kard. J. Döpfner, Bischof Leiprecht und Bischof Hengsbach. Sie sprachen im Namen mehr oder weniger aller deutschsprachigen und skandinavischen Bischöfe. Die Argumentationsweise ist in allen Fällen ekklesiologisch orientiert[23].

Daß dieser ekklesiologische Neuansatz nur wenig verstanden wurde, gibt Wulf im Hinblick auf LG 44 (dem Artikel, der vom Zeichencharakter des Rätestandes spricht und so den kirchentheologischen Aspekt des Rätestandes zur Geltung kommen lassen will) selbst zu. Dieser Abschnitt war von den Redakteuren des Textes zur Mitte ihrer gesamten Ordenstheologie gemacht worden. Er war zugleich aber der umstrittenste des ganzen Kapitels VI auf dem Konzil. Daß aber die vorgetragene Argumentation sehr wenig Verständnis fand, ist für Wulf ein Indiz dafür, „wie wenig noch die Kirchentheologie des I. und II. Kapitels der Konstitution das theologische Denken unserer Zeit beherrscht und daher die Teilwirklichkeiten und Einzelgeheimnisse des christlichen Lebens in sich zu integrieren vermag"[24]. Doch kann er trotz aller Mängel das Fazit ziehen, das seine Bemühungen auf dem Konzil noch einmal unterstreicht: „Kaum je in der Geschichte der Orden ist deren enge theologisch oder genauer, christologisch begründete Verbindung mit der Kirche, ihrem Geheimnis und ihrer Sendung so ans Licht getreten, wie auf diesem Konzil"[25].

2. Die vertiefte christologische Ausrichtung

Wulf hatte schon im Alternativvorschlag zum Ordensschema *Status perfectionis* der Religiosenkongregation dem Entwurf als theologischen Leitbegriff die

---

[21] Georg Jelich, Kirchliches Ordensverständnis im Wandel. Untersuchung zum Ordensverständnis des Zweiten Vatikanischen Konzils in der dogmatischen Konstitution „Lumen Gentium" und im Dekret über die zeitgemäße Erneuerung des Ordenslebens „Perfectae Caritatis" (Erfurter theologische Studien 49), Leipzig 1983.

[22] Ebd., 174.

[23] Ebd., 69-74, besonders 73f.

[24] Wulf, Kommentar zu LG (wie Anm 20), 309.

[25] Ders., Kommentar zu „Perfectae Caritatis", in: LThK.E II 264; vgl. auch Einführung, in: Zweites Vatikanisches Ökumenisches Konzil. Dekret über die zeitgemäße Erneuerung des Ordenslebens. Mit den Ausführungsbestimmungen. Authentischer lateinischer Text der Acta Apostolicae Sedis. Deutsche Übersetzung im Auftrag der deutschen Bischöfe. Mit Einführung von F. Wulf, Münster 1967, 5-51.

„Nachfolge Christi" eingeführt, ganz seinen vorkonziliaren heilsgeschichtlichen Überlegungen entsprechend[26]. Die Nachfolge führt in unterschiedlicher charismatischer Ausdrücklichkeit zum Dienst am Erlösungswerk und zur Gemeinschaft der Jünger, je nach dem Ruf, der den einzelnen erreicht. In der variierenden, charismatischen, d.h. geschenkten Ausdrücklichkeit bzw. Zeichenhaftigkeit der Nachfolge liegt der Schlüssel zur theologischen Lokalisierung des Ordenslebens im Gesamt der Ekklesiologie. Die Zeichenhaftigkeit der Nachfolge im Ordensleben als ekklesiologische Deutungskategorie erklärt allerdings noch nicht das Ordensleben als Ganzes. Sie ist eine unzureichende Interpretationskategorie und muß durch die heilsgeschichtlich-soteriologische Schau ergänzt werden, die letztlich im verfügenden Ruf Gottes begründet ist. D. h. Nachfolge meint immer ein Mitgesandtwerden mit Jesus dem Christus zur Erlösung der Welt. Die Ordenstheologie ist nur eine Entfaltung einer Theologie der Nachfolge, die darauf reflektiert, daß alle Christen zur Heiligkeit berufen sind, der auch die Theologie der Räte, die auf jeden Christen zielt, als Bereitung zur Nachfolge zu dienen hat.

Ist dies in groben Zügen die vorkonziliare Position Wulfs, so ist nun im Hinblick auf das II. Vatikanum einer weiteren Bemerkung Jelichs Aufmerksamkeit zu schenken[27]. Seiner Meinung nach geschah der grundsätzliche Wechsel von einem monastischen Ideal des „Gott allein" mit einem damit verbundenen einseitigen Kontemplationsideal als erstem Ziel des Ordenslebens hin zu einer christologischen Prägung der Konzilstexte unter dem nennenswerten Einfluß dieses Entwurfes der deutschsprachigen Bischofskonferenz zum Schema über die Orden von 1963[28]. Vor allem sei das V. Kapitel dieses Eigenentwurfes hier maßgeblich gewesen. Auffällig ist nun, daß neben der starken Aufnahme des Begriffs der Nachfolge zwei Aussagen dieses Kapitels von der theologischen Konzeption her an die christologisch-ekklesiologische Konzentration des Bischofsberaters F. Wulf erinnern.

Das über die Räte handelnde V. Kapitel des Eigenentwurfs trägt die Überschrift: „Der Stand der Nachfolge Christi gemäß den evangelischen Räten". Es hebt den christologischen Aspekt des Ordenslebens heraus. Der Begriff „Stand der Nachfolge" wird dort zum Terminus technicus. Er verdrängt den Begriff „status perfectionis acquirendae" völlig. In der ersten Aussage wird der Ursprung der Räte in Christus wesentlich vertieft und damit der Auftrag, das Heilshandeln Christi zu bezeugen. Gleichzeitig wird eine einseitig aszetische Ausrichtung des Rätelebens korrigiert. Das Ordensleben stellt das schon gekommene Reich Gottes dar, vor allem in seiner gemeinschaftlichen Lebensform. Christus ist Norm und Regel der evangelischen Räte. Damit ist bereits das Grundprinzip der Erneuerung im Abschlußdekret *Perfectae Caritatis* erreicht, wenn es dort heißt: „Da die letzte Norm des Ordenslebens die im Evangelium vorgestellte Nachfolge Christi ist, hat diese allen Instituten als oberste Regel zu gelten" (PC 2a).

---

[26] Vgl. Schulte, Aufbruch (wie Anm. 13), 268-338, besonders 333-336, ferner 359-367.
[27] Jelich, Ordensverständnis (wie Anm. 21), 241.
[28] Vgl. ASCOV I/4 630-632.

3. Verabschiedung der Gleichsetzung von Räte- und Ordenstheologie

Wieweit der Einfluß Wulfs auch gereicht haben mag, die wiedergefundende chri-
stozentrische Sicht durch den Nachfolgegedanken auf dem II. Vatikanum im einzelnen zu initiieren, verabschiedet wird durch die Aufnahme dieses Blickwinkels
eine Gleichsetzung von Räte- und Ordenstheologie. Allzu oft geschehene Redu-
zierung des Ordensstandes auf die drei evangelischen Räte birgt für den Ordens-
erneuerer Wulf die Gefahr, einem abstrakten, geschichtslosen Ideal des Ordenslebens Vorschub zu leisten. Die Räte bzw. die Gelübde sind der Nachfolge Christi
unterzuordnen und unter dem Leitwort des Dienstes[29] zu interpretieren und
sollen, nach der Meinung Wulfs, die Ordenschristen herausholen aus ihrem Kreisen um sich selbst. Die Nachfolge Christi als Grundprinzip der Theologie des Ordenslebens ermöglicht es zum erstenmal in der Geschichte der offiziellen Lehre
der Kirche, die apostolische und caritative Dimension in das Wesen des Ordenslebens einzugliedern (PC 8), und nicht, wie die bisherige Tradition, als Neben-
ziel gegenüber der Kontemplation abzuwerten. Ja noch mehr, das Konzil hat das
Apostolat als „genuines Sinnziel jedes Ordenslebens" hervorgehoben[30].

Damit sind drei zentrale Elemente benannt, die sicherlich nicht ihre Alleinur-
sächlichkeit im Schaffen Friedrich Wulfs besitzen, aber in ihm und seinem
Dienstherrn, Bischof Leiprecht, eine starke Unterstützung erfahren haben.

IV. DIE POSTKONZILIARE ZEIT

Das Konzil weiter zu vermitteln und konkretisierend fortzuschreiben wird Wulf
zum innersten Anliegen. Zahlreich sind die nachkonziliaren Tätigkeiten Wulfs,
die Aufnahme des konziliaren Gedankengutes voranzutreiben. Dazu zählt natürlich zum einen der weitverbreitete Kommentar zum Ordensdekret PC und *Lumen
Gentium* V und VI im „Lexikon für Theologie und Kirche", der auch im engli-
schen Sprachraum eine große Resonanz fand. Zum anderen gehören zahlreiche
Vorträge, Artikel und Stellungnahmen zum Gestaltwandel der Orden zu dieser
Rezeptionsgeschichte[31]. Wulfs alljährliche Teilnahme an der Plenarversammlung
der Religiosenkongregation mit Bischof Leiprecht brachten ihn immer wieder in
Kontakt mit der weltweiten Entwicklung des Ordenswesens. 1967 wird er durch
Leiprecht zum ersten Leiter des Seminars für Ordensfrauen in München, einer in
der Bundesrepublik einmaligen Einrichtung. Ziel dieser Institution ist es, die zeit-

---

[29] Der hohe Stellenwert des Dienstbegriffs für die Interpretation des Ordenslebens, aber auch des
Priestertums auf dem II. Vatikanum kann hier nur am Rande erwähnt werden; vgl. Schulte,
Aufbruch (wie Anm. 13), 368-371; besonders 369 Anm. 333.

[30] Vgl. PC 8; Alexander Senftle, Die apostolische Funktion der kontemplativen und aktiven Orden, in: Ordenskorrespondenz 9 (1968) 394-403; 394. Zu den entsprechenden Konzilstexten
vgl. Jelich, Ordensverständnis (wie Anm. 21), 188-204.

[31] Vgl. Schulte, Aufbruch (wie Anm. 13), 23-25.467-526 (Lit). Der letzte Beitrag noch 1988:
Friedrich Wulf, Orden (III. Zur Theologie der Orden), in: StL[7] IV 180-185.

gemäße Erneuerung des Ordenslebens nach dem II. Vatikanischen Konzil zu forcieren. Wulf selbst schreibt darüber: „Das Konzil hat Grundsätzliches gesagt (die in den Konzilsdokumenten skizzierte Theologie des Ordenslebens ist nach wie vor im Fluß); es hat Anstöße gegeben, z.T. sehr konkrete, aber wie das aussehen sollte, konnte niemand sagen. [...] Es gilt, Informationen zu geben, Stellung zu beziehen, konkrete Möglichkeiten aufzuweisen und Ausblicke in die Zukunft zu tun"[32].

V. Die Würzburger Synode (1972-1975) pars pro toto

Die Vielfalt der Aktivitäten zur Rezeption des II. Vatikanums können hier nicht im einzelnen nachgezeichnet werden. Jedoch soll Wulfs Tätigkeit auf der gemeinsamen Synode der Deutschen Bistümer in Würzburg (1972-1975) pars pro toto hervorgehoben werden, zumal ihr für die Rezeptionsgeschichte des II. Vatikanums im deutschen Sprachraum eine besondere Stellung zukommt[33]. Wulfs Arbeit auf der Synode galt, deren Gesamtziel entsprechend, das Konzil in den deutschen Lebensraum hinein zu vermitteln und zu präzisieren. 1978 kommt, unter Wulfs Federführung, der in „wulfscher Akribie" verfaßte Kommentarband zum Beschluß der Gemeinsamen Synode der Bistümer in der Bundesrepublik Deutschland über die Orden und andere geistliche Gemeinschaften heraus[34].

Wulf geht es summa summarum in der postkonziliaren Debatte um *eine theologische Kriteriologie zur Erneuerung eines geschichtlich verstandenen Ordenslebens*. Dem reiht sich auch die Arbeit auf der Synode ein. Als genaueres Ziel des Beschlusses für die Orden und andere geistliche Gemeinschaften stellte die Synode in einer Zeit der Krise der Orden die „Neubesinnung auf den Kern ihrer Berufung" in den Vordergrund, um sie so „im Ringen um ihre Zukunft zu bestärken" (1.4)[35]. Ferner war es die erklärte Absicht der Synodalen, die Bedeutung der geistlichen Gemeinschaften für die gesamte Kirche hervorzukehren. Anliegen, die aus dem Schaffen Wulfs ebenso geläufig sind. Dies alles sollte, so stellt denn auch Wulf als Hauptredakteur des Beschlusses über die Orden und geistlichen Gemeinschaften heraus, zur größeren Selbstsicherheit der Orden führen, die in den nachkonziliaren Jahren oft unter einem Identitätsverlust litten.

Der theologische Schlüssel des Gesamttextes liegt im neu eingeführten, äquivalentlosen Begriff des „Grundauftrags" der Orden und geistlichen Gemein-

---

[32] Friedrich Wulf, Münchner Seminar 1968-1974, (Nachlaß, Archiv der SJ in Köln) 1f.

[33] Vgl. Karl Lehmann, Allgemeine Einleitung, in: Gemeinsame Synode der Bistümer in der Bundesrepublik Deutschland. Beschlüsse der Vollversammlung. Offizielle Gesamtausgabe, Bd. I, hg. im Auftrag des Präsidiums der Gemeinsamen Synode der Bistümer in der Bundesrepublik Deutschland und der Deutschen Bischofskonferenz von Ludwig Bertsch u.a., Freiburg i.Br.-Basel-Wien ²1976, 21-67; 29-31 (Lit).

[34] Wulf, Nachfolge (wie Anm. 8).

[35] Die im fortlaufendem Text in Klammern angegebenen Ziffern weisen auf die offizielle Abschnittsnummerierung des Synodentextes hin, hier zitiert nach Wulf, Nachfolge (wie Anm. 8).

schaften (2.)[36]. Aufgrund der starken pastoralen Ausrichtung der Synode lag es nahe, die geistlichen Gemeinschaften unter die Begriffe Auftrag und Dienst zu stellen[37]. Es handelt sich insofern um eine theologisch-pastorale Konzeption, die mutige Schritte auf neue Formen radikal gelebten Evangeliums zugehen will. So wird der Wunsch der Konzilsväter nach Erneuerung des Ordenslebens aufgenommen[38].

Die Themen des Beschlusses sind genau jene, die Wulfs Interesse, besonders seit dem Ringen um die Konzilstexte, auf sich gezogen haben: die besondere Berufung des Ordenschristen in der allgemeinen Berufung des Christen (LG 5 u. 6), die Zuordnung von Orden und Kirche, sowie eine theologische Vergegenwärtigung traditioneller Begründungstopoi in der Ordenstheologie bzw. -spiritualität (PC). War es gerade das verstärkte Bemühen Wulfs, in den Konzilskommentaren das Ordensleben aus einer ekklesiologischen Gesamtperspektive zu verstehen und dementsprechende Mängel einzuklagen, so ist es der Synodenbeschluß, der, so Herzig, „vor allem in seinem theologischen Teil die im Konzil hervorgehobene ekklesiologische Interpretation des Ordenslebens pointiert herausstellt und zuspitzt"[39]. Hier haben wir eine deutliche fortschreibende Rezeption zu verzeichnen.

Allerdings nicht allein diese Spuren offenbaren den federführenden Autor Wulf. Der Synodenbeschluß ist nach seiner Ansicht von „drei grundlegenden Erkenntnissen in der Entwicklung der Ordens- und Frömmigkeitsgeschichte"[40] bestimmt, die in Wulfs Werk keine Unbekannten sind, sondern in der vorkonziliaren Arbeit, in der Kommentierung des Konzils und nun in der postkonziliaren Debatte wieder zum Vorschein kommen. Zum einen das seit den 50er Jahren zu beobachtende neue „Einheitsdenken"[41], d.h. die neue Verhältnisbestimmung zwischen Schöpfungs- und Erlösungsordnung bzw. Weltlichem und Göttlichem, die in der Gnadenordnung „ in der theologischen Entwicklung der neueren Zeit [...] mit Vorzug als Einheit gesehen werden"[42]; das radikalere Verständnis der gottgewollten Einheit – nicht Identität! – von Gottes- und Nächstenliebe und ferner die Sicht einer tieferen Einheit von Apostolat und Kontemplation. Zum zweiten, daß alle Christen jedweden Standes in jeder Situation zur Heiligkeit berufen sind. Je-

---

36 Eine erste Umschreibung des Grundauftrages lautet dort: „Der grundlegende Auftrag der geistlichen Gemeinschaften besteht darin, daß sie als Gruppe, die im Nachfolgeruf des Evangeliums Ursprung und Bestand hat, durch ihre Lebensform und ihren Dienst – die Verherrlichung Gottes und das Dasein für die Menschen – ein Zeichen sind für das in Christus angebrochene Heil" (2.1.1). Als Spezifikum der geistlichen Gemeinschaften wird nun angegeben: „Jeder Getaufte muß als Jünger Christi zuerst das Reich Gottes suchen (vgl. Mt 6,33) und aus dem Geist der Liebe Jesu leben, die keine Rücksicht auf sich selbst und kein Maß kennt (vgl. Joh 13,15). Hier aber verpflichtet sich eine ganze Gemeinschaft öffentlich auf diesen Anspruch des Evangeliums und stellt sich unter eine bestimmte Lebensordnung, um in gegenseitiger Verantwortung und Ermutigung dem Drängen des Geistes besser nachzukommen" (2.1.2).
37 Damit ist der Gefahr einer zu funktionalen Betrachtung des Ordenslebens die Tür geöffnet!
38 Vgl. Wulf, Nachfolge (wie Anm. 8), 16.
39 Herzig, Ordens-Christen (wie Anm. 3), 169.
40 Wulf, Nachfolge (wie Anm. 8), 14f.
41 Vgl. dazu die detaillierten Ausführungen: Schulte, Aufbruch (wie Anm. 13), 413-466 (Lit).
42 Wulf, Nachfolge (wie Anm. 8), 14f.

der Christ ist zu unbedingter, radikaler Befolgung des Evangeliums aufgerufen und befähigt. Das, so gibt Wulf zu verstehen, ist doch wohl gemeint, wenn die Synode sagt: „Jedem Christen ist das ganze Evangelium aufgegeben" (2.1.4)[43]. Die dritte gewachsene Erkenntnis der letzten Jahrzehnte, die dem Synodenbeschluß und darüber hinaus der neu gewandelten christlichen Spiritualität zugrunde liegt, ist, „daß das Christsein als solches, die Berufung zum Glauben und zur Heiligkeit durch die Taufe, das grundlegende und unüberholbare Faktum im Leben der Christen vor jeder besonderen Berufung und Gnadengabe ist"[44]. Der für die Ordensberufung konstitutive Weiheakt der Profeß wurzelt in der Taufe und bringt diese ‚nur' voller zum Ausdruck (vgl. LG 43). Einem Elitedenken ist damit jeder Boden entzogen.

Alles führt bei Wulf zur altvertrauten, einen Konsequenz: „Wir können heute Geistliches im strengen Sinn und Nicht-Unmittelbar-Geistliches wie die Werke der Nächstenliebe und sogar Weltliches (das hier positiv, im Sinn der von Gott geschaffenen Welt und ihrer Aufgaben zu verstehen ist) nicht mehr so scharf voneinander trennen, wie es bisher in der Frömmigkeitsüberlieferung der Kirche geschah"[45]. Die ebenso wohlbekannte Folge für die ‚Ständelehre' bei Wulf ist, daß „die Grenzen zwischen den kirchlichen Ständen durchlässiger geworden" sind[46].

Die Rede vom „Grundauftrag" (2.1) ist deshalb der Versuch, den frömmigkeitstheologischen Wandlungen im Hinblick auf die Ordensexistenz bzw. den Mitgliedern der geistlichen Gemeinschaften gerecht zu werden. Der frömmigkeitstheologische Zuwachs der letzten Jahrzehnte steht zum theologischen Schlüsselbegriff des Synodenschreibens, dem „Grundauftrag", in einem Verhältnis wie der Kreisrand zur Kreismitte. Das eine läßt sich nicht ohne das andere bestimmen. Er steht als Terminus technicus im Dienst der theologischen Fortschreibung des Konzils. Der „Grundauftrag" knüpft, nach der Ansicht Wulfs, an die Aussage des Konzils an, daß die oberste Regel aller Institute die Nachfolge Christi ist (PC 2); ein Gedanke, wie wir bereits sahen, der gerade auch durch Wulf sich auf dem II. Vatikanum Geltung verschaffen konnte. Mit der „sequela Christi" wurde bereits auf dem Konzil zwischen einem allen Gemeinschaften Gemeinsamen und der jeweiligen Eigenart (indoles peculiaris [PC 2b]) der einzelnen Gemeinschaften unterschieden. Diese Unterscheidung wird im Hinblick auf das allen geistlichen Gemeinschaften Gemeinsame nun theologisch vertieft, d.h. das Wort „Grundauftrag" will die legitime theologische Aufnahme und Fortführung dieses konziliaren Gedankens sein, um eine gemeinsame theologische Basis für die Einordnung des vielgestaltigen Phänomens „Orden" in der Kirche zu erreichen[47].

Es geht um den Versuch, das schwierige Verhältnis von besonderer, in gemeinschaftlicher Form institutionalisierter Berufung und allgemeinem Christenstand zu erhellen, dessen „Gegenüber" durch das Konzil tiefer gesehen wird als

---

[43] Ebd.

[44] Ebd., 15.

[45] Friedrich Wulf, Die geistlichen Gemeinschaften auf der Synode der deutschen Bistümer, in: GuL 45 (1972) 463-470; 465.

[46] Ebd.

[47] Wulf, Nachfolge (wie Anm. 8), 37.

ein „Miteinander", was eine grundlegende Einheit vor jeder Differenzierung voraussetzt. Mit anderen Worten, die Unsicherheit in der sogenannten „Ständelehre" nach dem II. Vatikanum soll einer weiteren Klärung entgegengebracht werden. Die Rede vom „Grundauftrag" hat identitätsstiftenden Charakter, ohne daß Wulf die grundlegende Einheit aller Gläubigen im gemeinsamen Priestertum und ihre Berufung zur Heiligkeit als unaufgebbare Größe aus dem Blick verliert[48]. Gleichzeitig handelt es sich jedoch auch um eine theologische Rückbesinnung auf den Lebensnerv der Ordensberufung, um traditionelle Überfrachtungen des Ordenslebens und die daraus resultierende Unflexibilität für die neue Zeitsituation abzuwerfen bzw. zu beheben. Denn es ist eine Grundkritik Wulfs, daß „jede Gemeinschaft immer zuerst ihre eigene Arbeit und deren Probleme [sieht], man dringt nicht genügend durch zum Kern der Ordensberufung. Von daher kommt es auch, daß man zuwenig wendig ist in der gegenwärtigen Situation. Von der Ordensberufung her müßte man flexibel sein und sich immer wieder von neuem von Gott verfügen lassen"[49].

Hatte Wulf auf dem Konzil die christologische Sicht des Ordenslebens einbringen können (PC 2), so ist also der „Grundauftrag" der Orden eine fortschreitende Anwendung des Prinzips, daß die allen Christen gemeinsame Nachfolge Christi auch der gemeinsame Nenner der unterschiedlichen Ordensberufungen und geistlichen Gemeinschaften ist. Aber auch die auf dem Konzil zunehmend auffällige Interpretation des Ordenlebens im ekklesiologischen Horizont wird mit Hilfe des Terminus ‚Grundauftrag' weiter konsequent verfolgt, ja er findet darin seine Sinnspitze. Hier wie dort wird die Ordensexistenz als explizit ekklesiale Daseinsweise umschrieben. Bezeichnend heißt es bei Fr. Wulf: Das Grundsatzkapitel (2.) hat „mit Erfolg versucht, die in den Konzilsdokumenten noch uneinheitlichen theologischen Aussagen über das Ordensleben, die öfter unverbindlich nebeneinander stehen, von einem neuen Ansatz (vom Begriff der theologischen Zeichenhaftigkeit) her in eine klare und durchsichtige Einheit zu bringen. Von diesem Ansatz her wird auch deutlicher, als es in Kapitel V der Kirchenkonstitution versucht wurde, welchen Ort die Orden und anderen geistlichen Gemeinschaften innerhalb der einen und allgemeinen christlichen Berufung zum ganzen, unverkürzten Evangelium einnehmen. Und noch ein weiteres: Als Konsequenz dieses Entwurfs zeigt sich, daß alle Gruppen in der Kirche in je eigener Weise auf das Evangelium als ihre Mitte hin tendieren und darin ihre Gemeinsamkeit und Einheit finden"[50]. Der ‚Grundauftrag' artikuliert somit die Einheit der christlichen Spiritualität bei gleichzeitiger symbolekklesiologischer Differenz. Die Orden verdichten quasi-sakramental, das was Kirche ist.

Man darf im Hinblick auf die theologische Grundlegung des Beschlusses Anneliese Herzig zustimmen, wenn sie am Ende ihrer detaillierten Untersuchung des Textes zum Ergebnis kommt: „Bei allem, was sich auch als Frage herauskri-

---

[48] Vgl. Wulf, Gemeinschaften (wie Anm. 45), 464.

[49] Ders, Gelebter Glaube, in: Georg Mack u.a. (Hg.), Mut zur Zukunft. Jahreskonferenz des Föderationsrates der Vinzentinischen Gemeinschaften vom 27.-31. Okt. 1973, Fulda 1974, 20-40; 26.

[50] Friedrich Wulf, Bericht über die Vollversammlung der Synode 20.-24. Nov. 1974, hg. vom Erzbischöflichen Seelsorgereferat, Abt. Synodenbüro, München 1974, 25f.

stallisiert hat, erweist sich der Beschlußtext als gelungene Fortschreibung der Konzilstexte." Gerade was „das Verhältnis von allgemeiner zu besonderer Berufung, von Kirche und Orden betrifft, hat der Synodentext wesentliche neue Elemente in das nachkonziliare Gespräch zur Ordenstheologie eingebracht. Elemente, die auch weitgehend rezipiert wurden. Zu würdigen ist schließlich der Versuch, Traditionelles in einer aktuellen Sprache auszudrücken; er darf weithin als geglückt gelten"[51]. Daß dies gelingen konnte, ist in einem nicht geringen Maße dem Einsatz Wulfs zu verdanken.

Wer den Anlauf, den Werdegang und die fortschreibende Rezeption der Theologie des Ordenslebens des II. Vatikanums erheben und mit seinen vielen Verästelungen in der spiritualitätstheologischen Geschichte unseres ausgehenden Jahrhunderts gewichten will, wird an Friedrich Wulf redlicherweise nicht vorbeikommen.

---

[51] Herzig, Ordens-Christen (wie Anm. 3), 176f.

Österreich und das Zweite Vatikanum

Von Rudolf Zinnhobler

EINLEITUNG

Ralph M. Wiltgen hat seinem interessanten Buch über das II. Vatikanum den Titel gegeben: „Der Rhein fließt in den Tiber". Damit wollte er zum Ausdruck bringen, daß die theologischen Einflüsse am Konzil in hohem Maße „aus den Ländern an den Ufern des Rheins, aus Deutschland, Österreich, der Schweiz, Frankreich, den Niederlanden und dem nahen Belgien kamen"[1]. Diese Ländergruppe, die Wiltgen auch als „europäische Allianz" bezeichnet[2], spielte auf dem Konzil eine wichtige Rolle. Hatte beim I. Vatikanum „die Kurie die Führung der Mehrheit" innegehabt, während „die deutschsprachigen und die französischen Bischöfe" an der Spitze der Minorität standen, so war beim II. Vatikanum „die Sache umgekehrt"; nur einen Monat nach der Einberufung der Kirchenversammlung „fanden die deutschsprachigen und die französischen Bischöfe sich am Steuerruder des [...] Konzils"[3].

Der einflußreichen „europäischen Allianz" wird also auch Österreich zugerechnet. Im folgenden soll sein Anteil am Konzil aufgezeigt werden; eingegangen werden soll aber auch auf die Resonanz, welche die Konzilsankündigung auslöste, sowie auf die Rezeption, welche das Konzil mit den von ihm ausgehenden Impulsen und Weichenstellungen fand.

I. AUF DEM WEG ZUM KONZIL

Der Ankündigung eines Konzils durch Papst Johannes XXIII. am 25. Jänner 1959 begegneten die dabei anwesenden Kurienkardinäle mit „ehrfürchtigem Schweigen"[4]. Durchblättert man die einschlägigen kirchlichen Amtsblätter und Zeitungen von damals in Österreich, so gewinnt man fast den Eindruck, daß sich in ihnen das Schweigen der Kardinäle zunächst fortsetzte. Das Konzil war noch „kein großes Thema"[5].

---

1 Ralph M. Wiltgen, Der Rhein fließt in den Tiber. Eine Geschichte des Zweiten Vatikanischen Konzils, Feldkirch 1988, Vorwort.

2 Ebd., 15.

3 Ebd., 43f.

4 Manfred Plate, Weltereignis Konzil. Darstellung – Sinn – Ergebnis, Freiburg i.Br.-Basel-Wien 1966, 13.

5 Johann Weißensteiner, Dem Konzil entgegen, in: Beiträge zur Wiener Diözesangeschichte 36 (1995) 53-56; 53.

Das Wiener Diözesanblatt nahm z. B. im ganzen Jahrgang 1959 von der Konzils-ankündigung keine Notiz, während sich das Wiener Kirchenblatt zumindest in drei kurzen Artikeln mit dem Konzil beschäftigte. Im Sommer 1961 rief Franz Kardinal König[6] jedoch im Wiener Diözesanblatt die Priester der Diözese auf, sich zum Konzil zu äußern[7]. Es langten 136 Antworten ein, wobei besonders häufig „eine großzügige Erneuerung und Vereinfachung" der Liturgie unter weitgehender Verwendung der Muttersprache gefordert wurde. Im übrigen bezogen sich die Anregungen und Überlegungen auf fast „alle Gebiete, mit denen sich die vorbereitenden Kommissionen zu beschäftigen" hatten, wobei die Wiedereinführung des ständigen Diakonates, die Priesterausbildung und die Stellung der Laien besondere Schwerpunkte bildeten[8].

Ein ähnlicher Befund ergibt sich für das Bistum Linz. Das Diözesanblatt bringt den ersten Hinweis auf das Konzil in der Nummer vom 1. August 1961, also mit fast zweieinhalbjähriger Verspätung. Immerhin werden in dem dort abgedruckten kurzen Artikel „alle hochwürdigen Herren des Diözesanklerus eingeladen, ihre Wünsche und Anregungen für das kommende Konzil dem Bischöflichen Ordinariat, Seelsorgeamt, [...] bis 1. September 1961 mitzuteilen"[9]. Erst der nächste Jahrgang des Diözesanblattes geht ausführlicher auf das Konzil ein, zu dessen Eröffnung sowohl das betreffende Hirtenwort von Diözesanbischof Dr. Franz Sal. Zauner[10] als auch die zum gleichen Anlaß gehaltene Fernsehansprache von Kardinal Franz König abgedruckt sind[11]. Das Linzer Kirchenblatt vom 1. Februar 1959 berichtet nur knapp über die Konzilsankündigung und vermerkt, daß diese „völlig überraschend" kam, und in der Nummer vom 8. Februar 1959 wird unter der Überschrift „Lebhaftes Echo" davon gesprochen, daß die Absicht des Papstes, ein Konzil abzuhalten, „in der ganzen Welt größte Überraschung ausgelöst" und „nahezu überall [...] freudige Zustimmung gefunden" habe, wofür auch einige Belege angeführt werden[12]. Im ganzen übrigen Jahrgang des Kirchenblattes finden sich jedoch außer gelegentlichen Hinweisen auf die Konzilsvorbereitungen keinerlei prinzipielle Ausführungen zum Thema. Das „Jahrbuch 1960 für die Katholiken des Bistums Linz" bringt ebenfalls nur den Vermerk, daß „das Weltecho" auf die Konzilsankündigung „eine freudige Zustimmung von beinahe allen Seiten" war; die Intention des Konzils wird als Beitrag gesehen, in der „Frage der Wiedervereinigung der getrennten Kirchen" voranzukommen[13]. Dann wird eigentlich erst ab Jahrgang 1964 wieder auf das Konzil Bezug genommen. In einer eher chronikalischen Form wird nun laufend auf die Ereignisse und Auswirkungen der Kirchenversammlung eingegangen[14].

---

[6] Zu Kardinal König und seinem Anteil am Konzil siehe u.a.: Richard Barta, Franz Kardinal König, in: Männer des Konzils (o.Hg.), Würzburg 1965, 175-204; Helmut Erharter, in: LThK[3] VI 257.
[7] Wiener Diözesanblatt 99 (1961) 66f.
[8] Weißensteiner, Konzil (wie Anm. 5), 55; Wiener Diözesanblatt 100 (1962) 55f.
[9] Linzer Diözesanblatt 107 (1961) 79-81.
[10] Zu Franz S. Zauner siehe: Margit Lengauer, Die Amtszeit Bischof Zauners (1949/56-1980/81), Linz 1981.
[11] Linzer Diözesanblatt 108 (1962) 109-112.
[12] Linzer Kirchenblatt, Nr. 5, 1. Februar 1959, 1; Linzer Kirchenblatt, Nr. 6, 8. Februar 1959, 6.
[13] Jahrbuch 1960 für die Katholiken des Bistums Linz, 117.
[14] Jahrbuch 1964 für die Katholiken des Bistums Linz, 116-123; Jahrbuch 1965 für die Katholiken des Bistums Linz, 106-112; Jahrbuch 1966 für die Katholiken des Bistums Linz, 112-117; Jahrbuch 1967 für die Katholiken des Bistums Linz, 130-133.

Die anderen österreichischen Diözesen bieten hinsichtlich der Konzilsberichterstattung ungefähr dasselbe Bild[15]. Die geübte Zurückhaltung hängt natürlich auch mit dem zumindest bis zum Beginn des Konzils relativ spärlichen Informationsfluß aus Rom zusammen[16].

Nur ein klein wenig besser schneidet die Diözese St. Pölten ab. Das Diözesanblatt bringt zwar 1959 nur den „Aufruf des Hl. Vaters zum Gebet für das Konzil"[17] und in der Nummer des Kirchenblattes vom 8. Februar 1959 wird nur kurz vom „lebhaften Widerhall in der ganzen Welt", den die Ankündigung des Konzils erfahren habe, gesprochen[18], doch wurde darin auch bereits ein informativer kurzer Artikel über „Verlauf und Bedeutung von Konzilien" aufgenommen[19]. Die Ausgabe des Kirchenblattes der folgenden Woche enthält aber einen Artikel des als römischer Mitarbeiter angesprochenen O. Schüngel, der den Titel „Das kommende Konzil in römischer Perspektive" trägt. Darin konnte in dieser frühen Phase natürlich nur wenig Konkretes berichtet werden, auch wird die damals verbreitete Ansicht wiedergegeben, die Kirchenversammlung werde ein „Unionskonzil" sein; es wird aber auch schon der Vermutung Ausdruck verliehen, das Konzil werde im Rahmen der angestrebten Erneuerung des Apostolats „das Schwergewicht auf das Laienapostolat legen" und möglicherweise „das Diakonat vom Priestertum getrennt" wieder einführen[20].

Werfen wir nun einen Blick auf die Zeitschriftenliteratur:

Die Linzer „Theologisch-praktische Quartalschrift" zeichnete sich anfangs durch Zurückhaltung aus. Im Jahrgang 1959 wird zwar die Konzilsankündigung „das bedeutungsvollste kirchliche Ereignis der ersten Monate des Jahres 1959" genannt[21] und im Jahrgang 1960 kurz auf die Konzilsvorbereitungen eingegangen[22], aber erst der Jahrgang 1961 brachte einen Grundsatzartikel zum Thema Konzilien[23]. Die weitere Berichterstattung über die Etappen auf dem Weg zum Konzil fiel eher spärlich aus[24]. Erst in den Jahrgängen 1962 und 1963 unter Norbert Miko als Autor nahmen die Konzilsberichte mehr Farbe an[25]. Im Jahrgang 1963 findet sich auch ein konzilsbezogener Grundsatzartikel von Johannes Bettray über „Ökumenisches Konzil und Mission"[26]. Im Jahrgang 1964 setzte

---

15 Außer den nachfolgend behandelten Publikationsorganen wurden eingesehen: St. Martins-Bote (Diözese Eisenstadt); Kärntner Kirchenblatt (Diözese Gurk-Klagenfurt); Kirchenblatt für Tirol und Vorarlberg (Apostolische Administratur Innsbruck-Feldkirch); Rupertibote (Erzdiözese Salzburg). Ich danke den jeweiligen Diözesanarchivaren für zur Verfügung gestelte Kopien sehr herzlich.

16 J. Oscar Beozzo, Das äußere Klima, in: Giuseppe Alberigo/Klaus Wittstadt, Geschichte des Zweiten Vatikanischen Konzils (1959-1965), Bd. I, Mainz-Leuven 1997, 403-456; 405.

17 St. Pöltener Diözesanblatt, Nr. 5, 5. Juni 1959, 29f.

18 Kirchenblatt für die Diözese St. Pölten, Nr. 6, 8. Februar 1959, 7.

19 Ebd., 10.

20 O. Schüngel, Das kommende Konzil in römischer Perspektive, in: Kirchenblatt für die Diözese St. Pölten, Nr. 7, 15. Februar 1959, 5.10.

21 ThPQ 107 (1959) 332.

22 ThPQ 108 (1960) 305f.

23 Karl Eder, Die zwanzig allgemeinen Konzilien in historischer Schau, in: ThPQ 109 (1961) 193-208.

24 ThPQ 109 (1961) 139-140.238.334f.

25 ThPQ 110 (1962) 48-50.135-138.233-236.323-325; ThPQ 111 (1963) 52-60.119-123.228-236.

26 ThPQ 111 (1963) 127-135.

Erich Klausener die Konzilsberichterstattung etwa in der Art Norbert Mikos fort[27].

Die in Wien erscheinende Zeitschrift „Der Seelsorger" eröffnete auf Initiative des Chefredakteurs und Leiters des Wiener Seelsorgeamtes Karl Rudolf[28] schon im Jahrgang 1959/60 die Rubrik „Dem Konzil entgegen" und begründete dies mit den Worten: „Das Ereignis [Konzil] ist zu säkular, berührt auch schon in der Vorbereitung zu sehr unser Denken und Wollen, als daß der ‚Seelsorger' daran vorbeigehen könnte. Ohne strenges System wollen wir immer darauf zu sprechen kommen, und die Fragen, die es aufwirft, lebendig machen"[29]. Die Resonanz auf diesen Impuls war aber nicht besonders groß, und die eingelangten Beiträge betrafen vorwiegend die „Frage der Wiedervereinigung der getrennten Kirchen"[30]. Erst der Jahrgang 1963 nahm unter der Devise „Die Kirche und das 21. Jahrhundert" ausführlicher zum Konzil Stellung und brachte gleich zu Beginn einen Vortrag von Kardinal König zum Thema „Das Konzil als Schritt der Kirche ins 21. Jahrhundert", in welchem er der Hoffnung Ausdruck verlieh, daß die Kirche durch ihre vom Konzil in die Wege geleitete „innere Erneuerung sich rüsten kann für die Mitarbeit an der eins werdenden Welt, um die großen Sorgen und Aufgaben der Menschheit von morgen meistern zu helfen"[31].

„Wort und Wahrheit", die im Verlag Herder/Wien herausgebrachte „Monatsschrift für Religion und Kultur", veröffentlichte im Heft 4 des Jahrgangs 1959 einen Leitartikel von Karlheinz Schmidthüs mit der Überschrift „Konzil und Gespräch", der nicht nur klarstellt, daß die Kirchenversammlung kein „Unionskonzil" sein werde, sondern auch, soweit das damals schon möglich war, sehr konkrete Erwartungen ausspricht: „Zurüstung der Kirche auf ihren wirksameren Dienst am Heil der Menschheit [...]; Zusammenarbeit mit allen Christgläubigen [...]"; Aufgreifen eines Vorschlags von P. C. J. Dumont OP, „Institutionen in der katholischen Kirche [zu] schaffen, die mit Autorität und hinlänglicher Befugnis ausgestattet sind, um ständige Gespräche mit den anderen christlichen Gemeinschaften zu führen"[32]. In drei Folgen legte die Redaktion im Jahrgang 1960 „Anregungen und Hoffnungen für das zweite Vatikanische Konzil" vor[33], die auch als Sonderdruck verbreitet wurden, die Diskussion anregten und auf wichtige „Konzilsthemen" hinwiesen (Innerkirchliche Erneuerung, Belebung der Ökumene, Aufwertung des Bischofsamtes und des Laienapostolats, liturgische Erneuerung etc.). Ein mit drei Sternen gezeichneter – wohl im wesentlichen von Otto Mauer[34] stammender – Artikel „Kirche der Menschheit. Das Ökumenische Konzil in Konfrontation mit der modernen Welt" erschien in Heft 3 des Jahrgangs 1961[35]. Darin werden die anstehenden Probleme artikuliert,

---

[27] ThPQ 112 (1964) 147-158.
[28] Zu Karl Rudolf siehe: Österreich-Lexikon[2] II 301.
[29] Seels. 30 (1959/60) 17; hier zitiert nach: Weißensteiner, Konzil (wie Anm. 5), 54.
[30] Ebd.
[31] Seels. 33 (1963) 2-10; 2.
[32] WuW 14 (1959) 241-244.
[33] WuW 15 (1960) 245-262.325-346.405-422.
[34] Zu Otto Mauer siehe: Österreich-Lexikon[2] II 30.
[35] WuW 16 (1961) 169-190.

die zu lösen seien, wenn „die Kirche aus dieser neuen Welt" nicht „ebenso ausgeschlossen sein" soll, „wie sie von der ‚Moderne' des 19. und [bisherigen]
20. Jahrhunderts ausgeschlossen war"[36]. Es geht in dem Aufsatz letztlich um das
Aufbrechen der Trennwand zwischen Kirche und Welt. In diesem Zusammenhang wird u.a. auch betont: „Eine ‚Laientheologie' als eigenes Gebilde neben einer ‚Klerikertheologie' wäre eine sinnlose und schädliche Wucherung [...] Eine
Theologie als Reservat für den Klerus, als eine Art von hieratischer Geheimleh-
re, würde endgültig aus der Zeit fallen und für die Welt, die sie doch belehren
sollte, bedeutungslos werden"[37].

Ein eigenes Heft (Nr. 10) desselben Jahrgangs wurde dem Ergebnis einer Enquete gewidmet: „Was erwarten Sie vom Konzil? Eine Rundfrage unter Katholiken Deutschlands, der Schweiz und Österreichs"[38]. Im Vorwort [Otto] Sch[ul-
meisters] „An einem Kreuzweg der Menschheit" wird zunächst ernüchternd
festgestellt, daß trotz der Aufrufe des Papstes an die katholische Welt zur Mitarbeit „bisher weder das gläubige Volk durch seine Priester, noch die Priester durch
die Oberhirten – von wenigen rühmlichen Ausnahmen abgesehen – konkret mit
dem Konzil befaßt wurden." Die Enquete, durchgeführt an einer Vielzahl von
Personen in „verschiedenen Berufen und Verantwortungen", wollte einen Beitrag
für eine Verlebendigung der Beschäftigung mit dem Konzil leisten[39]. Das Ergebnis ist noch heute lesenswert. Neben einigen unrealistischen Erwartungen, die
geäußert wurden, zeigt sich in vielen Punkten Übereinstimmung, „etwa hinsichtlich der Dringlichkeit einer Anpassung der Kirche an die Welt, in der Christen
heute leben und bestehen müssen, oder in dem Wunsch, die Selbstdarstellung der
Kirche von zeitbedingten, obsolet gewordenen Überwucherungen zu befreien, sie
nicht als Herrin, sondern als die Mutter aller an diesem Kreuzweg der Menschheit wieder hervortreten zu sehen". Hier ist nicht der Platz, um einzelne Antworten zu referieren. Auf drei von ihnen sei aber knapp eingegangen. Sehr pointiert
ist die Stellungnahme des Psychologen Wilfried Daim[40], der sich eine „Entfeu-
dalisierung der Kirche" und ein „Schuldbekenntnis des Papstes" für begangene
Fehler der Kirche erwartet und der u.a. einem „Beweglicher-Werden des Papstes"
(„Aufsuchen der Oberhäupter anderer christlicher Kirchen, ohne Rücksicht darauf, ob sich diese zu Gegenbesuchen bereit erklären"), einer grundsätzlichen
„Umgestaltung der Messe" („Vereinfachung; das Lesen in der Landessprache;
Liquidation der Kommuniongitter [...]"), einer „Wahl der Bischöfe durch das
gläubige Volk" und einer „Abschaffung der quasidogmatischen Stellung der
Scholastik in der Theologie" („Christus wurde nicht zwischen Plato und Aristo-
teles, vielmehr zwischen Moses und Elias verklärt") das Wort spricht[41]. Erwähnt
sei auch Heinrich Drimmel[42], der damalige österreichische Bundesminister für
Unterricht, der feststellt, daß in den vergangenen tausend Jahren „die trennenden

---

[36] Ebd., 169.
[37] Ebd., 187.
[38] Ebd., 571-718.
[39] Ebd., 569f; zu Otto Schulmeister siehe: Österreich-Lexikon[2] II 373.
[40] Zu Wilfried Daim siehe: Österreich-Lexikon[2] I 205.
[41] WuW 16 (1961) 585f.
[42] Zu Heinrich Drimmel siehe: Österreich-Lexikon[2] I 241.

Abstände" zwischen den Konfessionen immer wieder vergrößert wurden. Er fordert nun eine Trendumkehr: „Das Ökumenische Konzil darf nicht zu Ende sein [...], bevor ein entscheidender Schritt getan ist, diese [bestehenden] Abstände zu verringern"[43]. Der damalige Präsident der Katholischen Aktion Österreichs, Hans Kriegl, faßt die entscheidenden Anliegen prägnant im folgenden Satz zusammen: „Das vordringliche Problem des kommenden Konzils wird nach meiner Ansicht die Inkarnierung des christlichen Glaubens und der Kirche in das technische Zeitalter unserer Tage und in die neue Ökumene, die Welt aller Rassen und Kulturen, sein"[44].

Im Leitartikel „Das Jahr des Konzils" im ersten Heft des Jahrgangs 1962 verweist Otto Schulmeister auf die Divergenz zwischen den zügigen Vorbereitungsarbeiten und der „Unkenntnis der Öffentlichkeit innerhalb wie außerhalb der Kirche über die dem Konzil nun tatsächlich zufallenden Aufgaben" hin und fordert daher einen „Informationsprozeß", von dem aber „weithin [noch] nichts zu bemerken" sei[45]. Derselbe Autor stellt später in seinem Artikel „Das Konzil ist eröffnet" fest, es sei nicht Aufgabe der Kirche, auf dem Konzil „die Lehre auszubauen, neue Dogmen zu schaffen, sondern das ‚alte Wahre' in Denken und Sprache dieser Zeit neu auszumünzen"[46].

Der Konzilsverlauf, die Konzilsthemen und die Konzilsergebnisse wurden von „Wort und Wahrheit" aufmerksam verfolgt und eingehend kommentiert, was hier schon aus Raumgründen nur so allgemein festgehalten werden kann. Wegen des elitären Charakters der Zeitschrift war aber die Breitenwirkung nicht besonders groß.

Mehr Resonanz erzielte die „Kathpress", deren fortlaufende und teils sehr eingehende Berichterstattung auch in der Tagespresse Berücksichtigung fand.

Einigermaßen überraschend ist es, daß bei den Beratungen der Österreichischen Bischofskonferenz in den Jahren 1959 bis 1962 das Konzil praktisch keine Rolle spielte. Bei der Herbstkonferenz 1959 stand es zwar auf der Tagesordnung (Punkt 6), im Protokoll findet sich aber nur die ernüchternde Eintragung: „Nachdem die Bischöfe ihre Eingaben nach Rom bereits gemacht haben, steht die Konferenz auf dem Standpunkt, vorerst zuzuwarten und eventuell zu einem späteren Zeitpunkt über etwaige Ergänzungen zu beraten"[47]. Unter den Eingaben sind die von den Bischöfen erbetenen „consilia et vota" zu verstehen[48], welche die österreichischen Bischöfe der Salzburger Kirchenprovinz individuell eingesandt hatten. Die Bischöfe der Wiener Kirchenprovinz machten hingegen eine am 9. November 1959 gezeichnete gemeinsame Eingabe[49], der entsprechende Beratungen vorausgingen.

---

[43] WuW 16 (1961) 586-588.

[44] Ebd., 623f.

[45] WuW 17 (1962) 1f.

[46] Ebd., 569f.

[47] Diözesanarchiv Linz, BIKO-Akten 4, Sch. 10, Fasz. 2.

[48] Vgl. Etienne Fouilloux, Die vor-vorbereitende Phase (1959-1960). Der langsame Gang aus der Unbeweglichkeit, in: Alberigo/Wittstadt, Zweites Vatikanum (wie Anm. 16), 61-187; 104f.

[49] Diözesanarchiv Linz, BiA Zauner. Eine genauere Zitation ist leider noch nicht möglich, da die Bischofsakten Zauner noch nicht geordnet sind.

II. DER ANTEIL ÖSTERREICHS AM KONZIL

Ein Jahr nach der Proklamation der österreichischen Februar-Verfassung von 1861, am 26. Februar 1862, fand im „Operntheater am Kärnthner Tor" in Wien eine Gedenkfeier statt, bei der ein vom Dichter Friedrich Hebbel geschriebener Prolog vorgetragen wurde. In ihm findet sich auch der seither oft zitierte Satz: „Dies Österreich ist eine kleine Welt, in der die große ihre Probe hält"[50]. Ein wenig gilt das auch für das II. Vatikanische Konzil. Gemessen an der Kleinheit des Landes, wird man sogar sagen dürfen, daß der Anteil Österreichs am Konzil überproportional ist. Das soll – ohne jeden Anspruch auf Vollständigkeit – an einer Reihe von Beispielen nachgewiesen werden. Umgekehrt soll natürlich auch bei den behandelten Themen keinerlei Ausschließlichkeit behauptet, sondern eben nur *ein* Weg, der von Österreich aus zu den Konzilsergebnissen führte, aufgezeigt werden. Schließlich bleibt anzumerken, daß die Ergebnisse nur vorläufigen Charakter haben, da viele Quellen noch nicht zugänglich sind.

1. Überwindung der Neuscholastik

Als eine der wichtigsten Leistungen des II. Vatikanums gilt „die Rückführung der Theologie aus ihrem abstrakten Sonderdasein in den Dienst des Glaubens"[51]. Dieses Anliegen war von wachen Geistern schon lange vor dem Konzil wahrgenommen worden. In Innsbruck postulierte Joseph A. Jungmann[52] schon in den dreißiger Jahren eine „Verkündigungstheologie", durch die das Ungenügen der „wissenschaftlichen" Theologie wettgemacht werden sollte. Das lief auf einen Bruch mit der traditionellen neuscholastischen Theologie hinaus, was offenbar auch von Rom so empfunden wurde. Jungmanns 1936 erschienenes Werk „Die Frohbotschaft und unsere Glaubensverkündigung" mußte daher auf Drängen des Heiligen Offiziums zurückgezogen werden[53].

Karl Rahner[54] u.a. trugen am Konzil wesentlich dazu bei, die neuscholastischen Positionen zu überwinden. Zu den ursprünglich von der Kurie vorgelegten Konzilsschemata äußerte sich Rahner z. B. gegenüber Kardinal König, als dessen Peritus er fungierte: „[...] sie sind alle Ergebnisse einer dürftigen Schultheologie [...] Sie sind meilenfern von der wirklichen Not der Geister von heu-

---

50 Hierzu siehe: Hayo Matthiessen, Friedrich Hebbel in Selbstzeugnissen und Bilddokumenten (ro-ro-ro Taschenbuch 160), Reinbek 1970, 113. Text des Prologs in: Franz Zinkernagel (Hg.), Hebbels Werke, Bd. I, Leipzig-Wien [1913], 272-276; 275.

51 David Andreas Seeber, Das Zweite Vaticanum. Konzil des Übergangs (Herder Bücherei 260/261), Freiburg i.Br.-Basel-Wien 1966, 343.

52 Zu Joseph A. Jungmann siehe: Gottfried Bitter, in: LThK³ V 1099f.

53 Ebd.

54 Zu Karl Rahner siehe: Heinrich Fries, in: Wilfried Härle/Harald Wagner (Hg.), Theologenlexikon, München ²1994, 225-227; speziell zu seinem Anteil am Konzil siehe: Karl Neufeld, Der Beitrag Karl Rahners zum II. Vatikanum, in: Klaus Wittstadt/Wim Verschooten (Hg.), Der Beitrag der deutschsprachigen und osteuropäischen Länder zum Zweiten Vatikanischen Konzil, Leuven 1996, 109-119.

te"[55]. Tatsächlich waren damals, von der Lateran-Universität ausgehend, sogar Bestrebungen im Gange, vom Konzil eine „endgültige Bestätigung der ausschließlichen Autorität des Thomismus für den Philosophie- und Theologieunterricht" zu erlangen[56]. Die Befürworter dieser Richtung konnten sich aber nicht behaupten; die Theologie begann, sich aus ihrem Ghetto herauszubegeben.

2. Anerkennung einer kritischen Bibelwissenschaft

Die erste Fassung des Offenbarungsschemas, das ursprünglich den Titel *De Fontibus Revelationis* trug, ging im wesentlichen auf P. Sebastian Tromp SJ zurück[57] und atmete noch ganz den Geist einer kurial-neuscholastischen Theologie[58]. Es hielt u.a. an einem Begriff von Inspiration und Irrtumslosigkeit der Schrift fest, der dem geschichtlichen Befund in keiner Weise entsprach. Als Beleg seien daraus einige entscheidende Sätze zitiert[59]:

„[...] cum Deus ipse divino suo afflante Spiritu totius Scripturae sacrae sit Autor, omniumque per hagiographi manum in ea exaratorum veluti scriptor, consequitur omnes et singulas sacrorum librorum partes, etiam exiguas, esse inspiratas [...]" „Ex hac divinae Inspirationis extensione ad omnia, directe et necessario sequitur infallibilitas et inerrantia totius Sacrae Scripturae. Antiqua enim et constanti Ecclesiae fide edocemur nefas omnino esse concedere sacrum ipsum erasse scriptorem, cum divina Inspiratio per se ipsa non modo errorem excludat omnem in qualibet re religiosa vel profana [...]"

Karl Rahner, der Peritus von Kardinal König[60], vertrat in einem Gutachten an seinen Auftraggeber vom 19. September 1962[61] die Auffassung, daß die dogmatischen Schemata der vorbereitenden Theologenkommission insgesamt „von einer wirklich beklagenswerten philosophischen Erbärmlichkeit" seien[62]. Wäre das Offenbarungsschema mit den zitierten Formulierungen vom Konzil verabschiedet worden, wäre der wissenschaftlichen Exegese in der katholischen Kirche aber auch der Ökumene großer Schaden zugefügt worden.

---

[55] Herbert Vorgrimler (Hg.), Karl Rahner. Sehnsucht nach dem geheimnisvollen Gott. Profil – Bilder – Texte, Freiburg i.Br.-Basel-Wien 1990, 111; Roman Siebenrock, „Meine schlimmsten Erwartungen sind weit übertroffen". Analyse der Kritik an den Schemata der Zentralkommission im August/September 1962 durch eine deutsche Gruppe von Theologen und Bischöfen nach den Notizen und Erläuterungen Karl Rahners für Kardinal König, in: Wittstadt/Verschooten, Beitrag (wie Anm. 54), 121-139.

[56] Fouilloux, Vor-vorbereitende Phase (wie Anm. 48), 155.

[57] Joseph A. Komonchak, Der Kampf für das Konzil während der Vorbereitung (1960-1962), in: Alberigo/Wittstadt, Zweites Vatikanum (wie Anm. 16), 189-401; 309.

[58] Hanjo Sauer, Erfahrung und Glaube. Die Begründung des pastoralen Prinzips durch die Offenbarungskonstitution des II. Vatikanischen Konzils (Würzburger Studien zur Fundamentaltheologie 12), Frankfurt a.M. 1993, 4.

[59] Sauer, Erfahrung (wie Anm. 58), 612.

[60] Wie Anm. 6.

[61] Vorgrimler, Karl Rahner (wie Anm. 55), 150.

[62] Ebd., 160.

„Zu den Bischöfen, die die Zivilcourage hatten, als einzelne gegen die vorbereiteten Texte Stellung zu nehmen, gehörte Kardinal König"[63]. Als Mitglied der einflußreichen Theologischen Kommission unter dem Vorsitz von Kardinal Alfredo Ottaviani[64] kritisierte er schon in einer Sitzung vom 10. November 1961 den zugrundegelegten Offenbarungsbegriff und plädierte dafür, die Päpstliche Bibelkommission beizuziehen, um einen besseren Text zustandezubringen[65]. Bei der 19. Generalkongregation am 14. November 1962 verwies der Kardinal auf die ungeklärten Probleme des Verhältnisses von Schrift und Tradition einerseits und von Irrtumslosigkeit und Wahrheit der Schrift andererseits[66]. Mit diesen Fragen befaßte sich in der Folge eine eigens eingesetzte Subkommission unter dem Vorsitz der Kardinäle Franz König und Rufino Santos von Manila[67].

Von großer Bedeutung war schließlich die Stellungnahme Kardinal Königs über die Irrtumslosigkeit der Schrift, die er – auch im Namen der deutschsprachigen Bischofskonferenzen[68] – bei der 93. Generalkongregation am 2. Oktober 1964 vortrug[69]. Er forderte das Konzil dazu auf, „mit der Aussage, die ganze Schrift sei frei von Irrtum, vorsichtig umzugehen". Zwar seien einerseits aufgrund der Ergebnisse der Orientalistik manche mit biblischen Aussagen bis dahin bestehende Schwierigkeiten einer Klärung zugeführt worden, andererseits aber enthalte die Schrift auch offensichtliche historische Fehler und unzutreffende naturwissenschaftliche Aussagen. Das belegte der Kardinal mit einigen Beispielen und zog daraus die Schlußfolgerung, daß man zur Kenntnis nehmen müsse, daß der Verfasser, seiner Zeit entsprechend, „in bezug auf historische Angaben [...] nur eine begrenzte Kenntnis gehabt habe und daß Gott ihn so, wie er eben war, zum Schreiben bewogen habe"[70]. Unter Berücksichtigung dieser Tatsache machte König einige konkrete Verbesserungsvorschläge zum Text des Schemas. Diese fanden zwar nicht wörtlich Eingang in die am 18. November 1965 mit 2344 Stimmen (gegenüber 6 Nein-Stimmen) angenommene Offenbarungskonstitution, waren aber doch der Substanz nach berücksichtigt[71]. Der endgültige Text[72] verbindet jedenfalls „die Treue zur kirchlichen Überlieferung mit dem Ja zur kritischen Wissenschaft und öffnet damit dem Glauben den Weg ins Heute"[73]. Zu diesem ausgewogenen Ergebnis haben die Interventionen Kardinal Königs wesentlich beigetragen[74].

---

[63] Ebd., 150.

[64] Zu Alfredo Ottaviani siehe: Josef Gelmi, LThK[3] VII 1217f.

[65] Sauer, Erfahrung (wie Anm. 58), 72f.

[66] ASCOV I,3 42f.; Sauer, Erfahrung (wie Anm. 58), 143f.

[67] Sauer, Erfahrung (wie Anm. 58), 225.

[68] Ebd., 333.

[69] ASCOV III,3 275f.

[70] Seeber, Zweites Vaticanum (wie Anm. 51), 192.

[71] Jacob Kremer, Umkämpftes „Ja" zur Bibelwissenschaft, in: ders. (Hg.), Aufbruch des Zweiten Vatikanischen Konzils heute, Innsbruck-Wien 1993, 18.

[72] Vgl. besonders DV 11f.

[73] So Joseph Ratzinger, in: LThK.E. II 503.

[74] Kremer, Umkämpftes „Ja" (wie Anm. 71), 28.

3. Maria

Lebhaft wurde auf dem Konzil die Frage diskutiert, ob ein eigenes Dokument über die Mariologie angestrebt oder der Gottesmutter ein Kapitel im Kirchenschema gewidmet werden sollte. Zur Vorbereitung auf die zweite Sitzungsperiode des Konzils fand im August 1963 eine Konferenz aus Vertretern der „europäischen Allianz" in Fulda statt, welcher das gesonderte Marienschema, für das sich die sogenannte Koordinierungskommission ausgesprochen hatte, vorlag. Die deutschen und österreichischen Konzilsväter hatten P. Karl Rahner um Abfassung eines Kommentars zu diesem Schema gebeten, worin er dieses als „eine Quelle der größten Sorge" bezeichnete. Sollte der Text so angenommen werden, „würde sich daraus vom ökumenischen Standpunkt aus unvorstellbarer Schaden ergeben sowohl in Bezug auf die Ostkirchen als auf die Protestanten", ja „der ganze, durch das Konzil und in Verbindung mit dem Konzil auf dem Feld des Ökumenismus erreichte Erfolg" würde dadurch „hinfällig gemacht". Insbesondere wendete sich Rahner gegen die in das Schema aufgenommene Lehre von der Mittlerschaft Mariens und den der Gottesmutter gegebenen Titel „Mittlerin aller Gnaden". Sodann zeigte er auf, wie das Schema abgeändert werden sollte und plädierte gleichzeitig für dessen Ablehnung in der gegenwärtigen Form[75].

Auf dem Konzil machte sich Kardinal König zum Sprecher jener, die ein eigenes Marienschema ablehnten[76] und trat am 24. Oktober 1963 in der Konzilsaula entschieden für den Einbau eines Marienkapitels in das Kirchenschema ein, was er u.a. damit begründete, daß Maria, wenn schon die Kirche das zentrale Konzilsthema sei, ebenfalls in ihrer Verbindung zur Kirche gesehen werden müßte. Aus einer isolierten Sicht Mariens ergäben sich hingegen Gefahren für die Volksfrömmigkeit (Überbetonung sekundärer Momente) und für die Ökumene. Auch die Ostkirchen betonten ja die Stellung Mariens *in* der Kirche; und gegenüber den reformatorischen Bekenntnissen sei es wichtig, nicht von den Grundlagen der Marienverehrung in der Schrift und in der alten Tradition abzuweichen[77]. Die Entscheidung des Konzils fiel dann sehr knapp im Sinne der Wortmeldung des Kardinals aus. Bei der entsprechenden Abstimmung am 26. Oktober 1963 sprachen sich 1114 Väter für die Einfügung eines Marienkapitels in die Kirchenkonstitution aus, während immerhin 1074 für ein eigenes Marienschema plädierten[78].

Bei einer großen Vortragsreise in den Vereinigten Staaten im Frühjahr 1964 äußerte sich König nochmals zur Frage der Mariologie auf dem Konzil[79] und brachte zum Ausdruck, daß das von der vorbereitenden Kommission erarbeitete

---

[75] Wiltgen, Rhein (wie Anm. 1), 82.94f.

[76] Barta, König (wie Anm. 6), 201.

[77] ASCOV II,3 342-345; dazu Barta, König (wie Anm. 6), 199f.

[78] Otto Hermann Pesch, Das Zweite Vatikanische Konzil. Vorgeschichte – Verlauf – Ergebnisse – Nachgeschichte, Würzburg 1993, 193.

[79] Der Text des Vortrags dürfte im wesentlichen übereinstimmen mit: Franz Kardinal König, Pastoral und Ökumenisch. Die zentralen theologischen Themen des Zweiten Vatikanischen Konzils, in: WuW 19 (1964) 493-503.

Marienschema unverkennbar die Absicht gehabt habe, ein neues Mariendogma (Mediatrix, Corredemptrix) vorzubereiten, was aber auch die Päpste Johannes XXIII. und Paul VI. nicht wollten. Er erwähnte auch, daß man seine Wortmeldung auf dem Konzil zu Unrecht als einen Angriff auf die Marienverehrung ausgelegt habe; er habe im Gegenteil auch nichtkatholische Christen in die Lage versetzen wollen, „die Grundlegung der Marienverehrung in der Schrift und in der alten Überlieferung besser zu verstehen"[80].

Der nach weiteren Diskussionen und Revisionen schließlich verabschiedete Text, der das 8. Kapitel der Kirchenkonstitution darstellt, ist geprägt „von einer [...] verantwortungsvollen dogmatischen Nüchternheit"[81]; trotz vereinzelter protestantischer Kritik hat er keine neuen Barrieren gegenüber der Ökumene aufgerichtet.

4. Die „Kirchlichkeit" der nichtkatholischen christlichen Gemeinschaften

Die Ökumene war von Anfang an ein Hauptanliegen des Konzils. Große Schwierigkeiten ergaben sich bei der Bestimmung des Verhältnisses der von Rom getrennten Christen zur katholischen Kirche. Darüber kam es besonders bei der 2. Sitzungsperiode des Konzils zu lebhaften Debatten[82]. Einerseits gab es nach katholischer Auffassung ja nur *eine* Kirche, andererseits konnte man aber den aus der Kirchenspaltung hervorgegangenen christlichen Gemeinschaften das Kirche-Sein nicht einfach absprechen[83]. Das hätte zudem einen schweren Rückschlag für die ökumenische Bewegung bedeutet.

In dieser Situation machte Kardinal König einen äußerst konstruktiven Vorschlag. Er setzte sich dafür ein, diese Gemeinschaften „communitates ecclesiasticae" zu nennen. Damit würde anerkannt, daß ihnen ein „kirchlicher Charakter eigne"; zugleich aber käme auch zum Ausdruck, daß ihnen – nach katholischer Auffassung – „zum vollen Kirche sein" konstitutive Elemente fehlten[84]. Der Vorschlag des Wiener Kardinals wurde aufgegriffen und fand schließlich in der Formulierung „communitates ecclesiales" Eingang in das Ökumenismusdekret[85].

Die Intervention Königs war sicherlich beeinflußt von Karl Rahner, der in einem Gutachten an den Kardinal zum ersten Entwurf des Ökumenismusdekretes festgestellt hatte, daß „die Zugehörigkeit zu dieser einen Kirche eine große Variabilität und Gestuftheit aufweist" und „die mannigfaltigsten und in der verschiedensten Weise gestuften Beziehungen zur Kirche möglich" seien[86].

---

[80] Barta, König (wie Anm. 6), 200f.
[81] Pesch, Zweites Vatikanum (wie Anm. 78), 196.
[82] Vgl. LThK.E. II 27.
[83] Pesch, Zweites Vatikanum (wie Anm. 78), 235.
[84] Vgl. LThK.E II 28.55.
[85] UR; die Überschrift des 3. Kapitels lautet: „De Ecclesiis et de Communitatibus ecclesialibus a Sede Apostolica Romana seiunctis".
[86] Vorgrimler, Rahner (wie Anm. 55), 137.

5. Judenfrage

Am 18. September 1960 erteilte Papst Johannes XXIII. dem am 5. Juni d.J. gegründeten „Sekretariat zur Förderung der Einheit der Christen", dem der Kurienkardinal Augustin Bea[87] vorstand, den Auftrag zur Erstellung eines Textenwurfs über die Judenfrage[88]. Eine Unterkommission des Sekretariates machte sich an die Arbeit; federführend war dabei der Österreicher Prälat Johannes Oesterreicher, ein konvertierter Jude, der 1927 in Wien zum Priester geweiht worden war, 1938 über Paris in die USA auswanderte und dort ein „Institut für christlich-jüdische Studien" gründete[89]. Im April 1961 konnte Oesterreicher bei einer Gesamtsitzung des Einheitssekretariates das Ergebnis seiner Bemühungen vortragen; er erntete lebhaften Applaus[90].

Das Dokument geriet aber dann ins politische Schußfeld und wurde nach mehreren Revisionen zu der mit den Worten „Nostra aetate" beginnenden „Erklärung über das Verhältnis der Kirche zu den nichtchristlichen Religionen" erweitert. In der Generalkongregation vom 28. September 1964 fand eine entscheidende Debatte statt, bei der – nach den Worten der schwedischen Korrespondentin G. Vallquist – „die Deklaration über die Juden [...] durch eine Reihe von Reden mit Pauken und Trompeten vorangetrieben" wurde[91]. Auch Kardinal König meldete sich zu Wort. Er befürwortete den Textentwurf, bedauerte aber, daß die ursprünglich enthaltene Stelle über die Judenverfolgungen („sive olim sive nostris temporibus") entfallen sei und plädierte dafür, daß man die Schuld am Tode Christi nicht den Juden allgemein, nicht den damaligen und vor allem nicht den heutigen, zuschreiben dürfe. Auch sei es nicht Aufgabe der christlichen Predigt, die Schuld eines Kaiphas, Pilatus und anderer genau zu schildern, seien doch die Sünden aller Menschen die Ursache [für den Kreuzestod Christi][92].

Die Bemerkungen von Kardinal König fanden Berücksichtigung bei der endgültigen Gestaltung der Deklaration, welche bei der Schlußabstimmung am 28. Oktober 1965 mit 2221 Ja-Stimmen verabschiedet wurde; nur 88 Bischöfe stimmten dagegen und drei enthielten sich der Stimme[93]. Auf Inhalt und Bedeutung des Dokumentes kann hier nicht eingegangen werden.

6. Kollegialität

Die „dramatischste Schlacht" auf dem Konzil stellte, wie R. M. Wiltgen zurecht festhält, „nicht die große Publizität genießende Kontroverse über die Religions-

---

[87] Zu Augustin Bea siehe: Heinz Albert Raem, in: LThK³ II 105f.

[88] Franz Kardinal König, Die Judenerklärung des II. Vatikanums und der Vatikanischen Sekretariate von 1965 bis 1985 in katholischer Sicht, in: Erika Weinzierl (Hg.), Christen und Juden in Offenbarung und kirchlichen Erklärungen vom Urchristentum bis zur Gegenwart (Veröffentlichungen des Internationalen Forschungszentrums für Grundfragen der Wissenschaften Salzburg NF 34), Wien-Salzburg 1988, 115-125; 116.

[89] Zu Johannes Oesterreicher siehe: Josef Lettl, Kirche und Judentum in Wien. Der Wandel des Verhältnisses seit 1782, Klosterneuburg-Wien 1997, 56 Anm. 29.

[90] König, Judenerklärung (wie Anm. 88), 117.

[91] LThK.E. II, 441.

[92] ASCOV III,2 594-596; LThK.E II 443.

[93] König, Judenerklärung (wie Anm. 88), 121.

freiheit, sondern die über die Kollegialität" dar[94]. Gemeint ist damit das Ringen um eine „Ausbalancierung der Lehre des Ersten Vatikanischen Konzils über den päpstlichen Primat durch eine ausdrückliche Doktrin über die bischöfliche Kollegialität"[95]. Manche Konzilsväter erblickten in diesen Bemühungen eine „Gefährdung der [päpstlichen] Primatsrechte", weshalb eine Anzahl von Bischöfen, die die Mehrheit repräsentierte, „mit Klugheit und Geschick" versuchte, der opponierenden Minderheit ihre Ängste durch den Hinweis zu nehmen, daß mit der Betonung der Kollegialität der Bischöfe keineswegs etwas Neues eingeführt würde[96]. Die bewegendste Rede in diesem Sinne wurde bei der 2. Konzilssession von Bischof Emile De Smedt von Brügge gehalten[97]. Aber auch Kardinal König von Wien leistete einen wichtigen Diskussionsbeitrag. In seiner Rede in der Konzilsaula vom 7. Oktober 1963 (42. Generalkongregation) bekannte er sich zur kollegialen Struktur des Bischofsamtes und betonte, daß die entsprechende Aussage des Kirchenschemas eigentlich nur eine alte und große Tradition wiedergebe; sie könne daher die Einheit der Kirche ebensowenig beeinträchtigen, wie sie dies zur Zeit der Apostel getan habe. Er erinnerte schließlich noch an die Eröffnungsrede für die 2. Konzilssession, bei der Papst Paul VI. dazu ermuntert hatte, unter Wahrung der Primatsdoktrin des I. Vatikanums über die Lehre vom Episkopat weiterzuforschen[98].

Es gelang den Vertretern der Mehrheit jedoch nicht, die konservative Minorität zu überzeugen[99]. Daher wurde das Studium der Frage der Kollegialität weiterverwiesen an eine Subkommission der Theologischen Kommission, der u.a. auch Karl Rahner angehörte[100]. Die von dieser Subkommission erarbeitete Formulierung lautet: „Wie nach der Verfügung des Herrn der hl. Petrus und die übrigen Apostel ein einziges Kollegium bilden, so sind in entsprechender Weise der Bischof von Rom, der Nachfolger Petri, und die Bischöfe, die Nachfolger der Apostel, untereinander verbunden"[101].

Die Diskussion über diesen Text führte bei der 3. Konzilssession – vor allem hinter den Kulissen – zu heftigen Kontroversen. Er ging trotzdem in die Kirchenkonstitution ein, der freilich am 16. November 1964 eine von einer „höheren Autorität" unterstützte „Nota explicativa praevia", deren Anliegen es hauptsächlich war, das Festhalten an der Primatslehre des I. Vatikanums einzuschärfen, vorangestellt wurde[102]. Obwohl die „Nota" die Aussagen der Kirchenkonstitution über den „unmittelbar göttlichen Ursprung des Bischofsamtes" sowie „die Verantwortung des Bischofskollegiums für die Universalkirche" eigentlich nicht zurücknahm[103], wurde durch sie dennoch die schwerste Konzilskrise überhaupt

---

[94] Wiltgen, Rhein (wie Anm. 1), 235.
[95] Ebd., 117.
[96] Seeber, Zweites Vaticanum (wie Anm. 51), 123.
[97] ASCOV II,2 263-266; Wiltgen, Rhein (wie Anm. 1), 90.
[98] ASCOV II,2 225-227.
[99] Seeber, Zweites Vaticanum (wie Anm. 51), 124.
[100] Wiltgen, Rhein (wie Anm. 1), 238.
[101] LG 22.
[102] LThK.E I, 349.
[103] Hubert Jedin, Kleine Konziliengeschichte. Mit einem Bericht über das Zweite Vatikanische Konzil, Freiburg i.Br.-Basel-Wien, Neuausgabe der 8. Auflage 1978, 163.

ausgelöst. Umgekehrt aber hatte erst die „Nota" es ermöglicht, daß die Konzilsväter sich in der Lage sahen, die Kirchenkonstitution fast einmütig anzunehmen;
„die Schlußabstimmung am 21. November ergab bekanntlich 2151 Ja-Stimmen
und 5 Enthaltungen"[104].

Besonders augenfällig wird der Beitrag Österreichs am Konzil im Laiendekret
und in der Liturgiekonstitution. Beide Dokumente haben Entwicklungen aufgegriffen, die in Österreich (natürlich nicht nur in Österreich) schon eine lange Vorgeschichte hatten. Deshalb gab es hier auch die Persönlichkeiten, die ihre Erfahrungen am Konzil einbringen und für die Gesamtkirche fruchtbar machen
konnten.

7. Laienapostolat und Katholische Aktion

1962, am Vorabend der Eröffnung des II. Vatikanischen Konzils, war das monu-
mentale Werk „Das christliche Apostolat" von Ferdinand Klostermann erschienen[105], das ihm auch die Berufung nach Wien als Professor der Pastoraltheologie
einbrachte. Der Verfasser hatte elf Jahre an dem Buch gearbeitet und darin auch
seine eigene „apostolische Tätigkeit" reflektiert, hatte er doch als Assistent der
Katholischen Aktion der Diözese Linz wesentlich am Aufbau dieser mächtigen
Organisation des Laienapostolates mitgewirkt. Auch war er Jahre hindurch als
Akademiker- und Hochschulseelsorger seiner Diözese tätig gewesen. Seit 1958
war Klostermann überdies Geistlicher Assistent der KA Österreichs[106].

Auch wenn das Wort „Laie" im Titel von Klostermanns Buch nicht vorkommt,
so war es doch sein Grundanliegen aufzuzeigen, daß die Begriffe „Apostel" und
„Apostolat" auch auf den Laien und seine Tätigkeit in der Kirche anzuwenden
sind. Die Berufung zu diesem „Grund"-Apostolat erfolgt durch Taufe und Fir-
mung[107] und geht „in seinem Ursprung nicht auf ein Mandat der Hierarchie"
zurück; diese hat aber eine „Vigilanzpflicht"[108].

Die Ausdehnung des Apostolatsbegriffes auf das Wirken des Laien war seit der
Wende vom 19. zum 20. Jahrhundert allmählich in den Blickpunkt gekommen
und hatte – von der katholischen Bewegung des 19. Jahrhunderts ausgehend –
auch zur Ausbildung der Katholischen Aktion geführt[109]. Ferdinand Klostermann
hat diesen Weg in seinem Buch nachgezeichnet und sich mit der Stellung des
Laien in der Kirche eingehend auseinandergesetzt.

Kardinal König, der Klostermann von der Studentenseelsorge her kannte und
schätzte und auch gut informiert war über dessen Beschäftigung mit der Theorie
und Theologie des christlichen Apostolates, schlug ihn daher als Konzilstheologen vor. Klostermanns bisheriges Wirken empfahl ihn besonders für eine Mitar-

---

[104] Wie Anm. 102.

[105] Ferdinand Klostermann, Das christliche Apostolat, Innsbruck 1962.

[106] Zu ihm vgl. besonders: Rudolf Zinnhobler (Hg.), Ferdinand Klostermann. Ich weiß, wem ich
geglaubt habe, Wien-Freiburg i.Br.-Basel 1987; Josef Müller, in: LThK[3] VI 148.

[107] Klostermann, Apostolat (wie Anm. 105), besonders 501-508.592.

[108] Ebd., 595f.

[109] Markus Lehner, Laienapostolat, in: LThK[3] VI 597f.

beit in der „Commissione dell' Apostolato dei Laici", in die er mit Ernennungsschreiben des Staatssekretariates vom 29. August 1960 berufen wurde. Darüber hinaus ernannte ihn Papst Johannes XXIII. am 24. September 1962 zum „Peritus"; am 15. November 1962 wurde er außerdem in die Kommission „De Episcopis et Dioecesium regimine" aufgenommen[110].

Klostermann war an der Entstehung des Textes des Laiendekretes *Apostolicam actuositatem*, die sich als sehr schwierig erwies und lange hinzog, in allen Phasen maßgeblich beteiligt. Daß das Dekret das Laienapostolat nicht mehr vom hierarchischen Apostolat ableitet, sondern von der „Vereinigung der Laien mit Christus, dem Haupt", weshalb es als „Teilnahme an der Heilssendung der Kirche selbst" zu sehen ist[111], entspricht, wie wir schon sahen, ganz der Sicht Klostermanns.

Eine spezielle Form des Laienapostolates stellt die Katholische Aktion dar, deren Auf- und Ausbau Klostermann in der Diözese Linz bereits mehr als zehn Jahre intensiver Arbeit gewidmet hatte, als das Konzil seine Pforten öffnete. Nach dem Statut der KAÖ von 1949 wurde diese als „das organisierte, auf Grund eines ausdrücklichen kirchlichen Auftrages und unter der Leitung der Hierarchie ausgeübte Apostolat der Laien" definiert und daher als „eine offizielle kirchliche Einrichtung" verstanden[112]. In diesem Sinne wurde die KA in Österreich aufgebaut; Oberösterreich wurde zum Musterland der KA.

Der die KA betreffende Artikel im Dekret über das Laienapostolat gehört bekanntlich zu den umstrittensten des Dokumentes überhaupt[113]. Der Hauptgrund hierfür war, daß man unter dem, was in verschiedenen Ländern als KA bezeichnet wurde, keineswegs immer dasselbe verstand. Die Vorbereitungskommission fand schließlich „eine Formulierung [...], die einerseits genau umschrieb, was zum Wesen einer echten Katholischen Aktion gehört, die aber andererseits auch so weit war, daß sie den Bedürfnissen und Entwicklungen der einzelnen Länder genug Raum gab"[114]. Die hier angesprochene Formulierung, die letztlich auf Klostermann selbst zurückgeht, wurde zwar weiterhin lebhaft diskutiert, aber, von geringfügigen Änderungen abgesehen, schließlich doch beibehalten.

Schon 1950 hatte Klostermann in einem Vortrag über „Wesen und Aufgabe der Katholischen Aktion" vier Wesensmerkmale der KA aus verschiedenen päpstlichen Dokumenten abgeleitet. Sie ergaben im wesentlichen auch jene Kompromißformel, die „als österreichischer Beitrag in die Konzilsdokumente" einging[115]. Im folgenden seien die relevanten Texte (unter Anpassung der Reihenfolge der einzelnen Punkte nach inhaltlichen Kriterien) einander gegenübergestellt:

---

[110] Akten im Privatbesitz von Frau Anna Gusner (Linz).

[111] Lehner, Laienapostolat (wie Anm. 109); AA 2.

[112] Diözesanarchiv Linz, Past-A/3, Sch. 24, Fasz. XII/A 1; Markus Lehner, Vom Bollwerk zur Brücke. Katholische Aktion in Österreich, Thaur 1992, 122.

[113] Ferdinand Klostermann, Katholische Aktion nach dem II. Vatikanum, in: Seels. 36 (1966) 309-319; 309.

[114] Ebd.

[115] Lehner, Bollwerk (wie Anm. 112), 143.

Klostermann-Text 1950[116]	Konzilsdekret 1965[117]
a) Das apostolische, missionarische, erobernde, universale Element. Kath. Aktion ist ja Teilnahme am hierarchischen Apostolat, also auch selbst Apostolat, d.h. Sendung, d.h. Tätigkeit zur Förderung des Reiches Gottes, d.h. tun und erstreben, was die Hierarchie tut und erstrebt, nämlich daß Christus in den einzelnen Menschen, in den Familien und in der ganzen Gesellschaft wieder zur Herrschaft gelange.	a) Das unmittelbare Ziel dieser Organisationen ist das apostolische Ziel der Kirche, nämlich in Hinordnung auf die Evangelisierung und Heiligung der Menschen sowie auf die christliche Bildung ihres Gewissens, so daß sie die verschiedenen Gemeinschaften und Milieus mit dem Geist des Evangeliums durchdringen können.
b) Das hierarchisch-offizielle Element. Es handelt sich um eine Teilnahme am hierarchischen Apostolat. Daraus ergibt sich einerseits der Hilfscharakter, der Mitarbeitercharakter, der untergeordnete Charakter der Kath. Aktion (nihil sine episcopo); andererseits aber auch der offizielle Charakter der Kath. Aktion, das Emporgehobenwerden aus der privaten Sphäre zur Aktion der Kirche. Was die Kath. Aktion in ihrem innersten Wesen von der Hierarchie abhängig macht, verleiht ihr umgekehrt ihre außergewöhnliche Würde, die sie über alle anderen Apostolate hinaushebt.	d) Die Laien, die sich freiwillig anbieten oder zum Wirken und zur direkten Mitarbeit mit dem hierarchischen Apostolat eingeladen werden, handeln unter der Oberleitung der Hierarchie selbst. Diese kann die Mitarbeit auch durch ein ausdrückliches Mandat bestätigen.
c) Das laikale Element. Kath. Aktion ist Apostolat der Laien. Die Laien sind also, wenn auch in Unterordnung unter der Hierarchie, die eigentlichen Träger nicht nur der Arbeit, sondern auch der Initiative und einer wirklichen Verantwortung.	b) Die Laien arbeiten in der ihnen eigentümlichen Weise mit der Hierarchie zusammen, tragen ihre eigene Erfahrung bei und übernehmen Verantwortung in der Leitung dieser Organisationen, in der Beurteilung der Verhältnisse, unter denen die pastorale Tätigkeit der Kirche auszuüben ist, und in der Planung und Durchführung des Aktionsprogramms.
d) Das organisatorische, soziale korporative oder kollektive Element. Fruchtbare und wirksame Teilnahme am hierarchischen Apostolat ist nur möglich durch das Zusammenwirken vieler, in straffer Zusammenfassung der verschiedenartigsten Kräfte und in deren weiser Lenkung und Über- und Unterordnung, d. h. also in Gemeinschaft und in Organisation.	c) Die Laien handeln vereint nach Art einer organischen Körperschaft, so daß die Gemeinschaft der Kirche deutlicher zum Ausdruck gebracht und so das Apostolat wirksamer wird.

---

[116] Diözesanarchiv Linz (wie Anm. 112); Lehner, Bollwerk (wie Anm. 112), 143.
[117] AA 20.

Auch wenn man keinen detaillierten Vergleich der beiden Texte durchführt, sind die Parallelen unverkennbar. Sowohl die Vierzahl der angeführten Merkmale der KA als auch die sachlichen Entsprechungen der einzelnen Punkte belegen unsere Feststellung.

Einen klaren Fortschritt stellt es dar, daß die KA nunmehr (gegenüber früheren päpstlichen Stellungnahmen) nicht mehr nur als eine von oben nach unten strukturierte Organisation gesehen wird, sondern daß auch die Initiativen der Laien (Klostermann-Text Punkt c, Konzilstext Punkt d) Berücksichtigung finden. Damit wird „das Apostolat der Weltchristen in der Katholischen Aktion" nicht mehr nur vom „hierarchischen Apostolat her bestimmt"[118].

Kompromißcharakter hat auch die im Konzilstext im Anschluß an die Aufzählung der vier Wesensmerkmale der KA gebrachte Formulierung:

„Die Organisationen, in denen sich diese Merkmale nach dem Urteil der Hierarchie zusammen vorfinden, sind als Katholische Aktion anzusehen, wenn sie auch wegen der lokalen und nationalen Erfordernisse verschiedene Formen und Namen annehmen."

Damit ist festgehalten, daß KA auch in anderen Formen und unter anderen Namen auftreten kann, sofern nur die gleichen Ziele verfolgt werden. Diese Sicht der Dinge leistet auch einen Beitrag zur Aussöhnung zwischen verschiedenen Formen des Apostolates, die bis dahin wiederholt zu Richtungsstreitigkeiten geführt hatten. Die Monopolstellung der KA, wie sie in Österreich praktiziert worden war und auch in Klostermann einen Vertreter gefunden hatte, war damit zumindest grundsätzlich überwunden, wenn auch „eine gewisse Privilegierung des Apostolates, das in ‚engerer Abhängigkeit' von der Hierarchie ausgeübt wird", aufrechterhalten wurde[119].

Insgesamt durfte Klostermann, der auf dem Weg zur Entstehung des Dekrets über das Laienapostolat viel geleistet hatte, mit dem Ergebnis zufrieden sein. Diesen Eindruck gewinnt man auch aus der Lektüre seines gründlichen Kommentars im entsprechenden Ergänzungsband des Lexikons für Theologie und Kirche[120].

Die Zustimmung zur endgültigen Fassung des Dekrets war überwältigend; bei der Schlußabstimmung am 18. November 1965 erhielt dieses 2340 Ja- gegenüber nur 2 Nein-Stimmen[121].

8. Liturgie

Bei der 3. Generalkongregation des Konzils, am 20. Oktober 1962, wählten die versammelten Väter 16 Mitglieder in die Liturgiekommission, die anschließend zusammen mit den acht vom Papst ernannten Mitgliedern bekanntgegeben wurden[122].

---

[118] LThK.E II 659.

[119] Seeber, Zweites Vaticanum (wie Anm. 51), 196 mit Anm. 39; AA 20.24.

[120] LThK.E II 585-701.

[121] Wolfgang Beinert, Apostolicam actuositatem, in: LThK³ I 867f.

[122] Herman Schmidt, Die Konstitution über die Heilige Liturgie. Text – Vorgeschichte – Kommentar (Herder-Bücherei 218), Freiburg i.Br. 1965, 221.

Von den gewählten Kommissionsmitgliedern hatte der Bischof von Linz, DDr. Franz Sales Zauner, 2231 Voten erreicht[123], das war die höchste Stimmenanzahl überhaupt, „mit der ein Konzilsvater in eine Kommission gewählt worden war"[124].

Wie war es zu diesem Ergebnis gekommen? Um eine Antwort darauf geben zu können, müssen wir etwas weiter ausholen.

In Österreich hatte sich – neben Klosterneuburg – Linz zu einem besonderen Zentrum der Liturgischen Bewegung entwickelt, deren Hauptanliegen es war, die 1903 von Papst Pius X. eingeforderte „actuosa participatio"[125] des Volkes am Gottesdienst zu erreichen. Der Pionier der Bewegung war der Klosterneuburger Chorherr Pius Parsch[126].

Josef Huber[127], Spiritual am Linzer Priesterseminar, schlug – zunächst gegen den Willen des Diözesanbischofs Johannes M. Gföllner[128] – die Brücke zu Klosterneuburg. Ihm vor allem ist es zu danken, „daß Oberösterreich das führende Land in der liturgischen Erneuerungsbewegung innerhalb Österreichs wurde"[129]. Bischof Fließer[130] erwies sich als großer Förderer einer Verlebendigung des Gottesdienstes. 1944 faßte er die entscheidenden Grundsätze für das weitere Vorgehen auf liturgischem Gebiet in seiner viel beachteten „Epistola de actione liturgica" zusammen[131].

Vor diesem Hintergrund ist es verständlich, daß dem Linzer Bischof in der Österreichischen Bischofskonferenz das Liturgiereferat übertragen und er auch zum Vorsitzenden der seit 1947 bestehenden Österreichischen Liturgischen Kommission bestellt wurde. Als Fließer 1948 schwer erkrankte und in der Person von Franz Sales Zauner[132] einen Koadjutor mit dem Recht der Nachfolge erhielt, war es fast selbstverständlich, daß dieser auch Fließers österreichweite Funktionen auf dem Gebiet der Liturgie übernahm, obwohl er sich auf diesem Gebiet bis dahin nicht besonders hervorgetan hatte. Das Referat für Liturgie in der Bischofskonferenz hatte er vom 16./17. November 1949 bis 2. Juli 1964 inne[133].

---

[123] ASCOV I,1 228.

[124] Wiltgen, Rhein (wie Anm. 1), 25. Daß es zu diesem Ergebnis kam, hängt auch damit zusammen, daß vor der Abstimmung eine Liste möglicher Kandidaten der „europäischen Allianz" verteilt wurde, in der Zauner an prominenter Stelle angeführt war. Als Verteiler fungierten mehrere Bischofssekretäre, so jene von Brixen, Linz und Rottenburg. Dankenswerte Mitteilung von Prälat Gottfried Schicklberger (Linz), dem damaligen Sekretär von Bischof Zauner.

[125] Dazu siehe: Theodor Maas-Ewerd, in: LThK³ I 122f.

[126] Zu Pius Parsch siehe: Norbert W. Höslinger, in: LThK³ VII 1392.

[127] Zu Josef Huber siehe: Hermann Kronsteiner, Monsignore Josef Huber. Ein Erzieher für Priester und Volk, in: Jahrbuch 1977 für die Katholiken des Bistums Linz, 199-205.

[128] Zu Bischof Gföllner siehe: Rudolf Zinnhobler, Gföllner Johannes Ev. Maria (1867-1941), in: Erwin Gatz (Hg.), Die Bischöfe der deutschsprachigen Länder 1785/1803 bis 1945, Berlin 1983, 245-247.

[129] Nachruf für Josef Huber von Norbert Höslinger, in: BiLi 49 (1976) 139.

[130] Zu Bischof Fließer siehe: Rudolf Zinnhobler, Fließer Joseph Calasanz (1896-1960), in: Gatz, Bischöfe 1785/1803 (Anm. 128), 197f; ders., in: LThK³ III 1321f.

[131] Hans Hollerweger, Erneuerung in Einheit. Bischof Fließers „Epistola de actione liturgica", in: ThPQ 125 (1977) 84-91.

[132] Zu Bischof Zauner wie Anm. 10.

[133] Lengauer, Zauner (wie Anm. 10), 12.

Ein einschneidendes Ereignis im Leben Zauners stellte der Zweite Internationale Kongreß für Kirchenmusik in Wien/Klosterneuburg vom 4. bis 10. Oktober 1954 dar, bei dem er als Zelebrant einer deutschen Gemeinschaftsmesse mit einstimmigem Ordinarium von Vinzenz Goller[134] und mehrstimmigen Propriengesängen von Hermann Kronsteiner[135] fungierte[136]. In der Folge kam es zu einem heftigen Konflikt mit Prälat Higini Anglès[137], dem Vorsitzenden des Kongresses und Präsidenten des Pontificio Istituto di Musica Sacra in Rom, der das Singen deutscher Ordinarien- und Propriengesänge bei der Messe als dem „klaren Willen der Kirche" widersprechend bezeichnete[138]. Als der Streit eskalierte, wandte sich Bischof Zauner am 2. Dezember 1954 in einer 14-seitigen lateinischen Eingabe direkt an Papst Pius XII[139]. Er verwies auf ein Indult des Kardinalstaatssekretariats von 1943, das Meßformen wie die in Klosterneuburg angewendete „benignissime" tolerierte[140], und begründete das Festhalten daran auch mit dem pastoralen Nutzen. Kopien seines Briefes schickte Zauner an alle österreichischen Bischöfe, von denen er sich Solidaritätserklärungen erwartete, aber auch an das Liturgische Institut in Trier, an Kardinal Joseph Wendel in München, an Bischof Simon Konrad Landersdorfer in Passau und an Professor Jungmann in Innsbruck[141].

Eine direkte Antwort aus Rom hat Zauner nie erhalten. Es wird jedoch berichtet, daß Pius XII. sein Schreiben immer wieder gelesen habe[142].

Da die volksliturgischen Meßformen in der Folge nie beanstandet wurden, obwohl eine Instruktion der Ritenkongregation von 1958[143] verlangte, bei der „Messe in Gesangsform [...] ausschließlich die lateinische Sprache zu gebrauchen", wird man sagen können, daß Bischof Zauner als Sieger aus dem Klosterneuburger Liturgiestreit hervorgegangen war.

---

134 Zu Vinzenz Goller siehe: Hermann Kronsteiner, Vinzenz Goller (1873-1953). Leben und Werk, Linz-Wien-Passau 1976.

135 Zu Hermann Kronsteiner siehe: Bernhard Schörkhuber, Hermann Kronsteiner. Leben und Werk (Liturgiewissenschaftl. Diplomarbeit), Linz 1993.

136 Exekutivkomitee des II. Internationalen Kongresses für katholische Kirchenmusik (Hg.), Zweiter Internationaler Kongreß für katholische Kirchenmusik (4.-10. Oktober 1954). Bericht, Wien 1955, 42.

137 Zu Higini Anglès siehe: Manfred Schuler, in: LThK³ I 659; zur Persönlichkeitsstruktur von Anglès besonders Annibale Bugnini, Die Liturgiereform (1948-1975). Zeugnis und Testament. Deutsche Ausgabe hg. von Johannes Wagner/Francois Raas, Freiburg i.Br.-Basel-Wien 1988, 42f.

138 Wilhelm Lueger, II. Internationaler Kongreß für katholische Kirchenmusik vom 4. bis 10. Oktober 1954 in Wien, in: MS 74 (1954) 272-276; 273.

139 Eine Kopie des Schreibens stellte mir dankenswerterweise Herr Prof. Dr. Rudolf Pacik (Innsbruck) zur Verfügung.

140 Text des Indults in deutscher Übersetzung bei Johannes Wagner, Mein Weg zur Liturgiereform (1936-1986). Erinnerungen, Freiburg i.Br.-Basel-Wien 1993, 140-142.

141 Nachweise im Diözesanarchiv Linz, BiA Zauner. Zu Kardinal Wendel siehe: Erwin Gatz, Wendel Joseph (1901-1960), in: ders. (Hg.), Bischöfe 1785/1803 (wie Anm. 128), 803-806; zu Bischof Landersdorfer siehe: August Leidl, Landersdorfer Simon Konrad (1880-1971), ebd. 429-431.

142 Das berichtete P. Robert Leiber SJ, ein enger Mitarbeiter Papst Pius XII., dem Linzer Bischof. Dankenswerte Mitteilung von Prälat Gottfried Schicklberger (Linz).

143 AAS 50 (1958) 630-663.

Durch die hier nur knapp geschilderten Ereignisse hatte Zauner einen sehr hohen Bekanntheitsgrad erreicht. Er galt seither im deutschen Sprachraum als *der* Liturgiebischof. Das erklärt die hohe Stimmenzahl, mit welcher der Linzer Bischof beim II. Vatikanum in die Liturgiekommission gewählt wurde[144]. Dagegen landete Kardinal Giacomo Lercaro[145], der Erzbischof von Bologna, „ein Liturgiker von Weltruf", nur auf dem zehnten Platz.

Bischof Zauner hatte auch schon der commissio praeparatoria für Liturgie angehört, in die er am 22. August 1960 – gleichzeitig mit dem international angesehenen Liturgiker P. Dr. Joseph Andreas Jungmann aus Innsbruck – berufen worden war. Zu den Konsultoren dieser Kommission zählten auch die Österreicher P. Johannes Hofinger S.J.[146], der damals in Manila wirkte, und der Pastoraltheologe Michael Pfliegler[147] aus Wien. Vor allem durch die wichtigen Vorarbeiten Jungmanns auf liturgiewissenschaftlichem Gebiet sollte die Stimme Österreichs auf dem Konzil einiges Gewicht erhalten. Ab Oktober 1962 fungierte Jungmann auch als Peritus der Liturgiekommission[148].

In diesen Gremien, die ihrerseits wieder Unterkommissionen bildeten, wurde die eigentliche Konzilsarbeit geleistet. Bei den Sitzungen der Vorbereitungskommission und ihrer 13 Subkommissionen entstand in konstruktiver Zusammenarbeit der Text des Liturgieschemas, das schon im Jänner 1962 zum Abschluß gebracht werden konnte. Großen Einfluß auf Inhalt und Gestalt hatten neben dem Sekretär der Vorbereitungskommission, Annibale Bugnini[149], vor allem Prälat Johannes Wagner, Direktor des Liturgischen Institutes in Trier, sowie Professor Jungmann genommen. Dessen Überlegungen zur Verlebendigung und Vereinfachung der Meßliturgie, die er immer wieder bei internationalen liturgischen Studientreffen vorgetragen hatte, fanden fast vollständig Eingang in die Liturgiekonstitution oder wurden für die liturgische Erneuerung nach dem Konzil fruchtbar gemacht[150].

Das Liturgieschema hatte schon in seiner ersten Fassung eine Reife erlangt, die es vielen Konzilsvätern als das beste der zunächst erarbeiteten Schemata erscheinen ließ[151]. Es lag am 22. Jänner 1962 fertig vor und wurde am 1. Februar vom Vorsitzenden der Vorbereitenden Kommission, Kardinal Gaetano Cicognani, unterzeichnet; vier Tage später starb der Kardinal[152].

Als der Text Mitte des Jahres in der amtlichen Druckausgabe erschienen war, mußten die Kommissionsmitglieder jedoch feststellen, daß ihm an wichtigen Punkten „Gewalt angetan worden war"[153]. Es waren nicht nur die „begründeten und konkretisierenden Declarationes weggefallen"; „Verfügungen zugunsten der

144 Schmidt, Hl. Liturgie (wie Anm. 122), 79.
145 Zu Kardinal Lercaro siehe: Giuseppe Alberigo, in: LThK³ VI 845.
146 Zu Johannes Hofinger siehe: Hans Fink, in: LThK³ V 207.
147 Zu Michael Pfliegler siehe: Österreich-Lexikon² II 191.
148 Dazu Schmidt, Hl. Liturgie (wie Anm. 122), 222.
149 Zu Annibale Bugnini siehe: Reiner Kaczynski, LThK³ II 772.
150 Wagner, Liturgiereform (wie Anm. 140), 143-219.
151 Schmidt, Hl. Liturgie (wie Anm. 122), 74.
152 Bugnini, Liturgiereform (wie Anm. 137), 45. Zu Kardinal Cicognani siehe: Balthasar Fischer, in: LThK³ II 1199.
153 Schmidt, Hl. Liturgie (wie Anm. 122), 75.

Volkssprache waren abgeschafft", aus dem Recht der Bischöfe, „die Grenzen und Weise der Volkssprache" zu bestimmen (statuere), war ein bloßes Vorschlagsrecht (proponere) geworden, „die Artikel betreffend Kirchenmusik und Konzelebration hatten Einschränkungen erfahren" und eine vorangestellte „Nota" erklärte die Konstitution als ein bloßes Dokument zur Bereitstellung von „normas generales et altiora principia" für die eigentliche Reform durch den Heiligen Stuhl[154]. Für die Veränderungen war, wie sich zeigen sollte, eine Unterkommission der Zentralkommission unter dem Vorsitz von Kardinal Carlo Confalonieri verantwortlich[155].

In dieser Situation verteilte nun Bischof Zauner von Linz einen mit 20. Oktober 1962 datierten Bericht, der in elf Punkten auf die Unterschiede gegenüber dem ursprünglichen Text hinwies, an die Konzilsväter und motivierte sie dazu, sich für die Wiederherstellung des ursprünglichen Wortlautes einzusetzen[156], was dann auch tatsächlich erreicht werden sollte.

In diesem Zusammenhang ist auch noch die Rede Bischof Zauners, die er bei der 13. Generalkongregation am 6. November 1962 hielt[157], von Interesse. In ihr plädierte der Bischof vor allem für die „Ausdehnung" der Konzelebration „ad casus qui in schemate commissionis praeparatoriae enumerati erant" und für einen „largior usus" der Volkssprache, wie ihn den deutschsprachigen Diözesen durch das schon erwähnte Indult von 1943 gewährt worden war[158]. Er verwies auch auf die pastoralen Erfolge, die in seiner Diözese durch Anwendung dieses Indultes erzielt worden seien (Zunahme des Gottesdienstbesuches und der geistlichen Berufe).

Zur Vorbereitung auf die zweite Sitzungsperiode des Konzils trafen sich auf Einladung von Kardinal Döpfner[159] Vertreter der „europäischen Allianz" oder der „Transalpini", wie sie auch genannt wurden, vom 26. bis 29. August 1963 zu einer Konferenz in Fulda[160]. Dort sollte über die schon vorliegenden 12 Schemata jeweils ein Relator einen Bericht vorlegen, dem eine Diskussion und eine Überarbeitung der Schemata folgen sollte. Bischof Zauner war gebeten worden, über den Stand des Liturgieschemas zu informieren. Aus Zeitmangel konnte er aber seine mit 20. August 1963 datierte Relatio, in der er auf die Entstehungsgeschichte des Schemas einging, die gute Zusammenarbeit bei der Erarbeitung hervorhob und ein positives Votum in der Konzilsaula erbat, nur in schriftlicher Form verteilen. Das erfahren wir aus einem Brief des Bischofs an Prälat Wagner in Trier vom 28. August 1963, in welchem er auch auf die nächste Sitzungsperiode des Konzils Bezug nimmt und folgendes schreibt:

„Was unser Liturgie-Schema angeht, würde ich es doch sehr begrüßen, wenn die Abstimmung sofort am Anfang erfolgen könnte und nicht erst nach wochenlangen Debatten, die in der Aula zu anderen Vorlagen erfolgen.

---

[154] LThK.E I 12; dazu Bugnini, Liturgiereform (wie Anm. 137), 47.
[155] Zu Kardinal Confalonieri siehe: Josef Gelmi, in: LThK³ II 1293.
[156] Wiltgen, Rhein (wie Anm. 1), 29. Es ist mir bisher nicht gelungen, ein Exemplar des „Berichtes" ausfindig zu machen.
[157] ASCOV I,2 151-154.
[158] Wie Anm. 140.
[159] Zu Kardinal Döpfner siehe: Klaus Wittstadt, in: LThK³ III 336f.
[160] Wiltgen, Rhein (wie Anm. 1), 80-87; speziell zu Bischof Zauner siehe die entsprechenden Schriftstücke und Briefe in: Diözesanarchiv Linz, BiA Zauner.

Nach dem, was ich bei der Konzilskonferenz in Fulda hörte, wird auch in der nächsten Periode manch schwere Auseinandersetzung fallen. Sie wird sich wiederum zwischen den ‚Transalpini‘ und den ‚Romani‘ abspielen. Je mehr nun diese Differenzen die Einheit erschüttern, desto ungünstiger könnte dies auf das Ergebnis der Abstimmung in der Aula wirken. Es wäre daher gut, wenn die Serienabstimmung, besonders über das II. Kapitel, gleich in den ersten Tagen erfolgen könnte, wo solche Belastungen noch nicht auftreten. Sie haben ja ihre Rückwirkung auch auf andere Gebiete. Es könnte so manches negative Votum deshalb entstehen, weil man nun einmal zu den ‚Transalpini‘ in Gegensatz stehen müsse. Darum bin ich etwas in Sorge, daß noch lange überlegt wird und der Druck der neuen Vorlage offenbar nicht so schnell zur Verfügung stehen wird, um gleich am Beginn zu den Abstimmungen schreiten zu können. Es wäre daher gut, wenn die noch nötigen Korrekturen möglichst schnell erfolgen, damit die gedruckte Vorlage sofort wenige Tage nach Beginn der 2. Periode verwendet werden kann.“

Die Befürchtungen Bischof Zauners waren, wie die Abstimmungen zu den einzelnen Kapiteln zwischen dem 8. und 31. Oktober 1963 zeigten, unbegründet. Die einzelnen Kapitel stießen auf einen breiten Konsens[161]. Am 22. November, dem 60. Jahrestag der Veröffentlichung des wegweisenden Motu proprio Papst Pius‘ X., erfolgte eine Abstimmung über den Gesamttext; sie ergab 2158 Ja- gegenüber nur 19 Neinstimmen[162]. Die offizielle Schlußabstimmung am 4. Dezember erbrachte dann das sensationelle Ergebnis von 2147 zustimmenden gegenüber nur mehr vier ablehnenden Voten[163]. „Die Verkündigung wurde mit einem Beifallsausbruch aufgenommen“[164], sodann wurde die Konstitution feierlich promulgiert. „Es war ein großer Tag“[165]. Damit hatte das von Papst Johannes XXIII. geförderte „aggiornamento“ auf liturgischem Gebiet „sichtbare und einschneidende Formen angenommen“[166]. Am erzielten Ergebnis aber hatte, wie wir gesehen haben, Österreich keinen unwesentlichen Anteil.

Aber noch war die Ernte nicht wirklich eingebracht. Zur Durchführung der Reform wurde ein vielköpfiges „Consilium ad exsequendam constitutionem de Sacra Liturgia“ bestellt, dem auch – als einziger Österreicher – Bischof Zauner als Mitglied angehörte (ernannt am 3. März 1964)[167].

Irritationen gab es, als im „Osservatore Romano“ vom 29. Jänner 1964 das mit 25. Jänner datierte Motu proprio *Sacram Liturgiam* veröffentlicht wurde[168], das „die liberaleren Aussagen und offenen Bestimmungen der originalen Konzilskonstitution“ wieder einzuschränken schien[169]. Daraufhin protestierten viele

[161] Vgl. die aufschlußreiche Tabelle über die Abstimmungen bei Schmidt, Hl. Liturgie (wie Anm. 122), 238f.
[162] LThK.E I 13.
[163] Schmidt, Hl. Liturgie (wie Anm. 122), 239.
[164] Wiltgen, Rhein (wie Anm. 1), 143.
[165] Wie Anm. 162.
[166] LThK.E. I 10.
[167] Bugnini, Liturgiereform (wie Anm. 137), 986.
[168] Wagner, Liturgiereform (wie Anm. 140), 78f; Bugnini, Liturgiereform (wie Anm. 137), 78.
[169] Wagner, Liturgiereform (wie Anm. 140), 79.

Bischöfe. „Die heftigsten Kritiken kamen aus Italien, Deutschland, Österreich und Spanien. „Man lastete dem Dokument besonders an, daß es das Recht der Bischofskonferenzen, „Übersetzungen in die Volkssprache zu approbieren", wieder zurückgenommen hatte. „Man sah darin ein erstes Manöver der Kurie, das Konzilsdokument zu beerdigen"[170]. Besonders scharf reagierte damals Bischof Zauner von Linz, der dazu bemerkte:

„Wir Bischöfe und Konzilsväter sind bestürzt darüber, daß man schon so kurze Zeit nach der offiziellen Approbation der Konstitution von seiten der Kurie oder ihrer näheren Umgebung am Zentralismus festhält und mit allen Mitteln jede Dezentralisation bekämpft. Die Approbation der biblischen und liturgischen Texte in der Volkssprache war schon immer ein Vorrecht der Bischöfe [...]. Wir Bischöfe können auch in Zukunft nicht darauf vertrauen, obschon es durch ein klares Konzilsrecht festgelegt worden ist, daß dieses Recht von der Kurie geändert wird"[171].

Tatsächlich gelang es dem aufgeschlossenen Annibale Bugnini, dem Sekretär des „Consilium", unter Berufung auf die eingegangenen Proteste zu erreichen, daß zwanzig Punkte des Motu proprio korrigiert wurden, bevor es in den Acta Apostolicae Sedis seine offizielle Publikation erfuhr[172]. Damit war ein Hindernis ausgeräumt und das „Consilium" konnte mit der mühsamen Arbeit der Umsetzung der Liturgiekonstitution in die Praxis beginnen.

III. DIE REZEPTION DES KONZILS

Wie die Rezeption des Konzils vor sich ging, soll im folgenden an wichtigen Beispielen, mit denen jedoch keinerlei Vollständigkeit beansprucht wird, gezeigt werden. Dabei soll vorwiegend den ersten zehn Jahren nach Abschluß des Konzils Beachtung geschenkt werden, einer Zeit, in der die Richtungskämpfe der Gegenwart nur in Ansätzen vorhanden waren.

1. Diözesansynoden

Im Dekret über die Hirtenaufgabe der Bischöfe findet sich der Satz: „Diese heilige Ökumenische Synode wünscht, daß die ehrwürdigen Einrichtungen der Synoden und Konzilien mit neuer Kraft aufblühen; dadurch soll besser und wirksamer für das Wachstum des Glaubens und die Erhaltung der Disziplin in den verschiedenen Kirchen, entsprechend den Gegebenheiten der Zeit, gesorgt werden"[173].

In Befolgung dieses Wunsches und um die Beschlüsse des Konzils auf diözesaner Ebene umzusetzen, fanden in Österreich folgende Synoden statt:

---

[170] Bugnini, Liturgiereform (wie Anm. 137), 82.
[171] Ebd., 83.
[172] AAS 56 (1964) 139-144; dazu Bugnini, Liturgiereform (wie Anm. 137), 83.
[173] CD 36.

Diözese	Jahr	Motto
Salzburg[174]	1968	Erneuerung der Diözese durch lebendige Christengemeinden
Wien[175]	1969-1971	Leben und Wirken der Kirche in Wien
Linz[176]	1970-1972	Kirche um der Menschen willen
Innsbruck[177]	1971/72	Miteinander für alle
Eisenstadt[178]	1971/72	
Gurk-Klagenfurt[179]	1971/72	Kirche für die Welt
St. Pölten[180]	1971/72	Im Dienst an den Menschen

In der Liste fehlen Feldkirch, das erst 1968 von Innsbruck abgetrennt und zu einer eigenen Diözese erhoben wurde[181], und Graz, wo zwar für 1970 eine Synode geplant war, aber wegen des überraschenden Rücktritts von Bischof Schoiswohl (1969) sowie verschiedener Richtungskämpfe nicht zustande kam[182]. Eine hier schon 1960 abgehaltene Synode war bereits 1958, also noch vor der Konzilsankündigung, durch Bischof Schoiswohl initiiert worden. Ihr Motto „Der Laie in der Kirche" zeigt, daß diese Versammlung schon durchaus auf später vom Konzil aufgegriffene Fragen Bezug nahm[183]. Dagegen war die Synode von 1961 in St. Pölten fast noch „eine reine Priestersynode", die ganz „nach dem kirchlichen Gesetzbuch von 1917" verlief[184].

Im einzelnen gaben die Synoden viele wertvolle Anregungen zur Erneuerung des kirchlichen Lebens und faßten zukunftsweisende Beschlüsse; manches freilich blieb nur Wunsch und wurde von der tatsächlichen Entwicklung überrollt.

Statt einer österreichischen Gesamtsynode, wie sie Erzbischof Andreas Rohracher[185] angeregt hatte, wurde „der weitgehend unverbindliche ‚Österreichische

---

[174] Salzburger Diözesansynode 1968. Offizieller Text der Synodendekrete, Salzburg 1971.

[175] Erzbischöfliches Ordinariat Wien (Hg.), Leben und Wirken der Kirche in Wien. Handbuch der Synode 1969-1971, Wien 1972.

[176] Sekretariat der Linzer Diözesansynode (Hg.), Kirche um der Menschen willen. Linzer Diözesansynode 1970-1972, Linz [1973].

[177] Bischöfliches Ordinariat Innsbruck (Hg.), Miteinander für alle. Das Pastoralprogramm der Diözese Innsbruck nach der Synode 1971-1972, Innsbruck [1974].

[178] Bischöfliches Ordinariat Eisenstadt (Hg.), Zweite Synode der Diözese Eisenstadt, Eisenstadt 1990 (!).

[179] Bischöfliches Ordinariat Gurk-Klagenfurt (Hg.), Kirche für die Welt. Kärntner Diözesansynode 1971-1972, Klagenfurt o. J.

[180] Bischöfliches Ordinariat St. Pölten (Hg.), Im Dienst an den Menschen. St. Pöltener Diözesansynode 1972, St. Pölten 1972.

[181] Vgl. Erwin Gatz, Feldkirch, in: LThK³ III 1214.

[182] Karl Amon/Maximilian Liebmann (Hg.), Kirchengeschichte der Steiermark, Graz 1993, 434. Zu Bischof Schoiswohl siehe: Andreas Posch, Josef Schoiswohl (1954-1968), in: Karl Amon (Hg.), Die Bischöfe von Graz-Seckau 1218-1968, Graz-Wien-Köln 1969, 470-473; Österreich-Lexikon² II 360.

[183] Bischöfliches Ordinariat Graz (Hg.), Der Laie in der Kirche. Seckauer Diözesansynode 1960. Bericht und Statut, Graz o.J.

[184] Friedrich Schragl, Geschichte der Diözese St. Pölten, St. Pölten-Wien 1985, 189.

[185] Zu Andreas Rohracher siehe: Hans Spatzenegger, Rohracher Andreas (1892-1976), in: Gatz, Bischöfe 1785/1803 (wie Anm. 128), 625-628.

Synodale Vorgang'[186] ins Leben gerufen. Er tagte [1972] – 1974 in Wien und leistete in vier Themenbereichen umfangreiche Arbeit und erstellte Programme: I. Träger kirchlicher Dienste, II. Kirche in der Gesellschaft von heute, III. Bildung und Erziehung, IV. Kirche und Massenmedien"[187].

2. Gremialisierung

Mit der anspruchsvollen Sicht der Kirche als dem Volk Gottes überwand das Konzil zumindest grundsätzlich die Aufteilung „in eine lehrende und in eine hörende, in eine regierende und eine regierte Kirche"[188]. Alle Getauften gemeinsam sind ja für die Kirche verantwortlich. Für die sich aus dieser Konzeption ergebende Notwendigkeit einer engen Zusammenarbeit von Klerus und Laien hat das Konzil die Schaffung geeigneter Gremien angeregt.

a) Priesterrat

Nach dem vom Konzil gezeichneten Kirchenbild sollten die Bischöfe ihre Diözesen nicht mehr autoritär regieren. Daher sollten sie u.a. die Priester „als ihre notwendigen Helfer und Ratgeber im Dienstamt der Belehrung, der Heiligung und der Leitung des Gottesvolkes betrachten" und sich für die Erfüllung ihrer Aufgaben von einem „Kreis oder Rat von Priestern" unterstützen lassen[189].

Dieses Anliegen wurde in den einzelnen Diözesen rasch verwirklicht. In Linz fand z.B. bereits am 22. Februar 1968 die konstituierende Sitzung des „Priesterrates" statt. Dieser bestand schon damals seine Feuerprobe, indem er den Plan eines Neubaus des Priesterseminars, der der geschichtlichen Entwicklung nicht mehr entsprochen hätte, durch das Votum der versammelten Priester zu Fall brachte[190].

Noch rascher griff Graz-Seckau das Konzilsanliegen auf. Hier initiierte Bischof Josef Schoiswohl den Priesterrat bereits 1964, also noch während des Konzils; es sollte dies der erste frei gewählte Priesterrat im ganzen deutschen Sprachraum überhaupt sein[191].

b) Diözesaner Pastoralrat

Ein Konzilswunsch war auch die Errichtung pastoraler Diözesanräte, denen auch Laien angehören sollten. Aufgabe dieser Räte sollte die Beratung der Bischöfe in allen Fragen, welche die Seelsorge betreffen, sein[192].

---

[186] Sekretariat des Österreichischen Synodalen Vorgangs (Hg.), Österreichischer Synodaler Vorgang. Dokumente, Wien 1974.

[187] Maximilian Liebmann, Österreich, in: Erwin Gatz (Hg.), Kirche und Katholizismus Bd. I: Mittel-, West- und Nordeuropa, Paderborn-München-Wien-Zürich 1998, 283-315; 308f.

[188] Otto Mauer, Situation 1965. Die österreichische Kirche im Zeitalter des ökumenischen Konzils, in: Ferdinand Klostermann u.a. (Hg.), Kirche in Österreich 1918-1965, Bd. I, Wien-München 1966, 387-403; 393. LG 32.

[189] PO 7.

[190] Rudolf Zinnhobler, Das Bistum Linz von 1945 bis 1981, in: Johannes Ebner u.a. (Hg.), Das Bistum Linz von 1945 bis 1995 (Neues Archiv für die Geschichte der Diözese Linz 9), Linz 1995/96, 13-25; 20.

[191] Liebmann, Österreich (wie Anm. 187), 307.

Die Kompetenzen dieser Räte, die in Österreich in den siebziger Jahren installiert wurden, weisen nicht unerhebliche Unterschiede auf. „So kennen St. Pölten, Gurk und Innsbruck neben allgemeinen Formulierungen, wie Sorge um den Heilsdienst, keine konkreten Angaben. In Graz hat der Diözesanrat eine allumfassende Kompetenz, die weitergehenden Aufgabenbereiche kennt hingegen Salzburg, wie etwa die Errichtung von Pfarreien, Kirchenbauten, Dienstrecht und Besoldung kirchlicher Angestellter. In Wien, Linz, Eisenstadt, Feldkirch [...] kommt noch die Erlassung grundsätzlicher Richtlinien für den Einsatz von Personen und Mitteln in der Seelsorge" hinzu[193].

c) Pfarrgemeinderat

Am deutlichsten kommt die neue Sicht von Kirche aber wohl in den Pfarrgemeinderäten zum Ausdruck. Bei ihnen handelt es sich um Beratungsgremien auf pfarrlicher Ebene, deren Einführung vom Laiendekret des Konzils angeregt wurde[194]. Die Diözesansynoden förderten die Realisierung dieses Anliegens. Die Linzer Diözesansynode definierte den Pfarrgemeinderat wie folgt:

„Der Pfarrgemeinderat ist das kollegiale Leitungsgremium der Pfarrgemeinde unter dem Vorsitz des Pfarrers, das diesen bei der Leitung der Pfarre mitverantwortlich unterstützt und in den Fragen des pfarrlichen Lebens zusammen mit dem Pfarrer entscheidet"[195].

Der Funktionsfähigkeit des Pfarrgemeinderates dient die Bildung von Fachausschüssen (Liturgie, Finanzen etc.).

Die in den meisten Pfarren der österreichischen Diözesen eingeführten Pfarrgemeinderäte haben sich im allgemeinen bestens bewährt. Erzbischof Georg Eder von Salzburg z.B. bezeichnete sie unlängst als „lebensnotwendig", ja ohne sie „ginge es nicht mehr"[196].

3. Die Liturgiereform

Schon vor Abschluß des Konzils, am 8. Februar 1965, verabschiedete die Österreichische Bischofskonferenz Richtlinien zur konkreten Gestaltung des Gottesdienstes, die am 7. März 1965 in Kraft traten und beitragen wollten zu einer „optimalen Durchführung der Konzilsbeschlüsse" sowie zur Vermeidung „unnötige[r] Verschiedenheiten gegenüber anderen deutschen Ländern"[197].

Die Zulassung der Muttersprache als Kultsprache ermöglichte erstmals seit der Antike wieder eine Identifikation von Priester- und Volksliturgie[198]. Zuvor muß-

---

[192] CD 27; Konrad Hartelt, Diözesanpastoralrat, in: LThK³ III 253.
[193] Gerhard Hartmann, Mitbestimmung in der Kirche Österreichs, in: AKV Informationen, Nr. 3/1978, 24.
[194] AA 26.
[195] Kirche um der Menschen willen (wie Anm. 176), 61f.
[196] kathpress, Nr. 15, 20./21. Januar 1997, 4.
[197] Karl Amon, Volksliturgische Meßreform, in: Klostermann, Kirche in Österreich (wie Anm. 188), 137-148; 147.
[198] Mauer, Situation 1965 (wie Anm. 188), 395.

ten jedoch erst die entsprechenden Texte erstellt werden. An der Gestaltung des deutschen Meßbuchs hat der Grazer Kirchenhistoriker und Liturgiewissenschaftler Karl Amon, der neben Johannes Hofinger und Josef Andreas Jungmann als dritter Österreicher dem „Consilium ad exsequendam constitutionem de Sacra Liturgiae" als Konsultor angehörte[199], einen wesentlichen Anteil.

Vor neuen Aufgaben stand auch die Kirchenmusik. Es sollte ja nicht nur der „traditionelle Schatz" gepflegt werden[200], sondern auch neue muttersprachliche Kompositionen sollten entstehen. Hierfür hatten die Priesterbrüder Joseph und Hermann Kronsteiner (beide Linz) einen wertvollen Beitrag geleistet[201].

Schließlich beeinflußte das Konzil auch die Neugestaltung der Sakralräume. Vor allem die Entfernung der Altarschranken und die Aufstellung von Volksaltären, durch welche die Zelebration versus populum ermöglicht wurde, brachten augenfällig zum Ausdruck, daß der Gottesdienst eine echte Gemeinschaftsfeier ist, bei der das gläubige Volk nicht mehr bloß passiv „anwesend" sein, sondern an der es aktiv „mitwirken" soll[202].

Wenn man heute vielfach den Eindruck hat, daß zwar vom Konzil überzeugende Prinzipien für eine Reform der Liturgie erarbeitet, diese aber nicht ganz zufriedenstellend umgesetzt wurden, so dürfte das nicht zuletzt damit zusammenhängen, daß zu wenig Rücksicht genommen wurde auf die Schaffung von „Ansatzpunkte[n] für die religiöse Emotion". Darauf hat Otto Mauer schon 1965 hingewiesen[203].

4. Ökumene

Die Ankündigung eines „ökumenischen" Konzils wurde von vielen zunächst als eine Einladung zu einem Unionskonzil verstanden. Dieses Mißverständnis weist aber deutlich auf die Tatsache hin, daß für den Konzilspapst Johannes XXIII. die christliche Einheit tatsächlich ein vordringliches Anliegen war. Diesem trug denn auch das Ökumenismusdekret, das am 21. November 1964 feierlich verkündet wurde, in besonderer Weise Rechnung.

Schon vor der Verabschiedung des Dekrets, am 4. November 1964, errichtete Kardinal König, angeregt von Otto Mauer und Otto Schulmeister, den Stiftungsfonds „Pro Oriente" zur Förderung der Kontakte mit den Kirchen des Ostens[204], der seither segensreich wirkt.

Ebenfalls noch vor Abschluß des Konzils, am 26. Mai 1965, erging eine Denkschrift des lutherischen Bischofs Gerhard May[205] an die katholischen Bischöfe in

[199] Bugnini, Liturgiereform (wie Anm. 137), 987.989.

[200] SC 112.

[201] Hermann Kronsteiner, Kirchenmusik heute. Texte und Aussagen der Kirche, Wien-Linz-Passau [1967], 124. Zu Hermann Kronsteiner wie Anm. 135; zu Joseph Kronsteiner siehe: Hans Hollerweger, Joseph Kronsteiner (1910-1988). Ein Leben für die Kirchenmusik, in: Oberösterreicher 8 (1994) 193-207.

[202] Erich Widder, Alte Kirchen für neue Liturgie, Wien 1968.

[203] Mauer, Situation 1965 (wie Anm. 188), 395f.

[204] Christoph Kardinal Schönborn, Pro Oriente im Dienst an der Einheit der Kirche, in: ThPQ 146 (1988) 247-254.

[205] Zu Bischof May siehe: Österreich-Lexikon² II, Wien 1995, 34.

Österreich. Er ging darin auf das Ökumenismusdekret ein und schlug – aufgrund des „neuen verpflichtenden interkonfessionellen Ethos" – vor allem folgende Themen für gemeinsame Beratungen vor: Revision des Geschichtsbildes; gegenseitige Anerkennung der Taufe; Zusammenarbeit auf sozialem und kulturellem Gebiet; gemeinsame Gebetsgottesdienste; Probleme um die „Mischehe" und um vorkommende „Zwangskonversionen" (besonders in Krankenhäusern und an den Sterbebetten)[206]. Die erfolgte, sehr positive Reaktion des österreichischen Episkopats veranlaßte Bischof May bei der Generalsynode AB und HB im Herbst 1965 von einer „neuen Epoche zwischenkirchlicher Beziehungen", die nun eingeleitet sei, zu sprechen[207].

Im Jänner 1966 traf sich im Erzbischöflichen Palais in Wien erstmals die neu gegründete „Gemischte katholisch-evangelische Kommission", welche „bis heute arbeitet und viele gemeinsame Vorhaben und Übereinkünfte vorbereitet"[208].

Wenn am 27. März 1966 Erzbischof Andreas Rohracher von Salzburg bei der Amtseinführung des evangelischen Superintendenten AB Emil Sturm (des Vaters des heutigen Bischofs Herwig Sturm) mit Bezug auf die Protestantenvertreibung durch einen seiner Vorgänger, Erzbischof Leopold Anton Firmian[209], eine Vergebungsbitte aussprach, so tat er dies mit Berufung auf den „ökumenischen Geist" des Konzils; er gab damit „den ökumenischen Bestrebungen in der Erzdiözese großen Auftrieb"[210].

Natürlich griffen auch die Diözesansynoden und der Österreichische Synodale Vorgang das ökumenische Anliegen auf, das in den meisten Diözesen auch durch die Errichtung von Ökumenischen Diözesankommissionen und Arbeitskreisen gefördert wurde und wird.

Trotz weiterhin bestehender Probleme und gelegentlicher Irritationen zwischen der katholischen und der evangelischen Kirche darf festgehalten werden, daß sich das ökumenische Klima in Österreich in den letzten Jahrzehnten erfreulich positiv entwickelt hat. Den bisherigen Höhepunkt in der Geschichte der Beziehungen stellt wohl der Beitritt der katholischen Kirche Österreichs als Vollmitglied des Ökumenischen Rates der Kirchen am 1. Dezember 1994 dar[211]. Dadurch wurde eine Verpflichtung zum „Miteinander" eingegangen, das neben der evangelischen auch die anderen christlichen Kirchen einbezieht.

Das Konzil hat aber nicht nur der kleinen Ökumene zwischen den christlichen Kirchen, sondern – mit der Erklärung *Nostra aetate* – auch der großen Ökumene mit den nichtchristlichen Religionen das Wort gesprochen[212].

---

[206] Christine Gleixner, Ökumene heute. Eine Orientierungshilfe, Wien-München 1980, 79-83; Helmut Krätzl, Das Verhältnis der römisch-katholischen Kirche zu den evangelischen Kirchen A.B. und H.B. in Österreich seit dem Zweiten Vatikanum, in: Neues Archiv für die Geschichte der Diözese Linz 12 (1998/99) 181-188; 182.

[207] Krätzl, Verhältnis (wie Anm. 206).

[208] Ebd.

[209] Zu Erzbischof Firmian siehe: Franz Ortner, in: LThK³ III 1296f.

[210] Franz Ortner, Salzburger Kirchengeschichte. Von den Anfängen bis zur Gegenwart, Salzburg 1971, 174f.

[211] Sekretariat der Österreichischen Bischofskonferenz (Hg.), Jahrbuch der Katholischen Kirche in Österreich 1998, Wien 1998, 168.

[212] NA 2.

Für Österreich, das nicht frei ist von antisemitischen Traditionen, spielt natürlich der Dialog zwischen Kirche und Judentum eine besondere Rolle. Einer meiner Schüler ist dem Weg dieses Dialogs am Beispiel Wien nachgegangen; dabei hat er einen nicht zuletzt aufgrund des II. Vatikanums in Gang gekommenen, wenn auch immer noch mühsamen christlich-jüdischen Dialog feststellen können, der Kardinal König wichtige Impulse verdankt[213].

Auch die Wiener Diözesansynode (1969 – 1971) ging auf dieses Konzilsanliegen ein und plädierte für die Vermeidung „unrichtige[r] Aussagen über das jüdische Volk" und die sachgemäße Vermittlung des religiösen Gehaltes des Alten Testamentes im Religionsunterricht, für ein vertieftes Studium der alttestamentlichen Bücher im Rahmen der theologischen Ausbildung im Hinblick auf Predigt, Katechese und Liturgie sowie für eine verstärkte Verwendung der Psalmen bei den katholischen Gottesdiensten[214].

Ein Schritt in die richtige Richtung war sicherlich auch das vom Innsbrucker Bischof Reinhold Stecher 1985 verfügte Verbot des Kultes des „Anderle von Rinn", eines angeblichen Opfers eines von Juden durchgeführten Ritualmordes im Jahre 1462[215].

5. Polarisierung

Auch in Österreich gab es und gibt es eine nachkonziliare Krise.

Als 1973 die Restaurierung der Kirchturmkuppel von Gurten in Oberösterreich abgeschlossen war, wurde in den Knauf des Kreuzes eine Urkunde gefügt, die u.a. folgende Sätze enthält:

„Oberhaupt der Kirche ist Pp. *Paul VI.*, der seit 1963 die Kirche in einer sehr bewegten und unruhigen Zeit leitet. Das II. Vatikanische Konzil, von seinem Vorgänger Johannes XXIII. einberufen, hat eine große Erneuerungsbewegung ins Leben gerufen, die aber noch in den Anfängen steckt und daher viel Unruhe in der Kirche hervorgerufen hat. Diese Erneuerung hat viel Positives aber leider auch Negatives gezeigt, was wir noch lange nicht als geklärt empfinden. Wir glauben fest, daß der hl. Geist unsere Mutter Kirche und ihr Oberhaupt auch durch diese verwirrten Zeiten leiten wird. Die Worte Christi: ‚Die Pforten der Hölle werden sie nicht überwältigen' (Mt. 16,18) und ‚Seht, ich bin bei euch alle Tage bis ans Ende der Welt' (Mt. 28,20) geben uns dafür Bürgschaft. Darum halten wir fest an unserem heiligen katholischen und apostolischen Glauben und stehen treu zu unserem hl. Vater Pp. Paul VI."[216].

Die in diesem Text angesprochenen Unruhen und negativen Erscheinungen, die neben einer positiven Erneuerung einhergehen, wurden schon während des Konzils erkennbar, zeigten sich aber erst so recht nach dessen Abschluß und neh-

---

[213] Vgl. Lettl, Judentum (wie Anm. 89).

[214] König, Judenerklärung (wie Anm. 88), 124.

[215] Josef Gelmi, Geschichte der Diözesen Bozen-Brixen Bd. V: Zeitgeschichte von 1919 bis heute, Kehl am Rhein 1998, 43.

[216] Siegfried Haider, Kirchturmurkunden vornehmlich aus Oberösterreich, in: MIÖG 106 (1998) 1-30; 28.

men in der Gegenwart besorgniserregende Ausmaße an. Sie können nicht einfachhin auf das Konzil zurückgeführt werden, gibt es sie doch auch in den christlichen Schwesterkirchen, die kein Konzil gehabt haben. Eine Ursache für Spal-
tungen und Spannungen liegt in der mangelnden Bereitschaft der einen,
notwendige Reformen mitzutragen, bzw. im Ungestüm der anderen beim Abbau
überkommener Positionen. Unter dem daraus resultierenden Phänomen der Po-
larisierung leidet auch die gegenwärtige Kirche in Österreich. Es offenbart sich
einerseits in der Bildung von zunehmend aggressiver werdenden fundamentali-
stischen Gruppierungen[217], andererseits z.B. in dem 1995 durchgeführten Kir-
chenvolks-Begehren. Trotz des inzwischen begonnenen „Dialogs für Österreich"
scheint derzeit kein Ende dieser Krise in Sicht zu sein[218].

---

[217] Zu ihnen siehe: Thomas M. Hofer, Gottes rechte Kirche. Katholische Fundamentalisten auf
dem Vormarsch, Wien 1998.
[218] Dazu u.a. Liebmann, Österreich (wie Anm. 187), 299-301. Zum „Dialog für Österreich" siehe auch: Jahrbuch (wie Anm. 211), 103-115.

Kirchenreform in der kleinteiligen Gesellschaft: Das II. Vatikanum und die Schweiz

Von Markus Ries

I. SCHWEIZER KATHOLIKEN VOR 1960: SCHRITTE AUS DEM SCHATTEN

Die gesellschaftliche Wirklichkeit in der Schweiz unterschied sich in den fünfziger Jahren von jener der Nachbarländer in erster Linie durch die unvergleichlich leichtere Last der Nachkriegszeit. Da die Menschen von Zerstörung, Leid und Opfern des Krieges verschont geblieben waren, hatten sie sich nicht um Wiederaufbauarbeit zu mühen. Staatliche, kulturelle und auch kirchliche Einrichtungen aus den dreißiger und vierziger Jahren bestanden in bruchloser institutioneller wie personeller Kontinuität. Tiefgehende Risse gab es nicht, Verarbeitung von traumatisierenden Erfahrungen war – jedenfalls in der Sicht der damaligen Zeit – nicht notwendig. Für die Charakterisierung der Epoche im katholischen Bereich ist das Schlagwort vom „Vereinskatholizismus" gebräuchlich: Die kirchlichen Verbände, deren breite Entfaltung auf die zwanziger Jahre zurückging, florierten. Unter den Dächern des 1905 gegründeten „Schweizerischen Katholischen Volksvereins" und des 1912 entstandenen „Schweizerischen Katholischen Frauenbundes" sammelte sich eine bunte Vielfalt von Organisationen und Einrichtungen. Sie ermöglichten den Gläubigen, auch in der säkularen Welt ihre Religiosität zu entfalten, und sie stellte der Weltanschauungsgemeinschaft eigene soziale Räume für Kommunikation, Bildung, Erziehung, Politik und Freizeitgestaltung zur Verfügung[1]. Stärke und Dichte dieses Netzwerkes halfen den konservativen Katholiken, ihre frühere politische, wirtschaftliche und kulturelle Minderheits- und Inferioritätssituation auszugleichen und zu überwinden. Sie erstarkten und gewannen in der schweizerischen Gesellschaft an Selbstbewußtsein. Nach dem Krieg verstärkte sich diese Tendenz und weckte auf evangelischer Seite erstes Mißtrauen. Bedenken wurden formuliert gegen den „politischen Katholizismus" oder den „Katholizismus im Angriff", wie die Erscheinung in Abwehrschriften bezeichnet wurde[2]. Die Heiligsprechung des Landespatrons Bruder Klaus im Jahr

---

[1] Alfred Stoecklin, Schweizer Katholizismus. Eine Geschichte der Jahre 1925-1975 zwischen Ghetto und konziliarer Öffnung, Zürich-Einsiedeln-Köln 1978; Leo Karrer, Katholische Kirche Schweiz. Der schwierige Weg in die Zukunft, Freiburg i.Ue. 1991, 299-348; Victor Conzemius, Die Schweizer Kirche und das II. Vatikanische Konzil, in: Klaus Wittstadt/Wim Verschooten (Hg.), Der Beitrag der deutschsprachigen und osteuropäischen Länder zum Zweiten Vatikanischen Konzil (Instrumenta Theologica 16), Leuven 1996, 87-108; Ulrich Gäbler, Schweiz, in: TRE [im Druck].

[2] Paul Schmid-Ammann, Der politische Katholizismus (Schriftenreihe der Nation 1), Bern 1945; Arthur Frey, Der Katholizismus im Angriff, Zollikon 1948. – Vgl. Urs Altermatt, Die

1947 gab den Ängsten neue Nahrung; denn sie galt als katholische Beschlagnah-
me einer geschichtlichen Gestalt der vorreformatorischen Tradition, die bis weit
in die Neuzeit herein beiderseits der konfessionellen Grenzen Verehrung erfahren hatte[3]. Die großen Feiern zu diesem Ereignis, welche in katholischen Kantonen stattfanden, bestätigten dieses Bild zusätzlich.

Die Stärke der katholischen Minderheit zeigte sich in erster Linie als Blüte des
kirchlichen Lebens[4]. Katholikentage, welche seit Beginn des Jahrhunderts auf kan-
tonaler, diözesaner und gesamtschweizerischer Ebene stattfanden, wirkten als ein-
drückliche Heerschauen. Von neuen pastoralen Initiativen wie der 1935 gegründeten „Schweizerischen Katholischen Bibelbewegung" gingen vielseitige Impulse
aus. Die Erneuerung im Gefolge der liturgischen Bewegung trug erste Früchte, indem diözesane Gesang- und Gebetbücher einer Überarbeitung unterzogen wurden.
Auch die Liturgie selbst erfuhr sanfte Veränderungen, etwa bei der Feier des Tri-
duum sacrum. Durchgehend gelang es, die Gläubigen intensiver zu mobilisieren,
als dies noch in der Kriegszeit der Fall gewesen war. Eine Stichprobenuntersu-
chung für das Bistum St. Gallen zeigt in den Jahren 1945 bis 1960 ein Ansteigen
der Kommunionhäufigkeit um rund ein Drittel, so daß am Ende des Dezenniums
die Quote bei 15 bis 20 Kommuniongängen pro Person und Jahr lag[5]. Regelmäßig
fanden Volksmissionen und Exerzitien für die verschiedenen Standesgruppen statt.
Die bedeutendste und am längsten nachwirkende kirchliche Aktivität betraf die
„Heidenmission" – angesichts der fehlenden kolonialen Vergangenheit in der
Schweiz ein politisch ungefährliches Feld. Unter dem Titel „Messis" wurde 1955
in elf Städten eine große Ausstellung der Schweizer Missionswerke gezeigt und
1960/61 folgte ein erstes „Missionsjahr der Schweizer Katholiken". Die begleiten-
de Geldsammlung zeitigte einen überwältigenden Erfolg. Sie wurde unter der Bezeichnung „Fastenopfer der Schweizer Katholiken" institutionalisiert und jährlich
wiederholt. Die Einrichtung hatte Bestand und ist heute neben der Caritas das bedeutendste landesweit tätige kirchliche Unternehmen der katholischen Schweiz[6].

Stimmungslage im politischen Katholizismus der Schweiz von 1945: „Wir lassen uns nicht
ausmanövrieren", in: Victor Conzemius u.a. (Hg.), Die Zeit nach 1945 als Thema kirchlicher
Zeitgeschichte, Göttingen 1988, 72-96.

[3] Urs Altermatt, Niklaus von Flüe als nationale Integrationsfigur. Metamorphosen der Bruder-
Klausen-Mythologie, in: ZSKG 81 (1987) 51-82.

[4] Zum Folgenden siehe: Urs Altermatt, Katholizismus und Moderne. Zur Sozial- und Menta-
litätsgeschichte der Schweizer Katholiken im 19. und 20. Jahrhundert, Zürich ²1991, 97-216;
ders., Schweizer Katholizismus zwischen den Weltkriegen 1920-1940 (Religion – Politik –
Gesellschaft in der Schweiz 8), Freiburg i.Ue. 1994; ders., Schweizer Katholizismus im Um-
bruch 1945-1990 (Religion – Politik – Gesellschaft in der Schweiz 7), Freiburg i.Ue. 1993;
Lukas Vischer u.a. (Hg.), Ökumenische Kirchengeschichte der Schweiz, Freiburg-Basel 1994,
278-296; Cornel Dora, Die Zeit des katholischen Milieus: Vom Ersten Weltkrieg bis zum
Zweiten Vatikanischen Konzil, in: Franz Xaver Bischof/Cornel Dora, Ortskirche unterwegs.
Das Bistum St. Gallen 1947-1997. Festschrift zum hundertfünfzigsten Jahr seines Bestehens,
St. Gallen 1997, 91-172; Franz Xaver Bischof, Das Bistum St. Gallen in der Zeit des Zweiten
Vatikanischen Konzils und der Synode 72, in: ebd. 173-223; Markus Ries, Die Schweiz, in:
Erwin Gatz (Hg.), Kirche und Katholizismus seit 1945, Bd. 1, Paderborn 1998, 333-356.

[5] Dora, Die Zeit (wie Anm. 4), 154.

[6] Urs Altermatt/Josef Widmer, Das Schweizerische Missionswesen im Wandel. Strukturelle und
mentalitätsmäßige Veränderungen im schweizerischen Missionswesen 1955-1962 (Schriften-

Die Prosperität des kirchlichen Lebens schlug sich in der Menge der geistlichen Berufungen nieder. Die Zahl der Priesterweihen und Professen hatte in den dreißiger Jahren Höhepunkte erreicht und war danach gesunken. Seit 1950 kam die Abwärtsbewegung zum Stillstand und wandte sich sogar für kurze Zeit noch einmal ins Gegenteil[7]. Dies kam unter anderem einem stark steigenden Bedarf entgegen, welcher durch die Vermehrung der Anzahl der Pfarreien verursacht war. In Städten und in ehemals evangelischen oder gemischten Gebieten wurden in rascher Folge neue Pfarreien gegründet; denn durch Bevölkerungswachstum, Zuwanderung und Diasporabildung war die Katholikenzahl stark angewachsen. Im gleichen Rhythmus mußten neue Kirchen erbaut werden. Besonders deutlich zeigte sich diese Entwicklung in den großen Städten. Hier liegt das Gründungsjahr der meisten der heute bestehenden Pfarreien zwischen 1920 und 1960: In Zürich bei 15 von 23 Pfarreien, in Basel bei 7 von 11 und in Luzern bei 6 von 8 Pfarreien[8].

Der vielseitigen Aufwärtsbewegung entsprach die politische und gesellschaftliche Gleichstellung der konservativen Katholiken in der Schweiz. Die beharrliche Aufbauarbeit im Organisationsgeflecht der Weltanschauungsgemeinschaft, die am Ende des 19. Jahrhunderts als Verliererin dagestanden hatte, bewirkte innere Geschlossenheit und ermöglichte nach dem Zweiten Weltkrieg die vollständige Integration in die bürgerliche Gesellschaft. Die Katholiken überwanden den Status von Bürgern zweiter Klasse, den sie während Jahrzehnten innegehabt hatten; ihr Aufstieg öffnete ihnen auch in der Diaspora und auf schweizerischer Ebene den Zugang zu Schlüsselstellungen und hohen Ämtern. Alte, über mehr als ein Jahrhundert offen gewesene Gräben wurden überwunden. In den traditionell reformiert, urban und industriell geprägten Kantonen Zürich, Bern und Basel erlangten die Katholiken für ihre Kirchgemeinden die rechtliche Gleichstellung mit der evangelischen Mehrheitskonfession. Ihre Pfarreien waren damit nicht länger auf den Status privater Vereine reduziert, sie wurden die Erblasten des Kultur-

---

reihe der Neuen Zeitschrift für Missionswissenschaft 32), Immensee 1988; Bischof, Das Bistum St. Gallen (wie Anm. 4), 180-184.

[7] Siehe: Erwin Gatz (Hg.), Priesterausbildungsstätten der deutschsprachigen Länder zwischen Aufklärung und Zweitem Vatikanischem Konzil (Römische Quartalschrift 49. Supplementheft), Rom-Freiburg i.Br. 1994; 279; Bischof, Das Bistum St. Gallen (wie Anm. 4), 202; Markus Ries, Priesterausbildung in Solothurn – ein gescheitertes Gemeinschaftsunternehmen von Staat und Kirche, in: Max Flückiger u.a. (Hg.), Solothurner Festgabe zum Schweizerischen Juristentag 1998, Solothurn 1998, 321-342; 341; Anton Kottmann, Die Schwestern des Klosters Gerlisberg im 20. Jahrhundert. Eine soziologische Untersuchung, in: HelFr 27 (1998) 91-117, besonders 92.96.

[8] Alois Steiner, Katholische Kirchgemeinde Luzern 1874-1974. Ein Beitrag zur Luzerner Geistesgeschichte, Luzern 1973; Guido Kolb (Hg.), 100 Jahre St. Peter und Paul. Jubiläumsschrift zur Hundertjahrfeier der St. Peter und Pauls-Kirche Zürich 1874-1974, Zürich 1974; Peter Meier u.a. (Red.), Licht und Schatten. 200 Jahre Römisch-Katholische Kirche Basel-Stadt, Basel 1998. – Zur kirchlichen Bautätigkeit: Heinz Horat, Der Kirchenbau in der Schweiz zwischen dem Ersten und dem Zweiten Vatikanischen Konzil, in: ZSKG 84 (1990) 95-107; Fabrizio Brentini, Bauen für die Kirche. Katholischer Kirchenbau des 20. Jahrhunderts in der Schweiz (Brückenschlag zwischen Kunst und Kirche 4), Luzern 1994; ders., Der katholische Kirchenbau des 20. Jahrhunderts im Bistum St. Gallen, in: Bischof/Dora, Ortskirche (wie Anm. 4), 243-281.

kampfes los und gewannen dank veränderter staatskirchenrechtlicher Voraussetzungen auch die Möglichkeit zur Erhebung von Kirchensteuern. Selbst das historisch belastete Thema der „konfessionellen Ausnahmeartikel", welche das
Wirken der Gesellschaft Jesu und die Gründung neuer Klöster generell untersag-
ten, konnten die Katholiken nun zur Diskussion stellen. Tatsächlich gelang es, einen politischen Prozeß in Gang zu setzen, an dessen Ende die Diskriminierung
überwunden war. Die Volksabstimmung, welche für die Verfassungsänderung
notwendig war, fand am 20. Mai 1973 statt und ging für die Katholiken günstig
aus, obwohl es noch immer Kantone mit ablehnenden Mehrheiten gab[9].

Aufschwung und Expansion betrafen das kirchliche Leben in Pfarreien und
Verbänden in weit stärkerem Maße als die institutionelle Ordnung. Seit dem 19.
Jahrhundert war die Schweiz kirchlich gegliedert in die fünf Bistümer Chur, Sitten, St. Gallen, Freiburg-Lausanne-Genf und Basel, hinzu kam die Apostolische
Administratur Lugano. Als Ergebnis langjähriger staatlicher Bemühungen und
schwerer Streitigkeiten deckten sich kirchliche und staatliche Grenzen. Der organisatorische Zusammenhalt jedoch war denkbar schwach ausgebildet: Die Bistümer waren allesamt immediat und damit nach kirchlichem Recht ohne ver-
bindliche Klammer. Zwar bestand seit 1863 die Schweizer Bischofskonferenz,
doch wies diese einen sehr niedrigen Organisationsgrad auf und war institutionell auf dem Niveau der Entstehungszeit stehengeblieben. Erst 1966 erhielt ihr
Sekretariat eine Vollzeitstelle und es wurden Fachkommissionen gegründet. Dadurch waren verstärkte Aktivitäten möglich: Die Bischofskonferenz begann,
selbst Leitungs- und Koordinationsaufgaben wahrzunehmen[10]. Trotz Schwächen
im Bereich der Führung hatte in den fünfziger Jahren die Kirche in der Schweiz
eine homogene Gestalt: Die angestammte gesellschaftliche Randstellung zwang
zum Schulterschluß, und die traditionell einheitliche Liturgie förderte die kultur-
und sprachübergreifende Zusammengehörigkeit.

II. Ein Unionskonzil?

Die Ankündigung eines ökumenischen Konzils Anfang 1959 traf die Schweizer
Bischöfe weitgehend unvorbereitet. Als ihnen die offizielle Einladung zuging, zur
bevorstehenden Kirchenversammlung „animadversiones, concilia et vota" vorzu-
bringen, löste dies Verwirrung aus[11]. Der päpstliche Nuntius Gustavo Testa lud

---

[9] Markus Hodel, Die konfessionellen Ausnahmegesetze in der innenpolitischen Diskussion nach
dem Ersten Weltkrieg, in: Altermatt, Schweizer Katholizismus 1920-1940 (wie Anm. 4), 279-295;
Dieter Kraus, Schweizerisches Staatskirchenrecht (Jus ecclesiasticum 45), Tübingen 1993, 142.

[10] Romeo Astorri, La conferenza Episcopale Svizzera. Analisi storica e canonica, Freiburg i.Ue.
1988; Urs Altermatt, Schweizerische Bischofskonferenz: die Wende von 1970, in: Alois Schifferle (Hg.), Miteinander. Für die vielfältige Einheit der Kirche (FS für Anton Hänggi) Basel-
Freiburg i.Br. -Wien 1992, 77-80.

[11] Philippe Chenaux, Les vota des évêques suisses, in: Mathijs Lamberigts/Claude Soetens (Hg.),
A la veille du Concile Vatican II. Vota et réactions en Europe et dans le catholicisme orienta-

bereits am 23. Juli 1959 die Schweizer Bischöfe dazu ein, ein gemeinsames Votum vorzulegen, und teilte mit, er werde dessen Ausarbeitung selbst koordinieren. Das Ansinnen stieß auf deutliche Reserven. Der langsame Arbeitsrhythmus der Bischofskonferenz und Meinungsverschiedenheiten führten dazu, daß das Geschäft erst nach neun Monaten auf die Tagesordnung kam. Man faßte eine gemeinsame Eingabe ins Auge, welcher jedoch ein Entwurf des Churer Bischofs Christian Caminada zugrunde liegen sollte. Eine schriftliche Konsultation ergab allerdings so stark abweichende Stellungnahmen, daß ein gemeinsames Votum dann doch nicht zustande kam. Die Bischöfe unterbreiteten ihre Eingaben einzeln, und sie taten dies mit großer Verspätung.

Die Schweizer Voten[12] berücksichtigten die pastorale Situation des Landes nur am Rande. Weit mehr Gewicht erhielten dogmatische Themen wie das Bischofsamt oder die Liturgiereform sowie Fragen der Kirchendisziplin etwa zu den Problemen: Index der verbotenen Bücher, Fastengebote, Breviergebet, liturgischer Kalender, kirchliche Zensurverfahren. Erstaunlich wenig Aufmerksamkeit galt dem Verhältnis zu den evangelischen Kirchen. Die Bischöfe Franz von Streng von Basel und Joseph Hasler von St. Gallen sowie auch Nuntius Pacini, der ein eigenes Votum vorlegte, vermieden es, sich zum Thema zu äußern; Bischof François Charrière von Lausanne-Genf-Freiburg schlug Religionsgespräche vor, und Bischof Nestor Adam von Sitten erklärte in bemerkenswerter Offenheit die Rückführung aller Christgläubigen in den Schoß der Mutter Kirche zum Ziel. Einzig Bischof Christian Caminada von Chur und sein Weihbischof Johannes Vonderach setzten sich vertieft mit dem Thema auseinander und forderten einen verstärkten Dialog, der auch die Religionsgrenzen überschreiten und die Juden einbeziehen müsse. Das Hauptkennzeichen der Schweizer Eingaben war die große Bandbreite: Auf der einen Seite des Spektrums stand Abt Raymund Tschudy von Einsiedeln. Er orientierte sich am Programm des „aggiornamento" und nahm einzelne Themen des Konzils bereits vorweg. So rief er dazu auf, keine neuen Dogmen zu promulgieren, insbesondere keine neuen marianischen Dogmen; denn solche müßten das zwischenkonfessionelle Gespräch belasten. Statt dessen forderte er eine Weiterentwicklung der Lehre über die Kirche im Sinne einer „Dezentralisation". Das Extrem auf der anderen Seite bildete der Sittener Bischof. Er verlangte einen deutlichen Stellungsbezug – „ut, sub forma Syllabi omnens recentiores errores, et speciatim naturalismus, damnentur, qui animis tremenda damna afferunt." So sollten auch die Heilsnotwendigkeit der Taufe neu eingeschärft und modernistische Lehren verurteilt werden.

In den Konzilseingaben fand der Umstand, daß die konfessionelle Disparität der Schweiz sich noch immer zum Nachteil der Katholiken auswirkte, keinen Niederschlag, und auch die Anfänge der ökumenischen Bewegung wurden nicht

---

le, Leuven 1992, 111-118.200-213; Conzemius, Die Schweizer Kirche (wie Anm. 1), 102-107; Etienne Fouilloux, Die vorbereitende Phase (1959-1960). Der langsame Gang aus der Unbeweglichkeit, in: Giuseppe Alberigo/Klaus Wittstadt, Geschichte des Zweiten Vatikanischen Konzils (1959-1965), Mainz-Leuven 1997, 61-187.

12 ADCOV I, II/2 19-59. – Frau Assistentin Dipl. theol. Brigitte Glur-Schüpfer und Frau Dipl. theol. Edith Zingg danke ich für die Unterstützung bei der Quellenerhebung für diesen und den folgenden Abschnitt.

erwähnt. Anders verhielt es sich in dieser Beziehung mit Beiträgen von Fach-
theologen. Die Theologische Fakultät der Universität Freiburg, die als einzige
wissenschaftliche Institution in der Schweiz ein Votum einbrachte[13], nahm ausführlich Stellung zur Notwendigkeit des ökumenischen Gespräches. Sie äußerte
sich auch zum Antisemitismus und verlangte eine Revision der Aussagen über
das „verworfene" Volk Israel, die in der katholischen Verkündigung noch immer
ihren Platz behaupteten[14]. Gefordert war ein zeitgerecht formuliertes Glaubens-
bekenntnis „für das Volk" sowie die Promulgation eines neuen Dogmas mit dem
Inhalt, Jesus Christus sei bereits zu Lebzeiten die visio beatifica zuteil geworden. Einen neuen Glaubenssatz schlug auch der Abt von St.-Maurice vor – unterstützt vom Propst des Großen St. Bernhards und vom Generaloberen der Mis-
sionsgesellschaft Immensee, die beide nicht der Bischofskonferenz angehörten:
Sie wünschten die Verkündigung der Lehre „Maria mediatrix omnium gratia-
rum".

Eine andere theologische Inspiration ging ebenfalls von der Westschweiz aus.
Ihr Urheber war Charles Journet (1891-1974), Professor für Dogmatik am Priesterseminar in Freiburg und Hauptvertreter des Neuthomismus im französischsprachigen Bereich. Er war Herausgeber der Zeitschrift „Nova et Vetera", welche
er 1926 zusammen mit dem späteren Bischof und Konzilsteilnehmer François
Charrière gegründet hatte, sowie Verfasser eines großen dreibändigen Werkes
über „L'Église du Verbe Incarné" (1941-1969). Darin legte er eine eigene chri-
stozentrische Ekklesiologie vor. Obwohl diese sich in den Konzilstexten nicht unmittelbar niederschlug, erreichte Journet mit seiner Arbeit einen nachhaltigen
Einfluß. Er gehörte der theologischen Vorbereitungskommission an und war auf
dem Konzil selbst als Peritus tätig. Am 22. Februar 1965 kreierte ihn Paul VI.
zum Kardinal, so daß er an der vierten Session mit vollem Stimm- und Rederecht
teilnehmen konnte[15]. Zur Ekklesiologie äußerte sich im Hinblick auf das Konzil
aus den Reihen der Schweizer Theologen auch Hans Küng, damals – im Alter
von 32 Jahren – neu auf den Lehrstuhl für Fundamentaltheologie nach Tübingen
berufen. Sein Hauptanliegen war die Ökumene; er publizierte dazu 1960 die
Schrift „Konzil und Wiedervereinigung", für die Kardinal Franz König von Wien

---

[13] Ebd. IV/2 775-789.

[14] Solche Aussagen blieben bis Ende der fünfziger Jahre auch in den Religionslehrbüchern enthalten. Siehe: Stephan Leimgruber, Ethikunterricht an den katholischen Gymnasien und Leh-
rerseminarien der Schweiz. Analyse der Religionsbücher seit Mitte des 19. Jahrhunderts (Prak-
tische Theologie im Dialog 3), Freiburg i.Ue. 1989, 448-464; ders., Von der Verketzerung zum
Dialog. Darstellung und Behandlung der Juden im christlichen Religionsunterricht, in: ZKTh
112 (1990), 288-303; Markus Ries, Katholischer Antisemitismus in der Schweiz, in: Aram
Mattioli (Hg.), Antisemitismus in der Schweiz 1848-1960, Zürich 1998, 45-57.

[15] Pierre-Marie Emonet, Le cardinal Journet. Portrait intérieur, Chambray-lès-Tours 1983; Jean-
Pierre Torrell, Paul VI. et le cardinal Journet. Aux sourdes d'une ecclésiologie, in: Nova et
Vetera 61 (1986) 161-174; Georges Cottier, Charles Journet (1891-1975). Théologien de l'Eglise du Verbe Incarné, in: Stephan Leimgruber/Max Schoch (Hg.), Gegen die Gottvergessenheit. Schweizer Theologen im 19. und 20. Jahrhundert, Basel-Freiburg i.Br.-Wien 1990, 410-
419; Philippe Chenaux (Hg.), Charles Journet (1891-1975). Un théologien et son siècle. Actes
du colloque de Genève 1991, Fribourg 1992; ders., La renaissance thomiste en Suisse roman-
de dans les années 1920, in: Urs Altermatt (Hg.), Schweizer Katholizismus 1920-1940 (wie
Anm. 4), 27-44.

das Vorwort beisteuerte[16]. Das Programm sah eine Kirchenreform vor, welche der Wiedervereinigung der christlichen Konfessionen den Weg bereiten sollte. Als Elemente dieser Reform nannte Küng die Meßliturgie, das Stundengebet, die Zulassung Verheirateter zur Diakonatsweihe, das kirchliche Strafrecht, die Dezentralisation der Kirche nach dem Subsidiaritätsprinzip, die Einschränkung der Bücherzensur, die Reform oder die Abschaffung des Index, die Gewährung des Laienkelchs und die Anerkennung einer katholischen Mitschuld an der Kirchenspaltung des 16. Jahrhunderts. Die Einheit wäre sodann herzustellen in den drei Schritten „Annäherung", „Zusammengehen" und „vollkommene Einheit". Das Buch fand großen Zuspruch und verschaffte dem Autor breite Anerkennung: Innerhalb von nur vier Jahren erlebte es sieben Auflagen und wurde in neun Sprachen übersetzt. In der Schweiz kamen Hoffnungen auf, die kommende Kirchenversammlung werde als Unionskonzil in die Geschichte eingehen. Hans Küng verfolgte das Thema weiter und publizierte dazu neue Beiträge. In Tübingen wurde er Direktor des Institutes für Ökumenische Theologie und auf dem Konzil wirkte er seit 1963 als Peritus.

In den Zusammenhang ökumenischer Bemühungen gehörte ein weiterer Schweizer Beitrag zur Konzilsvorbereitung. Er stammte von Otto Karrer (1888-1976), einem aus dem Schwarzwald gebürtigen Geistlichen. Ursprünglich Mitglied der Gesellschaft Jesu, war er 1923 zur lutherischen Kirche übergetreten, jedoch nur für wenig Monate dort geblieben und dann zum Katholizismus zurückgekehrt. Die kurzzeitige Konversion kostete ihn Stellung und Ansehen. Als Ex-Jesuit lebte er seit 1924 im Kanton Luzern, kirchlich aufgrund seines Werdeganges an den Rand gedrängt und jahrelang ohne sicheres Auskommen[17]. Die Hilfe von Freunden machte ihm ein Wirken als Hilfsseelsorger möglich. Literarisch und theologisch hoch begabt, publizierte Karrer zahlreiche Schriften zur christlichen Spiritualität, zur Bibeltheologie und zur Mystik. Er war Mitinspirator der ersten ökumenischen Gesprächskreise, die in der deutschsprachigen Schweiz nach dem Zweiten Weltkrieg entstanden. Im Hinblick auf das Konzil verfaßte er bereits im Mai 1959 ein Memorandum als „Ruf in die Einheit"[18]. Auch Karrer schlug vor, auf neue Dogmen zu verzichten und wünschte, daß die Beschlüsse des Ersten Vatikanums gesamtkirchlich im Sinne der gemeinsamen Erklärung der deutschen Bischöfe von Anfang 1875 interpretiert würden. Zu seinem Programm gehörte die Stärkung der Ortskirchen und die Vertiefung des ökumenischen Dialoges. Karrer hatte die Absicht, das Memorandum über den mit ihm befreundeten Konrad Adenauer und den diplomatischen Weg nach Rom zu leiten. Wegen der enthaltenen Vorschläge erhob jedoch der geistliche Berater des Bundeskanzlers Bedenken. Karrer mußte sich damit begnügen, die Denk-

---

16 Hans Küng, Konzil und Wiedervereinigung. Erneuerung als Ruf in die Einheit, Wien-Freiburg i.Br.-Basel 1960.

17 Liselotte Höfer, Otto Karrer 1888-1976. Kämpfen und Leiden für eine weltoffene Kirche, Freiburg i.Br.-Basel-Wien 1985; Victor Conzemius, Otto Karrer (1888-1976). Theologe des Aggiornamento, in: Leimgruber/Schoch, Gegen die Gottvergessenheit (wie Anm. 15), 576-590; Maria Brun, Die römisch-katholische Kirche angesichts der ökumenischen Bewegung, in: Altermatt, Schweizer Katholizismus 1945-1990 (wie Anm. 4), 289-306.

18 Gedruckt: Höfer, Otto Karrer (wie Anm. 17), 394-400.

schrift einigen ausgewählten Persönlichkeiten zuzuleiten; zu ihnen gehörten die Kardinäle Julius Döpfner, Lorenz Jaeger, Joseph Wendel und Giovanni Baptista Montini, der Bischof von Lausanne-Genf-Freiburg, François Charrière, sowie die Theologen Josef Höfer, Jan Willebrands, Yves Congar, Hermann Volk, Johannes Feiner, Hans Urs von Balthasar und Hans Küng. Das Konzil selbst erlebte Karrer dann aus der Nähe, allerdings ohne kirchenamtliche Funktion: Während der Sessionen weilte er jeweils für zwei bis vier Wochen in Rom, um für die in Freiburg in der Schweiz ansässige „Katholische Internationale Presseagentur" Berichte und Kommentare zu schreiben. In zahlreichen Vorträgen und Aufsätzen rückte er das ökumenische Anliegen ins Licht, mußte aber immer wieder in Erinnerung rufen, daß die Versammlung nicht als Unionskonzil gedacht war.

Wie bei Bischöfen und Theologen, so weckte die Konzilsankündigung auch in den Reihen der Gläubigen hochgespannte Erwartungen. Vortragsveranstaltungen erlebten großen Zulauf, vorab solche, die das Verhältnis der Konfessionen zum Thema hatten. Kardinal Augustin Bea, der im Januar 1961 zum ersten Sekretär des von ihm mitinspirierten „Sekretariats für die Einheit der Christen" berufen worden war, hielt sich im Herbst 1961 zu Vorträgen in den Städten Bern und Basel auf; dabei fanden sich in großer Zahl reformierte Zuhörende ein[19]. Auch Laien publizierten Stellungnahmen zum bevorstehenden Konzil. Großes Echo wurde einer Denkschrift der Zürcher Juristin Gertrud Heinzelmann (1914-1999) zuteil. Die Autorin war Präsidentin des Zürcher Frauenstimmrechtsvereins, welcher für die politische Gleichstellung der Frauen eintrat. Am 1. Februar 1959 erlitt die Bewegung einen schweren Rückschlag, weil die Schweizer Männer eine Änderung der Bundesverfassung zur Einführung des gleichen Stimm- und Wahlrechtes im Verhältnis von zwei zu eins ablehnten. In der Folge machten die politisch aktiven Frauen mit zusätzlicher Energie auf sich aufmerksam[20]. Heinzelmann wandte sich Ende Mai 1962 mit einem Memorandum direkt an die Vorbereitungskommission des Konzils. Weit ausholend setzte sie sich mit der traditionellen Minderbewertung der Frau im kirchlichen Alltag auseinander. Sie erklärte diese mit den scholastischen Wurzeln des theologischen Denkens und formulierte eine detaillierte Widerlegung. Ihre Eingabe mündete in der Forderung, die Frauen seien zu den Weiheämtern zuzulassen. Die Argumentation folgte noch nicht den Wegen späterer feministischer Theologie, sondern hielt sich streng an liturgische Texte, an die Theologische Summe des Thomas von Aquin sowie an Canones und kirchliche Vorschriften[21]. In und außerhalb der Schweiz zog der Vorstoß die Aufmerksamkeit mehrerer Zeitungen auf sich. Er führte zu widersprüchlichen Reaktionen – besonders die katholische Presse wies die Forderung entschieden zurück.

---

[19] Ebd. 291-297.

[20] Yvonne Voegeli, Zwischen Hausrat und Rathaus. Auseinandersetzungen um die politische Gleichberechtigung der Frauen in der Schweiz 1945-1971, Zürich 1997.

III. Bescheidener Schweizer Beitrag

Die Arbeit der Schweizer Bischöfe in den vier Konzilssessionen fügte sich unauffällig ins Ganze; es gab keine Beiträge, welche spezifische Erfahrungen der Kirche in diesem Land oder auch die Diskussionen der Vorbereitungszeit zur Sprache brachten. Solche Unauffälligkeit war auch eine Folge der organisatorischen Rahmenbedingungen. Mehrere Bischöfe – unter ihnen jene von Basel und von St. Gallen – verzichteten darauf, in Rom eigene Sekretäre oder theologische Berater beizuziehen. Statt dessen wechselten sie ihre Begleitung im Rhythmus von etwa zwei Wochen, um damit verdienten Geistlichen Gelegenheit zum Besuch der Kirchenversammlung zu verschaffen. Hinzu kam, daß die Schweizer im Gegensatz zu anderen keine vertiefte Zusammenarbeit im nationalen Rahmen pflegten, sondern vorab mit den Bischöfen der jeweils eigenen Sprachgruppe in Verbindung standen[22]. In der zentralen Vorbereitungskommission waren sie mit dem Tessiner Administrator Angelo Jelmini vertreten, außerdem hatte dort Benno Gut Einsitz, der Abtprimas der Benediktiner, welcher ebenfalls aus der Schweiz stammte. Abt Louis-Severin Haller von St.-Maurice, Titularbischof von Bethlehem, wirkte als Konsultor in der Religiosenkommission und der Sittener Bischof Nestor Adam in der Studienkommission. Auf dem Konzil selbst war Bischof Franz von Streng von Basel Mitglied der Sakramentenkommission. Von den Diözesanbischöfen ergriffen Jelmini als Dekan der Bischofskonferenz und von Streng von Basel in Generalkongregationen das Wort. Der erste sprach am 3. Oktober 1963 zum ersten Kapitel des Kirchenschemas über die Präsenz Christi[23] und am 20. November 1963 zur Ökumene[24], der zweite äußerte sich am 23. Oktober 1964 zum Schutz des ungeborenen Lebens[25]. Von Strengs Name figurierte am 30. September 1965 noch ein weiteres Mal auf der Rednerliste, doch er hielt sich an diesem Tag nicht in Rom auf und mußte sein Votum stellvertretend durch Bischof Johann Baptist Przyklenk von Januaria (Brasilien) verlesen lassen[26]. Auf der vierten Session trat der am 22. Februar 1965 zum Kardinal erhobene Charles Journet drei Mal ans Rednerpult; er sprach zur Religionsfreiheit,

---

[21] Gertrud Heinzelmann, Frau und Konzil – Hoffnung und Erwartung. Eingabe an die Hohe Vorbereitende Kommission des II. Vatikanischen Konzils über Wertung und Stellung der Frau in der römisch-katholischen Kirche, in: dies. (Hg.), Wir schweigen nicht länger! We Won't Keep Silence Any Longer!, Zürich o.J., 20-44. – Vgl. dies., Die geheiligte Diskriminierung. Beiträge zum kirchlichen Feminismus, Bonstetten 1986, 90-142; Anne Jensen, Die Kirche, die Frauen und die Demokratie, in: Maximilian Liebmann (Hg.), Kirche in der Demokratie – Demokratie in der Kirche (Theologie im kulturellen Dialog 1), Graz-Wien-Köln 1997, 99-114, besonders 102f; Judith Stofer, Eine Frau stellt sich quer. Gertrud Heinzelmann fordert das Priesteramt für Frauen, in: Doris Brodbeck u.a. (Hg.), Siehe, ich schaffe Neues. Aufbrüche von Frauen in Protestantismus, Katholizismus, Christkatholizismus und Judentum, Bern 1998, 104-120.
[22] Conzemius, Die Schweizer Kirche (wie Anm. 1), 87.
[23] ASCOV II,2 50f.
[24] Ebd. II,5 600-602.
[25] Ebd. III,5 370-374.
[26] Ebd. IV,3 90-93.

zur Mission und zur Unauflöslichkeit der Ehe. Die letztgenannte Konzilsrede, gehalten am 30. September 1965, war eine Antwort auf eine tags zuvor vorgetragene Stellungnahme des melchitischen Bischofs Zoghby. Dieser sprach sich zugunsten von schuldlos geschiedenen Menschen für eine Behandlung nach der Praxis der Ostkirchen aus. Journet, der auf direkte Veranlassung des Papstes an die erste Stelle der Rednerliste gesetzt wurde, replizierte mit neutestamentlichen Argumenten und mit dem Hinweis, die Ordnung der orthodoxen Kirchen sei als Zugeständnis an die zivile Gesetzgebung zustande gekommen[27]. 39 Äußerungen von Schweizer Bischöfen nahm das Konzil als schriftliche Beiträge entgegen; davon waren neun als gemeinsame Stellungnahmen verfaßt[28]. Das Hauptinteresse galt der Kirchenkonstitution mit neun Eingaben; es folgten die Pastoralkonstitution *Gaudium et spes* und das Dekret über die Bischöfe mit je sieben sowie das Dekret über den Ökumenismus mit vier schriftlichen Wortmeldungen.

Neben der Arbeit der Bischöfe fiel vor allem der Einfluß der Schweizer Konzilstheologen ins Gewicht. Ihre Zahl schwankte zwischen fünf und zehn[29], von denen am häufigsten Hans Küng ins Rampenlicht trat. Am Ende der ersten Konzilssession zum Peritus ernannt, hielt er in Rom vor Bischöfen und Presseleuten zahlreiche Referate zum Programm des Konzils, zur Liturgiereform, zur Ökumene und zum päpstlichem Primat. Durch die Veröffentlichung dieser Vorträge sowie durch Kommentare in deutschsprachigen Tageszeitungen wurde den Stellungnahmen große Publizität zuteil[30]. Beachtung fand auch die Arbeit des Walliser Dominikaners Henri de Riedmatten, welcher später als Diplomat den Heiligen Stuhl bei der UNO vertreten und die Kommission zur Vorbereitung der Enzyklika *Humanae Vitae* leiten sollte. Riedmatten wirkte mit an der Ausarbeitung des Kirchenschemas; er war Relator einer Subkommission, die sich mit den Kapiteln über die Laien befaßte und die auch eine Arbeitssitzung in Zürich hielt (1. und 2. Februar 1964). Der Freiburger Liturgiewissenschaftler und spätere Basler Bischof Anton Hänggi (1917-1994) wirkte mit in der Liturgiekommission; der Dogmatiker Johannes Feiner (1909-1985) war seit 1960 Konsultor des Einheitssekretariates und wurde für drei Konzilstexte als Berater beigezogen (Unitatis redintegratio, Nostra aetate und Dignitatis humanae). Georges Cottier (*1922) war Privattheologe des Bischofs von Aix-en-Provence und danach in der vierten Session Begleiter von Kardinal Journet. Schließlich fanden sich Schweizer in der Gruppe der nicht-katholischen Konzilsbeobachter („observatores"), welche im späteren zwischenkonfessionellen Rezeptionsprozeß eine bedeutende Rolle spielen sollten, unter ihnen Lukas Vischer (*1926) vom Ökumenischen Rat der Kirchen, der Exeget Oscar Cullmann von der Theologischen Fakultät Basel und Frère Roger Schutz (*1915) von der Gemeinschaft in Taizé.

---

[27] Ebd. IV/3 58-60. – Conzemius, Die Schweizer Kirche (wie Anm. 1), 99; – Jean-Pierre Torrell, Présence de Journet à Vatican II, in: Chenaux, Charles Journet (wie Anm. 15), 52f.

[28] ASCOV II,3 566, II,4 353-355, II,5 174.346.391, II,6 142-144. 400, III, 2 848f, III,6 652f.

[29] Zu ihnen gehörten: Martin Maria Cottier OP, Henri de Riedmatten OP, Karl Egger CRL, Hans Küng, Paul Pfister SJ, Karl Euw und Johannes Feiner.

[30] Vgl. Hermann Häring/Karl-Josef Kuschel (Hg.), Hans Küng. Weg und Werk. Chronik, Essays, Bibliographie, München ²1981.

IV. Vertiefung der inneren Vielfalt

Die Begeisterung für kirchliche Erneuerung blieb in der Schweiz über den Abschluß des Konzils hinaus lebendig. Die Bischöfe suchten sie unter Kontrolle zu halten und den Bestrebungen die Richtung zu weisen[31]. Für die Liturgiereform konnten sie an Prozesse anknüpfen, die schon in den fünfziger Jahren eingesetzt hatten. Aus diesem Grund nahm die Einführung der neuen liturgischen Ordnung vergleichsweise wenig Zeit in Anspruch, und die Veränderungen waren bald auch äußerlich wahrnehmbar. Sie zeigten sich im Übergang zur Volkssprache, in der Zelebration versus populum, in der Einführung der Handkommunion und in der Zulassung von Abendmessen. 1966 erschien für die deutschsprachige Schweiz ein neues, überdiözesanes Gesangbuch[32]. In einer zweiten Phase zog die Reform weitere Kreise: In der Liturgie übernahmen Laien eigenständige Dienste, zunächst ehrenamtlich als Lektoren, Kommunionhelferinnen und Mitwirkende in Liturgie-Vorbereitungsgruppen, später auch mit erweiterter Verantwortung im hauptamtlichen pastoralen Dienst. Mit der Ausrichtung auf besondere Gruppen und Anlässe entstanden neue Gottesdienstformen, während andere mit zum Teil langer Tradition rasch verschwanden. Das Latein verlor seine Stellung als Gottesdienstsprache, und feierliche Hochämter, Bittgänge und eucharistische Andachten büßten ihre angestammten Plätze ein. An die Stelle der Fronleichnamsprozessionen traten in den meisten Pfarreien stationäre Gottesdienste unter freiem Himmel. Beispielhaft zeigt sich der Mechanismus von Erneuern und Verdrängen im Bereich der Bußpraxis[33]. Im Zusammenhang mit Diözesansynoden, die zur Vertiefung des Konzils nach 1972 stattfanden, wurden vielfältige Klagen über die geltende Bußdisziplin laut. Die Bischöfe suchten den Anliegen Rechnung zu tragen. Sie interpretierten den römischen Ordo poenitentiae von 1973 sehr großzügig und stellten es faktisch den Pfarrern anheim, Bußfeiern mit sakramentaler Generalabsolution einzuführen (1974). Von der gebotenen Möglichkeit machten nahezu alle Pfarreien der deutschsprachigen Schweiz Gebrauch. Auf diese Weise etablierte sich die gemeinschaftliche Bußfeier als neue liturgische Form. Sie erfreute sich großer Beliebtheit, so daß sie vor Feiertagen jeweils mehrfach gehalten werden mußte. Zugleich erwuchs daraus der Beichte eine harte Konkurrenz. Die Frequenzen brachen ein, und als Normalform traten gemeinschaftliche Bußfeiern an ihre Stelle. Erst 1989 versuchten die Bischöfe, dieser Tendenz mit neuen Weisungen entgegenzuwirken, blieben damit aber ohne Erfolg.

Die Erneuerung der Liturgie veränderte auch das äußere Erscheinungsbild der Kirche. Unmittelbar faßbar ist es in der Sakralarchitektur. In der Schweiz hatte sie in den zwanziger Jahren im Zuge eines allgemeinen kulturellen Aufbruchs zum „Neuen Bauen" gefunden und sich zeitgenössischen Stilrichtungen geöffnet.

---

31 Siehe: Bischof, Das Bistum St. Gallen (wie Anm. 4), 190-208.

32 Paul Schwaller, 40 Jahre Gesangbuchgeschichte. 30 Jahre KGB. Chronologischer Gesamtbericht 1996 (Mskr. Zentralbibliothek Luzern. Rb 9183).

33 Siehe: Jakob Baumgartner, Zur Frage der Generalabsolution, in: ThPQ 138 (1990) 108-119, 237-245.

Seit 1960 waren Bauformen und Grundrisse zunehmend der Neuausrichtung in Ekklesiologie und Liturgie verpflichtet: Sakrale Räume mußten gewandelten Ansprüchen genügen und etwa die Einheit des Volkes Gottes sichtbar machen, die tätige Teilnahme ermöglichen, die gegenseitige Zuordnung von Wortverkündigung und Eucharistie darstellen oder die Integration der Kirchenmusik in die liturgische Handlung fördern. Zugleich erhielten die Kunstschaffenden bei der Ausgestaltung größere Handlungsspielräume. Diese Faktoren schlugen sich nieder in runden oder halbrunden Grundrissen, in der Gestaltung von Chorräumen, in Lichtführung, Materialverwendung und Farbgebung. Mitunter wurden Kirchen als multifunktionale Gebäude konzipiert, die neben der Liturgie auch anderen Zwecken des Pfarreilebens dienten[34].

Als zweiten Bereich der Erneuerung neben der Liturgie nahmen die Bischöfe die Reform kirchlicher Leitungstätigkeit im Sinne einer Verstärkung der Partizipation in die Hand. Als Beratungsorgane riefen sie Priester- und Seelsorgeräte ins Leben, und in den Ordinariaten schufen sie als neue Ämter die im Dekret *Christus Dominus* vorgesehenen Bischofsvikariate. Die Idee der Partizipation übertrugen sie auch auf die Ebene der Pfarreien, wo aufgrund nachhaltiger Förderung seitens der Ordinariate Pfarreiräte ihre Arbeit aufnahmen. Der Prozeß kam mit sehr unterschiedlicher Geschwindigkeit voran; Mitte der siebziger Jahre verfügte erst etwa die Hälfte der Schweizer Pfarreien über eine solche Institution. Während sie in städtischen und gemischtkonfessionellen Gebieten meist leicht zu realisieren waren, erwies sich dies auf dem Land und in traditionell katholischen Orten zunächst als schwierig[35]. Die Pfarreiräte wandelten sich rasch von Beratungsorganen zu Seelsorgehelfergruppen und traten in jene Funktion ein, welche einst den zahlreichen Pfarreivereinen zugekommen war. Eine Ergänzung bilden Fach- und Stabskommissionen, etwa das 1968 entstandene „Schweizerische Pastoralsoziologische Institut" in St. Gallen oder die nationale Kommission „Iustitia et Pax" (1973), die sich dem Studium sozialethischer und politischer Fragen widmet. Die wachsende Dichte von Organisationen und neuen Gremien stärkte insgesamt noch einmal den Zukunftsoptimismus, so daß im Rückblick die Zeit als eine Phase der „Räte-Euphorie" gilt.

Im Zeichen der Laienbeteiligung nahmen die Bischöfe die formale Umsetzung der Konzilsbeschlüsse an die Hand. Als erster kündigte 1966 der Bischof von Chur eine Diözesansynode an. Die Bischofskonferenz nahm die Anregung auf und beschloß drei Jahre später, in allen Bistümern gleichzeitig solche Versammlungen durchzuführen. Für die Organisation wählte man eine Mischung zwischen National- und Diözesansynode: Die Synoden der einzelnen Bistümer waren rechtlich eigenständig, fanden aber nach gemeinsamer Vorbereitung und zeitgleich statt. Darüber hinaus gab es gesamtschweizerische Delegiertenversammlungen, welche die Ergebnisse übergeordnet zusammenfaßten. Zur Vorbereitung und zur Festlegung der Beratungsthemen wurde bei allen Gläubigen eine Umfrage durchgeführt. Sie fand ein außerordentlich großes Echo – innerhalb dreier Monate gingen 154'000 Antworten und 10'000 Briefe ein. An den Syn-

---

[34] Vgl. Anm. 8.
[35] Ries, Die Schweiz (wie Anm. 4), 347.

oden nahmen erstmals auch Laien mit vollem Rede- und Stimmrecht teil, was angesichts des damaligen kanonischen Rechtes eine besondere römische Dispens erforderte. Nach dreijähriger Vorbereitungszeit fanden die Versammlungen – als „Synode 72" bezeichnet – von Herbst 1972 bis Anfang Advent 1975 in allen Schweizer Bistümern statt, hinzu kamen sechs Zusammenkünfte auf Landesebene. Vorab bei den Beteiligten hinterließen sie bleibenden Eindruck. Dieser war nur mittelbar ein Ergebnis der gefaßten Beschlüsse; denn sie sanktionierten weithin Entwicklungen, die ohnehin schon in Gang gekommen waren. Bedeutsamer war das Erlebnis von Gemeinschaft und Dialog, von neuen Gottesdienstformen und von direkter Beteiligung der Gläubigen an der Gestaltung des kirchlichen Lebens[36].

Im Zusammenhang mit der Synode 72 wurde den Beteiligten bewußt, daß die Kirche in einem tiefgreifenden Wandlungsprozeß stand. Die oft äußerst komplizierten und hindernisreichen Abstimmungen auf überdiözesaner Ebene zeigten, daß die frühere weltanschauliche Geschlossenheit nicht mehr gegeben war. An ihre Stelle waren kulturelle, soziale, politische und auch religiöse Vielfalt getreten. Signale für eine Pluralisierung hatte es schon unmittelbar nach dem Konzil gegeben. Für den Übergang von der geschlossenen zur vielfältigen katholischen Gesellschaft stehen als prägende Ereignisse auf der einen Seite die Diskussion um Rolf Hochhuts Bühnenstück „Der Stellvertreter" im Jahr 1963, auf der anderen Seite die Erregung nach der Publikation der Enzyklika *Humanae vitae* im Sommer 1968. Das erste führte auch unter den Schweizer Katholiken noch einmal zu einer Solidarisierung und zur geschlossenen Abwehr gegen den Angriff auf Pius XII., den man als Affront gegen sich selbst empfand. Aktivisten gingen für die katholische Sache auf die Straße und protestierten wütend gegen Verunglimpfung und Zurücksetzung. Anders lagen die Verhältnisse fünf Jahre später: Das päpstliche Lehrschreiben zum menschlichen Leben provozierte gegensätzliche Reaktionen. Auch Exponenten des kirchlichen Lebens, ja sogar Geistliche, widersprachen dem Papst in aller Offenheit und bewirkten, daß die Bischöfe nach einer ausgleichenden Erklärung suchen mußten. Das Ereignis ließ erstmals die beginnende Pluralisierung im Schweizer Katholizismus offen ans Tageslicht treten.

Unterschiede und wachsende Vielfalt gewannen rasch an Konturen. Die Liturgiereform setzte ein weiteres Signal. Schon in den ersten Jahren ihrer Verwirklichung verschafften sich Gruppen Gehör, welche die Erneuerung ablehnten. Gewichtigste Steine des Anstoßes waren das Verschwinden des Lateins aus der heiligen Messe und die Einführung der Handkommunion, welche als Profanierung empfunden wurde. Der Widerspruch führte zum Widerstand und gab sich bald einen organisatorischen Rahmen. In seinen Reihen standen auch einige Wortführer der katholischen Laien aus früheren Jahrzehnten, so der Freiburger

---

36 Bischof, Das Bistum St. Gallen (wie Anm. 4), 209-217; Elisabeth Hangartner-Everts, Synode 72. Vom II. Vatikanischen Konzil zur Vorbereitung und rechtlichen Ausgestaltung der Synode 72, Luzern 1978; Georges Bavaud, L'expérience du Synode 72, in: Altermatt, Schweizer Katholizismus 1945-1990 (wie Anm. 4), 307-323; Anne-Marie Höchli/Zen Ruffinen, Lieber Herr Bischof. Erinnerungen an die Synode '72, in: Schifferle, Miteinander (wie Anm. 10), 343-348.

Geschichtsprofessor Gonzague de Reynold (1880-1970)[37]. Symbolträchtig rief er mit einigen Getreuen am 9. Dezember 1965 – am Tag nach dem feierlichen Abschluß des Konzils – die Vereinigung „una voce helvetica" ins Leben, welche sich den Kampf gegen die liturgische Erneuerung zur Aufgabe machte. In der Gruppe engagierten sich zahlreiche Männer aus gehobenen gesellschaftlichen Positionen: Ärzte, Bankiers, Rechtsanwälte und Lehrer. Ihre Entsprechung fand die Oppositionsbewegung im Kreis um den früheren Missionsbischof Marcel Lefebvre (1905-1991), der im Walliser Dorf Ecône ein Zentrum gegen die kirchliche Erneuerung einrichtete. Seine Verweigerung gegenüber dem Konzil war entschlossen und konsequent – er trieb sie bis ins offene Schisma im Jahr 1988[38].

Den beiden als Beispiel angeführten oppositionellen Bewegungen ist gemeinsam, daß sie ihre hauptsächliche Verankerung in der französischsprachigen Schweiz, näherhin in den Kantonen Wallis und Freiburg hatten. Dies rückt den wohl entscheidenden Aspekt der nachkonziliaren Entwicklung ins Licht: Die vom Konzil geförderte Reform der Kirche beschleunigte die Auflösung des einheitlichen weltanschaulichen Katholizismus, wie er bis in die fünfziger Jahre die Kirche in der Schweiz geprägt hatte. Sie führte zur Parzellierung, indem Konfession und Weltanschauung die Klammerfunktion verloren, die unter den Katholiken der sonst heterogenen Schweizer Gesellschaft Brücken geschlagen hatte. Der erste Graben, der sich auftat, war der kulturelle: Die Sprachregionen begannen, sich hinsichtlich des kirchlichen Lebens gegeneinander zu profilieren und dann zu separieren. Sichtbares Indiz für diese Entwicklung war das Schicksal der schweizerischen Katholikentage[39]. Nachdem zwischen 1903 und 1954 zehn solche landesweite Großveranstaltungen stattgefunden hatten, erhob sich im Zusammenhang mit der Vorbereitung des elften Katholikentages in der Westschweiz die Forderung nach sprachregional getrennter Durchführung. Die Separationsbestrebungen ließen sich zunächst beruhigen, so daß im Jahr 1964 die Arbeiten wieder an die Hand genommen werden konnten. Im Hinblick auf die konziliaren Reformhoffnungen wurde die Durchführung dann allerdings verschoben; denn es hatten „verschiedene Fragen der katholischen Kirche durch das Konzil ein anderes Gesicht bekommen". Nach 1965 gelang es nicht, den Faden wieder aufzunehmen und eine neue gesamtschweizerische Veranstaltung durchzuführen – zu sehr hatte man sich bereits auseinandergelebt.

Die kirchlichen Unterschiede zwischen den Sprachregionen vertieften sich mit jedem nachkonziliaren Reformschritt weiter. Sie zeigten sich in Liturgie und sakramentaler Praxis, aber auch in der Umgestaltung der kirchlichen Dienste, in der Wiedereinführung des Diakonates, in der Einbeziehung hauptamtlicher Laien, in der Katechese, der Vereinsarbeit und der Erwachsenenbildung. Die Trennung entlang der Sprachgrenzen wurde überlagert von weiteren Unterscheidungen. Eine der Ursachen lag im staatlichen Kirchenrecht, welches in den meisten

[37] Aram Mattioli, Zwischen Demokratie und totalitärer Diktatur. Gonzague de Reynold und die Tradition der autoritären Rechten in der Schweiz, Zürich 1994, 310-317.
[38] Alois Schifferle, Marcel Lefebvre – Ärgernis und Besinnung. Fragen an das Traditionsverständnis der Kirche, Kevelaer 1983.
[39] Armin Imstepf, Die schweizerischen Katholikentage 1903-1954 (Religion – Politik – Gesellschaft in der Schweiz 1), Freiburg i.Ue. 1997, 110-134.

Kantonen die Konfessionsangehörigen auf Gemeinde- und Kantonsebene in besondere staatskirchliche Körperschaften eingliedert. Diese werden als „Kirchgemeinden" und „Landeskirchen" bezeichnet, und ihre Behörden haben weitreichende Kompetenzen: Sie errichten und besetzen kirchliche Stellen, sie ziehen Kirchensteuern ein und entscheiden über deren Verwendung, und sie leiten eigenständig wichtige Bereiche wie Religionsunterricht, Kirchenbau oder Diakonie[40]. Die ausgebauten Entscheidungsbefugnisse und die je nach Kanton unterschiedliche Ausgestaltung gaben auch der nachkonziliaren Kirchenreform lokal unterschiedliche Ausprägungen. In den Bistümern St. Gallen, Sitten und Lugano, deren Gebiete sich prinzipiell mit dem je eines Kantons decken, belastete dies den kirchlichen Alltag nur wenig. Anders lagen die Verhältnisse in den Bistümern Basel, Chur und Freiburg-Lausanne-Genf, deren Gebiete sich über mehrere Kantone erstrecken. Hier löste sich nach 1970 die Geschlossenheit teilweise entlang der Kantonsgrenzen auf. Die betroffenen Bischöfe vermochten je länger je weniger innerhalb ihrer Sprengel die Einheit zu wahren; sie klagten über Parochialismus und über ein kongregationistisches Kirchenverständnis[41], was allerdings die Zustände nicht zu verändern vermochte.

Der Einfluß, welcher von der Schweiz auf das II. Vatikanische Konzil ausstrahlte, war ungleich geringer als umgekehrt die Wirkung des Konzils auf die Kirche in diesem Land. Schon allein die Ankündigung wirkte sich aus, indem die konfessionelle Situation und die Äußerungen von Theologen Hoffnungen auf ein Unionskonzil aufkeimen ließen. Während der Sessionen selbst wirkte ein Schweizer Einfluß weit weniger durch die teilnehmenden Bischöfe als durch die Konzilstheologen. Sehr rasch setzte die Verwirklichung der Ergebnisse ein, zumal in den Bereichen Liturgierefom und Kirchenleitung. Sie fiel in eine Zeit, die von zunehmender gesellschaftlicher Integration der konservativen Katholiken in der Schweiz und – damit einhergehend – von der Auflösung der traditionellen weltanschaulichen Geschlossenheit gekennzeichnet war[42]. Die Wirkung des Konzils, welches auch innerhalb der Kirche für kulturelle Vielfalt optiert hatte, verstärkte in der Schweizer Kirche den Pluralisierungsprozeß zusätzlich. Die katholische Kirche dieses Landes ist seither gekennzeichnet durch eine stark ausgeprägte kulturelle Kleinräumigkeit – durch ein Merkmal, welches auch die zivile Gesellschaft prägt.

---

[40] Markus Ries, Kirche und Landeskirche im Bistum Basel. Der nachkonziliare Struktur- und Bewußtseinswandel in Räten und Behörden, in: Walter Kirchschläger/Markus Ries (Hg.), Glauben und Denken nach Vatikanum II. Kurt Koch zur Bischofswahl, Zürich 1996, 133-156; Moritz Amherd, Die Entwicklung und Bedeutung der staatskirchenrechtlichen Strukturen in der Schweiz nach dem II. Vatikanum, in: Urban Fink/René Zihlmann (Hg.), Kirche Kultur Kommunikation. Peter Henrici zum 70. Geburtstag, Zürich 1998, 421-532; Walter Gut, „Landeskirchen" und „Kantonalkirchen" im Lichte des Zweiten Vatikanischen Konzils, ebd. 533-553.

[41] Rolf Weibel, Die Risse nehmen zu. Was hält den Schweizer Katholizismus zusammen? In: HerKorr 48 (1994) 517-522; Hansjörg Vogel, Erfahrungen im Bischofsdienst, in: SKZ 164 (1996) 32-38; Karl-Josef Rauber, Katholische Kirche Schweiz, in: SKZ 165 (1997) 304-310.

[42] Jakob Romer, Pfarreigestaltung im Licht nachkonziliarer Spannungsfelder, in: Fink/Zihlmann, Kirche (wie Anm. 40), 797-810.

Kirche und Diaspora. Die Katholische Kirche in der DDR und das Zweite Vatikanische Konzil

Von Josef Pilvousek

EINLEITUNG

Die Brisanz des zu behandelnden Themas scheint mir sowohl durch die politischen und kirchlichen Entwicklungen Ende der 50er bis Mitte der 60er Jahre als auch durch die doppelte Diasporasituation (konfessionelle und gesellschaftliche) der Kirche in der DDR gegeben zu sein. Seit 1958 hatte der in Westberlin lebende Kardinal Döpfner keine Einreise mehr in die DDR erhalten. In Dr. Alfred Bengsch[1] bekam er 1959 einen in Ostberlin ansässigen Weihbischof. Am 3. Juli 1961 wurde Döpfner Erzbischof von München. Die drei Jahre waren durch mannigfaltige staatliche Aktivitäten gekennzeichnet, die eine Spaltung der katholischen Kirche in der DDR und in Berlin zum Ziel hatten und deren „Gleichschaltung" beabsichtigten. Am 13. August 1961 wurde mit dem Bau der Mauer die völlige Abriegelung der DDR begonnen. Für die Kirche bedeutete dies die Gefahr der Isolation. Wie würde sich der Staat gegenüber einer Teilnahme ostdeutscher Ordinarien am Konzil verhalten, das man bereits einen Monat nach seiner Ankündigung am 9. Februar 1959 als Plattform gegen „das sozialistische Weltsystem" bezeichnet hatte[2]. Würde der Staat Reisegenehmigungen erteilen und womöglich Gegenleistungen erwarten? Durfte man damit rechnen, daß Beschlüsse des Konzils publiziert werden konnten? Welche Rezeptionsprozesse waren in einem „sozialistischen" Staat möglich?

Die folgenden Ausführungen werden keine systematische Darstellung des Konzils und seiner Bedeutung für die DDR oder eine Gesamtgeschichte dieser Thematik sein können. Die Quellenlage ist äußerst kompliziert[3]; manche Archivalien werden erst in einigen Jahrzehnten zugänglich sein. Darüber hinaus legten

---

[1] Alfred Bengsch, Bischof von Berlin (1961), Titularerzbischof (1962), Kardinal (1967); * 10. September 1921 in Berlin, + 13. Dezember1979 in Berlin; 1940-1950 Studium in Fulda und Neuzelle, 1941-1946 Kriegsdienst und Gefangenschaft, 1950 Priester, Kaplan in Herz-Jesu Berlin (Ost), 1954 Assistent am Priesterseminar Erfurt und Dogmatikstudium München, 1956 Promotion zum Dr. theol., 1957 Dozent für Dogmatik und Homiletik am Priesterseminar Neuzelle, 1959 Regens des Priesterseminars Erfurt und Weihbischof in Berlin, 1961 Vorsitzender der BOK (1976 der BBK), 1972-1975 Präsident der Pastoralsynode.

[2] Arbeitsgruppe Kirchenfragen beim ZK der SED, 9. Februar 1959, in: Martin Höllen, Loyale Distanz? Katholizismus und Kirchenpolitik in SBZ und DDR Bd. II: 1956-1965, Berlin 1997, 159f.

[3] Für mündliche Auskünfte danke ich den Kollegen Prof. Dr. Erich Kleineidam, Prof. Dr. Heinz Schürmann, Prof. Dr. Wilhelm Ernst und Dozent Dr. Siegfried Hübner.

die Teilnehmer aus der DDR, um die Mitarbeit am Konzilsgeschehen nicht zu ge-
fährden, wenig Wert darauf, alle Einzelheiten für die Öffentlichkeit zu dokumen-
tieren. Auch eine theologiegeschichtliche Gesamtdarstellung ist, trotz einiger
wichtiger Vorarbeiten, noch nicht möglich. Dennoch erlaubt eine Zusammen-
schau aller bisher zugänglichen Quellen einen fragmentarischen Überblick. In
meiner Darstellung wird es mir vor allem darum gehen, das II. Vatikanische Konzil historisch mit den Besonderheiten einer Kirche eines Ostblockstaates marginal zu erhellen. Dazu gehört auch über den Rahmen kirchenpolitischer und theologischer Erörterungen hinaus, Teilnehmer, ihre Funktionen und, soweit wie
möglich, ihre Aufgaben darzustellen.

I. Vorbereitung und kirchenpolitischer Rahmen

Am 25. Januar 1959 hatte Papst Johannes XXIII. ein neues Ökumenisches Konzil angekündigt. Mit Datum vom 29. Juni 1959 ausgestellt, war allen „Ostordinarien" der Brief Kardinal Tardinis an die zukünftigen Konzilsväter zwecks
Erforschung der eventuell zu behandelnden Themen zugegangen[4]. Diverse Ma-
nuskripte in den Handakten der Bischöfe, wie das von Karlheinz Schmidthüs
„Auf dem Weg zum Konzil – Was dürfen wir erwarten?", lassen den Schluß zu,
daß man sich anfangs vorwiegend aus zweiter Hand über die Konzilsvorbereitungen informierte und orientierte[5].
    Auf der Ordinarienkonferenz am 12./13. Juli 1960 scheint erstmals das The-
ma Konzil ausführlich erörtert worden zu sein. Kardinal Döpfner, Vorsitzender
der Berliner Ordinarienkonferenz (BOK), erklärte: „In diesem Kreis brauche ich
nicht ins einzelne zu gehen. Es muß nicht näher erläutert werden, daß das kommende Konzil kein Unions-Konzil im eigentlichen Sinn sein wird, aber nach
vielfältigen Hinweisen des Heiligen Vaters (und auch in der Erwartung des katholischen Volkes der ganzen Christenheit) soll das Konzil ausdrücklich beitragen zur Wiedervereinigung der Christenheit in der katholischen Kirche. Die
sehr weit gespannte und wenig detaillierte Zielsetzung des Konzils in der ersten
Enzyklika des Papstes ‚Ad Petri cathedram' (29.6.1959) ist Ihnen bekannt: ‚Das
Hauptziel des Konzils besteht darin, die Entwicklung des katholischen Glaubens
zu fördern, das christliche Leben der Gläubigen zu erneuern und die kirchliche
Disziplin den Bedingungen unserer Zeit anzupassen'. Das letzte Motu proprio
‚Superno Dei nutu' (5.6.1960) wiederholt diesen Satz und sagt nichts Neues aus.
Als bezeichnend für dieses Konzil darf wohl ausgesprochen werden, daß im Ge-
gensatz zu den Konzilien der Vergangenheit nicht eine bestimmte Irrlehre, eine
bestimmte Gruppe von Mißständen als Anlaß für dieses Konzil genannt werden.
Vielleicht darf man so sagen, daß gerade unser Heiliger Vater das Konzil,
das doch eine Funktion des magisterium extraordinarium ist, stärker als ei-

---

[4] Bistumsarchiv Erfurt (= BAE) Ökumenisches Konzil, Brief Tardini 18. Juni 1959.
[5] Ebd.

ne normale Darstellung der kollegialen Struktur der kirchlichen Hierarchie sieht"[6].

So gilt es zunächst festzuhalten, daß man in der katholischen Kirche der DDR über die Vorbereitungen zum Konzil informiert war und römische Dokumente sowie theologische Kommentare interessiert zur Kenntnis genommen hatte. Aber erst seit Mitte des Jahres 1960 scheint man sich auf der Ordinarienkonferenz mit den möglichen Konsequenzen für die Kirche in der DDR beschäftigt zu haben. „Für uns als Bischöfe der Kirche in atheistischer Umwelt in der Diaspora ergeben sich im Zusammenhang mit dem Konzil einige wichtige Fragen", formulierte Döpfner und nannte vier Problemfelder:

1. Wie versteht sich das Konzil in der heutigen Auseinandersetzung zwischen Kommunismus und der Kirche (zwischen Kommunismus und Religion, zwischen Kommunismus und der freien Welt)? Sicherlich wird das Konzil vom Kommunismus als Politikum erster Ordnung gewertet und eingeordnet in die augenblicklich so starke Ideologie des politischen Klerikalismus. Gewiß werden einige Nuancierungen, um nicht zu sagen Auseinandersetzungen, in der Auffassung des Konzils unvermeidlich sein. Wir sind wohl einhellig der Meinung, das Konzil sollte jede betont antikommunistische Spitze vermeiden.

2. Welche Themen werden behandelt? Werden die für uns so wichtigen anthropologischen Fragen behandelt? Erfolgt eine ausdrückliche Verurteilung des Kommunismus?

3. Wird das Konzil hinausgehend über die unerläßliche klärende Funktion für die Katholiken, seine rufende Funktion hinein in die nichtkatholische Christenheit, ja in die nichtchristliche, sogar ungläubige Menschheit wahrnehmen?

4. Werden Bischöfe des kommunistischen Machtbereiches am Konzil teilnehmen können? Sicherlich wird diese Frage bis zur letzten Stunde offengehalten werden und man wird ähnliche Versuche einer Einflußnahme machen wie eben jetzt im Hinblick auf den Eucharistischen Weltkongress in München"[7].

In den folgenden sechs Jahren sollte sich zeigen, daß die als Fragen formulierten Problemfelder tatsächlich für die Kirche in der DDR, die Konzilsteilnehmer und schließlich die Rezeption des Konzils bedeutsam wurden. Noch gab es nicht die Berliner Mauer und in ihrer Folge undurchlässige Grenzen, noch war nicht absehbar, daß Kardinal Döpfner Erzbischof von München und sein Weihbischof Dr. Alfred Bengsch am 16. August 1961 zu seinem Nachfolger ernannt werden sollte.

In den folgenden Ordinarienkonferenzen bis 1962 kommen nur spärlich Nachrichten über das Konzil vor. Auf der Konferenz am 31. Januar/1. Februar 1961 berichtete der Vorsitzende über den „gegenwärtigen Stand der Vorbereitung des II. Vatikanischen Konzils". Die Berufung des Bischofs von Berlin in die Zentralkommission und des Bischofs von Meißen in die Kommission für die Hl. Liturgie wurden dankbar begrüßt. Die Gläubigen sollen immer wieder zum Gebet für das bevorstehende Konzil aufgerufen werden[8]. Auf der Maikonferenz (2./3. Mai

6 Philosophisch-Theologisches Studium Erfurt, Seminar für Zeitgeschichte (= PTS-SfZ), Akte BOK 1960, Protokoll 12./13.Juli 1960.
7 Ebd.
8 Ordinariat Erfurt, BBK 1961/66 (= OE 1961/66) BOK Protokoll 31.Januar/1. Februar 1961.

1961) referierte Bischof Spülbeck über die Arbeit der liturgischen Kommission[9].
Im Juli (3./4. Juli 1961) erfolgte lediglich eine „Orientierung über die Konzils-
vorbereitung"[10], und im Januar 1962 (9./10. Januar 1962) hatte die BOK Prof.
Dr. Hirschmann eingeladen, der „der Konferenz einen recht instruktiven Einblick
in die Vorarbeiten zum II. Vatikanischen Konzil bot"[11], wie es lapidar in dem
Protokoll hieß.

Der Brief der Zentralkommission an die „Ostordinarien" zur rechtzeitigen An-
meldung und zur Wahl ihrer Unterkunft war am 2. Januar 1962 ausgestellt, über
die Nuntiatur an die zuständigen Ordinarien geschickt oder über den „kirchlichen
Dienstweg" nach Ostberlin gekommen und so weitergeleitet worden[12]. Bis zum
31. März sollten die erbetenen Angaben auf gleichem Weg zurückgeschickt werden. Ein Höhepunkt in dieser Phase der Konzilsvorbereitung dürfte der Besuch
von Augustin Kardinal Bea gewesen sein. Am 11. April 1962 hatte er an der Sitzung der BOK teilgenommen, um im Anschluß daran vor einer Priesterver-
sammlung und den ostdeutschen Ordinarien über die Vorbereitungen zum Konzil
zu referieren[13].

Im Frühsommer 1962, wenige Monate vor Beginn der ersten Sessio, wurden die
notwendigen Reisevorbereitungen getroffen. Das Protokoll der Sitzung vom 2./3.
Juli 1962 vermerkte: „Zur Teilnahme der Bischöfe am Konzil werden die Anträge
auf Reisegenehmigung bei der Regierung in Berlin gemeinsam gestellt und zwar
für den Bischof von Berlin, den Bischof von Meißen, den Weihbischof von Magdeburg und den Weihbischof von Schwerin. Jeder der Bischöfe darf zwei Priester
als Begleiter mitnehmen. Freusberg[14] und Piontek[15] werden nicht am Konzil teilnehmen. Die Informationen über das Konzil gehen über das Commissariat der Berliner Ordinarienkonferenz. Zur Teilnahme an der Fuldaer Bischofskonferenz Ende
August werden die Bischöfe von Berlin, Meißen und der Kapitelsvikar von Görlitz Antrag auf Interzonenpässe stellen[16]. Die Professoren Müller[17] und Löwen-

9   OE 1961/66, BOK Protokoll 2./3. Mai 1961.
10 OE 1961/66, BOK Protokoll 3./4. Juli 1961.
11 OE 1961/66, BOK Protokoll 9./10. Januar 1962.
12 BAE, Ökumenisches Konzil, Brief mit Einberufungsbulle Humanae salutis, 2. Januar 1962.
13 OE 1961/66, BOK Protokoll 10./11. April 1962.
14 Joseph Freusberg, Weihbischof für den thüringischen Anteil der Diözese Fulda in Erfurt
    (1953); * 18. Oktober 1881 in Olpe, + 10. April 1964 in Erfurt; Studium in Paderborn und
    Freiburg i.Br., 1906 Priester, 1906/07 Leiter eines Knabenkonvikts in Gelsenkirchen, 1907-09
    Studium des Kanonischen Rechts in Rom (Wohnung: S. Maria dell' Anima); 1909 Promotion
    zum Dr. iur. can., 1909 Vikar in Bielefeld, 1916 Pfarrer von St. Severi in Erfurt; 1923 Dom-
    propst und Direktor des Geistlichen Gerichts in Erfurt, 1946 Generalvikar für den in der SBZ
    liegenden Teil des Bistums Fulda.
15 Ferdinand Piontek, Titularbischof (1959) in Görlitz; * 5. November 1878 in Leobschütz, + 2.
    November 1963 in Görlitz; 1903 Priester, 1903-09 Kaplan und Studium in Berlin, 1910 Pfar-
    rer in Köslin (Pommern), 1923 Domkapitular und Domprediger in Breslau, 1931 Dompfarrer
    in Breslau, 1939 Domdechant; 1945 Wahl zum Kapitelsvikar der Erzdiözese Breslau nach dem
    Tod von Kardinal Bertram, 1946 Ausweisung durch die polnischen Behörden, 1947-63 Am-
    tierender Kapitelsvikar der Erzdiözese Breslau mit Sitz in Görlitz.
16 Die Genehmigungen wurden nicht erteilt.
17 Otfried Müller, Professor, Prälat; * 24. Januar 1907 in Posen, + 24. April 1986 in Erfurt; Stu-
    dium in Breslau und Innsbruck, 1931 Priester und Kaplan in Mühlbock, 1933 Hausgeistlicher
    in Protsch, 1934 Hausgeistlicher in Breslau, 1935 Geheimsekretär bei Kardinal Bertram,

berg[18] werden zur Teilnahme am Konzil beurlaubt"[19]. Erwähnung fand bei dieser Konferenz allerdings nicht, daß der Erfurter Professor Dr. Erich Kleineidam[20] seit dem 8. März 1961 zum Mitarbeiter in der Vorbereitunsgkommission „De Studiis et Seminariis" berufen worden war[21]. Er, der bisher seine Mitarbeit auf „schriftlichem Wege" erledigt hatte, war durch Kardinal Pizzardo zu der Sitzung vom 26. Februar-20. März 1962 nach Rom eingeladen worden, erhielt aber trotz Intervention von Weihbischof Freusberg und Prälat Zinke[22] keine Ausreisegenehmigung. Dr. Werner Becker[23], Oratorianer aus Leipzig, der 1961 Konsultor im Sekretariat für die Einheit der Christen wurde, war erst zur 2. Sessio in Rom. Man durfte gespannt sein, wie der Staat die Reiseanträge der Konzilsteilnehmer behandeln würde.

1937/38 Studienaufenthalt in Rom (Wohnung S. Maria dell' Anima) und 1938 Promotion zum Dr. theol. und Pfarradministrator in Spremberg, 1939 Präfekt in Gleiwitz, 1941 Pfarrer in Schwieus, 1945 Vikar in Delitzsch, 1946 Assessor am Erzbischöflichen Kommissariat in Magdeburg, 1950 Dozent für Dogmatik und Fundamentaltheologie in Freising, 1953 Professor für Dogmatik am Philosophisch-Theologischen Studium Erfurt, 1975 Emeritus.

[18] Bruno Löwenberg, Professor, Msgr.; * 4. September 1907 in Halle, + 26. Oktober 1994 in Erfurt; Studium in Paderborn und Rom, 1934 Priester (Rom), 1936 Vikar in Groß-Ammensleben, 1937 Promotion zum Dr. theol., 1942 und 1944-1946 Vikar in Magdeburg-Sudenburg, 1943 Seelsorger der Evakuierten in Freiburg i.Br., 1946 Subregens im Priesterseminar Paderborn, 1952 Leiter des Priesterseminars Huysburg, 1953 Professor für Pastoraltheologie und Liturgik am Philosophisch-Theologischen Studium Erfurt, 1972 Emeritus.

[19] OE 1961/66, BOK Protokoll 2./3. Juli 1962.

[20] Erich Kleineidam, Professor, Prälat; * 3. Januar 1905 in Bielschowitz; Studium in Breslau, Freiburg i.Br. und Innsbruck, 1929 Priester und Alumnatssenior in Breslau, 1930 Promotion zum Dr. phil., 1930 Leiter des Schülerkonvikts der Aufbauschule in Liebenthal, 1934 Repetitor und 1935 stellvertretender Direktor des Erzbischöflichen Theologenkonvikts Breslau, 1939 Professor für Philosophie am Erzbischöflichen Priesterseminar Weidenau, zugleich Vizerektor, 1946 Administrator der Pfarrei Oberhausen (Kreis Neuburg/Donau), 1947 Professor für Philosophie am Priesterseminar für Flüchtlingstheologen in Königstein, 1948 zusätzlich Regens, später erster Rektor der neugegründeten Philosophisch-Theologischen Hochschule in Königstein, 1952 Berufung durch die Berliner Ordinarienkonferenz als Rektor, Regens und ordentlicher Professor für Philosophie an das neu zu errichtende Regionalpriesterseminar in Berlin-Biesdorf bzw. Erfurt, dort bis 1954 Rektor, bis 1959 Regens, 1970 Emeritus.

[21] BAE, Ökumenisches Konzil, Brief Freusberg/Hauptverwaltung Deutsche Volkspolizei, 30. Januar 1962.

[22] Johannes Zinke, Prälat; * 18. November 1903 in Liegnitz, + 14. November 1968 in Berlin, Studium in Breslau, 1928 Priester, Kaplan, Pfarradministrator, Kuratus; 1938-45 Caritasdirektor der Erzdiözese Breslau; 1946 Leiter der Hauptvertretung Berlin des Deutschen Caritasverbandes mit Sitz im amerikanischen Sektor; ab 1952 zusätzlich Geschäftsträger des Kommissariats der Fuldaer Bischofskonferenz in Berlin, Beauftragter zu Verhandlungen mit der Hauptabteilung Verbindung zu den Kirchen, dem Ministerium des Inneren (MdI), dem Ministerium für Staatssicherheit (MfS) und ab 1957 mit der Dienststelle des Staatssekretärs für Kirchenfragen, nach dem 13. August 1961 im Auftrag des Bischofs von Berlin bis 1968 Verhandlungen mit staatlichen Stellen.

[23] Werner Becker, Dr. jur. utr., Oratorianer; * 17. Mai 1904 in Mönchengladbach, + 1. Juni 1981 in Leipzig; 1932 Priester und Kaplan in Aachen (St. Elisabeth), 1933 Studentenseelsorger in Marburg, 1939-1943 und 1946-1961 Studentenpfarrer in Leipzig, 1956 Diözesanbeauftragter für die Una-Sancta-Arbeit, 1961 Konsultor im Sekretariat für die Einheit der Christen, 1966 Seelsorger für ausländische Studenten in Leipzig, 1969-1972 Akademikerseelsorger in Leipzig, 1966-1975 Bischöflicher Beauftragter für ökumenische Arbeit (seit 1971 Sekretär der Ökumenischen Kommission der BOK), 1966-1976 Leiter der Ökumenischen Arbeitsstelle Leipzig.

Auf der Septemberkonferenz der BOK (19./20. September 1962) teilte Erzbischof Bengsch den Teilnehmern mit, daß er am 14. September 1962 aus Anlaß der Reisegenehmigung zum II. Vatikanischen Konzil ein Gespräch mit dem Staatssekretär für Kirchenfragen geführt habe und die Erteilung der Reisegenehmigung für alle zwölf vorgesehenen Konzilsteilnehmer mit Sicherheit zu erwarten sei[24].

Der Bericht, den Erzbischof Bengsch der BOK vorlegte, machte bereits deutlich, welche Absichten die DDR mit einer Teilnahme der katholischen Kirche der DDR verband. Nachdem Bengsch erläuternd darlegte, daß es internationalen Gepflogenheiten entspräche, daß die Bischöfe und Weihbischöfe zum Konzil mit einem Theologen und einem persönlichem Begleiter fahren, formulierte Staatssekretär Seigewasser[25] die Erwartungen der DDR-Regierung:

Falls es beim Konzil zu einer Hetze (gegen die DDR) komme, erwarte die Regierung von den Konzilsteilnehmern aus der DDR, daß sie sich daran nicht beteiligen[26].

Zweitens bat der Staatssekretär den Erzbischof, seinen großen Einfluß geltend zu machen, daß die Diskriminierung der DDR-Bürger in Bezug auf Auslandsreisen aufhöre. Seltsam mutet es an, wenn der Vertreter des Staates, der seine Bürger nicht reisen ließ, formulierte: „Während Italien die Bischöfe aus der DDR einreisen lasse, würde dies anderen Gruppen etwa Sportlern und Wissenschaftlern nicht gewährt. Diese Auswahl gehe gegen die Souveränität der DDR"[27]. Bengsch erwiderte Seigewasser, daß es unmöglich sei, daß das Konzil zu politischen Fragen Stellung nehme; deshalb könne der Weltepiskopat sich auch nicht mit der deutschen Frage beschäftigen. Seigewasser nannte ergänzend für die von der Regierung gewünschte Haltung der Konzilsteilnehmer aus den Diözesangebieten der DDR als Beispiel die Frage der Diözesangrenzen. Er halte es für möglich, daß der polnische Episkopat diese Frage vor das Konzil bringe. Um nicht selbst die Forderung nach Verselbständigung der Jurisdiktionsgebiete zu erheben, hatte er nicht ungeschickt mögliche polnische Forderungen genannt.

Bengsch erwiderte, „daß der Hl. Stuhl Diözesangrenzen immer nur und deshalb auch bei uns erst nach Abschluß eines Friedensvertrages festlegen würde.

---

[24] OE 1961/66, BOK Protokoll 19./20. September 1962.

[25] Hans Seigewasser, Staatssekretär für Kirchenfragen; * 12. August 1905 in Berlin, + 18. Oktober 1979 in Berlin; 1921-23 Ausbildung zum Bankangestellten, 1921 USPD, 1922 SPD, 1926-33 Angestellter der Sozialversicherung, 1928 Mitglied und 1930 Vorsitzender der Reichsleitung der Jungsozialisten, 1932 KPD; 1933 verhaftet, 1934 verurteilt zu fünf Jahren Zuchthaus, 1934-45 inhaftiert, u.a. im KZ Sachsenhausen, 1945/46 Mitarbeiter des ZK der KPD, 1946-50 des Parteivorstandes bzw. ZK der SED, ab 1950 Abgeordneter der Volkskammer; 1953-59 Vorsitzender des Büros des Präsidenten des Komitees der Antifaschistischen Widerstandskämpfer; 1953-70 Mitglied des Präsidiums des Nationalrates der Nationalen Front und 1953-59 Vorsitzender seines Büros, 1959/60 Erster Sekretär des Berliner Bezirksausschußes und Vizepräsident des Nationalrates, 1955-62 Mitglied des Zentralvorstandes der Deutsch-Sowjetischen Freundschaft (DSF); 1960-1979 Staatssekretär für Kirchenfragen.

[26] Bundesarchiv Abteilungen Potsdam (=BAP), 0-4, 467: Vermerk über das Gespräch mit Erzbischof Bengsch am 14. September 1962.

[27] Ebd.

Außerdem sei die Frage der Diözesangrenzen in Deutschland konkordatär geregelt und daher eine Änderung durch Konzilsbeschluß nicht möglich"[28].

Nach der 1. Sitzung des II. Vatikanischen Konzils gab der Bischof von Meißen einen eingehenden Bericht auf der Konferenz vom 8./9. Januar 1963. Die Konferenzmitglieder, besonders die, die nicht in Rom sein konnten, waren dankbar für die Berichterstattung, die „ihnen einen Einblick in die für die Weltkirche so bedeutsamen Wochen vom 11. Oktober-8. Dezember 1962"[29] gab. In dem vorausgehenden Bericht zur kirchenpolitischen Lage war eindeutig die Frage beantwortet worden, was die DDR-Regierung dazu bewogen habe, so relativ freizügig Reisegenehmigungen zu erteilen. Offenbar hat „Moskau die entscheidenden Weisungen gegeben", resümiert Erzbischof Bengsch[30]. „Und offenbar hat auch Moskau die Weisungen gegeben, wie sich Regierungen der sozialistischen Länder in der Konzilsfrage verhalten sollten", ergänzt er. „Nachdem Moskau seit langer Zeit Erfahrungen damit hat, wie man die Russisch- Orthodoxe Kirche vor den Wagen spannen kann, und nachdem man damit in Neu Delhi auch einen beträchtlichen Erfolg erzielt hat, der im Blick auf die neutralen Staaten, auf die afro-asiatischen und die Entwicklungsländer als außenpolitischer Erfolg angesprochen werden kann, lag die Frage nahe, wie man beim Konzil zu einem ähnlichen Erfolg kommen könnte." „Der Kommunismus hofft, und zwar nicht ganz zu Unrecht," analysiert der Erzbischof, „daß die Teilnahme der Bischöfe aus sozialistischen Ländern neben der Dämpfung der antikommunistischen Tendenzen auch den Eindruck erzielt: So schlimm können die Kommunisten ja schließlich nicht sein, man wird schon einen modus vivendi finden"[31].

Auch wenn im folgenden auf staatliche Versuche, das Konzil zu beeinflussen, kaum noch eingegangen werden wird, sollten die latenten Bemühungen einer staatlichen Vereinnahmung als kirchenpolitischer Hintergrund präsent bleiben[32].

Zu den folgenden Sitzungsperioden des Konzils konnten alle ernannten und ausgewählten Teilnehmer reisen. Lediglich vor der 4. Sitzungsperiode einigte man sich, „um die Gefahr politischer Auflagen zu vermeiden, grundsätzlich nur für die gleiche Zahl wie im vergangenen Jahr die Genehmigung zur Reise zu beantragen"[33]. Dennoch überschritt man die Teilnehmerzahl der 3. Sessio.

---

28 OE 1961/66, BOK Protokoll 19./20. September 1962, Bericht des Vorsitzenden. Zur kirchenpolitischen Lage.

29 OE 1961/66, BOK Protokoll 8./9. Januar 1963.

30 Ebd.

31 Ebd.

32 Im März 1963 verwies Seigewasser auf die Friedensinitiativen des Papstes und – wie er meinte – des Konzils und forderte von den Bischöfen eine „positive Meinungsäußerung" auch hinsichtlich der DDR und ihrer Friedenspolitik; vgl. BAP, 0-4, 2752: Vermerk über das Gespräch mit Erzbischof Dr. Bengsch am 27. März 1963. In einer Analyse des Konzils vom Mai 1964 werden vor allem die westdeutschen Bischöfe in den Blick genommen. „Die westdeutschen Bischöfe betreiben eine rege Fraktionstätigkeit zur Erweiterung ihrer Positionen auf dem Konzil und in der katholischen Weltkirche"; BAP, 0-4, 468: Vertrauliche Kurzinformation. Zur kirchenpolitischen Situation auf dem Gebiet der katholischen Kirche in der DDR, 19. Mai 1964. Auch vom Konzil vorgenommene Akzentsetzungen nahm man durchaus richtig zur Kenntnis, so die Aufwertung der Bischofskonferenzen und der Laien; vgl. BAP, 0-4, 468: Zur Rolle der katholischen Bischofskonferenzen, 15. Januar 1964. Auch über die gemeinsamen Treffen der ost- und westdeutschen Bischöfe war man informiert und verärgert; ebd.

33 OE 1961/66, BOK Protokoll 30./31. März 1965.

II. Reisemodalitäten

Die Anträge auf Erteilung von Reisegenehmigungen wurden gemeinsam einge-
reicht und durch Prälat Zinke, dem Geschäftsführer des Kommissariates der
Fuldaer Bischofskonferenz in Berlin, den verschiedenen staatlichen Stellen in
Ost- und Westberlin zur Bearbeitung vorgelegt. Bei der Westberliner Behörde
handelte es sich um das westalliierte „Allied Travel Office". Zu den zwei ersten
Sitzungen des Konzils wurden die von ihr ausgestellten sogenannten Travel-Do-
kumente auch mit Duldung der DDR benutzt[34]. Die Antragstellung erfolgte einerseits bei der Regierung der DDR zur Aus- und Einreise und in Westberlin andererseits wegen der notwendigen Visa beim Kontrollrat, wobei Anträge an das
italienische und österreichische Konsulat und die schweizerische Delegation aus-
gefüllt werden mußten.14 Antragsformulare hatte man im Normalfall vorzulegen,
dazu 13 Paßbilder. Wer bisher keinen Alliierten Reisepaß besaß, mußte zudem eine Geburtsurkunde oder einen Taufschein vorlegen. Ein Konzilsteilnehmer be-
schrieb in seinem Tagebuch das Abholen der Pässe: „Dank für Pässe, Ankunft bei
Prälat Zinke, Übergangsscheine. Alle Pässe dort (in Westberlin) sicher, Invali-
denstraße zum Kontrollrat. Zu Zinke"[35].
   Zur 2. Sitzungsperiode weigerte sich zunächst der Staat, die Benutzung der Tra-
vel-Dokumente zu gestatten[36]. Der Vorschlag, die Visa zur Einreise nach Italien
über die Italienische Botschaft in Prag zu besorgen, wurde vom Italienischen
Außenministerium abgelehnt. Über die Nuntiatur werde man künftig versuchen,
erklärten die kirchlichen Verhandlungsführer, zeitlich befristete Vatikanpässe zu
erhalten. Es blieb schließlich beim alten Modus und der Staatssekretär für Kirchenfragen erklärte am 19. September, daß „der Herr Erzbischof sich in Rom anmelden könne"[37]. Erst zur 3. Sitzungsperiode mußte man „Vatikanpässe" benut-
zen, da trotz anderer Versuche nur noch diese Möglichkeit übrigblieb[38], die auch
zur 4. Sessio genutzt wurde. Ausdrücklich betonte der Staat bei der erneuten Wei-
gerung, die „Machenschaften des alliierten Reisebüros torpedieren" zu wollen[39].
   Den Teilnehmern aus der DDR war es nicht erlaubt und möglich, über die
Bundesrepublik zu reisen. Es blieb der Weg über die frühere Tschechoslowakei,
Österreich oder die Schweiz nach Italien. Reiste man per Flugzeug, führte der
Weg von Berlin-Schönefeld nach Wien und von dort per Bahn oder Flugzeug –
manchmal mit Zwischenstation in Zürich – nach Rom. Die Zugreise begann in
Dresden, führte über Prag nach Wien und Innsbruck und von dort nach Italien,

---

[34] OE Nachlaß Aufderbeck, Konzil (abgeschlossen), Antragstellung zur Erlangung der Reisegenehmigung, 16. Juli 1963.
[35] Kommission für Zeitgeschichte Bonn, Josef Gülden, Mein römisches Konzilstagebuch, 28. Juni 1962 (unveröffentlicht, unpaginiert).
[36] OE 1961/66, BOK Protokoll 10./12. September 1963.
[37] Höllen, Distanz (wie Anm. 2), 377.
[38] OE, 1961/66, BOK Protokoll 2./3. Juli 1964; vgl. Gülden, Konzilstagebuch (wie Anm. 35), 11.
   August 1964. Neue Paßbilder, bei denen die Antragsteller einen „römischen Kragen" tragen
   mußten, waren für den römischen Paß erforderlich.
[39] Höllen, Distanz (wie Anm. 2), 410.

wobei in Österreich und Südtirol häufig Pausen eingelegt wurden. Einige Konzilsteilnehmer benutzten das Auto, mußten aber ebenfalls über die Tschechoslowakei durch Österreich oder auch durch die Schweiz nach Italien reisen. Am meisten Aufsehen dürfte der Schweriner Weihbischof Schräder[40] mit seinem „Wolga" erregt haben, einem sowjetischen Auto, das in DDR-Zeiten als „Funktionärsfahrzeug" galt.

Da im Normalfall DDR-Bürger kein „Westgeld" besaßen und sogenannte „Devisenvergehen" strafbar waren, reiste man ohne Geld; lediglich für die über die Tschechoslowakei Reisenden waren Bons ausgegeben, die es ihnen erlaubten, damit Speisen zu erwerben. Manche Schwierigkeiten ergaben sich, wenn man beispielsweise in Österreich oder Italien etwas zu essen kaufen wollte. Trotz Deponierung von sogenannten Devisen in Wien oder bei anderen Anlaufstationen und der großen Solidarität der österreichischen und westdeutschen Mitbrüder, kam es immer wieder zu kuriosen Zwischenfällen, die manchmal bei der Bahnhofsmission endeten. Die Rückreisen erfolgten in ähnlicher Weise. Daß manche der Konzilsteilnehmer die Rückreisen nutzten, um Abstecher in die Alpen oder zu touristischen Orten zu unternehmen, sei nur am Rande erwähnt.

III. Teilnehmer und Unterkunft

Quantitative Aussagen vermögen keine Wertungen über die Bedeutung der Konzilsteilnehmer aus der DDR zu geben. Dennoch sei zunächst hervorgehoben, daß die katholische Kirche der DDR – vergleicht man sie mit den anderen Ländern des Ostblocks – zu jeder der Sitzungen gut vertreten war. Die meisten der „ostdeutschen" Konzilsteilnehmer, vor allem die, die gebürtig aus „Westdeutschland" stammten oder Theologie in Rom oder einer der deutschen oder österreichischen Universitäten studiert hatten, fanden in Rom frühere Kommilitonen, Freunde oder „Landsleute". Von besonderer Bedeutung waren auch die Quartiere[41], die man bezog oder in die man eingewiesen wurde und die – zumindest für die meisten – zurecht als Kommunikationszentren bezeichnet werden können. Hier vollzog sich theologisches Gespräch, persönlicher Austausch und Kontaktpflege, die nach dem Konzil für die Kirche in der DDR bedeutsam blieb. Konzilspausen über Allerseelen und Allerheiligen nutzte man zu Reisen, und so mancher Plan für die DDR-Jurisdiktionsbezirke, wie das Projekt einer Meißner Diözesansynode, entstand dabei[42].

---

[40] Bernhard Schräder, Weihbischof (1959) und Bischöflicher Kommissar in Schwerin; * 26. September 1900 in Hörstel, + 10. Dezember 1971 in Osnabrück, Studium der Volkswirtschaft und Theologie in Hamburg, Freiburg i.Br. und Münster, Promotion zum Dr. rer. pol.; 1926 Priester, Kaplan in Neumünster und Nordhorn, 1936 Pfarrer in Schwerin; 1946 Bischöflicher Kommissar für Mecklenburg, 1970 Emeritus.

[41] OE Nachlaß Aufderbeck, Konzil (abgeschlossen), Römische Anschriften der deutschen Bischöfe; Liste der deutschsprachigen Periti conciliares und privati.

[42] Am 4. November 1963 wurde die Synode erstmals für 1966/1967 in Blick genommen; vgl. Gülden, Konzilstagebuch (wie Anm. 35), 4. November 1963.

Jeweils zwei Professoren des Philosophisch-Theologischen Studiums Erfurt, die die Erfurter Professorenkonferenz aus ihren Reihen als Begleiter bestimmte, wurden zu jeder Sitzung mitgenommen, wobei die Begleitung von Erzbischof Bengsch von ihm selbst festgelegt wurde. Jeweils ein anderer Bischof fungierte als Antragsteller. Außerdem nahmen einige Bischöfe neben ständigen Begleitern auch Diözesanpriester mit, um die „Konzilserfahrungen und Begegnungen" in die Jurisdiktionsbezirke und Bistümer zu tragen und möglichst viele an dem Konzilsgeschehen teilnehmen zu lassen.

An der ersten Sessio (11. Oktober-8. Dezember 1962) nahmen 12 Personen teil[43], an der zweiten (29. September-4. Dezember 1963) 15[44], bei der 3. Sitzung (14. September-21. November 1964) waren 17 Teilnehmer aus der DDR anwesend[45] und zur letzten Sessio (14. September-8. Dezember 1965) waren es 21[46].

An allen Sitzungen nahmen Erzbischof Dr. Alfred Bengsch, Berlin, Vorsitzender der Berliner Ordinarienkonferenz und sein Begleiter Ordinariatsrat Otto Groß[47], Chefredakteur des St. Hedwigblattes, teil. Zu jeder Sitzung nahm er einen anderen theologischen Berater mit, und zwar in der Reihenfolge: Domkapitular Erich Puzik[48], Neuzelle, Prälat Professor Dr. Erich Kleineidam, Erfurt, Prof. Dr. Heinz Schürmann[49], Erfurt und schließlich Dozent Dr. Wilhelm Ernst[50], Erfurt. Seit der zweiten Sitzungsperiode nahm auch sein Weihbischof Heinrich Theissing[51] und an der 4. Sessio der spätere Ostberliner Generalvikar Ordina-

---

[43] Tag des Herrn, Nr. 43/44, 27. Oktober 1962, 169.

[44] Tag des Herrn, Nr. 39/40, 28. September 1963, 155.

[45] Tag des Herrn, Nr. 37/38, 12. September 1964, 147.

[46] Tag des Herrn, Nr. 37/38, 11. September 1965, 145.

[47] Otto Groß, Prälat, * 18. Februar 1917 in Perleberg, + 15. August 1974 in Berlin; Studium in Fulda, 1943 Priester und Kaplan in Berlin, 1953 Kuratus in Berlin, Redakteur der katholischen Kirchenzeitung für das Bistum Berlin „St. Hedwigsblatt", ab 1958 deren Chefredakteur, 1955 Pfarrer, 1962 Ordinariatsrat, 1966 Prälat; 1967-74 Beauftragter zu Verhandlungen mit der Dienststelle des Staatssekretärs für Kirchenfragen, dem MfS und dem Ministerium für Außenwirtschaft bzw. Außenhandel.

[48] Erich Puzik, Prälat, Dompropst; * 1. Juni 1901 in Gleiwitz, + 16. August 1993 in Görlitz; Studium in Breslau, 1925 Priester und Kaplan in Breslau (St. Vinzenz), 1927 Religionslehrer in Neisse, 1929 Repetitor in Breslau, 1934 Spiritual in Breslau, 1942 Pfarrer in Schweidnitz, 1947 Spiritual in Königstein (Taunus), 1948-1967 Spiritual in Neuzelle, 1967-1970 Regens in Neuzelle, 1970 Kurator der Borromäerinnen in Görlitz.

[49] Heinz Schürmann, Professor, Msgr.; * 18. Januar 1913 in Bochum; 1932-37 Studium in Paderborn und Tübingen, 1938 Priester, Vicarius substitutus in der Pfarrvikarie Osterwieck (Harz), 1939 Vikar in Bernburg (Saale), 1939-45 im Nebenamt Standort- und Lazarettpfarrer, 1943 im Nebenamt Pfarrvikar in Nienburg (Saale), 1946-50 Präfekt am Erzbischöflichen Theologen-Konvikt in Paderborn; 1950 Promotion zum Dr. theol., 1950/51 Studium am Päpstlichen Bibelinstut in Rom; 1952 Habilitation, 1952/53 Vorlesungen an der Universität Münster, 1953 Professor für Exegese des Neuen Testaments am Philosophisch-Theologischen Studium Erfurt, 1967 Mitglied der Evangelisch-Lutherischen/Römisch-Katholischen Studienkommission, 1978 Emeritus.

[50] Wilhelm Ernst, Professor, Msgr.; * 9. Oktober 1927 in Boneburg; 1955 Priester und Vikar in Halle (Saale), 1958 Assistent am Philosophisch-Theologischen Studium Erfurt; 1962 Promotion zum Dr. theol., 1962 Vikar in Magdeburg-Buckau, 1962 Studentenpfarrer in Magdeburg, 1963 Dozent für Moraltheologie und Ethik, 1971 Habilitation und Professor für Moraltheologie und Ethik am Philosophisch-Theologischen Studium Erfurt, 1995 Emeritus.

riatsrat Prälat Theo Schmitz[52] teil. Mit Ausnahme von Dozent Dr. Ernst[53] wohnte diese Gruppe in der Via Lucrezio Caro 51.

Bischof Dr. Otto Spülbeck[54], Meißen, Bischöflicher Rat Josef Gülden[55], Chefredakteur des „Tag des Herrn", Leißling, und Pfarrer Hermann Josef Weisbender[56], Wilsdruff, nahmen ebenfalls an allen Sitzungen teil. Als Fachtheologe kam zur 4. Sessio Prof. Dr. Johannes Lubsczyk[57], Erfurt, hinzu. Die „Meißner" wohnten bei den Grauen Schwestern von der Hl. Elisabeth, Via dell' Olmata 9.

Weihbischof Dr. Friedrich Maria Rintelen[58], Magdeburg, und Assessor Eduard Quiter[59], Magdeburg, haben ebenfalls an allen Sitzungsperioden teilgenommen.

---

51 Heinrich Theissing, Bischof und Apostolischer Administrator in Schwerin (1973); * 11. Dezember 1917 in Neisse, + 11. November 1988 in Schwerin; Studium in Breslau und Wien, 1940 Priester und Kaplan in Glogau, 1946 Diözesanjugendseelsorger in Görlitz, 1953 Ordinariatsrat, 1960 Domkapitular, 1963 Weihbischof in Berlin, 1967 Generalvikar, 1970 Bischöflicher Kommissarius in Schwerin, 1987 Emeritus.

52 Theodor Schmitz, Prälat; * 24. September 1916 in Essen; 1941 Priester und Kaplan in Berlin-Neukölln, 1948 Domvikar und Ordinariatssekretär, 1951 Sekretär von Bischof Wilhelm Weskamm, 1954 Kuratus in Petershagen, 1963 Ordinariatsrat, 1970-1982 Generalvikar Berlin (Ost), 1992 Emeritus.

53 Er wohnte in der „Olmata".

54 Otto Spülbeck, Koadjutor, Weihbischof, Apostolischer Administrator des Bistums Meißen (1955), seit 1958 Bischof, *8. Januar 1904 in Aachen, + 21. Juni 1970 in Mittweida; Studium in Bonn, Innsbruck und Tübingen, 1927 Promotion zum Dr. phil., 1930 Priester, 1930-37 Kaplan in Chemnitz und Leipzig, 1937-45 Pfarrer in Leipzig-Reudnitz, 1945-55 Propst von Leipzig, 1951-55 Geschäftsführer des St. Benno-Verlages; 1969/70 Präsident der Diözesansynode des Bistums Meißen, Mitbegründer des Leipziger Oratoriums.

55 Josef Gülden, Oratorianer; * 24. August 1907 in Mönchengladbach, + 30. Januar 1993 in Leipzig; 1932 Priester und Kaplan in Süchteln, 1934-1944 und 1946-1951 Kaplan in Leipzig-Lindenau, 1935-1945 Religionslehrer in Leipzig, 1944-1946 Studentenseelsorger in Leipzig, 1951-1972 Chefredakteur des „Tag des Herrn", 1971-1975 Cheflektor des St. Benno-Verlages Leipzig.

56 Hermann Josef Weisbender, Prälat; * 24. Februar 1922 in Köln; 1952 Priester (Rom), 1953 Kaplan in Chemnitz (St. Johann Nepomuk), 1956 Domvikar und Sekretär bei Bischof Otto Spülbeck, 1960 Pfarrer in Wilsdruff, 1964 Diözesancaritasdirektor, 1977 Pfarrer in Wechselburg und Geschäftsführer des St. Benno-Verlages, 1983 Generalvikar und Domkapitular, 1988 Pfarrvikar in Dresden-Pillnitz.

57 Johannes Lubsczyk, Professor, * 30. Mai 1911 in Leipzig, 1938 Priester und Kaplan in Dresden (Propstei), 1946 Kaplan in Leipzig Lindenau, 1956 Studienurlaub, 1960 Promotion zum Dr. theol. und Dozent, 1971 Professor für Exegese des Alten Testamentes am Philosophisch-Theologischen Studium Erfurt, 1976 Emeritus.

58 Friedrich Maria Rintelen, Weihbischof (1952) und Bischöflicher Kommissar in Magdeburg; * 12. Dezember 1899 in Ahlen, + 9. November 1988 in Paderborn; Studium in Paderborn und München, 1924 Priester und Vikar in Egeln, 1927 Vikar in Halle (Saale), ab 1934 zusätzlich Studentenseelsorger, 1935 Promotion zum Dr. theol., 1936 Generalsekretär der Akademischen Bonifatius-Einigung in Paderborn, 1939 Pfarrer in Paderborn, 1941 Generalvikar der Erzdiözese Paderborn, 1951 Erzbischöflicher Kommissar mit Sitz in Magdeburg, 1958 Generalvikar des Erzbischöflichen Kommissariats Magdeburg; 1970 Resignation als Erzbischöflicher Kommissar, 1971 Emeritus.

59 Eduard Quiter, Assessor; * 10. März 1927 in Wenden; 1952 Priester und Kuratus in Meßdorf, Vikar in Magdeburg und Sekretär von Weihbischof Friedrich Maria Rintelen, 1962 Assessor am Erzbischöflichen Kommissariat Magdeburg und Dezernent für Seelsorgefragen, 1964 Geistlicher Rat, 1965 Promotion zum Dr. theol., Übersiedlung in die Bundesrepublik Deutschland.

Prof. Dr. Bruno Löwenberg, Erfurt, war zur 1. Sessio, Prälat Martin Fritz[60], Magdeburg[61], war zur 4. Konzilssitzung als Begleiter mitgereist. Sie alle wohnten bei den Karmelitinnen, Via Trionfale 6157.

Weihbischof Dr. Bernhard Schräder, Schwerin, und Kommissariatsrat Friedrich Kindermann[62], Schwerin, die an allen Sessionen teilnahmen, hatten bei der ersten Sessio Prof. Dr. Otfried Müller, Erfurt, als Begleiter. Sie wohnten mit dem Osnabrücker Bischof Wittler in der „Olmata".

Ab der 2. Sitzungsperiode nahm der Erfurter Weihbischof Hugo Aufderbeck[63] am Konzil teil. Zur 2. Sessio hatte er Professor Dr. Fritz Hoffmann[64], Erfurt, zur 3. Sessio Professor Dr. Benno Löbmann[65], Erfurt, und Domkapitular Karl Schollmeier[66], Erfurt, und zur 4. Sessio Msgr. Ernst Göller[67], Heiligenstadt, und für wenige Wochen auch Ordinariatsrat Paul Uthe[68], Erfurt, als Begleiter gewählt. Sie wohnten bei den „Fuldaern", Villa Maria Regina, Via della Camilluccia 687.

Bischof und Kapitelsvikar Gerhard Schaffran[69], Görlitz, der ebenfalls seit der 2. Sitzungsperiode regelmäßig teilnahm, reiste zur 3. Sitzung mit dem Bischöfli-

---

[60] Martin Fritz, Prälat; * 16. Januar 1912 in Calbe (Saale); 1936 Priester und Vikar in Halle (Propstei), 1946 Vikar in Magdeburg und Sekretär des Erzbischöflichen Kommissariates, 1948 Rektor des Seelsorgehelferinnenseminars Magdeburg, 1950 Leiter des Katechetischen Amtes, 1955 Generalvikariatsrat im Erzbischöflichen Amt Magdeburg, 1993 Emeritus.

[61] Gülden, Konzilstagebuch (wie Anm. 35), 18. November 1965.

[62] Friedrich Kindermann, Prälat; * 25. April 1915 in Fugau, + 20. Juli 1990 in Schwerin; 1940 Priester, Wehrdienst, 1945 Kaplan in St. Georgenthal, 1946 Pastor in Goldberg, 1955 Leiter des Seelsorgeamtes Schwerin, 1973 Ordinariatsrat.

[63] Hugo Aufderbeck, Bischof und Apostolischer Administrator in Erfurt-Meiningen (seit 1973), * 23. März 1909 in Hellefeld, + 17. Januar 1981 in Erfurt; Studium in Paderborn, Wien und München, 1936 Priester und Religionslehrer in Gelsenkirchen, 1938 Vikar an der Propsteikirche und Studentenpfarrer in Halle (Saale), 1948 Seelsorgeamtsleiter in Magdeburg (bis 1950 unter Beibehaltung der Studentenseelsorge), 1962 Weihbischof von Fulda mit Sitz in Erfurt, Dompropst und Direktor des Geistlichen Gerichts in Erfurt, 1964 Generalvikar für den östlichen Teil des Bistums Fulda.

[64] Fritz Hoffmann, Professor, Prälat; * 25. Februar 1913 in Breslau; 1937 Priester und Pfarrvertreter in Primkenau, 1938 Kaplan in Breslau (St. Augustinus), 1940 Promotion zum Dr. theol. und Kaplan in Breslau (St. Matthias), 1947 Pfarrvikar in Wandersleben, 1952 Dozent und 1957 Professor für Fundamentaltheologie und Philosophie am Philosophisch-Theologischen Studium Erfurt, 1978 Emeritus.

[65] Benno Löbmann, Professor; * 10. April 1914 in Neucallenberg, + 29. Juli 1991 in Augsburg; 1938 Priester und Kaplan in Zittau, 1949 Dompfarrer in Bautzen, 1950 Studienurlaub (Rom, S. Maria dell' Anima), 1955 Promotion zum Dr. jur. can., seit 1953 Dozent und seit 1962 Professor für Kirchenrecht am Philosophisch-Theologischen Studium Erfurt, 1979 Emeritus.

[66] Karl Schollmeier, Prälat; * 19. Februar 1914 in Düsseldorf; + 16. Juni 1992 in Erfurt; 1937 Priester, 1938 Kaplan in Nordhausen, 1943 Domvikar in Erfurt, 1946 Jugendseelsorger in Erfurt, 1958 Leiter des Seelsorgeamtes Erfurt.

[67] Ernst Göller, Msgr.; * 31. Januar 1906 in Fulda; + 24. Juli 1996 in Fulda; 1932 Priester und Assistent am Bischöflichen Konvikt in Fulda und Kaplan in Hauswurz, 1939 Vikar in Heiligenstadt (St. Ägidien), Rektor des Bergklosters Heiligenstadt, 1970 Emeritus.

[68] Paul Uthe, Prälat; * 5. Februar 1926 in Heyerode; 1951 Priester und Kaplan in Rudolstadt, 1953 Vikar in Mühlhausen, 1957 Subregens im Regionalpriesterseminar Erfurt, 1962-1974 und 1981-1998 Ordinariatsrat, 1974-1981 Generalvikar, 1998 Emeritus.

[69] Gerhard Schaffran, Bischof von Meißen (1970) und Dresden-Meißen (1980-1987), * 4. Juli 1912 in Leschnitz, + 4. März 1996 in Dresden; 1937 Priester und Senior am Priesterseminar und Kaplan in Breslau, 1940-45 Wehrmachtspfarrer; 1945-50 freiwillige Gefangenschaft, 1950

chen Sekretär Assessor Hubertus Bauschke[70], Görlitz, und zur 4. Sessio mit Ordinariatsrat Bernhard Huhn[71], Görlitz. Auch diese Gruppe wohnte in der „Olmata".

Dr. Werner Becker, Consultor im Sekretariat für die Einheit der Christen, Leipzig, nahm seit der 2. Sessio am Konzil teil. Sein Domizil hatte er in der Casa Pallotti, Via di Pettinari 64.

Prälat Johannes Zinke, Berlin, war kurzzeitig zur 4. Konzilssitzung in Rom anwesend[72].

Zu den bedeutendsten Vertretern der katholischen Kirche in der DDR auf dem Konzil gehörte zweifelsfrei Erzbischof Dr. Alfred Bengsch. Im November 1961 war er von Johannes XXIII. in die Zentralkommission zur Vorbereitung des Konzils berufen worden[73]. In die „Kommission für den Klerus und das christliche Volk" wurde er zu Beginn des Konzils gewählt[74]. Hervorgetan hat er sich als Konzilsvater vor allem in der Schlußphase bei der Diskussion über die Vorlage „Kirche in der Welt von heute".

Bischof Dr. Otto Spülbeck, Meißen, wurde in die liturgische Kommission gewählt[75], und ergriff in dieser Funktion und bei der Diskussion um *Gaudium et spes* mehrfach das Wort in der Konzilsaula. Weitere Bischöfe waren Mitglieder von Subkommissionen.

Selbstverständlich lassen sich trotz der schwierigen Quellenlage Beispiele für die Konzilsarbeit der „ostdeutschen" Konzilsbegleiter anführen. Daß ihre Namen weniger in den Medien zu finden waren, mag auch daran gelegen haben, daß sie sich, wie die „ostdeutschen" Bischöfe überhaupt, aus kirchenpolitischen Gründen mit öffentlichen Äußerungen zurückhielten.

Obschon die periti privati bei der ersten Sitzungsperiode nicht in der Konzilsaula zugelassen waren, haben sie sich an den Zuarbeiten und theologischen Diskussionen engagiert beteiligt. Professor Dr. Otfried Müller wurde zum Sprecher der deutschsprachigen Theologen bei der 1. Sitzungsperiode gewählt. Dies hatte seinen Grund vor allem darin, daß der „Ostprofessor" wegen seines gediegenen

Kaplan in Cottbus, 1952 Rektor des Katechetenseminars Görlitz, 1956 Konsistorialrat im Erzbischöflichen Amt Görlitz, 1959-62 Homiletikdozent (Neuzelle); Weihbischof (1963) und Kapitelsvikar in Görlitz (bis 1972), 1976 Mitglied des Sekretariates für die Einheit der Christen; 1980-1982 Vorsitzender der BBK.

[70] Hubertus Bauschke, Msgr.; * 4. Dezember 1930 in Görlitz; 1957 Priester und Kaplan in Doberlug-Kirchhain, 1961 Kaplan in Hoyerswerda, 1963-1965 Ordinariatssekretär und Assessor, 1966 Studium in Rom (Lic. jur. can), 1970 Vizeoffizial, 1974 Offizial, 1979-1995 Vizeoffizial des interdiözesanen Offizialates.

[71] Bernhard Huhn, Weihbischof in Görlitz (1971), Apostolischer Administrator und Bischof von Görlitz (1972), Apostolischer Administrator des Bistums Görlitz (1994); * 4. August 1921 in Liegnitz, 1953 Priester, 1954 Kaplan in Görlitz, 1955 Diözesanjugendseelsorger im Diözesanbezirk Görlitz-Cottbus, 1959 Rektor des Katechetenseminars in Görlitz, 1964 Ordinariatsrat in Görlitz, 1968 Domkapitular, 1970 Generalvikar im Erzbischöflichen Amt Görlitz, 1994 Emeritus.

[72] Gülden, Konzilstagebuch (wie Anm. 35), 2. Dezember 1965.

[73] Bischöfliches Ordinariat Berlin (West) (Hg.), Alfred Bengsch. Der Kardinal aus Berlin, Berlin 1980, 61.

[74] Tag des Herrn, Nr. 45/46, 10. November 1962, 181.

[75] Ebd.

theologischen Wissens in Fachkreisen bekannt war und geschätzt wurde. Natürlich dürften sein einjähriger Studienaufenthalt an der Anima 1937/38 ebenso wie ein gewisser „Ostbonus" eine Rolle gespielt haben. Wie sehr diese Wahl gerechtfertigt war, zeigt sich aber auch durch die Veröffentlichung des fünfbändigen Sammelwerkes „Vatikanum Secundum"[76], das er in Zusammenarbeit mit Werner Becker und Josef Gülden herausgegeben hat. Besonders Band I, der schon 1963 erschien, fand höchste Anerkennung[77].

Professor Dr. Erich Kleineidam, Gründungsregens und Gründungsrektor des Erfurter Priesterseminars und Teilnehmer an der zweiten Sitzungsperiode, war, wie bereits dargelegt, an den Vorarbeiten und an der Erarbeitung des Dekretes über die Ausbildung der Priester beteiligt.

Am 12. Oktober 1964 wurde der Erfurter Neutestamentler, Prof. Heinz Schürmann, zum Konzilstheologen berufen[78]. Später wurde er (1969), wie auch der Erfurter Moraltheologe Wilhelm Ernst, Mitglied in der durch das Konzil initiierten Theologenkommission. Dr. Werner Becker ist zu nennen, der von 1961 bis 1978 Konsultor im Sekretariat für die Einheit der Christen war. Nicht zuletzt verdient Josef Gülden Erwähnung, der Mitarbeiter von Gerhard Fittkau, Leiter der deutschen Abteilung des Konzilspresseamtes[79], wurde und der durch seine engagierte Berichterstattung über das Konzil in der DDR den Rezeptionsprozeß förderte.

IV. KIRCHENPOLITISCHE IMPLIKATIONEN

Als Fallbeispiele für kirchenpolitisch hochbrisante theologischen Aussagen, die für DDR-Teilnehmer einer Gratwanderung gleichkamen, seien folgende Themen exemplarisch genannt.

Zu einem Entwurf, der die Verdammung des atheistischen Kommunismus intendierte und Vorschläge für die Seelsorge in jenen Ländern machte, die unter kommunistischer Herrschaft standen, hatte Erzbischof Bengsch bereits im Mai 1962 das Wort zu ergriffen[80]. Ihm ging es vor allem darum, den Kommunismus als Erscheinungsform des Atheismus und Materialismus zu brandmarken und Begrifflichkeiten zu meiden, die den Kampf gegen die Kirche unter kommunisti

[76] Otfried Müller u.a., Vaticanum Secundum, Bd. I - IV/1, Leipzig 1963-1968.
[77] „Der Band ist eine erstaunliche Leistung, mit dem sie für sich und ihre Mitarbeiter [...] alle Ehre einlegen"; Brief Kardinal Julius Döpfner/Otfried Müller 28. März 1964. „Hier hast Du wirklich in kürzester Zeit etwas sehr Brauchbares und praktisch Orientierendes geleistet"; Brief Franz Scholz/Otfried Müller 18. April 1964. „Es ist ein wertvoller Beitrag und wird unseren Mitbrüdern eine große Hilfe sein zum Verständnis des Konzils."; Brief Bischof Adolf Bolte/Otfried Müller 1. Mai 1964; Philosophisch-Theologisches Studium Erfurt, Seminar für Zeitgeschichte, Sammlung BOK/BBK (P) (= PTS-SfZ-SB).
[78] Ernennungsurkunde unterzeichnet von Kardinal Cicognani vom 12. Oktober 1964. Ich danke Kollegen Schürmann für die Überlassung einer Kopie. Vgl. Tag des Herrn, Nr. 47/48, 21. November 1964, 189.
[79] Gülden, Konzilstagebuch (wie Anm. 35), 9. Oktober 1962.
[80] Bengsch, Kardinal (wie Anm. 73), 61f.

scher Herrschaft neu entfachen könnten. Daß es zu keiner verbalen Verurteilung des Kommunismus kam, ist sicher auch auf Bengsch und andere DDR-Bischöfe zurückzuführen. Die damaligen Weihbischöfe Aufderbeck, Schaffran und Theissing hatten beispielsweise für Kardinal Alfrink eine Intervention über den Dialektischen Materialismus vorbereitet[81], und Weihbischof Aufderbeck war an der Entstehung des Textes zum Atheismusproblem beteiligt[82]. Am 25. Oktober 1964 konnten die Erarbeiter der Intervention für Kardinal Alfrink erfreut konstatieren: „Kein Kapitel und keine neue Verurteilung des Kommunismus und des Dialektischen Materialismus"[83].

Erzbischof Bengsch gehörte zu den 75 Konzilsvätern, die bei der Schlußabstimmung am 7. Dezember 1965 gegen die Pastoralkonstitution *Gaudium et spes* stimmten. Seine Ablehnung hatte er in einem Brief an Papst Paul VI. vom 22. November begründet[84]. Ihm ging es darum, den Mißbrauch des Textes durch totalitäre Regime zu verhindern[85]. Ein halbes Jahr nach dieser Entscheidung schrieb Bengsch Kardinal Döpfner einen Brief, erinnerte an diese Vorgänge und zeigte erste Konsequenzen für eine „neue" vatikanische Ostpolitik auf: „Du erinnerst Dich, daß bereits im Verlauf der 4. Konzilssession mich die kirchenpolitischen Konsequenzen der im Schema 13 fixierten theologischen Akzentsetzungen bedrängten. Mir schien bereits damals die Bejahung der Welt, der Kultur, der Technik zu ungesichert. Wahrscheinlich hast Du noch die Durchschriften meiner Interventionen in der Frage der Weltfriedensorganisationen und meines Memorandums über die notwendigen Vorsichtsmaßnahmen bei Verhandlungen mit den Ostblockländern. Alle meine damaligen Bemühungen haben aber nichts genützt. Der Papst hat mir in der Audienz gesagt, daß er meine besondere Lage wohl verstehe, sie aber nicht zum Maß für gesamtkirchliche Entscheidungen und Unternehmungen machen könne. Es ist mir aber klar, dass die theologische Akzentsetzung im Schema 13 das volle Placet das Papstes hat und von dieser theologischen Konzeption aus der Weg der Weltsendung, der Regierungskontakte, des Dialoges zielstrebig gegangen wird. Die möglichen Dauerkontakte des Vatikans mit allen Ostblockländern, ausgenommen die DDR, dürften natürlich für uns schwerwiegende Folgen haben. Da der hiesige Staatssekretär für Kirchenfragen unter allen Umständen Informationen über bereits laufende Verhandlungen besitzt, muß er die Konsequenz ziehen, daß die politische Abstinenz der mitteldeutschen Bischöfe ernstlich nicht mehr vom Vatikan gedeckt wird. Während bisher manche Forderungen nach politischem Engagement der Kirche gestoppt wurden, weil man hinter der abstinenten Haltung der Bischöfe eine wenigstens indirekte Weisung des Vatikans vermutete, kann man in Zukunft unter Berufung auf das Konzil und den Papst die Bischöfe unter Druck setzen"[86]. Die weitere Entwicklung der vati-

---

[81] Gülden, Konzilstagebuch (wie Anm. 35), 24. Oktober 1964.

[82] LThK.E III 338.

[83] Gülden, Konzilstagebuch (wie Anm. 35), 25.Oktober 1964.

[84] Regionalarchiv Ordinarien Ost (= ROO) A V 20, Brief Bengsch/Paul VI. 22. November 1965.

[85] Rolf Schumacher, Kirche und sozialistische Welt. Eine Untersuchung zur Frage der Rezeption von Gaudium et spes durch die Pastoralsynode der katholische Kirche in der DDR (EThSt 76) Leipzig 1998, 81-87.

[86] PTS-SfZ-SB, II Politika, Brief Bengsch/Döpfner vom 20. Mai 1966.

kanischen Ostpolitik gegenüber der DDR bis 1978 folgte durchaus der von
Bengsch skizzierten Linie.

Auf die zahlreichen Begegnungen der Teilnehmer aus der DDR mit anderen
Konzilsteilnehmern wurde bereits hingewiesen. Gemeinsame Konferenzen der
ost- und westdeutschen Bischöfe sowie Sitzungen der ostdeutschen BOK in Rom
fanden regelmäßig statt[87]. Wie argwöhnisch die DDR diese Begegnungen betrachtete, wurde nach der Unterzeichnung des deutsch-polnischen Briefwechsels
der Bischöfe von 1965 deutlich. Am 18. November hatten die polnischen Bischöfe einen Brief an ihre deutschen Mitbrüder verfaßt[88]. Am 5. Dezember hatten die
deutschen Bischöfe mit einem Brief, den auch alle ostdeutschen Bischöfe unter-
zeichneten, geantwortet[89]. Sie baten, so zusammenfassend der Inhalt, um Vergebung und gewährten Vergebung[90]. Auf polnischer Seite war offensichtlich der
Erzbischof von Breslau, Kominek, federführend beteiligt, auf deutscher Seite
dürfte Weihbischof Schaffran, der im Mai 1965 Breslau, Oppeln und Tschensto-
chau besucht hatte und in Rom vermittelte, eine wichtige Rolle gespielt haben[91].
Nach Bekanntwerden in der DDR und Abdruck des Briefwechsels im Ostberliner
St. Hedwigblattes kam es zum Eklat. Zum einen sah die DDR-Führung eine
ernstliche Loyalitätsverletzung sowie ein totales Einschwenken auf die politische
Linie der westdeutschen „Militärkirche"[92]. Zum anderen sah man einen Eingriff
in die nur der Regierung der DDR zustehenden Außenpolitik[93]. Das St. Hedwigsblatt wurde zwar nicht beschlagnahmt, mußte aber in der Ausgabe vom 19.
Dezember 1965 einen Auflage-Text abdrucken[94]. „Die katholischen Bischöfe der
DDR haben den Briefwechsel mit den polnischen Bischöfen angeregt und sich
bisher in keiner Weise von ihm distanziert. Im Gegenteil, Bischof Spülbeck hat
sich als Initiator dieses Briefwechsels gerühmt und seine Konzeption nach Kräf-
ten verteidigt"[95], resümierte man im Staatssekretariat für Kirchenfragen. Daß die
DDR-Bischöfe den Briefwechsel angeregt hatten, war bekannt geworden, vom
eigentlichen Initiator, Weihbischof Schaffran, wußte man nichts.

V. REZEPTIONSPROZESSE

Der Begriff der theologischen Rezeption setzt zunächst voraus, daß Informationen und Inhalte transportiert werden, die rezipiert werden sollen. In diesem Sinn

---

[87] Vgl. Gülden, Konzilstagebuch (wie Anm. 35).
[88] Gülden, Konzilstagebuch (wie Anm. 35), 18. November 1965.
[89] Gülden, Konzilstagebuch (wie Anm. 35), 6. Dezember 1965.
[90] Vgl. Gerhard Lange u.a. (Hg.), Katholische Kirche – Sozialistischer Staat DDR, Leipzig
²1993, 211-214.
[91] Gülden, Konzilstagebuch (wie Anm. 35), 29. November 1965.
[92] Vgl. Theo Mechtenberg, Der kirchenpolitische Umgang des SED-Regimes mit der Ostberliner Ordinarienkonferenz, in: Ost-West Informationsdienst 195/1997, 20.
[93] Höllen, Distanz (wie Anm. 2), 458 Anm. 510.
[94] Ebd.
[95] BAP, 0-4, 1942.

setzte der Rezeptionsprozeß hinsichtlich des II. Vatikanischen Konzils in der Kirche der DDR bereits dann ein, als Inhalte vermittelt wurden, die es aufzunehmen galt, und dies war seit 1962 der Fall. Die wenigen katholischen, kirchlichen Druckmedien der DDR, der St. Benno-Verlag in Leipzig, die Kirchenblätter „Tag des Herrn" und „St. Hedwigsblatt" haben seit Ankündigung des Konzils und vor allem während des Konzils ständig darüber berichtet, aber auch das Geschehen kommentiert. Die Konzilsberichte für den „Tag des Herrn" beispielsweise kamen auf folgende Weise schnell nach Leipzig. Die Redaktionssekretärin rief den Chefredakteur Josef Gülden zu abgemachter Zeit abends in Rom an. Alles wurde telefonisch durchgegeben, „weil es billiger als telegrafische Übermittlung oder durch den Fernschreiber war"[96].

Der Begleiter von Erzbischof Bengsch, Prälat Groß, gab im Auftrag des Berliner Ordinariates seit der ersten Konzilssitzung regelmäßig „Informationen zum Konzil" heraus, die als „Nur für innerkirchlichen Dienstgebrauch" eine Besonderheit neben den offiziellen Druckerzeugnissen der DDR darstellten. Die verschiedenen Ordinariate und Generalvikariate konnten diese bestellen und zugeschickt bekommen[97]. Seit der 3. Sitzungsperiode war auf Vorschlag von Weihbischof Aufderbeck mit Zustimmung von Erzbischof Bengsch ein Informationsdienst „Vaticanum II, Informationen zum Konzil" eingerichtet worden[98]. Allen Gemeinden war es damit möglich, nachdem man über die Ordinariate und Generalvikariate die Bestellungen aufgegeben hatte, vierzehntägig Informationsmaterial zu erhalten. Der recht umständliche Weg – Papier, Kuverts und Adressen mußten nach Berlin gebracht werden – minderte nicht den Erfolg des Unternehmens.

Aber auch für die breite katholische Öffentlichkeit, die sich nicht nur über die Kirchenblätter informieren konnte oder wollte, gab es durch die sogenannten „Hausbücher", die jährlich erschienen, Informationen, Kommentare, Hintergrundinformationen und Bildmaterial. Das Hausbuch 1964 trug sogar den Titel „Unser Konzil und aus der Konziliengeschichte"[99]. In den folgenden Jahren waren etwa ein Drittel der Beiträge dem Konzil gewidmet, bis sich das Jahrbuch 1967 der unmittelbaren Rezeption der Liturgiekonstitution mit der Gesamtthematik „Liturgische Erneuerung bei uns daheim"[100] zuwandte.

Auf die erste theologische Veröffentlichung von Prof. Dr. Otfried Müller von 1963 war bereits an anderer Stelle eingegangen worden. Nach Abschluß der 3. Konzilsperiode fand in Berlin vom 25. Januar 1965-28. Januar 1965 ein Liturgischer Kongreß statt, dessen Beiträge im gleichen Jahr publiziert wurden[101]. Eine für einen breiten Leserkreis verfaßte Auswahl von Texten des II. Vatikanischen Konzils erschien 1966[102]. Die erste vollständige, gedruckte Textausgabe wurde 1967 herausgegeben[103].

---

[96] Gülden, Konzilstagebuch (wie Anm. 35), 7. Oktober 1962.
[97] BAE, Ökumenisches Konzil, Brief St. Hedwigsblatt/Freusberg, 19. Oktober 1962.
[98] BEA, Ökumenisches Konzil, Brief Groß/Aufderbeck, 19. August 1964.
[99] Josef Gülden/Elisabeth Kiel (Hg.) Leipzig 1963.
[100] Gülden/Kiel (Hg.) Leipzig 1966.
[101] Walter Krawinkel (Hg.), Pastorale Liturgie. Vorlesungen, Predigten und Berichte vom Liturgischen Kongreß Berlin 1965, Leipzig 1965.
[102] Hans-Andreas Egenolf (Hg.), Welt, Christ, Kirche, Leipzig 1966.
[103] Werner Becker (Hg.), Die Beschlüsse des Konzils, Leipzig 1967.

Neben der BOK hat sich um den Rezeptionsprozeß vor allem das Philoso-
phisch-Theologische Studium in Erfurt verdient gemacht. Die Teilnehmer des
Studiums haben in zahlreichen Veröffentlichungen, vor allem aber auch durch
zahlreiche Vorträge und Bildungsveranstaltungen, Idee und Inhalte des Konzils
vermittelt. Nicht zuletzt sind wissenschaftliche Untersuchungen oder Dissertatio-
nen in der Folge des Konzils zu nennen, die in Erfurt entstanden oder angeregt
wurden: „Die Bedeutung des Hörers für die Verkündigung"[104], „Die Diözesan-
und Regionalsynoden im deutschen Sprachraum nach dem Zweiten Vatikanum"[105], „Der Priesterrat"[106], „Kirchliches Ordensverständnis im Wandel"[107], eine Untersuchung über die Christologie in *Gaudium et spes*[108] und schließlich eine Dissertation „Kirche und sozialistische Welt. Eine Untersuchung zur Frage der
Rezeption von ‚Gaudium et spes' durch die Pastoralsynode der katholischen Kirche in der DDR"[109].

Es ist die erste Untersuchung zur Frage der Rezeption von *Gaudium et spes* in
der DDR, die sich aber auch mit dem Rezeptionsprozeß des gesamten Vatikanums in der katholischen Kirche in der DDR beschäftigt. Der Verfasser, Rolf
Schumacher, hat hinsichtlich der Thematik eindeutig herausgearbeitet: Beim Prozeß Pastoralsynode, dem Rezeptionsprozeß für das II. Vatikanische Konzil in der
Kirche der DDR, handelt es sich insgesamt um eine überzeugende Rezeption von
Gaudium et spes unter den gegebenen Bedingungen der DDR. Natürlich gab es
Themen, wie die Soziallehre, bei denen man von einer bewußten Nichtrezeption
sprechen kann. Doch dafür war die Synode geradezu vom II. Vatikanum legitimiert worden, indem die Ortskirchen dazu aufgerufen waren, die Lehre des Konzils an die jeweilige Situation und Denkweise anzupassen[110].

Daß das II. Vatikanische Konzil in der katholischen Kirche der DDR rezipiert
wurde, steht außer Frage. Besonders hinsichtlich der Ökumene[111] könnten ausführlich und differenziert in einer eigenen Untersuchung die vielfältigen, positiven nachkonziliaren Aktivitäten dargestellt werden. Ob es nicht hinsichtlich bestimmter Konzilsaussagen eine beabsichtigte Nichtrezeption bestimmter Inhalte

---

[104] Ulrich Werbs, (EThSt 39), Leipzig 1978.

[105] Konrad Hartelt, (EThSt 40), Leipzig 1979.

[106] Stephan Kotzula, (EThSt 48), Leipzig 1983.

[107] Georg Jelich, (EThSt 49), Leipzig 1983.

[108] Thomas Gertler, Jesus der Christus – Die Antwort der Kirche auf die Frage nach dem
Menschsein (EThSt 52), Leipzig 1986.

[109] Rolf Schumacher, (EThSt 76), Leipzig 1998.

[110] Schumacher, ebd. 231f.

[111] Die evangelischen Kirchen in der DDR waren über das Konzilsgeschehen gut informiert. Unter anderem hatte Dr. Becker in einem Kreis evangelischer Theologen aus der ganzen DDR
über die ökumenischen Aspekte des Konzil regelmäßig berichtet und z.T. auch die Vorpapie-
re diskutiert. In der evangelischen Monatsschrift „Die Zeichen der Zeit" erschien in jedem
Jahrgang ein Resümee des Konzilsgeschehens; vgl. Die Zeichen der Zeit 17 (1963), 18
(1964), 19 (1965), 20 (1966). Auf ihrer Sitzung am 3./4. Februar 1966 beschloß die BOK die
Bildung eines ökumenischen Gesprächskreises, der von evangelischen Theologen angeregt
worden war. Die Konferenz bat Dr. Wolfgang Trilling, mit geeigneten Theologen diese Aufgabe unter Schirmherrschaft von Bischof Dr. Otto Spülbeck zu übernehmen. Auf der Sitzung
am 8./9. März 1971 errichtete die BOK eine Ökumenische Kommission mit Dr. Werner
Becker als Sekretär; vgl. PTS-SfZ-SB, Beschlüsse der BOK/BBK.

gegeben habe, ist oft gefragt worden. Die Frage ist mit Ja zu beantworten, weil gesellschaftliche und politische Rahmenbedingungen einer Rezeption entgegenstanden. Ein Hinweis auf die kirchlich-politische Situation in anderen Ländern und die ebenfalls unterschiedliche Rezeption sowie die Tatsache, daß die Rezeption des Konzils in vielen Teilen in der katholischen Kirche überhaupt noch aussteht, kann dieses scheinbar „nur" spezifische DDR-Phänomen relativieren.

Die Pastoralsynode der DDR selbst, die von 1973 bis 1975 in Dresden stattfand, und ihre Dokumente[112] wurden kaum rezipiert und sind beinahe in Vergessenheit geraten. Sicher gilt, daß es ein Versäumnis der BOK war, ihrerseits die Rezeption nicht voranzutreiben. Vielleicht aber liegt der Grund für die unbewußt intendierte Passivität der BOK auch an der doppelten Diasporasituation, die, wenn schon nicht zur Ängstlichkeit, so doch manchmal zu übergroßer Vorsicht bewog. Für eine solche Mentalität aber boten die optimistischen Texte der Synode wenig Rückhalt.

ZUSAMMENFASSUNG

Eine Zusammenfassung wird zunächst die drei Ausgangsfragen beantworten müssen. Der Staat hatte eine Teilnahme der ostdeutschen Ordinarien am Konzil gestattet. Reisegenehmigungen wurden erteilt, wenn auch der Versuch gemacht wurde, Einfluß zu nehmen. Informationen über das Konzil und seine Inhalte wurden zu keiner Zeit verhindert. Rezeptionsprozesse kamen zustande, wenn auch unter den besonderen Bedingungen einer Kirche in einem „totalitären" Staat. Besondere Bedeutung erlangte das II. Vatikanische Konzil, an dessen Vorbereitung und Sitzungen Bischöfe und Theologen aus der DDR beteiligt waren, aber auch durch andere Momente[113]. Auf dem Konzil geknüpfte Kontakte der Bischöfe der DDR zu anderen Konzilsteilnehmern wurden über Jahre, u.a. durch Gäste der Weltkirche bei den Diözesanwallfahrten, gepflegt. Sie förderten ein Gefühl der Zugehörigkeit zur Weltkirche. Die Konzilstexte selbst fanden ein z.T. euphorisches Echo, das vor allem in der Diözesansynode des Bistums Meißen und den dort verabschiedeten Dokumenten zum Ausdruck kam. Hinweise auf die Zugehörigkeit und Verbindung zur Weltkirche bei Auseinandersetzungen mit dem Staat waren nunmehr durch das Lebensgefühl der DDR-Katholiken gedeckt und wurden der Öffentlichkeit z.B. durch von Wallfahrten verschickte Grußtelegramme an den Papst dokumentiert. Berufungen von Bischöfen und Theologen aus der DDR in internationale und päpstliche Gremien verhinderten seit dem Konzil eine menschliche, kirchliche oder wissenschaftliche Isolation.

---

[112] Texte in: Konzil und Diaspora. Die Pastoralsynode der Katholischen Kirche in der DDR, hg. im Auftrag der BBK, Leipzig 1977.

[113] Josef Pilvousek, Die Katholische Kirche in der DDR, in: Erwin Gatz (Hg.), Kirche und Katholizismus seit 1945 Bd. I: Mittel-, West- und Nordeuropa, Paderborn-München-Wien-Zürich 1998, 143.

Von der acies ordinata zum Dienst an der Welt

Vorgeschichte und Rezeption des II. Vatikanischen Konzils im Bistum Münster

Von Wilhelm Damberg

Um Vorgeschichte und Rezeption des II. Vatikanischen Konzils im Bistum Münster in den Blick zu nehmen, muß ein weiter Bogen gespannt werden. Ein erster Schritt soll die Situation am Vorabend des Konzils skizzieren, ein zweiter Schritt die Veränderungen nach 1962 ins Auge fassen[1].

I. DIE VORGESCHICHTE

1. Eine Situationsanalyse von 1951

Nach dem Zusammenbruch der Diktatur war der deutsche Katholizismus allgemein – auch im Bistum Münster – von einem eigentümlichen Hochgefühl geprägt, in dem sich die Erwartung wiederspiegelte, nach den Erfahrungen der Vergangenheit werde sich die Gesellschaft fast zwangsläufig wieder dem Christentum zuwenden. Und in der Tat: die Gotteshäuser füllten sich, Prozessionen verzeichneten starken Andrang, und eine beträchtliche Zahl von Apostaten und Protestanten konvertierte zur katholischen Kirche, bei den Besatzungsbehörden erfreute man sich hohen Ansehens. Aber bald mischten sich störende Tonlagen in diese Erwartungshaltung, und eine stammte von dem 1947 ernannten Bischof der Diözese, Michael Keller. 1951 präsentierte er den Dechanten des Bistums seine ganz anders gelagerte Perspektive und formulierte eine pastorale Marschroute, die bis zum Konzil Bestand haben sollte. Er eröffnete die Konferenz mit einer stichwortartigen „Situationsschilderung"[2]: „Stammbevölkerung in katholischer Gegend, besonders Landgegend, hochprozentig an kirchlichem Leben, wenigstens äußerlich, beteiligt [...] Positiv: Überall erfreulicher Ansatz bei Jugend und Erwachsenen, verhältnismäßig starke Kommunionziffern, [...] Negativ: Bedenklich geschwundener Einfluß katholischer Haltung im gesamten öffentlichen Leben: Gewerkschaft, Wirtschafts- und Berufsverbände usw., Be-

---

1 Der folgende Beitrag rekurriert auf Forschungsergebnisse, die publiziert wurden in: Wilhelm Damberg, Abschied vom Milieu? Katholizismus im Bistum Münster und in den Niederlanden 1945-1980 (VKZG F 79), Paderborn 1997. Im Hinblick auf ausführliche Literatur- und zusätzliche Quellenverweise sei auf diese Studie verwiesen.

2 Michael Keller, Einleitungsreferat vor der Dechantenkonferenz des Jahres 1951. Bistumsarchiv Münster (=BAM), Bischöfliches Sekretariat 0-783a. Hervorhebung im Original.

triebsräte, Betriebsführung, Stadtparlament, Handel und Gewerbe. Auch bei unsern christlichen Vertretern weithin liberales Denken. Starke Kompromißbereitschaft, *wachsender Interkonfessionalismus* [handschriftlich ergänzt: und zwar weitgehend von einflußreichen Katholiken bejaht]. Faktisch ist das Milieu auf den Amtsstuben, in den Fabriken, Geschäften, Werkstätten, auf Sportplätzen, im geselligen Leben nicht mehr vom christlichen Geist bestimmt, oft heidnisch. [...] Besonders *bemerkenswert*: Dekadenz der Familie. Zunehmen der Mischehen. Versagen der Eltern. Zerbrechen der Ehen. (Abusus)". Vor allem die Zusammenfassung machte deutlich, daß sich Keller über die Zukunft keinen besonderen Illusionen hingab: „*Die Masse der Arbeiter* haben wir verloren, auch keinen nennenswerten Einfluß mehr darauf. Die *Situation auf dem Lande* ist zur Zeit noch unentschieden, aber äußerst gefährdet [...]. *Die Entwicklung geht weiter*, sowohl die Industrialisierung, als auch die Entchristlichung. [...] Besonders zu beachten: Die Entchristlichung wird bewußt vorangetrieben, und zwar nicht nur von Einzelnen, sondern von Gegnern, die in *machtvollen Organisationen* zusammengeschlossen sind, z.T. von einem übermächtigen Staat selbst".

Die Ansprache enthält im Kern zwei Hauptgedanken. Einerseits ist die religiöse Bindung der „Stammbevölkerung" des Bistums durchaus kräftig, soweit es die äußere Praxis betrifft, andererseits ist eine Entchristlichung der Gesellschaft im Gange, die auch die bisher unangetasteten Räume anzugreifen droht. Diese wiederum ist erstens identisch mit dem anonymen Zivilisationsprozeß, allerdings weniger der Industrialisierung als solcher, sondern vielmehr der intensivierten Mobilität, zweitens Folge eines ideologischen Kampfes. Keller sah sich also gewissermaßen in einem Zweifrontenkrieg. Der Katholizismus war auch im Bistum Münster im Begriff, seine gesellschaftliche Dominanz im öffentlichen Leben zu verlieren. Tatsächlich wird man feststellen müssen, daß die ambivalente Einschätzung der Lage durchaus begründet war, auch und gerade wenn wir soziologische oder demographische Daten zur Entwicklung des Bistums heranziehen. So war in Bezug auf die äußere religiöse Praxis, auf das ganze Bistum bezogen, keine ungünstige Entwicklung wahrzunehmen. Im Gegenteil verzeichnete die Teilnahme am Gottesdienst, wie erwähnt, nach 1945 eine zunehmende Tendenz. 1946 besuchten 52,7% der Katholiken die Sonntagsmesse, 1949 waren es 55,9%. Hinsichtlich der Bistumsteile taten sich freilich erhebliche Abweichungen auf. In konfessionell fast geschlossen katholischen Land-Dekanaten war der Kirchgang immer noch fragloser Bestandteil des gesellschaftlichen Lebens, dem bei einer Quote von über 70-80% praktisch alle Katholiken nachkamen. In industrialisierten städtischen Agglomerationen jedoch, selbst wenn die Katholiken ein Übergewicht in der Gesamtbevölkerung aufwiesen, lag der Meßbesuch zumeist signifikant unter 50%. Bezogen auf die Kirchlichkeit der ländlichen Regionen kam dies einer Halbierung der meßbaren religiösen Praxis gleich. Der entscheidende Faktor der Entkirchlichung war jedoch, wie 1955/56 eine soziologische Studie ergab, weniger die Industrialisierung als solche, sondern die damit verbundene Mobilität[3]. Diese Beobachtung erhielt ihr eigentliches Gewicht durch die enormen demographischen Umschichtungen in der Bevölkerung als Folge des Krieges und des wirtschaftlichen Neubeginns.

1956 berichtete ein Dechant aus einer Pfarrei im Industriegebiet, daß dort rund die Hälfte aller aus dem ländlichen katholischen Milieu zugezogenen Katholiken

„gleich vom ersten Sonntag an überhaupt keinen Kontakt zur Kirche mehr auf[nimmt], man betrachtet die religiöse Betätigung als etwas, das daheim zum Leben des Dorfes gehörte, das man aber in der neuen Umgebung einfach undiskutiert an die Seite stellt. In einer ganzen Reihe von Fällen werden Kreuze und religiöse Bilder in der neuen Wohnung einfach nicht mehr aufgehängt, weil das nicht zum Stil paßt. Fast alle aber kommen noch zum Gottesdienst, wenn die Eltern zu Besuch da sind. Dann wird getan, als ob alles beim Alten und alles in Ordnung sei". Man müsse sich darüber klar sein, daß bei „sehr vielen Katholiken, bei allem äußeren Mittun, im Innern ein großer, nicht mehr durchpulster und durchbluteter *religiöser Hohlraum* entstanden ist. Wir alle sollten uns, und das ist das Wichtigste, endlich über *den eingetretenen Substanzverlust* nicht mehr hinwegtäuschen"[4].

2. Die pastorale Strategie: Missionarisches Apostolat

Aber zurück zur Konferenz des Jahres 1951. Keller hielt den Augenblick für gekommen, um die Katholiken für eine missionarische Offensive in einer Gesellschaft zu mobilisieren, die er von einem massiven Prozeß der Entchristlichung bedroht sah. So formulierte er vor den Dechanten die Aufgabe für die Zukunft: „Durch unsere Seelsorge die Voraussetzungen schaffen für die Erhaltung des Bestehenden, für die Bekehrung der Abständigen und für die Eroberung der noch draußen Stehenden, und zwar die *innere Voraussetzung* durch eine christliche Erneuerung der einzelnen Menschen und der Familien. Die *äußeren* Voraussetzungen durch die Verchristlichung der Umwelt mit Hilfe geformter Christen und Familien. Beide Aufgaben nicht nacheinander, sondern mit und ineinander". Für den Erfolg dieses Unternehmens sei letztlich die Gnade Gottes entscheidend, aber ebenso sei Mitwirkung gefordert: „Diese Mitwirkung verlangt von uns, daß wir in den Methoden unserer Seelsorge uns der modernen Entwicklung anpassen. Das heißt *heute vor allem*: Es wäre nicht nur ein unverzeihliches Versäumnis, sondern eine geradezu strafwürdige Praesumptio, wollten wir nicht dem organisierten Angriff eine organisierte Abwehr und einen organisierten Gegenangriff entgegensetzen. Mit anderen Worten: Wir müssen zu einer wohl gefügten acies ordinata zusammenwachsen. Die Kirche muß sich in sich selbst zusammenschließen und zusammenordnen". Dies sei umso notwendiger, als das „Leben heute so ungeheuer kompliziert ist, so daß wir zwangsläufig [...] die verschiedensten Wege beschreiten müssen und eine *Vielfalt* von Organisationen und Institutionen brauchen". Prägnanter war das Dilemma einer Pastoral, die mit den sich ständig weiter ausdifferenzierenden gesellschaftlichen Strukturen der Moderne Schritt zu halten versuchte, schwerlich auf den Punkt zu bringen. „Wo finden wir das *Einheitsprinzip für die Vielfalt*?" – das war die sich logisch anschließende Frage des Bischofs, der sich ebenso eine klare Richtlinie anschloß:

---

3   Alfons Weyand, Formen religiöser Praxis in einem werdenden Industrieraum (Schriften des Instituts für Christliche Sozialwissenschaften 14), Münster 1963, besonders 206.
4   Warnzeichen für unser Bistum, in: Unsere Seelsorge (1955), Heft 4, 1. Hervorhebung im Original.

„Bistum und Pfarrei [müssen] die Kristallisationspunkte der Einheit sein". Der Bischof gewähre die „Einheit der Ausrichtung, der Zielsetzung", und im konkreten Raum der Pfarrei müsse die Einheit *praktisch wirksam* werden, oder sie wird es überhaupt nicht"[5].

Ohne den Begriff zu verwenden, griff Keller auf den Ideenhaushalt der von den Päpsten Pius XI. und Pius XII. proklamierten „Katholische Aktion" zurück[6]. Diese auch als „Teilnahme der Laien am hierarchischen Apostolat der Kirche" definierte „actio catholica" baute auf wenigen Grundprinzipien auf. Angesichts der Defensive, in die die Katholiken in der modernen Gesellschaft geraten seien, bedürfe es zur missionarischen „Erneuerung der menschlichen Gesellschaft im christlichen Geiste" einer „acies ordinata" aller katholischen Kräfte, und zwar unter Einschluß der Laien. War nun anders als in den romanischen Ländern in Deutschland der Zusammenschluß von Laien ein vertrautes Phänomen, so enthielt der Gedanke der „actio catholica" doch auch für die hiesigen Verhältnisse zwei neue Elemente. Zu nennen sind erstens die Forderung nach einer intensivierten Kooperation, was faktisch auf eine verstärkte Zentralisierung der Laienaktivitäten hinauslief, zweitens das Bemühen um einen neuen Typus von (Elite)Laien, der über eine intensive religiöse Formung und Schulung verfügt, um auf diese Weise selbständig, d.h. ohne beständige äußere Führung des Klerus, in der Gesellschaft agieren zu können. Der Kreis dieser neuen „Laienapostel" sollte zunächst auf eine kleine, hochmotivierte Elite begrenzt bleiben, aber langfristig eine breitere soziale Bewegung auslösen (Es ist unübersehbar, daß hier offenbar das Modell der radikalen Kaderpartei als Vorbild gedient hat). Der Zusammenschluß dieser nur nach „Naturständen" (Männer, Frauen, Jungmänner und Jungfrauen) gegliederten Elite war in Aktions-Komitees in der Pfarrei und auf Bistumsebene vorgesehen. Soweit die Theorie. Wie aber war dieses Konzept mit dem starken Verbandskatholizismus zu vermitteln, für den gerade das Bistum Münster bekannt war? Nach den Vorstellungen des neuen Bischofs sollten die Verbände im Sinne der Katholischen Aktion überformt werden, und dazu orientierte sich die Bistumsleitung an der in Belgien und Frankreich entwickelten Methode des sog. missionarischen Apostolates. Als Vorbild galt insbesondere die Christliche Arbeiter-Jugend (CAJ) mit dem Prinzip indirekter priesterlicher Führung und dem Zusammenschluß der ‚Vorkämpfer', also einer Laien-Elite, die in ihrem sozialen Umfeld zum Träger missionarischer Verchristlichung der ‚Masse' wird. Diese Methodik wies eine große Nähe zum berufsorientierten Verbandswesen auf und konnte als die für das Bistum Münster geeignete Umsetzung der Katholischen Aktion gelten. Der Koordination der Aktivitäten für die gesamte Diözese, der Ausrichtung der acies, hatte ein „Diözesanführungskreis" unter der Leitung des Bischofs zu dienen, dessen personelles

5   Michael Keller, Einleitungsreferat (wie Anm. 2). Hervorhebung im Original.
6   Zur Katholischen Aktion vgl. Heinz Hürten, Deutsche Katholiken 1918 bis 1945, Paderborn 1992, besonders 132-137, sowie Wilhelm Damberg, „Radikal katholische Laien an die Front!". Beobachtungen zur Idee und Wirkungsgeschichte der Katholischen Aktion, in: Joachim Köhler/Damian van Melis (Hg.), Siegerin in Trümmern. Die Rolle der katholischen Kirche in der deutschen Nachkriegsgesellschaft (Konfession und Gesellschaft 15), Stuttgart 1998, 142-160.

Rückgrat die geistlichen Präsides und die Laienführungen der Verbände stellten. Entsprechend wurden die Pfarrer und Vereine zur Einrichtung von „Pfarr-führungskreisen" aufgefordert.

Wenn wir dieses Programm betrachten, ist ein doppelter Befund zu konstatieren. Einmal unternahm es einen Sprung in unbekanntes Terrain, indem die Führungseliten der Laien über ihre jeweiligen Verbände hinaus an Leitungsfunktionen für den gesamten kirchlichen Raum teilnehmen sollten. Davon ging zweifellos eine egalisierende Wirkung aus, auch wenn die Unterordnung unter den Bischof conditio sine qua non blieb. Dieser Egalisierung und – unter Vorbehalt – ‚demokratisierenden' Tendenz stand jedoch zugleich eine Tendenz zur Zentralisierung gegenüber. Beruhte das Milieu des Bistums bis zu diesem Zeitpunkt auf einer bunten Vielfalt weitgehend selbstorganierter und in gewissem Sinne ‚autonomer' Zusammenschlüsse, sollte nun dieser Wildwuchs überwunden werden. Einerseits hatte dies einer verstärkten Schlagkraft der acies bene ordinata zu gute zu kommen, andererseits ist nicht zu übersehen, daß schon die Logik einer allgemeinen Partizipation der ständisch formierten Laien der Einrichtung zentralisierter Kommunikationsstrukturen bedurfte.

Diese Ambivalenz läßt sich ebenso auf einem anderen Feld aufweisen, dessen Bedeutung in diesem Zusammenhang kaum zu überschätzen ist. Nahtlos zu der 1951 formulierten Strategie fügte sich die Zentralisierung des Kirchensteuereinzugs. In den zum Land Preußen gehörigen Diözesen wurden die Kirchensteuern seit 1905 von den Kirchengemeinden als Ortskirchensteuer erhoben. Entsprechend waren die finanziellen Verhältnisse und auch die Steuersätze von Ort zu Ort sehr unterschiedlich. Als dann nach der Währungsumstellung viele Gemeinden vor dem Ruin standen, setzten in Nordrhein-Westfalen Überlegungen ein, das Kirchensteuersystem auf eine breitere Grundlage zu stellen, was 1950 zur Einführung einer Diözesan-Kirchensteuer führte. Auch hier ist die egalisierende Wirkung dieser Neuordnung unverkennbar: Die Kriegsfolgen hatten das Nebeneinander von vermögenden Pfarreien und Notstandsgebieten so auf die Spitze getrieben, daß nach dem Scheitern der Appelle an die freiwillige Solidarität kein Weg mehr an einer Neuordnung vorbeiführte; umgekehrt ist offenkundig, daß dies nur über erweiterte Kompetenzen der Bistumsleitung und den Aufbau einer Zentralverwaltung möglich war, die sich mit eben diesem Lastenausgleich, dem Bauwesen usw. zu befassen hatte.

3. Die Bilanz der 50er Jahre

Was wurde aus der missionarischen Offensive von 1951? Sie stieß bereits gegen Ende der 50er Jahre unübersehbar an Grenzen. Kern der pastoralen Strategie war, wie wir gesehen haben, die intensivierte missionarische Mobilisierung und Kooperation der Laienverbände in Pfarrei und Bistum. Ihre quantitative Nachkriegsexpansion kam jedoch um 1960 zum Erliegen, und auch die Erfolge der inneren religiösen Formung, also die Bildung der Laien-Elite, ließen nach dem Urteil der Verantwortlichen zu wünschen übrig. Das Dilemma läßt sich an der neubegründeten Katholischen Landjugendbewegung (KLJB) beschreiben, deren

Expansion auf einem attraktiven Bildungs- und Freizeitangebot beruhte, das aber zugleich die Bildung eines religiös hochmotivierten Laien-‚Kernkreises‘ zu behindern schien. Eine missionarische Aktivierung der Verbände, wie ursprünglich angestrebt, kam jedenfalls nicht zustande. Besonders kritisch nahm sich die Lage bei der zur Katholischen Jungmänner-Gemeinschaft (KJG) ausgebauten Pfarrjugend der NS-Zeit aus. Sie war das Hauptopfer der rapide zunehmenden Distanz der jungen Generation zu den katholischen Jugendverbänden, wobei das Phänomen als solches freilich kein spezifisch katholisches ist, sondern fast alle westdeutschen Jugendverbände betraf. Die Säulen der katholischen Jugendarbeit gerieten ins Wanken. Schließlich mehrten sich die Zweifel an dem Prinzip ständischer Differenzierung überhaupt, denn die Entwicklung der bundesrepublikanischen Gesellschaft schien auf die Ausbildung einer Mittelstandsgesellschaft hinauszulaufen, in der ständisch geprägte Lebensformen ihre Bedeutung rasch verloren. Das aber stellte die verbandsorientierte Strategie grundsätzlich in Frage.

Und wie hatten sich die neuen Leitungsgremien in Diözese und Pfarrei bewährt? Der „Diözesanführungskreis" erwies sich als zu schwerfällig, wenn es um die Behandlung der laufenden Angelegenheiten handelte, und auf der Ebene der Pfarreien gab es nur wenige Orte, in denen es tatsächlich zur Gründung der 1951 geforderten Pfarrführungskreise gekommen war. Weshalb? Die Bistumsleitung überließ das Projekt zunächst der Initiative der einzelnen Pfarreien, was nur vereinzelt Resonanz zeitigte. Ein Bericht aus dem Jahre 1962 läßt das Ausmaß der Schwierigkeiten erkennen: Auf gesteigerten Druck von oben wurden zwar schließlich 292 Pfarrkomitees „als gegründet gemeldet", aber dann stellte sich heraus, daß gerade 10 Komitees zu regelmäßigen Sitzungen zusammentraten[7]. Offensichtlich stand die überwiegende Mehrheit der münsterischen Pfarrer, aber auch der Laien, dem Anliegen der Komitees auch am Vorabend des Konzils immer noch sehr fremd gegenüber – Bezugspunkt des münsterischen Katholizismus war und blieb der Verein!

Die eigentlichen Probleme waren jedoch jenseits von Vereinen und Komitees zu verzeichnen: Da Kirchlichkeit eben an der Beteiligung an der Osterkommunion sowie dem sonntäglichen Meßbesuch gemessen wurde, konnte den Verantwortlichen nicht verborgen bleiben, daß der Aufschwung des kirchlichen Lebens nach 1945 im Jahre 1951 zum Stillstand gekommen und seitdem rückläufig war. Dem Augenschein nach war dies freilich kaum zu erkennen, da die Katholikenzahl insgesamt durch Zuwanderung und Geburten noch anstieg und die Kirchen sich entsprechend immer noch mehr füllten; relativ nahmen Osterkommunionen und Meßbesuch jedoch ab. Diese epochale Trendwende war im übrigen – dies gilt es zu betonen – keine regionale Erscheinung, sondern in der gesamten Bundesrepublik Deutschland zu beobachten. Eine hartnäckig tradierte oral history, der Gottesdienstbesuch sei erst nach dem II. Vatikanischen Konzil schlagartig

---

[7]   Bericht der Geschäftstelle des Diözesankomitees (31.12.1962). BAM Generalvikariat NA A 101-679.

[8]   Vgl. Graphik: Sonntäglicher Kirchenbesuch in Deutschland 1927-1998. Quelle: Datensatz des Arbeitskreises für kirchliche Zeitgeschichte, Münster.

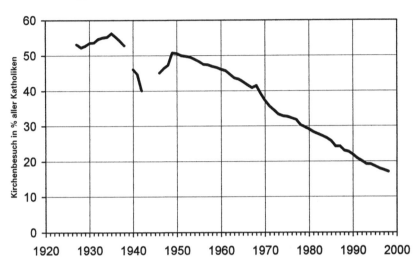

Sonntäglicher Kirchenbesuch in Deutschland 1927 - 1998

Quelle: Datensatz AKKZG, Münster   Graphik: A. Liedhegener
Bemerkung: Deutschland bzw. Bundesrepublik Deutschland in den jeweiligen historischen Grenzen

eingebrochen, entspricht nicht dem Befund der langjährigen Statistik[8].

Als „größte Sorge" Kellers galt ihm aber der ebenfalls bereits seit ca. 1950 in ganz Deutschland spürbare Nachwuchsrückgang der geistlichen Berufe[9]. Dieser Entwicklung suchte man einerseits durch eine systematisierte Nachwuchsförderung (Konvikte), zweitens durch eine Rationalisierung der zur Verfügung stehenden Kräfte zu steuern. Die Erfolge blieben jedoch hinter dem Bedarf zurück.

Welches Resümee ergibt sich? Hier gilt es an einen Hirtenbrief Michael Kellers vom 22. Januar 1958 – genau ein Jahr und drei Tage vor der Ankündigung des II. Vatikanischen Konzils durch Johannes XXIII. – zu erinnern, in dem er die „gebieterische Notwendigkeit" einer „Neuorientierung unserer Seelsorge" konstatierte. Er verband diese Forderung vor allem mit der „umfassenden und intensivsten Mitarbeit der Laien am Aufbau des Gottesreiches", die mit einer jahrhundertelangen Tradition herkömmlicher Arbeitsteilung zu brechen habe und langwierige Gewöhnung erfordere[10]. Das Wissen und die Notwendigkeit, qualitativ neue Wege zu gehen, drängte jedenfalls ins Bewußtsein. Keller starb 1961, ein Jahr vor der Konzilseröffnung.

---

[9] Michael Keller, Hirtenbrief vom 25. Januar 1952, in: ders., Iter para tutum. Apostolat in der modernen Welt. Hirtenworte des Bischofs von Münster, hg. von Laurenz Böggering, Münster 1961, 101-110.

[10] Michael Keller, Hirtenbrief vom 22. Januar 1958, in: ders., Hirtenworte (wie Anm. 8), 89-96.

II. Die Rezeption des Konzils

Aus heutiger Sicht muß hervorgehoben werden, daß die Ankündigung des Konzils unter den Katholiken anfangs nur eine geringe oder gar keine Anteilnahme auslöste. Erst nach und nach steigerte sich die Erwartungshaltung, die Anfang 1962 einen ersten Konflikt auslöste. Als in der Kirchenzeitung „Kirche und Leben" ein Gast-Artikel des Limburger Weihbischofs Kampe das Kirchenvolk dazu aufforderte, Wünsche und Sorgen gegenüber den Bischöfen zu artikulieren[11], und eine Woche darauf ein Kommentar erklärte, angesichts der fortgeschrittenen Vorbereitungen sei es für Anregungen bereits zu spät, hagelte es in der Redaktion der Kirchenzeitung Proteste von irritierten Lesern. Wenig später übernahm Josef Höffner die Leitung des Bistums, der mit der Konzilseröffnung und der durch Johannes XXIII. geförderten freien Kommunikation im Kollegium der Bischöfe eine ganz neuartige Erfahrung machte, die er rückblickend als das „Herzstück" des Konzils bezeichnete[12]. Entsprechend ermutigte er für das Bistum Münster dazu, sich auch hier an diesem Muster offener Kommunikation zu orientieren. Freilich scheint diese Euphorie des Konzilsbeginns rasch verflogen zu sein, denn bereits im Herbst 1963 macht sich bei ihm eine immer deutlichere Skepsis bemerkbar. Im Inneren des Katholizismus konstatierte er eine „Gärung und Unsicherheit", die einerseits aufgestaut, andererseits durch das Konzil freigesetzt worden sei[13]. Der Aufbruch des Konzils sei nur bei „fester Führung" nicht gefährdet, kommentierte die Bistumszeitung entsprechende Äußerungen des Bischofs[14]. Im folgenden möchte ich einige Aspekte dieses konziliaren Aufbruchs im Bistum Münster beleuchten. Dabei scheinen insbesondere bis ca. 1971 die wichtigsten Weichenstellungen erfolgt zu sein. Insgesamt lassen sich vier Etappen unterscheiden, die sich freilich z.T. überlagern. Ausdrücklich möchte ich darauf hinweisen, daß zwar im folgenden auf die Bedeutung der Liturgiereform rekurriert, die eigentliche Umsetzung jedoch nicht behandelt wird. Ihre Rezeption stellt ein dringendes Desiderat dar, das liturgiewissenschaftlicher und historisch-sozialgeschichtlicher Kooperation bedarf.

1. Der „Dialog" (1965/66)

Schon die Schwierigkeiten der Bistumszeitung im Vorfeld des Konzils ließen erkennen, daß die Dynamik der Kirchenversammlung die herkömmlichen Kommunikationsstrukturen zu überrollen drohte. Als nun Joseph Höffner im Mai 1965 beunruhigt zu konstatieren meinte, daß im Kirchenvolk eine „totale Dis-

---

[11] Walter Kampe, Das Jahr des Konzils. Das Wort der Gläubigen an die Konzilsväter, in: Kirche und Leben, 21. Januar 1962.

[12] Bischof Joseph schreibt aus Rom, in: Kirche und Leben, 4. Oktober 1964.

[13] Joseph Höffner, Die katholische Kirche im vierten Konzilsjahr, in: Protokoll der Dechanten-Konferenz vom 8. bis 10.6.1965. Gekürzter Abdruck: ders., Reden und Aufsätze, Bd. II, hg. von Wilhelm Dreyer, Münster 1969, 161-165.

[14] Später wird Bilanz gezogen. Gipfelkonferenz der Dechanten mit Bischof Joseph in Kevelaer, in: Kirche und Leben, 27. Juni 1965.

kussion" in Gang gekommen sei[15], gab es immer noch keinerlei institutionalisier-
te Kommunikationsstrukturen, in denen sich diese aufgestaute ‚Gärung‘ hätte artikulieren können. Dann jedoch ließ der Bischof die Mitglieder des faktisch aus den
Vertretern der Vereine und Verbände bestehenden Diözesanführungskreises zu einer
Tagung einberufen, um es nunmehr als „Diözesankomitee" der Katholiken im Bistum Münster umzukonstituieren. Damit kam das Bistum knapp dem konziliaren
Dekret über das Laienapostolat vom 18. November 1965 zuvor, das die Einrichtung
beratender Gremien für die Diözesen unter Einschluß der Laien forderte. Aufschlußreich ist, wie Höffner die Aufgaben des Komitees umschrieb. Angesichts der
Vielfalt der Organisationsformen des Laienapostolats „muß die Einheit gewahrt
bleiben. Diesem großen Anliegen soll unsere Tagung dienen. Papst Pius XI. be-
klagte sich [...] über die ‚übermäßige Zersplitterung‘ im katholischen Lager,
während die Kinder dieser Welt, ‚nach wohlüberlegtem Plan eine Auslese ent-
schlossener Anhänger‘ schulten, eine ‚geschlossene Angriffsfront‘ bildeten, um ihr
Ziel zu erreichen". Konzeption und Denkmuster sind hier auch im vierten Konzilsjahr fraglos dem früheren Denkschema der acies ordinata entlehnt. Einzig das Motto, das der Bischof der Tagung voranstellte, nennt ein neues Stichwort: Priester und
Gläubige sollten sich „im Dialog begegnen [...]. Dieses Wort soll auch über unserer
Begegnung stehen"[16]. Damit war nun allerdings ein Stichwort gefallen, das wie
kaum ein anderes die Umsetzung des konziliaren ‚Geistes‘ signalisierte und den
Versuch, den Kommunikationsprozeß des Konzils auf das Bistum zu übertragen.
    1966 legte ein Arbeitskreis Vorschläge zur Methodik und Thematik dieses Dia-
loges vor. Überall im Bistum sollte in Pfarreien, Gruppen und Vereinen eine Verständigung über die „Gemeinde als lebendige Kirche" und ihre „Sendung für die
Welt" gesucht werden[17]. Die Ergebnisse waren an die Kirchenzeitung zu übermit-
teln, und im September 1966 tagte schließlich das Diözesankomitee, um die Ergebnisse des Dialogs zu beraten und ihn fortzuführen. Einleitend formulierte Höffner seine Erwartungen: „Entscheidend ist [...]. daß die nachkonziliare Pfarrei ein
missionarisches Ausstrahlungszentrum werde, das alle im Bereich der Pfarrei lebendigen Apostolatkräfte um den Altar sammelt, sie fördert, eingliedert und aufeinander abstimmt". Gekennzeichnet sei eine solche Gemeinde durch ein „totales"
Apostolat, das sich auf die kleinen Lebenskreise und die ganze moderne Gesellschaft beziehe. Abgesehen von der Betonung der „Mündigkeit" des Laien unterschied sich dieses Konzept in keiner Weise von dem, was Höffner bereits vor dem
Konzil über die Aufgaben der Gemeinde vorgetragen hatte. Kaum übersehbar ist
dabei seine Sorge, daß der Aufbruch der missionarischen Gemeinde nur nach innen
gerichtet sein könne: „Nirgendwo [...] ist heute der Rückzug in ein Getto gestattet!", rief der Bischof den Delegierten zu[18].
    Freilich lassen die Ergebnisse der Tagung vermuten, daß genau diese Richtung
nicht vermieden wurde. In dem eingesandten Material liegt der konzentrierte

---

15 Joseph Höffner, Selbstverständnis und Perspektiven des Zweiten Vatikanischen Konzils, in:
    ders., Reden (wie Anm. 13), 109.
16 Meilenstein für die Entwicklung des Laienapostolats, in: Kirche und Leben, 25. Juli 1965.
17 Mitteilungen. Anregungen, Berichte und Hinweise der Geschäftsstelle des Diözesankomitees
    der Katholiken im Bistum Münster, Nr. 6, März 1966.
18 Rückzug in ein Getto ist heute unmöglich, in: Kirche und Leben, 2. Oktober 1966.

Niederschlag des „Dialog"-Jahres vor, dessen quasi introvertiertes Profil unverkennbar ist. Das Engagement zielte im Jahr eins nach dem II. Vatikanum nach innen: Die ganz überwiegend, d.h. zu 90%, begrüßte Liturgiereform beanspruchte
das Hauptinteresse, darüber hinaus stand eine Reform der Binnenstrukturen in
den Pfarreien ganz oben auf der Wunschliste, durch neue Kommunikationsstrukturen, die Klärung von Kompetenzen, verbesserte Information und schließlich
überhaupt die verstärkte Beteiligung der Laien an der Seelsorge. Allen gegentei-
ligen Erklärungen des Konzils zum Trotz trat die gesellschaftliche Dimension des
christlichen Handelns zu diesem Zeitpunkt in ihrer Bedeutung völlig zurück[19].

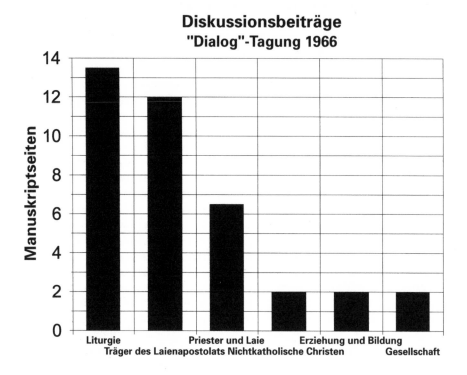

2. Der Ausbau des „Rätesystems"

Nach dem „Dialog" drängte die Notwendigkeit, sich dem systematischen Ausbau
von Gremien zu widmen, in denen sich der jetzt zum Durchbruch gekommene, am
Bild des ‚Volkes Gottes' und kollegialen Entscheidungsstrukturen orientierte Kir-
chenbegriff realisieren konnte. War dieses dem Kundigen schon seit 1951 vertrau-
te Planziel pastoraler Strategie zuvor an Desinteresse und passivem Widerstand ge-
scheitert, so zeigte sich jetzt im „Dialog" des Jahres 1966, daß nun auch unter den
münsterischen Katholiken eine breite Akzeptanz dieses Gedankens vorhanden war.

---

[19] Vgl. Graphik: Diskussionsbeiträge „Dialog"-Tagung 1966. Zur quantitativen Auswertung vgl.
Damberg, Abschied (wie Anm. 1), 263-267.

Das Jahr 1967 markiert den Beginn einer schon für die Zeitgenossen nicht leicht überschaubaren Entwicklung. Im Anschluß an einen Beschluß der Bischofskonferenz richtete Höffner 1967 einen Seelsorgerat und einen Priesterrat ein. Was von der Stunde gefordert zu sein schien, führte in der Praxis dazu, daß nunmehr zusammen mit den älteren Institutionen, die schon früher in der einen oder anderen Weise an der Leitung der Diözese beteiligt gewesen waren, eine Vielzahl von Gremien entstand, „deren Funktionen sich überschneiden und deren Zuständigkeit oft kaum genau zu bestimmen ist", wie der Offizial des Bistums in einem kritischen Artikel monierte[20]. So stand beispielsweise die Dechantenkonferenz nun unvermittelt und in ihrem Gewicht beschnitten neben dem neuen Priesterrat. Beratungsfunktionen für den Bischof nahm aber der Klerus nicht nur über den Priesterrat und die Dechantenkonferenz wahr, sondern auch noch über den Seelsorgerat und zusätzlich das Diözesankomitee, das ja ebenfalls nach einer vorläufigen Satzung von 1965 als gemeinsames Gremium von Laien und Priestern zusammengesetzt war, vom Geistlichen Rat und dem Domkapitel ganz zu schweigen. Gemessen an dieser unüberschaubaren Gemengelage der Beratungsgremien des Klerus nahm sich die Situation für die Laien noch übersichtlich aus: Beratungsfunktionen konnten durch das Diözesankomitee und zusätzlich durch den Seelsorgerat wahrgenommen werden, wobei die Mitglieder des letzteren aber vom Komitee deligiert wurden. Insgesamt scheint dieser rasante Ausbau eines kirchlichen Rätesystems wegen der damit verbundenen Probleme erheblich dazu beigetragen zu haben, daß der „Dialog" des Jahres 1966 durch das Diözesankomitee nicht in der Gestalt fortgeführt werden konnte, wie dies ursprünglich vorgesehen war. Die inhaltliche Arbeit des Komitees blieb zusehends in Diskussionen stecken, die um Fragen des Kompetenzenklärung kreisten, soweit die Arbeitskraft nicht von immer neuen Satzungsentwürfen oder der Vorbereitung von Wahlen absorbiert wurde.

Im Februar 1967 hatte die Bischofskonferenz allgemeine Richtlinien für die Neuordnung des Laienapostolates verabschiedet, worauf das Zentralkomitee der deutschen Katholiken eine Mustersatzung für die zukünftigen Pfarrkomitees entwarf. Sie wurde im Bistum Münster kritisiert, weil das Zentralkomitee dieses Gremium zu stark als Laienkörperschaft konzipiere. Hier wollte man in diesem Gremium eine Vertretung des gesamten Gottesvolkes sehen. Der Pfarrer sollte den Vorsitz innehaben, aber das Komitee zugleich ein kollegiales Beschlußfassungsrecht für die Pfarrei in Anspruch nehmen können. Die münsterische Satzung wich in der Folge von der Mustersatzung ab. Zusätzlich hielt jedoch – wie in der Bundesrepublik allgemein – das Wahlprinzip seinen Einzug: 2/5 der Mitglieder der Pfarrkomitees konnten unmittelbar durch die Gemeinde gewählt werden, weitere 2/5 wurden von den Vereinen delegiert (wie es der Tradition entprach), 1/5 wurde vom Pfarrer ernannt. Am 5. Mai 1968 konnten so im Bistum Münster die ersten allgemeinen Wahlen zu den Pfarrkomitees stattfinden. Dies fiel zeitlich mit dem Höhepunkt der Protestbewegung des Jahres 1968 zusammen, was als zufälliger Ausdruck der außerordentlichen gesellschaftlichen Dynamik dieser Jahre anzusehen ist. Das Statut für die Komitees blieb bis 1977 in Kraft, als es durch eine neu-

---

[20] Paul Wesemann, Guter Rat und viele Räte, in: Unsere Seelsorge 19 (1962), Nr. 3, 1-5.

gestaltete, bis in die neueste Zeit gültige Satzung ersetzt wurde, die sich an der Rahmenordnung der Gemeinsamen Synode orientierte.

Die verwickelte Entstehungsgeschichte der neuen „Räte" auf Bistumsebene darf an dieser Stelle kurz zusammengefaßt werden. Eine verworrene Gemengelage der „Rätegalerie" brachte große Unsicherheit über Selbstverständnis und Handlungsauftrag mit sich, die in die Forderung nach einer „Flurbereinigung" einmündete[21]: *Ein* „Diözesanrat" sollte an die Stelle sämtlicher anderer Gremien treten. Tatsächlich kehrte die Diözese 1971 wieder zu einem einzigen Pastoralrat zurück, während zusätzlich eine „Arbeitsgemeinschaft der Verbände" fortgeführt wurde. Bei dieser Lösung ist es bis in die Gegenwart geblieben. Im Unterschied zu den Pfarrgemeinderäten, in denen die ständisch-vereinsorientierte acies ordinata der 50er Jahre sukzessive durch das allgemeine Wahlrecht ersetzt wurde, hat sich so auf der Bistumsebene eine von Michael Keller begründete Tradition erhalten, wenn auch nicht exklusiv, sondern *neben* dem Diözesanpastoralrat, der das Erbe des „Diözesanführungskreises" angetreten hat.

3. Der „Strukturplan"

Die beschriebenen Verläufe wurden begleitet durch Beratungen über einen sog. „Strukturplan". Bereits 1967 war eine Planungsabteilung des Bistums gegründet worden, die jedoch zunächst nicht in einem unmittelbaren Zusammenhang mit dem Konzil stand. Vielmehr zeichnete sich zu diesem Zeitpunkt ab, daß sich in der Seelsorge ein beachtlicher, besonders durch den Rückgang des Priesternachwuchses nach 1945 bedingter Problemstau entwickelt hatte. Strukturelle Reformen waren unvermeidlich, wenn man nicht aus der Sicht dieser Planungsabteilung „in naher Zukunft den Zusammenbruch unserer Seelsorge" erleben wolle. Gefordert wurden eine konsequente „Rationalisierung in der Seelsorge" und spätestens 1975 der Einsatz von Laien[22]. Neben diesem inneren Problemstau geriet das Bistum aber ebenso von außen durch die anrollende Kommunalreform des Landes NRW unter Druck, in der größere Land- und Stadtkreise gebildet wurden.

Als die Planungskommission jedoch 1969 ihre „Überlegungen und Vorschläge zur Struktur der Seelsorge im Bistum Münster" vorlegte, hatte nun auch die Theologie des Konzils in diesen „Strukturplan" Eingang gefunden[23]. Der Sendungsauftrag der Kirche als „gottmenschliches Zeichen unter den Völkern" umfasse im wesentlichen vier „Dienste", womit der entscheidende, durch das Konzil veranlaßte Paradigmenwechsel für das pastorale Selbstverständnis und die

---

[21] Franz Kamphaus, Der Auftrag des Diözesankomitees in der gegenwärtigen Situation der Kirche. Ansprache anläßlich der Konstituierung des Diözesankomitees am 25. Oktober 1969. BAM Diözesankomitee A 33.

[22] Vgl. dazu Heinrich Kreyenberg, Priesterliche Zusammenarbeit in der Seelsorge, in: Protokoll der Dechanten-Konferenz vom 8. bis 10.6.1965, 8-11 sowie der Konferenz vom 31.5. bis 2.6.1966, 8-13; ders., Fragen der strukturellen und personellen Planung, in: Protokoll der Dechanten-Konferenz vom 4. bis 6.6.1968, 13f.

[23] Überlegungen und Vorschläge zur Struktur der Seelsorge im Bistum Münster. Strukturplan, [Münster 1969].

entsprechende Strategie formuliert wurde. Als diese Dienste bezeichneten die Autoren die Glaubensverkündigung (Kerygma), die Liturgie (Koinonia), den sozialen Dienst am Individuum (Diakonia) und den Weltdienst an der Gesellschaft insgesamt (Martyria), wobei es die Aufgabe des Amtes sei, „die aktive Teilnahme aller Christen an den Lebensvollzügen der Kirche anzuregen". Als Konsequenz müsse sich „das ganze Gottesvolk [...] an dem Prozeß der innerkirchlichen Meinungsbildung und am Zustandekommen von Entscheidungen der Kirche verantwortlich und entscheidend beteiligen können", konkret solle „die hierarchische Struktur des Bistums [...] durch eine kooperationsfördernde Struktur ergänzt werden". So entwickelte der Strukturplan die „Perspektiven einer zukünftigen Territorialstruktur". Die vom Konzil geforderten kirchlichen Grundfunktionen seien in der herkömmlichen Pfarrgemeinde nicht mehr zu erfüllen: Die Notwendigkeit kategorialer Seelsorge, die zunehmende Pluriformität von Verkündigung und Liturgie, die sozialen Dienste, schließlich die gesellschaftspolitische Verantwortung forderten eine größere seelsorgliche Grundeinheit, was die Planungsgruppe zur „Forderung nach einer Großpfarrei" führte. Diese leistungsfähigen Großpfarreien zur effektiven Umsetzung der vier konziliaren Dienste sollten etwa zwischen 20.000 und 100.000 Katholiken umfassen. Damit hatte die Planungsabteilung ein zeittypisches, aus dem Wirtschaftsraum stammmendes Denkmuster übernommen, d.h. die Bildung größere Einheiten zwecks Effektivitätssteigerung, wie es auch in der Kommunalreform umgesetzt wurde. Die Leitung einer Großpfarrei sollte in den Händen eines Pfarrgemeinderates und eines auf sechs Jahre gewählten Dekans liegen. Die Priester der Großpfarrei sollten einerseits eine bestimmte (kategoriale) Funktion für die Großpfarrei wahrnehmen, andererseits nach Möglichkeit jeweils in einer Kirchengemeinde wohnen und für die Wahrnehmung priesterlicher Aufgaben zur Verfügung stehen. Dazu findet sich ohne weiteren Kommentar der Vorschlag, falls kein Priester zur Verfügung stehe, so solle ein „in Beruf, Ehe und Familie erfahrener und bewährter Mann, der das Vertrauen der Gemeinde genießt", dem Bischof zur Weihe vorgeschlagen werden. Neben der territorialen Neuordnung befaßte sich der Strukturplan in einem weiteren Teil mit der Ausbildung des kirchlichen Rätesystems. Seine Verfassung wollte die Planungsabteilung noch intensiver diskutiert sehen, warnte aber vor einer „unkritische[n], unreflektierte[n] Übernahme der Trennung von Legislative (Räte) und Exekutive (Behörde)", was eine bemerkenswerte Anleihe bei den um 1968 populären und vieldiskutierten Modellen von Rätedemokratien sozialistischer Provenienz darstellte. Die Planungsgruppe plädierte für ein kirchliches Rätesystem, das sich durch Wahl unter Einschluß von Funktionsträgern und Experten konstituierte und zugleich durch Sachausschüsse für die vier konziliaren Dienste legislative und exekutive Funktionen übernehmen sollte.

Mit dem „Strukturplan" nahm das Bistum Münster Teil an einer allgemeinen Planungseuphorie, die das gesellschaftspolitische Denken in der Bundesrepublik Deutschland im Laufe der 60er Jahre immer stärker zu prägen begann. Ihren Höhepunkt erreichte diese Entwicklung 1969 mit dem Regierungsantritt der sozial-liberalen Koalition von SPD und FDP in Bonn, deren zukunftsorientierter Gestaltungsanspruch nicht zuletzt auch in der Einrichtung einer besonderen Planungsabteilung der Bundesregierung im Bundeskanzleramt ihren Ausdruck fand.

Genau zu diesem Zeitpunkt lief im Bistum Münster die Strukturplan-Diskussion an, wobei der Problemstau der 50er Jahre, die Impulse des Konzils und schließlich der Druck des allgemeinen gesellschaftspolitischen Trends in der Bundesrepublik zusammenwirkten. 1971 fiel die Planungsabteilung jedoch der durch sie selbst initiierten Reorganisation des Generalvikariates zum Opfer, der Strukturplan wurde zu den Akten gelegt. Zweifellos schlug sich hier eine allgemein, auch gesamtgesellschaftlich gewachsene Skepsis gegenüber zentral gesteuerten Planungsprozessen nieder. Auch die Planungsabteilung im Bundeskanzleramt, von den klassischen Ressorts als „Kinderdampfmaschine"[24] bespöttelt, vermochte nicht die Erwartungen zu erfüllen, die mit ihr verbunden worden waren, und wurde auf technische Hilfsdienste reduziert. Man verabschiedete sich vom Traum einer globalen Zukunftsplanung.

Wie ist dieser Strukturplan rückblickend zu verorten? War in den 50er Jahren eine dichotomische Grundstruktur zwischen Kirche und Welt bestimmend, bei der die Katholiken und ihre Kirche als acies ordinata einer feindlichen Außenwelt gegenüberstanden, so kam diese Selbst- und Außenwahrnehmung mit dem Konzil in Fortfall, denn die Kirche sollte nun ihre Zeichenfunktion unter den Völkern als „Dienst" erfüllen. Es ist kaum übersehbar, daß der Strukturplan in unmittelbarer Analogie zu den gesellschaftspolitischen Planungsmodellen der End-60er Jahre einen großräumigen Entwurf entwickelte, der das Volk Gottes in toto in den konziliaren Dienst an der Welt stellen wollte, und zwar unter nochmaliger Steigerung der Rationalisierung, Professionalisierung und Differenzierung der Seelsorge, begleitet von einer gesteigerten Partizipation auf allen Ebenen.

4. Pragmatische Wende

1970/71 ist eine neuerliche Kurswende auszumachen. Nach der pastoralen Großplanung, sei es im Sinne der kämpferischen, sei es im Sinne der dienenden acies ordinata, rücken nun das Individuum und der kleine Lebenskreis in den Mittelpunkt. Ein Jahr nach seiner Amtsübernahme als Bischof stellte Heinrich Tenhumberg unter bezug auf die zurückliegenden Diskussionen eine Art ‚Regierungserklärung' vor, die für die 70er Jahre bestimmend werden sollte[25]. Ein missionarisches Christentum sei nur möglich, wenn der einzelne Christ sich in der ihm vorgegebenen Situation nach dem Gesetz Christi zu verhalten wisse. Hauptziel der Pastoral müsse also individuelle Gewissensbildung sein. Genau dies hätte Keller ebenso formulieren können, wobei freilich die Akzentverschiebung darauf beruht, daß Tenhumberg die angestrebte „neue Personwerdung" als „Freiheitserziehung" bezeichnen konnte, also darauf verzichten wollte, um im militärischen Bild der „acies" zu bleiben, einen ‚Marschbefehl' beizufügen, und so die „acies" für aufgelöst erklärte. Zweifellos war damit in den 70er Jahren ein

---

[24] Wolfgang Jäger, Die Innenpolitik der sozial-liberalen Koalition 1969-1974, in: Karl-Dietrich Bracher/Wolfgang Jäger/Werner Link, Republik im Wandel 1969-1974. Die Ära Brandt (Geschichte der Bundesrepublik Deutschland 5/I), Stuttgart 1986, 33.

[25] Heinrich Tenhumberg, Vortrag vor der Dechanten-Konferenz am 1.12.1970. Leicht veränderter Abdruck: Unsere Seelsorge 20 (1971), Heft 1, 1-5.

innerkirchlicher Prozeß zum Abschluß gekommen, der sich über ein halbes Jahrhundert hingezogen hatte: Was als ‚Teilnahme der Laien am hierarchischen Apostolat' initiiert wurde, führte schrittweise zunächst für eine kleine Elite, dann schließlich, nach dem Konzil, der Theorie nach für das ganze Volk Gottes zur Freisetzung zum frei verantworteten religiösen Handeln der einzelnen Individuen, die sich in eigener Entscheidung der Christengemeinschaft anschließen. Praktisch umgesetzt werden sollte dieses Programm durch zwei Schwerpunkte: Erstens die Pfarrgemeinde, die sich ihrerseits als Zusammenschluß kleiner Lebenskreise präsentiert, und zweitens die sogenannte strukturelle Pastoral, die sich auf Bildung und Erziehung der jungen Generation konzentriert.

1971 begannen die Arbeiten an einem neuen Pastoralplan der Diözese, der stark von diesem Perspektivwechsel, vom Individuum her gedacht war. Ausgangspunkt der ersten Vorlagen war nicht ein wie immer gearteter Auftrag der Kirche, sei es Eroberung, sei es Dienst, sondern die Befindlichkeit des Individuums in einer pluralistischen Gesellschaft. Kirche realisiert sich hier als beheimatende Gemeinschaft in kleinen Kreisen, die in der lokalen Gemeinde eine Art praxisorientiertes Netzwerk bilden. Es ist unschwer erkennbar, daß diese Neuorientierung mit dem Bezug auf die Erfahrungswelt der kleinen Gemeinschaften
einen mentalen Wandel mitvollzogen hat, der sich in der gesamten deutschen Gesellschaft der 70er Jahre abzeichnete und der mit dem Durchbruch der Individualisierung und der parallelen Abwendung von globalen Reformerwartungen an die Sozialtechnologie einherging, gleichzeitig aber die Geburtsstunde neuartiger, ‚basis-naher' sozialer Bewegungen (Bürgerinitiativen usw.) einläutete. Die Konzeption mündete schließlich in den sog. Communio-Plan ein, der nach dem Tode Heinrich Tenhumbergs (1979) von Bischof Reinhard Lettmann im Jahre 1980 als offizieller, bis heute gültiger Pastoralplan der Diözese in Kraft gesetzt wurde[26].

Parallel baute die Diözese in der sog. strukturellen Pastoral professionalisierte Dienstleistungssysteme aus, vor allem für die jüngere Generation (Kindergärten, Jugendarbeit, Schule). Damit übernahm die Diözese zunehmend Funktionen, die zuvor von den Laien-Verbänden oder etwa den Ordensgemeinschaften geleistet worden waren, aber sich damit seit den 50er Jahren zunehmend überfordert zeigten. Auf dem Feld der religiösen Sozialisation der jungen Generation können wir also eine professionalisierte Krisenintervention beobachten. Auch dieser Vorgang wurde zwar vom Konzil geprägt, aber keineswegs allein verursacht, denn das Phänomen ist ja auch in anderen gesellschaftlichen Bereichen zu konstatieren. Die Kirche vollzog also einerseits allgemeine gesellschaftliche Trends nach, wie den Ausbau des Sozialstaates und die Professionalisierung entsprechender Dienstleistungen, andererseits fügten sie sich jedoch zugleich zu dem vom II. Vatikanischen Konzil geforderten „Dienst an der Welt".

Die Frage aus heutiger Sicht ist, wie Kirche und Katholizismus die inneren Spannungen dieses Prozesses, der einerseits durch hochgradige Individualisie-

---

26 Communio. Kirche ist Gemeinschaft. Schwerpunkte der Heilssorge im Bistum Münster, hg. vom Bischöflichen Generalvikariat, Münster 1980.

rung, andererseits durch den Ausbau eines umfänglichen Partizipations- und Dienstleistungsapparates gekennzeichnet ist, und den sie selbst mitvollzogen hat, auszutarieren vermag. Das zu beantworten, ist jedoch nicht Aufgabe des Historikers.

Institutionalisierte Begegnung von Kirche und Welt

Der Beitrag der Katholischen Akademien in Deutschland zu Vorbereitung, Begleitung und Rezeption des II. Vatikanischen Konzils

Von Oliver Schütz

„Die gewaltige Dynamik, die wir mit Staunen auf dem Konzil am Werke sehen, hier [in den Katholischen Akademien] war sie schon seit langem spürbar"[1].

I. HILFE ZUR NEUORIENTIERUNG: DIE GRÜNDUNG KATHOLISCHER AKADEMIEN IN DEUTSCHLAND

Die heute in Deutschland weit verbreiteten Akademien der Kirchen sind Kinder der Nachkriegszeit. „Nach dem Ende des Zweiten Weltkrieges und dem gleichzeitigen Zusammenbruch des nationalsozialistischen Regimes sind in Deutschland innerhalb weniger Jahre mehr neue Akademien und akademieähnliche Gebilde entstanden als sonst in ebensoviel Jahrhunderten. Das war ein erstaunlicher und höchst symptomatischer Vorgang. In ihm kam erstens ein spontaner und ungestümer Abwehrwille gegen jede Art von Totalitarismus, ob von rechts oder links, zum Ausdruck, und zweitens das elementar empfundene Bedürfnis nach Zusammenschluß und nach Besinnung auf die gemeinsamen Kulturwerte, die es zu behaupten und schöpferisch weiterzuentwickeln galt"[2]. Der Wandel, den das Akademiewesen in dieser Zeit gegenüber der Vergangenheit erfuhr bestand darin, daß „1. die relative Bedeutung der wissenschaftlichen Akademien im Gesamtrahmen von Forschung und Gutachterwesen erheblich abgenommen hat; 2. im Aufgabenbereich literarisch-künstlerischer Akademien eine außerordentlich gesteigerte Aktivität stattgefunden, aber vielleicht zu lähmenden Friktionen geführt hat; 3. eine völlig neue Variante des Akademiegedankens auf den Plan getreten ist in Gestalt der kirchlich fundierten konfessionellen Akademie"[3]. Die zahlreichen Neugründungen kirchlicher Akademien sind nur zu verstehen aus dem „nach dem Kollaps des Naziregimes mit Ungestüm aufbrechenden Bedürfnis nach weltanschaulicher Neuorientierung und nach Wiedergewinnung transzen-

---

[1] Die Katholische Akademie, in: Ulrichsblatt 20 (1965), 868.
[2] Peter Erkelenz, Der Akademiegedanke im Wandel der Zeit. Plädoyer für ein Deutschland-Institut, Bonn 1968, 9.
[3] Ebd., 30.

dental fundierter Lebensnormen"[4]. Die Kirchen verstanden ihre Akademien als Mittel, um das Christentum am Wiederaufbau Deutschlands zu beteiligen. Die Akademien „sollten bei der Neuordnung des geistig-moralischen und öffentlich-politischen Lebens in Deutschland mithelfen, den suchenden Menschen, auch den kirchenfernen, vom Evangelium her bei der Klärung ihrer Lebensfragen zur Seite stehen und zugleich der Durchdringung aller Wissens- und Lebensbereiche des Menschen vom christlichen Glauben her dienen; nicht zuletzt sollten mit ihrer Hilfe gesellschaftliche Konflikte und politische Kontroversen sachlich und tolerant ausgetragen werden"[5]. Als Stätte des Dialogs und der Begegnung von Kirche und Gesellschaft bildeten die Akademien einen dritten Ort, der zwar in der Regel institutionell an die Kirche gebunden war, zur Erfüllung seiner Aufgaben aber auf den ehrlichen und offenen Dialog setzte. Im Zentrum der Akademiearbeit standen aktuelle Zeitfragen und Lebensprobleme. Der kirchliche Charakter äußerte sich in dem Ziel, vom christlichen Glauben motivierte Antworten auf die diskutierten Fragen einzubeziehen, ohne dabei die kirchliche Lehre dogmatisierend und dozierend zu verbreiten. Vielmehr wurde eine Atmosphäre der toleranten Freiheit auf wissenschaftlichem Niveau angestrebt. In den Akademien sollte sich einerseits die Kirche den Fragen der modernen Gesellschaft stellen und andererseits aus dem christlichen Glauben Lösungen für Zeitfragen aufgezeigt werden. Deswegen sind die kirchlichen Akademien „mehr als nur Einrichtungen der Erwachsenenbildung, sie sind auch Instrumente des Wirkens der Kirche in der Öffentlichkeit, sind Vorposten der Kirche in Gesellschaft, Politik, Wissenschaft und Kultur; sie beteiligen sich am Meinungsstreit in der Gesellschaft, wirken aber auch umgekehrt kritisch nach innen, in die eigene Kirche hinein. In der Arbeit der kirchlichen Akademien stellen sich Glaube und Kirche den Problemen von Welt und Zeit, die Dimension der Offenbarung Jesu Christi wird aber nicht als Forderung, sondern als Angebot eingebracht"[6]. Als Charakteristika einer „Katholischen Akademie" gelten nach einer Definition des Leiterkreises, in dem sich die Katholischen Akademien in Deutschland 1958 zusammenschlossen[7]:

1. *Universalität der Thematik*
2. *Offenheit des Teilnehmerkreises*
3. *Vorausschauende Planung der Fragestellung*
4. *Einhaltung eines bestimmten Niveaus (Verbindung von Forschung und Leben)*
5. *Gespräch und Diskussion als wichtigste Methoden*
6. *Kontinuität der Arbeit*
7. *Regionale Schwerpunkte.*

Die Gründungen der katholischen Akademien, die den evangelischen mit etwas Verzögerung folgten, ging teils auf Einzelinitiativen von Laien, Klerikern oder

---

[4] Ebd., 35. Allerdings bezeichnet Erkelenz fälschlicherweise die Katholische Akademie in Bayern als „früheste" unter den katholischen Akademien, 36.

[5] Franz Henrich, Akademien, kirchliche, in: StL I 72-77; 72f.

[6] Ebd., 75.

[7] Protokoll der Sitzung der Akademieleiter in Frankfurt am 15. und 16. Dezember 1958, Archiv der Bischöflichen Akademie des Bistums Aachen, unverz.

Bischöfen, teils auf die Begegnungen katholischer Führungskräfte in der katholischen Aktion, teils auf den Ausbau diözesaner Bildungswerke zurück. Da die Akademien in einer experimentellen Atmosphäre und ohne systematische Koordination und Vorbereitung entstanden, ergaben sich entscheidende Unterschiede hinsichtlich ihres Selbstverständnisses, Arbeitsweise, Zielvorstellungen, Inhalte und Zielgruppen. Dabei bestimmten die jeweiligen Gründer, Träger, Leiter und regionalen Gegebenheiten die Ausrichtung der einzelnen Akademie. Als erste katholische Akademie wurde 1946 die Kommende in Dortmund eingerichtet, seit 1949 Sozialinstitut des Erzbistums Paderborn. Es folgten als Gründungen das Katholisch-Soziale Institut in Bad Honnef (1947), das Bonifatius-Haus in Fulda (1948), die Domschule Würzburg (1949), die Akademie der Diözese Rottenburg in Stuttgart-Hohenheim (1950), die erste katholische Einrichtung, die explizit den Titel „Akademie" führte, die Bischöfliche Akademie des Bistums Aachen im August-Pieper-Haus (1952), die Katholisch-Soziale Akademie Münster (1952), die Thomas-Morus-Akademie Bensberg (1953), das Walberberger Institut der Dominikaner in Bornheim-Walberberg (1954), die Katholische Akademie der Erzdiözese Freiburg (1956), die Katholische Akademie in Bayern mit Sitz in München (1957), die Katholische Akademie Rabanus Maurus in Wiesbaden (1957), die Akademie St. Jakobus-Haus zu Goslar (1958) und als letzte Gründung vor dem Konzil die Katholische Akademie „Die Wolfsburg" in Mülheim an der Ruhr (1960).

II. Öffnung der Kirche zur Welt: Die Akademien vor dem Konzil

Die Bedeutung der nach 1945 gegründeten katholischen Akademien für Kirche und Gesellschaft in Deutschland fand bisher keine systematische Darstellung und Würdigung, trotz der unbestrittenen Wirkung dieser Einrichtungen. So wurde die Meinung vertreten, die Bildungsarbeit der evangelischen und katholischen Akademien in Deutschland gehöre zu den „überraschendsten, risikoreichsten und hoffnungsvollsten Lebensäußerungen beider Kirchen nach dem Zweiten Weltkrieg. Sie kann als eine aufschlußreiche Dokumentation christlichen Bemühens um Mitgestaltung des privaten wie öffentlichen Lebens und als Zeichen starker Vitalität gewertet werden"[8]. Auch die Stellung der Akademien in der Landschaft der Erwachsenenbildung fand die optimistische Einschätzung, nirgendwo im Bildungsbereich existiere so viel Gestaltungsfreiheit wie in den kirchlichen Akademien"[9]. Und selbst Spiegel Herausgeber Rudolf Augstein erklärte, die Akademien seien das Beste, was die Kirchen nach 1945 gemacht hätten[10].

---

[8] Philipp Boonen, Katholische Akademiearbeit im Bistum Aachen, in: ders. (Hg.), Erwachsenenbildung in Momentaufnahmen (Aachener Beiträge zu Pastoral- und Bildungsfragen 4), Aachen 1973, 9.

[9] Henrich, Akademien (wie Anm. 5), 75.

[10] Klaus-Jürgen Roepke, Schloß und Akademie Tutzing, München 1986, 104.

Besondere Beachtung verdient das Wechselverhältnis von Katholischen Akademien und II. Vatikanischen Konzil. Die Akademien nehmen für sich selbst in
Anspruch, wesentliche Reformen des Konzils vorweggenommen, und somit zu
seiner „Vorbereitung" beigetragen zu haben. Somit stellt sich die Frage nach den
Berührungspunkten zwischen Akademien und Konzil, insbesondere nach der
Rolle der Akademien in der Vorbereitung, in der Begleitung und Popularisierung
der II. Vatikanums[11]. Für die Gründung katholischer Akademien waren gerade
die Impulse ausschlaggebend, die auch das Konzil bestimmten[12]. Die Akademien
nahmen „auf dem Hintergrund einer weltzugewandten Schöpfungs- und Inkarna-
tionstheologie die großen Linien der Öffnungsgeschichte im deutschen Katholizismus des 20. Jahrhunderts auf"[13]. Gemeinsame Wegbereiter der Akademien
wie des Konzils waren einerseits die Aktivierung der Laien im Sozialkatholizis-
mus, in der Jugend- und Liturgiebewegung, der ökumenischen Bewegung und in
der Katholischen Aktion, andererseits die damit zusammenhängenden neuen
Theologien.

1. Akademien und Laienaktivierung

Die Bedeutung der Akademien liegt in der Aktivierung der Laien für die Mitgestaltung von Kirche und Gesellschaft aus dem christlichen Glauben katholischer
Konfession. Die Akademien bündelten unterschiedliche Kräfte, die mit der Bildung aktiver Katholiken begonnen hatten. Durch ihre Tagungsarbeit reflektierten
und praktizierten sie ein neues Verständnis der Laien, das im Konzil seinen Niederschlag fand.

a) Ursprünge aus dem Sozialkatholizismus

Die erste Phase der Akademiegründungen hat ihren Ursprung im Sozialkatholi-
zismus und knüpfte an die Tradition der Volksbildungsarbeit der katholischen
Verbände, vor allem des 1890 gegründeten „Volksvereins für das katholische
Deutschland" an und damit an eine aktive, auch politische Gestaltung der Gesellschaft, die nicht auf caritatives Wirken beschränkt blieb. Die neue, „stärker
emanzipatorisch, auf Selbsthilfe ausgerichtete Richtung" in der katholischen
Volksbildung griffen nach dem Zweiten Weltkrieg die Sozialakademien auf[14].

---

[11] Es handelt sich um Vorarbeiten des Autors zu einer ausführlichen Darstellung der Gründungsgeschichte der Katholischen Akademien in Deutschland.

[12] Auf die vielschichtige Gründungsgeschichte der Akademien kann hier nicht näher eingegangen werden. Für eine erste Information: Hermann Boventer (Hg.), Evangelische und Katholische Akademien, Paderborn-München-Wien-Zürich 1983; Felix Messerschmid, Geschichte
der Katholischen Akademien, in: Franz Pöggeler (Hg.), Handbuch der Erwachsenenbildung,
Bd. IV, Stuttgart 1975, 208-218.

[13] Gerhard Krems, Katholische Akademien in Deutschland, in: Leiterkreis der Katholischen Aka-
demien in Deutschland (Hg.), Katholische Akademien in Deutschland. Eine Dokumentation,
Schwerte ⁵1993, 7f. Die Dokumentation bietet einen aktuellen Überblick über die katholischen
Akademien in Deutschland.

[14] Klaus Schatz, Allgemeine Konzilien – Brennpunkte der Kirchengeschichte, Paderborn-München-Wien-Zürich 1997, 265.

Diese ersten Akademien waren bestrebt, Kräfte aus allen Schichten des katholischen Bevölkerungsteils für Aufgaben im sozialen und politischen Sektor zu schulen. Ziel war es, auf diesem Weg die katholische Soziallehre möglichst umfassend in das neue Sozialwesen einzubringen.

Beispielhaft hierfür ist das August-Pieper-Haus in Aachen, das gewissermaßen als Erbe des untergegangenen Volksvereins für das katholische Deutschland gegründet wurde. Darauf weisen der Name des einstigen Volksvereindirektors Pieper im Titel, die Gründung durch einen ehemaligen Volksvereinsdirektor, den Aachener Bischof van der Velden, und die explizite Bezugnahme in der Gründungsurkunde von 1951 deutlich hin. Das August-Pieper-Haus sollte die gemeinschaftsbetonte Bildung des Volksvereins fortsetzen, nicht aber dessen Massenschulungen und schon gar nicht dessen schwerfällige Massenstruktur, die in der Vergangenheit zu Auseinandersetzungen mit dem Episkopat geführt hatte. Die geplante Heimvolkshochschule sollte unter bischöflicher Regie „Laien für die Aufgaben in der Welt geistig ausrüsten" und in der Begegnung von Laien und Priestern die „Fragen des gemeinsamen und besonderen Apostolats" erörtern. Van der Velden wollte, in Anknüpfung an die Bildungsvorstellungen Anton Heinens, kein Haus zur Wissensvermittlung, sondern eine Stätte, in der „in offener Begegnung miteinander das Erörterte vertieft und gelebt wurde"[15]. Gedacht war an eine allgemeine Bildungsvermittlung, bei der das Verantwortungsbewußtsein für die Belange des öffentlichen Lebens wachgerufen und ständig gefördert werden sollte. „Das Ziel ist der einsatzfreudige katholische Christ, der in eigener Verantwortung die Aufgaben des Gemeinschaftslebens erfaßt, überdenkt und durchführt"[16]. Damit hatte sich, verstärkt durch die Erfahrungen des Totalitarismus, ein Bildungskonzept durchgesetzt, das eine breite Beteiligung der Katholiken an demokratischen Vollzügen zum Ziel hatte. Die Akademie wurde so ein institutionalisiertes Bekenntnis des Katholizismus zur Demokratie.

b) Ursprünge aus der Katholischen Aktion

Die bischöflicherseits anerkannte und päpstlich propgagierte Aktivierung der Laien in der „Katholischen Aktion" trug zunächst unter dem kämpferisch verstandenen Begriff der „Verchristlichung der Gesellschaft" deutlich integralistische Züge[17]. Die „Teilnahme der Laien am hierarchischen Apostolat der Kirche" machte eine Schulung der Laien für ihren Weltdienst im Auftrag der Kirche, also für das sogenannte „Laienapostolat" nötig. Für diese Zwecke wurden einige Akademien als Schulungszentren eingerichtet. Der reine Schulungsbetrieb im Sinne einer Kaderschmiede war aber nicht durchführbar. Dies scheiterte sowohl an der Überzeugung der Leiter wie auch vieler Teilnehmer, die gerade nach den Erfahrungen mit einem totalitären System auf eigenverantwortliches Denken und Handeln setzten. Die Kritik Konrad Adenauers, „daß die Katholische Aktion doch letzten Endes vom Klerus abhängig" sei und damit den Laien die Letztver-

---

15 Anton Josef Wäckers, Erlebte und gelebte Kirche von Aachen. Erinnerungen aus den Jahren 1929-1978, Aachen 1995, 143.
16 Denkschrift Lambert Drink, o.J., Bischöfliches Diözesanarchiv Aachen, GvS D 21,I.
17 Schatz, Konzilien (wie Anm. 14), 265.

antwortung verweigere, war unter gebildeten Katholiken weit verbreitet [18]. Gefragt waren vielmehr persönliche Begegnungen und ehrlicher, freier Dialog. Dies war aber nur in Einrichtungen mit relativer Autonomie möglich. Die Institutionen der Katholischen Aktion unterlagen aber dem Verdacht der bischöflichen Einflußnahme. Dort blieb, nach Meinung Adenauers, „der Dialog doch letztlich vom Wohlwollen der Hierarchie abhängig; es blieb ein Dialog mit Vorbehalt"[19]. Trotz mancher Versuche setzte sich ein indoktrinäres Schulungskonzept in den Akademien nicht durch. Der Erfolg der Akademien beruhte vielmehr auf der Entscheidung für das Konzept von Begegnung und Dialog.

Diese wichtige Akzentverschiebung läßt sich in der Vorphase der Gründung einer Diözesanakademie für die Diözese Rottenburg nachweisen. Die Diözesansynode von 1950 forderte, die führenden Laienkräfte aus den einzelnen Pfarreien zu sammeln und in einer Diözesanakademie für ihren Dienst in Kirche und Welt zu schulen[20]. Zweck einer solchen Einrichtung war für das Bischöfliche Ordinariat die „Popularisierung unseres katholischen Glaubensgutes"[21]. Doch schon zur Arbeitsaufnahme der Akademie rückte Gründungsdirektor Alfred Weitmann von der Schulungsidee ab. Er führt die Akademie als „Stätte lebendiger Begegnung zwischen Kirche und Welt", die Angehörige aller Berufsstände und Altersschichten zur Aussprache über ihre Anliegen zusammenführte[22]. Bei der Planung der Akademie der Diözese Rottenburg standen sich somit zwei Modelle gegenüber, ein seelsorgliches, an den Grundsätzen der Katholischen Aktion ausgerichtetes Modell, das eine Schulungsstätte für Laien zu ihrer kirchlichen Befähigung für den Weltdienst anstrebte, und ein neuartiges Modell, das sich aus den Öffnungstendenzen im Katholizismus, aus den Bedürfnissen einiger Laiengruppen und dem Vorbild der Evangelischen Akademien speiste und eine Begegnungsstätte im Schnittpunkt von Kirche und Welt anvisierte. Die Auseinandersetzung um die verschiedenen Akademiemodelle innerhalb des Bischöflichen Ordinariats führte zu einer mehrjährigen Verzögerung der Akademiegründung. Als es schließlich zur Gründung kam, wurde die Akademie auf dem Papier zwar auf das Schulungsprinzip der Katholischen Aktion verpflichtet, die Protagonisten der Akademiegründung standen aber dem Modell einer lebendigen Begegnung näher und setzten dieses durch. Mit der Berufung Alfons Auers zum Leiter der Akademie wurde die weltoffene Ausrichtung der Akademie gesichert. Unter Auer fand eine intensive Besinnung auf die Rolle der Laien in Kirche und Gesellschaft statt. Ihnen wurde in den Tagungen die Mündigkeit zugestanden, die eine offene Begegnung von Kirche und Welt erst ermöglichte.

---

[18] Konrad Adenauer, Briefe 1947-1949, bearb. von Peter Mensing (Adenauer, Rhöndorfer Ausgabe, hg. von Rudolf Morsey/Hans-Peter Schwarz), Rhöndorf 1984, Bd. II, 297-299.

[19] Thomas Großmann, Zwischen Kirche und Gesellschaft. Das Zentralkomitee der deutschen Katholiken 1945-1970 (VKZG F 56), Mainz 1991, 114.

[20] Richtlinien zur Diözesansynode [1950], Diözesanarchiv Rottenburg, A 13.1a.

[21] Hagen an Theiss, Rottenburg 3. August 1948, abgedruckt in: Akademie der Diözese Rottenburg-Stuttgart (Hg.), Dialog und Gastfreundschaft. Festschrift zum vierzigjährigen Bestehen der Akademie, Stuttgart 1991, Bd. II, 183f.

[22] Quartalsprogramm der Akademie der Diözese Rottenburg, Winterhalbjahr 1951/52, Archiv der Akademie der Diözese Rottenburg-Stuttgart, BÜ. 1-24.

c) Ursprünge aus akademischen Laienkreisen

Für die katholischen Akademien bedeutsame Vorläufer waren unter anderem die Akademischen Verbände wie die „Akademische Bonifatius-Vereinigung", die „Görres-Gesellschaft" und die Hochschulkreise. Gerade aus der katholischen Akademikerschaft kamen wichtige Impulse zur Errichtung kirchlicher Akademien. Das Interesse dieser Gruppen am Austausch über die künftige Gestalt Deutschlands traf sich mit dem Interesse der Kirche, in den Akademien eine Führungsschicht als Voraussetzung für eine lebensfähige Demokratie herauszubilden. Entsprechend wurden Katholiken, die bedeutsame Positionen und Schlüsselfunktionen in der Gesellschaft einnahmen zu den Akademiveranstaltungen eingeladen, wie etwa katholische Ärzte, Juristen, Politiker, Wirtschaftsfachleute und Polizisten. Schon bald wurde aber der Teilnehmerkreis ausgedehnt, da die Akademien auf breitester Front gesellschaftlich wirksam werden wollten. Nicht wenige der Akademiebesucher, aber auch die meisten Akademiedirektoren waren von der Jugend- und der Liturgiebewegung geprägt, beispielsweise durch die akademieähnlichen Quickborn-Werkwochen, die seit den 1920er Jahren auf Anregung Romano Guardinis auf Burg Rothenfels abgehalten wurden. Diese Laien brachten von diesen Bewegungen nicht nur ein theologisches Vorwissen mit, sondern auch das Selbstbewusstsein, als mündige Christen nicht nur im Bereich der Welt, sondern auch im Zwischenbereich der Begegnung von Kirche und Welt, ja selbst im rein kirchlichen und theologischen Bereich Kompetenz zu besitzen. Dieses aktive Verständnis von Kirchengliedschaft, wie es in den Akademien dialogisch praktiziert wurde, führte zu einem erneuerten Verständnis der Rolle des Laien jenseits der allein zuständigen Priesterkirche.

Die Gründung der Stuttgarter Akademie geht unter anderem auf die Anregungen der Thomas-Morus-Gesellschaft zurück, die der Verwaltungsdirektor des Caritas-Verbandes für Württemberg und Mitglied des Landtags Konrad Theiss 1945 gegründet hatte. Mitglieder der Gesellschaft, die sich in regelmäßigen Treffen mit aktuellen Problemen auseinandersetzte und nach praktischen Lösungen suchte, waren Politiker, Publizisten und leitende Beamte des Landes, die sich dem Nationalsozialismus verweigert hatten und nun den Wiederaufbau Deutschlands vorantreiben wollten[23]. In diesem Kreis wurde die Gründung einer katholischen Akademie diskutiert[24]. Im Juli 1948 richtete die Thomas-Morus-Akademie eine Denkschrift an den Bischof. Darin heißt es: „Über die Notwendigkeit einer Katholischen Akademie ist angesichts der kulturellen Lage des deutschen Katholizismus kein Wort zu verlieren. [...] Der deutsche Katholizismus ist nicht etwa im Bereich der Idee rückständig, sondern was die Überführung des ideenhaften Besitzes in die gesellschaftlich wirkende Wirklichkeit anlangt". Angesichts der Unzeitgemäßheit des Vereinswesens, der Regionalität kirchlicher Bildungswerke, der beschränkten Wirkungsfähigkeit von Einzelnen

---

[23] Johannes Binkowski, Wege und Ziele. Lebenserinnerungen eines Verlegers und Publizisten, Stuttgart 1981, 84-88.

[24] Theiss an das Bischöfliche Ordinariat Rottenburg, Stuttgart 20. Juli 1948, abgedruckt in: Akademie der Diözese Rottenburg-Stuttgart, Dialog (wie Anm. 21), 180-183.

und der Kritikbedürftigkeit der katholischen Publizistik forderte der Kreis eine „Stätte der Begegnung und der Sammlung aller katholischen Aufbruchskräfte im Bereich des Geistigen"[25]. Gewünscht wurde für die Akademie Selbständigkeit und Unabhängigkeit und zugleich eine klare Beziehung zur Kirche. Einen ähnlichen Vorschlag reichte Adalbert Seifriz, Regierungsdirektor im Wirtschaftsministerium Stuttgart 1949 der Diözesanleitung ein. Seifriz forderte ein katholisches Bildungs- und Begegnungsinstitut für die Heran- und Fortbildung katholischer Führungskräfte angesichts des Niedergangs der katholischen Vereine, des Zentrums und der katholischen Verbindungen[26]. Auch Staatssekretär Hermann Gögler, Präsident des Katholischen Akademikerverbands, beteiligte sich an der Gründung der Akademie. So erhoben von verschiedenen Seiten katholische Laien die Forderung nach einer Einrichtung, die nicht vornehmlich der binnenkirchlichen Schulung, sondern der Auseinandersetzung mit Zeitfragen dienen sollte. Sie drängten damit auf die Verwirklichung der in diesen Kreisen lebendigen Anliegen Karl Muths und der von ihm herausgegebenen katholischen Kulturzeitschrift „Hochland", den Katholizismus aus seinem geistigen und kulturellen Ghetto herauszuführen und in Dialog mit der pluralen Gesellschaft zu bringen.

2. Akademien und neue Theologie

In der ersten Hälfte des 20. Jahrhunderts hatte sich die deutsche Theologie in der Auseinandersetzung mit Zeitfragen einen Vorsprung gesichert, der dazu führte, daß sich die kirchliche Entwicklung in Deutschland nach dem Konzil weniger spektakulär als in anderen Ländern vollzog. Dennoch fiel es der Kirche nach 1945 nicht leicht, „sich an einen innerkirchlichen Pluralismus zu gewöhnen"[27]. Umschlagplätze der theologischen Neuaufbrüche und Orte des Pluralismus waren die Akademien. Diese Neuaufbrüche antworten auf die gesellschaftlichen Umwälzungen des 20. Jahrhunderts, aber auch auf eine erstarrte, im Ersten Vatikanischen Konzil nochmals verfestigte kirchliche Haltung gegen die Moderne. Dagegen versuchte eine fortschrittliche Theologie die Fragestellungen der Zeit aufzunehmen und aus christlichem Geist zu beantworten, statt sich ihnen zu verweigern. Genau dies erstrebte das Programm der Akademien, die dem Prozeß der Öffnung der Kirche zur Welt einen Ort innerhalb der Kirche gaben und damit auch die kirchliche Rezeption dieser Aufbrüche mittrugen, welche schließlich im II. Vatikanum ihre kirchenamtliche Bestätigung erfuhren.

---

[25] Theiss u.a. an das Bischöfliche Ordinariat Rottenburg, Stuttgart 20. Juli 1948, Diözesanarchiv Rottenburg, C 15.9a.

[26] Seifriz an das Bischöfliche Ordinariat Rottenburg, Rottenburg 31. Oktober 1949, abgedruckt in: Akademie der Diözese Rottenburg-Stuttgart, Dialog (wie Anm. 21), 184f.

[27] Victor Conzemius, Die Kirche in der Neuzeit, in: Günter Gorschenek (Hg.), Katholiken und ihre Kirche, München 1976, 45-60; 59f.

a) „Vom rechtlichen zum lebendigen Sein", „Vom starren Begriff zum geschichtlichen Fluß"[28]

Die Akademien stehen am „Übergang von einem mehr statischen Verständnis der Ordnung der Gesamtwirklichkeit zu einem mehr dynamischen und evolutiven Verständnis"[29]. Zugleich vertraten sie eine stärkere Berücksichtigung des geschichtlichen Denkens und ein positives Verhältnis zur neuzeitlichen Freiheitsgeschichte. Der Stuttgarter Akademiedirektor Alfons Auer, ein Vordenker des Akademieverständnisses im Katholizismus, bekannte sich zur Würde des Menschen und seiner geistigen Freiheit. „Wahrheit und Freiheit des Geistes gehören zusammen; der Spender der Wahrheit ist auch der Spender der Willensfreiheit. In der Wahl, dem Annehmen und Verweigern, im Suchen und stückweisen Erkennen vollzieht sich unser inneres Schicksal". Ziel sei nicht die Aneignung von vorgegebenen, toten Wahrheiten, sondern das individuelle, innere Ergreifen der Wahrheiten, der natürlichen wie der offenbarten. Wahrheit fließe von innen nach außen, aber auch von außen nach innen. Diese Wahrheit von außen gelte es ernstzunehmen, auch wenn sie bisweilen mit Unwahrheit vermischt sei. Um aber nicht, wie so oft geschehen, die „Schuld der Blindheit gegenüber dem naheliegenden Schatz natürlicher Wahrheiten" auf sich zu laden, bedürfe es in der Begegnung des Zartgefühls und der Regel der Achtung und Freiheit. Die Akademie ist der „Torbogen unter dem sich die Wanderer treffen. Ihr Ausweis ist der lautere Wille, die brüderliche Gesinnung und das Verlangen nach der Einen Wahrheit, die alle Suchenden suchen"[30].

b) Autonomie der Sachbereiche

Die im Konzil anerkannte „Autonomie der irdischen Wirklichkeiten" lag der Akademieidee implizit zugrunde[31]. Dies bedeutete eine Zurücknahme der Allzuständigkeit der Kirche und eine Anerkenntnis der Wahrheit außerhalb der Kirche, sowie der Kompetenz der Laien für die weltlichen Sachbereiche. Diese Kompetenz sollte in der Akademiearbeit abgerufen und in der Abklärung mit der kirchlichen Lehre christlich-katholische Antworten auf die Weltfragen gefunden werden. Grundlage hierfür war eine neu belebte, weltzugewandte Schöpfungstheologie. Sie ermöglichte es, sich allen aktuellen Fragen und Wissenschaften zuzuwenden, ohne diese sogleich kirchlich zu vereinnahmen. Die Auseinandersetzung mit Zeitfragen in den Akademien war nicht nur ein für die Kirche notwendiger Vorgang, er wurde auch als Dienst an der demokratischen Gesellschaft verstanden. In den Akademien löste die Kirche ihre Verantwortung ein, das Christliche dialogisch in die gesellschaftlichen Vorgänge einzubringen. Als Institutionen der Kirche eigneten den Akademien aber auch die Dimension einer zeitgemäßen Verkündigung

---

28 Mario von Galli, Das Konzil und seine Folgen, Frankfurt a.M.-Luzern, 1966, zitiert nach: Manfred Plate, Pluralismus ist unser Schicksal. Das Zweite Vatikanische Konzil und die Akademien, in: Boventer, Akademien (wie Anm. 12), 122-127; 124.

29 GS 5.

30 Programm der Akademie für das vierte Quartal 1954, Archiv der Akademie der Diözese Rottenburg-Stuttgart, BÜ. 1-24.

31 GS 36.

des Glaubens, indem sie Gläubigen und Kirchenfernen ermöglichten, in Freiheit über Gott und die Welt zu sprechen. „Damit nehmen die Akademien mit wachsender Bedeutung innerhalb des gesamtkirchlichen Handelns Aufgaben wahr, die die klassischen, vor allem pfarreibezogenen Arbeitsformen nicht mehr oder nur unzureichend erfüllen können. Daß sie damit innerkirchlich unter erheblichen Legitimationsdruck geraten können, liegt auf der Hand"[32]. Kritiker der Akademien aus Kirchenkreisen warfen diesen Unverbindlichkeit in religiösen Fragen und zu große Offenheit für kirchenferne und kirchenkritische Positionen vor. Andererseits blieb bei Kirchenfernen der Verdacht der kirchlichen Indoktrination mit den katholischen Akademien verbunden, trotz allem Bemühen um Offenheit und Sachlichkeit. Diese Verdächtigungen gewissermaßen von beiden Seiten des Spektrums ergaben sich systemisch aus der Position der Akademien im Spannungsfeld zwischen Kirche und Welt. Die Prinzipien der Autonomie der Sachbereiche und der gleichzeitigen christlichen Verwurzelung stellten das Regulativ dar, das einem Abgleiten in Unsachlichkeit oder Unverbindlichkeit entgegensteuern sollten.

c) Begegnung von Kirche und Welt

Die Akademien stehen für den Übergang von einem tiefsitzenden Mißtrauen im Katholizismus gegenüber gesellschaftlichem Wandel, Naturwissenschaft und Technik zu einer Öffnung für die Errungenschaften und Entwicklungen der Moderne. Vor allem das Verhältnis der Kirche zur Welt erfuhr eine tiefgreifende Neubestimmung. Die Kirche wurde nicht mehr der Welt gegenüberstehend und diese richtend verstanden, sondern aus ihrer scheinbar zeitlosen Position herausgeführt und in die Entwicklung der Kultur hineingestellt. Akademie als dritten Ort, als Vermittlungsstelle zwischen Kirche und Welt hat nach Alfons Auer ihre Begründung in diesem „Vorgang der Inkarnation als gottmenschlicher Heilsbegegnung". Weil in Christus Gott Mensch, Teil der geschaffenen Welt wird, ist für das Christentum die Vermittlung von Glaubenswahrheit und Weltwahrheit konstitutiv. Dieser Vermittlung widmen sich die Katholischen Akademien. Sie zielen auf eine „welthafte Frömmigkeit", die das „verantwortliche, reale Tun an der Welt, sei es politisches, wirtschaftliches, technisches oder künstlerisches Tun, als wahrer und notwendiger Vollzug der christlichen Existenz" verstehen[33].

Auf dieser Grundlage einigte sich der Trägerkreis der Stuttgarter Akademie auf die Bestimmung der Akademie als eine Stätte lebendiger Begegnung von Kirche und Welt in ausdrücklicher Anknüpfung an Karl Muth[34]. Die Gründer wollten mit ihrer Einrichtung die immer noch starke Tendenz zum Rückzug ins katholische Ghetto überwinden und statt dessen Impulse zur positiven Begegnung mit den geistigen Bewegungen der Zeit geben[35]. Die Errichtung der Akademie als

---

[32] Klaus Haendler, Akademien, in: WdC 34f.

[33] Alfons Auer, Was will unsere Katholische Akademie? (Beiträge zur Begegnung von Kirche und Welt 7), Stuttgart 1953.

[34] Weitmann an das Bischöfliche Ordinariat Rottenburg, Rottenburg 12. November 1951, Archiv der Akademie der Diözese Rottenburg-Stuttgart, unverz.

[35] Auer an Naumann, Stuttgart 23. September 1953, Archiv der Akademie der Diözese Rottenburg-Stuttgart, unverz.

„Stätte lebendiger Begegnung zwischen Kirche und Welt", wie es das Statut vor-
schrieb[36], wurde vom Ortsbischof selbst als „Vorstoß auf seelsorgerliches Neuland" empfunden[37]. Zur Bekräftigung dieser Ausrichtung veranstaltete die Akademie eine programmatische Eröffnungstagung mit dem Titel „Begegnung von
Kirche und Welt", auf der unter anderen Bundestagspräsident Hermann Ehlers
zum Thema „Nebeneinander oder Miteinander? Der Weg des Christen im öffentlichen Raum" sprach[38]. Die Akademien verweisen damit ganz deutlich auf die
Linie der Pastoralkonstitution über die Kirche in der Welt von heute, die einen
Höhepunkt der Bewegung der Kirche auf die Welt zu darstellte. Sie erfüllten aus
ihrem Selbstverständnis schon immer den Auftrag des Konzils, „nach den Zeichen der Zeit zu forschen und sie im Licht des Evangeliums zu deuten"[39]. Folglich sind die Akademien nicht reine Bildungseinrichtungen, sondern Transmissi-
onsriemen zwischen Kirche und Gesellschaft, Religion und Kultur, Theologie
und modernem Lebensgefühl. Sie ermöglichten der Kirche einen neuen Bezug
zur modernen Welt überhaupt und hatten wichtige Vorarbeiten für die in der Pastoralkonstitution des Konzils erschlossenen Möglichkeiten kirchlicher Mitwirkung im weltlichen Bereich geleistet[40].

d) Dialog

Ausschlaggebend für das Gelingen des Konzils war, daß es dort zu einem „intensiven Begegnungs- und Lernprozeß kam, welcher starre Frontenbildungen
nicht zuließ"[41]. Darüber hinaus erhielt die Notwendigkeit eines Dialogs der Kirche mit der Welt höchstkirchlichen Segen, etwa in der Ansprache Pauls VI. zu
Beginn der zweiten Konzilsperiode. Begegnung, Dialog und Konsensfindung
waren auch Arbeitsgrundsätze der kirchlichen Akademien, die nicht Konfrontation sondern Verständigung anstrebten. Die Akademie solle keine „apologeti-
sche Trutzburg" sein, hatte Alfons Auer ihr ins Stammbuch geschrieben, auch
keine „Fluchtburg des Irrealismus", sondern Forum des freien, offenen Wortes,
auch des irrenden[42]. Durch solche Akademiearbeit wurde die monologische
Form der kirchlichen Verkündigung zu einer dialogischen und personalen wei-
tergeformt. Ziel des Dialogs ist die Wahrheitssuche, Wahrheit eben nicht sta-
tisch-dogmatisch als Besitzstand, sondern dynamisch-historisch als Ereignis im
dialogischen Prozeß verstanden. Dieses dialogische Wahrheitsstreben ist regelmäßig in der dialektischen Struktur der Programmplanung erkennbar, in Rede
und Gegenrede, im Aussprechen unterschiedlicher Positionen. Die Schlußfolge-
rungen mußten dem Einzelnen überlassen werden, wollte man die Regeln des

---

36 Vorläufiges Organisationsstatut der Akademie der Diözese Rottenburg, §1, Archiv der Akademie der Diözese Rottenburg-Stuttgart. BÜ. 1069.
37 Kirchliches Amtsblatt für die Diözese Rottenburg 59 (1952), 304.
38 Einladung zur Stiftungsfeier der Akademie der Diözese Rottenburg, 21. Februar 1953, Archiv
der Akademie der Diözese Rottenburg-Stuttgart, BÜ. 1-24.
39 GS 4.
40 Hans Bolewski, Die Akademien der Kirchen, in: Grundlagen der Weiterbildung. Praxishilfen,
Luchterhand 10/1995, 8.
41 Schatz, Konzilien (wie Anm. 14), 290.
42 Auer, Katholische Akademie (wie Anm. 33).

offenen Dialogs einhalten, ein Umstand, der zum Vorwurf der Beliebigkeit beitrug.

In den Akademien kam ein neues Bildungsverständnis in der katholischen Erwachsenenbildung zum Ausdruck. „Bildung bedeutet für die Kirche nicht mehr nur Verkündigung vorgegebener kirchlicher Lehrmeinungen, sondern vielmehr Suche aller Mündigen nach der auf das Leben applizierten Wahrheit des Evangeliums"[43]. Der ehrliche Dialog setzte aber voraus, daß der einzelne Christ und überhaupt jeder Mensch als mündiger Erwachsener und gleichberechtigter Dialogpartner anerkannt wurde.

e) Weltdienst der Laien

Der Akademiearbeit liegt eine neue Wertschätzung der Laien in der Kirche zugrunde, „die den Erwachsenen als Partner, als ein auf Dialog angelegtes Wesen" betrachtet[44] und sich deswegen die „Freilassung der Laien in die Eigenverantwortlichkeit für die dringenden Aufgaben in der Welt" auf die Fahnen geschrieben hat[45]. Diese für die vorkonziliare Kirche geradezu revolutionäre Auffassung führte zu einer Revision der Stellung der Laien in der Kirche. Sie sind nicht mehr nur passive Schafe unter Führung ihrer Hirten, sie haben ein originäre Aufgabe, und zwar das „welthafte Tun", denn die Kirche ist in der modernen Gesellschaft auf den Laien angewiesen, „der die Erfahrung der Welt und des Handelns besitzt, und der Laie braucht die Kirche, die nach wie vor den unbedingten Standort gewährt". Der Laie trägt in der Akademie den „Weltstoff" an die Kirche heran und fordert sie im offenen Gespräch heraus, die „Kirche von heute zu sein"[46]. Dies geschieht, indem die Teilnehmer ihr Sachwissen, ihr Lebenswissen und ihre Kritik in der Akademie zur Sprache bringen, mit kirchlichen Positionen konfrontieren, diese diskutieren und an der Realität verifizieren oder falsifizieren. Die Wahrheit liegt dabei nicht nur auf Seiten der Theologen, ja der Laie muß „die stets notwendige Korrektur an den unvermeidlichen idealistischen Vereinseitigungen der kirchlichen Verkündigung" leisten. Insofern kann die Akademie als „Gewissen der Diözese" verstanden werden[47]. Mit der Neubestimmung der Aufgaben des Laien wird ein allein auf Pfarrseelsorge und Sakramentalvollzüge reduziertes Kirchenverständnis aufgesprengt und eine erweiterte Ekklesiologie realisiert. In diesem Sinne hatte auf evangelischer Seite Helmut Thielicke, der „Vater" der evangelischen Akademien, gefordert, von der „Pastoren-Kirche" loszukommen[48].

---

[43] Helmut Meisner, Die katholischen Akademien, in: Erwachsenenbildung 1 (1955), Heft 3, 5f.

[44] Margret Fell, Mündig durch Bildung. Zur Geschichte katholischer Erwachsenenbildung in der Bundesrepublik Deutschland zwischen 1945 und 1975, München 1983, 156.

[45] Auer an Naumann, Stuttgart 23. September 1953, Archiv der Akademie der Diözese Rottenburg-Stuttgart, unverz.

[46] Programm der Akademie für das zweite Quartal 1954, Archiv der Akademie der Diözese Rottenburg-Stuttgart. BÜ. 1-24.

[47] Auer, Katholische Akademie (wie Anm. 33).

[48] Hermann Boventer, Das Ethos der Kommunikation. Wissenschaft, Wahrheitsfrage und die Gesprächskultur der Akademien, in: Boventer, Akademien (wie Anm. 12), 128-142; 132.

f) Ökumene

Direktes Vorbild der katholischen Akademien waren die ab 1945 eingerichteten Evangelischen Akademien, deren erste Gründung im September 1945 auf Anregung des Tübinger Theologen Helmut Thielicke unter Eberhard Müller in Bad Boll verwirklicht wurde[49]. Die Gemeinsamkeiten in der Gründungsgeschichte und der Zielsetzung reduzierten die Berührungsängste. Schon bald kam es zur Zusammenarbeit zwischen evangelischen und katholischen Akademien in gemeinsamen Veranstaltungen[50]. So suchte die Rabanus-Maurus-Akademie schon zu einer Zeit, als noch kein Konzil und kein Ökumenismusdekret in Sicht war, die Begegnung mit den evangelischen Christen und ihren Bildungseinrichtungen[51]. Die Erfahrungen mit dem Nationalsozialismus und die theologische Annäherung hatten bei den Konfessionen die Überzeugung begründet, christliche Positionen in der Nachkriegsgesellschaft gemeinsam besser vertreten zu können.

Die ökumenische Kooperation der Akademien floß auch direkt in das Konzil ein. Das Sozialinstitut des Erzbistums Paderborn in der Kommende zu Dortmund-Brackel veranstaltete ab 1950 gemeinsam mit seiner evangelischen Schwestereinrichtung Haus Villigst die „Gemeinsame Sozialarbeit der Konfessionen im Bergbau", der sich aufgrund des Erfolgs dieser sozialethischen Kurse bald weitere Einrichtungen beider Konfession anschlossen. Die Kooperationsveranstaltungen waren ein Lernort für die Paderborner Bischöfe Lorenz Jaeger und Franz Hengsbach, die diese Arbeit nicht ohne Widerstände aufbauten, ihren Erfolg selbst beobachten konnten und mit diesem gelungenen Modell ökumenischer Arbeit ins Konzil gingen. Erzbischof Jaeger stellte auf einer Tagung des Kommendekreises der Bergwerksdirektoren 1963 in Essen fest, ohne die gemeinsame Sozialarbeit der Konfessionen im Bergbau wäre vieles nicht möglich gewesen, was dann im Sekretariat für die Einheit der Christen praktiziert wurde[52]. Der zum Bischof des neu errichteten Bistums Essen avancierte Franz Hengsbach wies auf dem Konzil 1963 auf die beispielhafte Zusammenarbeit zwischen Bergbau und den Konfessionen hin[53]. Bischof Hengsbach sprach am 26. November 1963 auf der 75. Generalkongregation des Konzils über die „Ausübung des Ökumenismus" und schlug die Anwendung der in der gemeinsamen Sozialarbeit der Konfessionen erprobten Prinzipien auf internationalem und politischem Gebiet und eine entsprechende Änderung des Kirchenrechts vor[54].

---

[49] Hans Kallenbach, Geschichte der Evangelischen Akademien, in: Pöggeler, Handbuch (wie Anm. 12), 197-208.

[50] Vgl. Gebhard Fürst, Pioniere der Ökumene. Zusammenarbeit der evangelischen und katholischen Akademien in Württemberg, in: Manfred Fischer (Hg.), Aufbruch zum Dialog. Fünfzig Jahre Evangelische Akademie Bad Boll, Stuttgart 1995, 230-237.

[51] Zehn Jahre Katholische Akademie in Hessen, in: KNA Nr. 52, 2.3.1967 (KNA-67/III/42).

[52] Helmut Josef Patt, Die Gründung und Arbeitsrichtung der Kommende als Sozialinstitut des Erzbistums Paderborn, in: Paul-Werner Scheele (Hg.), Paderbornensis Ecclesia. Beiträge zur Geschichte des Erzbistums Paderborn, Paderborn 1972, 761-780; 768.

[53] Franz Hengsbach, Engagement der Kirchen in den Krisen des Bergbaus, in: GSA. Gemeinsame Sozialarbeit der Konfessionen im Bergbau 1949-1989, hg. von der Gemeinsamen Sozialarbeit der Konfessionen im Bergbau, Villigst 1989, 21-27; 25.

[54] Wolfgang Grosse, Impressionen aus der Konzilszeit, in: Das Domkapitel zu Essen (Hg.), Zeugnis und Dienst. Zum 70. Geburtstag von Bischof Dr. Franz Hengsbach, Bochum 1980, 257-268; 261.

3. Akademietagungen vor dem Konzil

Das am 25. Januar 1959 von Johannes XXIII. überraschend angekündigte Konzil
wurde als Thema von den katholischen Akademien sofort aufgegriffen. Bereits
im Vorfeld der Kirchenversammlung boten die Akademien ein Forum, um die
Bedeutung eines Konzils historisch, dogmatisch und kirchenrechtlich zu erörtern,
aber auch, um die Erwartungen an das angekündigte Konzil zu formulieren, zu
diskutieren und einer ersten Beurteilung hinsichtlich realistischer Verwirkli-
chungschancen zu unterwerfen. Das große Interesse der Akademien am Konzil
erklärt sich unter anderem aus der dialogischen Arbeitsweise, die beide Institutionen charakterisiert. Schon in der bloßen Ankündigung des Konzils, nach der
Dogmatisierung der päpstlichen Unfehlbarkeit von vielen für unmöglich und
unnötig gehalten, wurde das zugrundeliegende dialogische Prinzip von denen sofort erfaßt, die in der Kirche längst darauf warteten. Die weitere Entwicklung be-
stätigte diese Erwartung. Die katholischen Akademien erhielten als kirchliche
Foren des Dialogs von hier eine zusätzliche Legitimation und Motivation. Diese
wurden noch verstärkt durch die von Johannes XXIII. gewiesene Linie des „aggiornamento", der „Erneuerung und der Unterscheidung von Zeitbedingtem und
Bleibend-Gültigen", dem sich die Akademien schon lange verschrieben hatten[55].
    Die Bedeutung der Akademietagungen vor, aber auch während und nach dem
Konzil, wird exemplarisch deutlich an der 1955 gegründeten Rabanus-Maurus-
Akademie für die „hessischen" Diözesen Limburg, Fulda, Mainz und ab 1961
auch Speyer. Eine besondere Bedeutung kommt dieser Einrichtung dadurch zu,
daß an ihrer Gründung maßgeblich Walther Kampe mitwirkte, der als Limburger
Weihbischof für die Pressearbeit des Konzils zuständig war. Kampes Anliegen
war es schon früh gewesen, „die Spaltung zwischen Kirche und Welt überwinden
zu helfen" und er unterstütze aus diesem Anliegen heraus die Akademiegründung[56]. Die Rabanus-Maurus-Akademie war auf zwei Ebenen tätig, zum einen in
einer nach allen Seiten hin offenen Arbeit in Tagungen, zum anderen in geschlossenen, langfristigen Arbeitskreisen mit Vertretern aus dem universitären
und öffentlichen Leben. Bereits im Juli 1959, wenige Monate nach Ankündigung
des Konzils, trafen sich diese Arbeitskreise in Königstein zu einer Tagung mit
dem Titel „Was dürfen wir von dem angekündigten Konzil erhoffen?"[57]. Dabei
richtete sich der Blick vor allem auf die Frage der Ökumene, ausgelöst durch die
zum Teil mißverstandene Ankündigung eines „ökumenischen" Konzils. „Das
kommende Konzil" lautete der Titel einer offenen Akademietagung im April
1961, die einige besonders wichtige Fragen zur Geschichte und zum Wesen der
Konzilien überhaupt aufgriff und sich mit den Wünschen und Erwartungen, die
mit dem kommenden Konzil verbunden wurden, beschäftigte. Dazu äußerte sich
im Vortrag auch ein evangelischer Referent, womit der Wille der Akademie zum
ökumenischen Dialog deutlich wurde. Die Tagung, wie die meisten Akademie-

---

[55] Schatz, Konzilien (wie Anm. 14), 273.
[56] Wesen und Aufbau der Katholischen Aktion, in: Mitteilungen für Seelsorge und Laienarbeit
    im Bistum Limburg 1 (1954), 6.
[57] Arbeitsbericht über das Rechnungsjahr 1959/60, Archiv der Katholischen Akademie Rabanus
    Maurus, unverz.

veranstaltungen an verschiedenen Orten Hessens angeboten, stieß auf größtes Interesse und zeitigte ein weites Presseecho. Sie wurde fortgeführt durch weitere Tagungen im Oktober 1961, die unter der Überschrift „Auf dem Weg zum Konzil" über den aktuellen Stand der Vorbereitungen und die kritischen Vorbehalte nichtkatholischer Christen gegenüber der Konzilsankündigung informierten. Insbesondere ging es um die brennende Frage der rechten Akkomodation der Kirche an die gegenwärtige Welt. Das große Interesse an der Konzilsmaterie machte nur einen Monat später eine ähnliche Veranstaltung in Neustadt nötig, auf der Kirchenhistoriker Hubert Jedin und der junge Tübinger Professor Hans Küng ihr Publikum zwei Tage in Atem hielten[58]. Für die Diözese Fulda organisierte die Akademie im Januar 1962 eine Tagung zu „Konzil und Konzilsverständnis"[59].

4. Ergebnisse

Die Akademien entstehen vor dem Hintergrund theologischer Neuaufbrüche, die sich aus einer kirchlich verdrängten Tradition speisen, ohne selbst diese Traditionen hervorgebracht zu haben. Das Verdienst der Akademien ist es, solche Ideen einem breiteren Publikum bekannt gemacht und in der Form der Institution Akademie auch organisatorisch in der Kirchenstruktur verankert zu haben. Als Agenten des Prozesses der Öffnung der Kirche zur Welt konnten sie sich durch die Beschlüsse des Konzils bestätigt finden.

Die Akademien trugen mit ihren Veranstaltungen, über die die Presse ausführlich berichtete, wesentlich zu einer Steigerung der Konzilserwartungen bei, die durch die Geheimhaltung der Vorbereitungen noch angeheizt wurden. Gerade auf das gebildete und interessierte Publikum der Akademien wirkte das angekündigte Konzil als „Katalysator sehr unterschiedlicher Erwartungen und Hoffnungen", und förderte während der Tagungen ungelöste Probleme, geschichtliche Hypotheken und verdrängte Reformanliegen zutage[60]. Während die offizielle Konzilsvorbereitung deutlich restaurative Wege einschlug, entstand so in der kirchlichen Öffentlichkeit – und besonders in den Akademien als institutionalisierten Orten kirchlicher Öffentlichkeit – Erwartungen, die auch die Bischöfe und Konzilstheologen nicht unbeeindruckt lassen konnten. „Diese Erwartungen aber beeinflußten ihrerseits die Konzilsväter und verstärkten die bei ihnen bereits vorhandenen Reformwünsche"[61]. Die Akademien waren zum Sprachrohr vielfältiger Reformanliegen geworden. Die Bischöfe wußten dort die Unterstützung maßgeblicher Kreise des Kirchenvolkes für Veränderungen. Die offen geäußerten und diskutierten Anliegen ermutigten zu den Reformschritten, die bald nach Beginn des Konzils eingeleitet wurden und sich letztlich auch in vielem durchsetzen konnten.

---

[58] Arbeitsbericht über das Rechnungsjahr 1961, Archiv der Katholischen Akademie Rabanus Maurus, unverz.

[59] Rabanus-Maurus-Akademie, Tagungen 1962, Archiv der Katholischen Akademie Rabanus Maurus, unverz.

[60] Schatz, Konzilien (wie Anm. 14), 276.

[61] Ebd., 287.

Im Blick auf die Vorbereitungszeit des Konzils kann man sich dem Urteil eines Akademiedirektors anschließen, „daß gerade das Wirken der katholischen Akademien in Deutschland ein gutes Stück zu jenem Reformwillen beigetragen hat, der sich im zweiten Vatikanischen Konzil der ersten Hälfte der sechziger Jahre so offensichtlich vor aller Welt und doch für viele so überraschend, Bahn gebrochen hat. Daß die öffentliche Meinung in der Kirche sich mehr und mehr zu regen und zu artikulieren beginnt, geht gewiß mit auf das Konto dieser sich inzwischen über das ganze Bundesgebiet hin erstreckenden Institutionen"[62]. Mit größter Aufmerksamkeit und nicht ohne Genugtuung begleiteten die Akademien die Vorgänge auf dem Konzil.

III. Foren des Dialogs: Die Akademien während des Konzils

1. Akademietagungen während des Konzils

Von nicht zu unterschätzender Bedeutung für die Rezeption des Konzils gerade in interessierten und engagierten Kreisen des deutschen Katholizismus sind die Tagungen der Akademien, die während und nach dem Konzil über dessen Arbeit und Beschlüsse informierten. Die Konzilstagungen der Akademien haben ihre herausragende Bedeutung gegenüber den in ihrer Reichweite ebenfalls nicht zu unterschätzenden Konzilsveranstaltungen der Breitenbildung, etwa der Bildungswerke, in der Qualität ihrer Referenten, die aus dem ersten Glied gewonnen wurden. Daß in zahlreichen Akademien der Ortsbischof selbst oder zumindest ein Weihbischof über das Konzil berichtete, sicherte nicht nur einen hohen Grad an Authentizität, es ermöglichte auch die Fortsetzung jenes Dialogs auf diözesaner Ebene, der in Rom unter den Konzilvätern praktiziert und von Papst und Konzil eingefordert wurde. Einen guten Einblick in die Hintergründe des Konzils und die unterschiedlichen theologischen Strömungen, die dort miteinander rangen, ermöglichten wichtige Konzilsberater, die auf Akademietagungen referierten, von dort aber auch die Stimmung des Volkes und eine breite Unterstützung für einen Kurs der Öffnung mitnahmen.

Als sich nach dem Ende der ersten Sitzungsperiode des Konzils die zentralen Themen abzeichneten, wurden diese auch von der hier exemplarisch behandelten Rabanus-Maurus-Akademie aufgenommen und in eigenen Veranstaltungen behandelt. Verschiedene Informationstagungen berichteten über das Geschehen während der ersten Session nach der thematischen Seite, den Strukturen und Strömungen. Dabei stand die Lehre von der Kirche im Mittelpunkt der Diskussionen[63]. Im Januar 1963 kamen „Fragen der Weltmission" zur Sprache. Die Er-

---

[62] Georg Gebhardt, 10 Jahre Rabanus-Maurus-Akademie (Typoskript), Archiv der Katholischen Akademie Rabanus Maurus, unverz.

[63] Arbeitsbericht über das Rechnungsjahr 1963, Archiv der Katholischen Akademie Rabanus Maurus, unverz.

neuerung des Diakonats, insbesondere eine Besinnung auf dessen Wesen und seelsorgliche Möglichkeiten und konkrete Überlegungen über Wünsche und Wege in der Erneuerung des Diakonats, standen im Februar auf dem Programm. „Christliches Leben in der Welt von heute" war das Thema im März, zu dem Frère Michel Bergmann aus Taizé sprach. Auch nach der zweiten Konzilsperiode wurden Informationstagungen, nach wie vor mit hohen Teilnehmerzahlen, durchgeführt. Und auch unmittelbar nach Beendigung der dritten Konzilsperiode gaben solche Veranstaltungen im Dezember 1964 einen detaillierten Überblick über die abgeschlossene Session, sowie eine eingehende Einführung in die Kirchenkonstitution „Lumen gentium" und das Dekret über den Ökumenismus[64]. Beide Dokumente standen auch im Mittelpunkt ökumenischer Dialogtagungen an verschiedenen Orten mit Analysen von katholischer wie evangelischer Seite[65]. Selbstverständlich bot die Akademie auch eine breite Behandlung liturgischer Fragen unter dem Titel „Die Liturgie und der heutige Mensch" an[66]. Das Verhältnis von Kirche und Welt, ein ureigenes Thema der Akademien und Inhalt des „Schemas 13", waren Gegenstand der Tagung „Kirche in der Welt" im Juni 1965, insbesondere das neutestamentliche Verständnis von Welt, der Begriff des Dialogs der Kirche mit der Welt und die ‚Theologie der irdischen Wirklichkeiten'[67]. Als besonders publikumswirksam erwiesen sich neben den Akademietagungen die Veranstaltungen der Frankfurter „Theologischen Akademie am Dom" in gemeinsamer Trägerschaft der Rabanus-Maurus-Akademie und der Jesuitenhochschule St. Georgen unter der wissenschaftlichen Leitung von Karl Rahner und Otto Semmelroth. Zu den Vorträgen mit Aussprache im Dom kamen bis zu 800 Teilnehmer[68]. In diesem Rahmen sprachen 1965 Semmelroth über „Die Selbstdarstellung der Kirche auf dem zweiten Vatikanischen Konzil", Karl Rahner über „Unveränderlichkeit und Wandel im Glaubensverständnis in der Zeit des Konzils", Bruno Schüller über „Religionsfreiheit und Toleranz", Josef Loosen über „Die Kirche aus Priestern und Laien" und Ludwig Bertsch über die „Erneuerte Liturgie aus erneuertem Verständnis von der Kirche"[69]. Die Wirksamkeit dieser Veranstaltungen beschränkte sich nicht auf das Tagungspublikum. Ein breiterer Kreis wurde noch durch die Publikation der Tagungsergebnisse in Zeitungsartikeln und Buchbeiträgen erreicht, wie zum Beispiel durch den Dokumentationsband „Das Zweite Vatikanische Konzil" der Katholischen Akademie in Bayern[70].

---

[64] Arbeitsbericht über das Rechnungsjahr 1964, Archiv der Katholischen Akademie Rabanus Maurus, unverz.

[65] Arbeitsbericht über das Rechnungsjahr 1965, Archiv der Katholischen Akademie Rabanus Maurus, unverz.

[66] Arbeitsbericht 1964 (wie Anm. 64).

[67] Arbeitsbericht 1965 (wie Anm. 65).

[68] Arbeitsbericht 1964 (wie Anm. 64).

[69] Arbeitsbericht 1965 (wie Anm. 65).

[70] Karl Forster (Hg.), Das Zweite Vatikanische Konzil (Studien und Berichte der Katholischen Akademie in Bayern 24), Würzburg 1963.

2. Akademie in Rom

Bis zum Ort des Geschehens selbst wagte sich die Bensberger Thomas-Morus-Akademie. Sie veranstaltete im Oktober 1965, also während der letzten Konzils-periode, in den Räumen der deutschen Nationalkirche Santa Maria dell'Anima in Rom eine Tagung zum Thema „Dialog der Kirche mit der Welt von heute". Die Anregung dazu war von Kardinal Frings selbst ausgegangen, der damit deutlich machen wollte, was gerade durch die Arbeit der Akademien in Deutschland be-reits zur Verwirklichung des Dialogs von Kirche und Welt geschah. Die Überein-stimmungen der Anliegen des Konzils und der Akademien konstatierte dann auch Akademiedirektor Josef Steinberg. So war es nach seinen Worten kein Wunder, wenn „die Akademien (nicht nur die katholischen!) mit brennendem Interesse auf das schauen, was sich im Augenblick hier in Rom ereignet. Sehen sie doch hier die Kirche als Ganzes erfaßt von dem gleichen Anliegen – mit der Welt in einen fruchtbaren Dialog zu kommen"[71]. Diese Grundhaltung erhielt während einer Au-dienz am 6. Oktober 1965 den päpstlichen Segen. Paul VI. begrüßte die Tagungs-teilnehmer der Thomas-Morus-Akademie mit den Worten: „Ihre Aufgabe ist die Verchristlichung des privaten und öffentlichen Lebens durch Bildungsarbeit am Laien. Ihr Anliegen ist der lebendige, vom Glauben getragene Dialog der Kirche mit der Welt von heute. Ihr Ziel ist die Formung des gesamten Menschen zu einer gediegenen religiösen Persönlichkeit. Ihre Akademie hat sich einen Schutzherrn erwählt, dessen Glaubensfestigkeit in tiefem Wissen und in Treue und unerschüt-terlicher Liebe zur Kirche verwurzelt, ein zeitlos leuchtendes Vorbild ist. Er sei Vorbild auch jedem von Ihnen. Und das inmitten unserer Zeit, die vom Katholiken Aufgeschlossenheit fordert und zugleich Unbeirrbarkeit vor den schwankenden Tagesmeinungen. Wir beglückwünschen Sie zu dieser Haltung"[72]. Damit hatte nicht nur die Akademienbewegung einen Höhepunkt erreicht, es verdichteten sich auch die Beziehungen von Akademien und Konzil auf deutlichste Weise.

3. Ergebnisse

„Bei nicht wenigen Konzilsverlautbarungen konnte man deutlich eine Bestätigung jahrelanger Akademiearbeit sehen, so daß die Themen der Tagungen einen auf-schlußreichen Querschnitt der Probleme jener Jahre erkennen ließen. Vielleicht könnte man sagen, daß das II. Vatikanische Konzil den ursprünglichen Auftrag der nach dem 2. Weltkrieg gegründeten Akademien zum Anliegen für die ganze Kir-che gemacht hat"[73]. Mit der Einholung ihrer eigenen Prinzipien durch das Konzil

---

[71] Lebendige Kirche, Sondernummer 1965/66, 3; Historisches Archiv des Erzbistums Köln, CR II 22.37,4. Auf der Tagung selbst sprachen unter anderen Kardinal Frings, Otto Roegele, Jo-hannes Hirschmann SJ, Kultusminister Paul Mikat Düsseldorf, Bischof Höffner und der Köl-ner Generalvikar Teusch, ebd.

[72] Ebd.

[73] Franz Xaver Spengler, Faszination einer Lebenswahrheit, in: Thomas-Morus-Akademie (Hg.), Menschen in der Akademie. 25 Jahre Thomas Morus Akademie Bensberg, Bergisch Gladbach 1978, 29.

konnten sich die Akademien freilich nicht zufrieden geben. Sie gingen nunmehr daran, ihren Beitrag zur Popularisierung der Konzilsbeschlüsse zu leisten.

IV. FORTSETZUNG DES DIALOGS: DIE AKADEMIEN NACH DEM KONZIL

1. Akademietagungen zur Popularisierung des Konzils

Mit Abschluß des Konzils stand die wichtige Arbeit der Popularisierung und Umsetzung der Konzilsbeschlüsse an. Im deutschen Sprachraum wurden „die Institutionen der katholischen Erwachsenenbildung der wichtigste Treibriemen bei der Umsetzung des Konzils in ein neues kirchliches Bewußtsein"[74], wobei sich die Akademien als besonders qualifzierte Bildungseinrichtungen in diesem Bereich besonders engagiert zeigten. Als Beispiel hierfür kann wiederum die Rabanus-Maurus-Akademie dienen. Nach Abschluß des Konzils berichteten die Weihbischöfe Kampe und Schick selbst, unterstützt von Alois Grillmeier, über die vierte und letzte Sitzungsperiode und behandelten vor allem das Verhältnis von Kirche und Welt nach der Pastoralkonstitution *Gaudium et Spes*. Es folgte 1966 eine ganze Reihe von Tagungen, die die Hauptergebnisse des Konzils analysierten und zum Teil bereits deren Anwendung auf die deutschen Verhältnisse diskutierten. So erörterte die Professorengruppe an der Akademie zusammen mit Karl Rahner „Aufgabe und Verantwortung des Hochschullehrers in der Sicht der Konzilskonstitution ‚Die Kirche in der heutigen Welt‘". Die revidierte Haltung der Kirche zum Judentum schlug sich in der Akademiebegegnung „Last der Geschichte" nieder. Unter Anwesenheit des Landesrabbiners N. P. Levinson sprachen katholische und jüdische Theologen über das jüdisch-christliche Verhältnis, vor allem im Lichte des Konzils[75]. Auch der ökumenische Ertrag des Konzils wurde ausgelotet. Die Veranstaltung „Dialog mit Rom: Das Konzil in den Augen der anderen" gab namhaften Konzilsbeobachtern unterschiedlicher Konfession die Möglichkeit zur Bewertung der Konzilsdokumente und zum gemeinsamen Gespräch[76]. Andere Veranstaltungen kreisten um die Religionsfreiheit nach dem Verständnis des Konzils, um die nachkonziliare Kirche in der säkularisierten Welt[77] und um den innerkirchlichen Dialog[78]. Der Akademie war stets an einer

---

[74] Otto Hermann Pesch, Steckengebliebene Kirchenreform? Aufgaben und Chancen aus dem Zweiten Vatikanischen Konzil, in: Katholische Landesarbeitsgemeinschaft für Erwachsenenbildung in Bayern e.V. (Hg.), Katholische Landesarbeitsgemeinschaft für Erwachsenenbildung in Bayern e.V. 1993-1997, München 1998, 38f.

[75] Arbeitsbericht über das Rechnungsjahr 1966, Archiv der Katholischen Akademie Rabanus Maurus, unverz.

[76] Arbeitsbericht über das Rechnungsjahr 1967, Archiv der Katholischen Akademie Rabanus Maurus, unverz.

[77] Arbeitsbericht 1966 (wie Anm. 75).

[78] Arbeitsbericht 1967 (wie Anm. 76).

fundierten Analyse der Konzilsdekrete gelegen, etwa wenn die Dekrete über
Dienst und Leben der Priester und über die Priestererziehung beleuchtet wurden[79], oder wenn J. Hirschmann die Pastoralkonstitution auf das Verhältnis der
Christen zum Frieden hin untersuchte[80]. Auch die Theologische Akademie am
Dom griff die Konzilsthemen auf. Otto Semmelroth sprach über „Gottes Wort in
der Kirche", Karl Rahner zu „Kirche, Kirchen und Religionen" und J. G. Gerhartz zum Verhältnis „Kirche-Laien-Welt"[81].

2. Umorientierungen in Folge des Konzils

Durch die Konzentration der Akademien auf das Konzil und theologisch-kirchliche Fragen ergab sich die Gefahr, andere Bereiche zu wenig zu berücksichtigen.
So stellte das Konzil für das Franz Hitze Haus in Münster einen tiefen geistigen
Einschnitt dar. Zum einem wurde die Krise der katholischen Soziallehre deutlich,
die schon im Hinausschieben der Thematik auf dem Konzil spürbar war. Die
neue Theologie, die Liturgiereform und ein neues Verständnis der kirchlichen
Mitverantwortung der Laien fanden größere Aufmerksamkeit als die sozialen und
gesellschaftspolitischen Fragestellungen. Das Bistum Münster reagierte auf diese Entwicklung mit der Errichtung von „Theologischen Seminaren", von denen
sich Bischof Höffner ausdrücklich einen noch größeren Erfolg erhoffte als von
den Sozialen Seminaren. Tatsächlich drängten die theologischen die sozialen Se-
minare weit zurück, nicht nur, weil sie einem aktuellen Bedürfnis entsprachen,
sie fanden auch kräftige Unterstützung von den Seelsorgern, die darin einen direkten Nutzen für ihre Arbeit und ein persönliches Wirkungsfeld sahen[82]. Die
Akzentverschiebung von der sozialen zur theologischen Bildungsarbeit vollzog
das Franz Hitze Haus mit, wenn es darin auch ein Abrücken von der ursprünglichen Aufgabenstellung sah. Die soziale Bildungsarbeit ging freilich weiter und
fand mit neuen sozialen Fragen wie Entwicklungspolitik, Entwicklungshilfe und
kirchlicher Partnerschaft mit außereuropäischen Ortskirchen neue Schwerpunkte[83].

So wohltuend das Konzil für das Selbstverständnis der Akademien war, so fanden sich diese nach dem Konzil bisweilen doch wieder in Randpositionen. Auf
der einen Seite lösten die Öffnungen, die das Konzil ermöglichte und die von den
Akademien vorweggenommen und schließlich begrüßt wurden, gelegentlich eine
ungebremste Öffnungseuphorie aus. Davon waren auch manche Akademien nicht
verschont und mußten sich in ihrer Kirchlichkeit in Frage stellen lassen. Andererseits ernteten sie Kritik, wenn sie sich einem maßlosen Fortschrittsoptimismus
verweigerten. So stellte sich ein Akademiedirektor die Frage, „ob und wieweit
man im entscheidenden Personenkreis, vor allem jetzt in den obersten synodalen

---

[79] Arbeitsbericht 1966 (wie Anm. 75).
[80] Arbeitsbericht 1967 (wie Anm. 76).
[81] Arbeitsbericht 1966 (wie Anm. 75).
[82] Albrecht Beckel, Die Akademie Franz Hitze Haus. Vorgeschichte und erste Generation (1950-
   1988), Münster [1991], 32f.
[83] Ebd., 34.

Gremien, an den Sinn, die Kraft und die Notwendigkeit einer Institution glaubt, die im Sinne ihres Gründungsauftrages in einer gewiß sehr veränderten Situation die Auseinandersetzung mit dem Zeitgeist wagt und – was noch viel entscheidender werden wird – die dem Pragmatismus und Nihilismus von heute positiv begegnet, die sich nicht ständig mit heraushängender Zunge die Interpretation der Wirklichkeit von laut schreienden Anderen aufzwingen läßt, sondern aus der Fülle ihrer Tradition selber diese Interpretation leistet. Über dem ‚Verändernwollen‘ ist längst die zureichende Sicht verloren gegangen, was die Welt wirklich ist und wonach sie verlangt"[84]. Deutlich wurde, daß mit dem Konzil das Verhältnis von Kirche und Welt nicht abschließend definiert worden war, sondern dessen Auslotung erst begann, und damit die Arbeit der Akademien.

3. Akademiegründungen in Folge des Konzils

Das Konzil löste in der Akademienlandschaft eine zweite Gründungswelle aus. Hinzu kamen die Katholische Akademie Trier (1962), die Akademie Ludwig-Windthorst-Haus in Lingen (1963), die Katholische Akademie Augsburg (1965), die Diözesan-Akademie Berlin (1965), die Akademie Niels-Stensen-Haus in Bremen-Lilienthal (1966), die Katholische Akademie Schwerte (1967), die Akademie Caritas-Pirckheimer-Haus in Nürnberg (1970) und die Katholische Akademie Hamburg (1973). Damit war zunächst eine Sättigung eingetreten. Erst im Gefolge der deutschen Einigung kam es in den neuen Bundesländern zu weiteren Gründungen[85].

Eine typische Gründung der Konzilsära ist die Akademie der Diözese Augsburg. Unmittelbarer Stimulus für die Errichtung dieser Akademie waren die Impulse des II. Vatikanischen Konzils und das Anliegen des Konzilsbischofs Stimpfle, dieses in seiner Diözese umzusetzen[86]. Die Entscheidung des Bischofs, eine Bildungsstätte als Katholische Akademie zu errichten, ist auch auf dem Hintergrund intensiver Kontakte zu seinen deutschen Amtskollegen während des Konzils zu sehen. Stimpfle hielt die Akademie für die geeignete Form, den vom Konzil angeregten Dialog zwischen Kirche und Welt in seiner Diözese zu fördern. Entsprechend erklärte er zum ureigenen Auftrag der Akademie, „das Vermächtnis des Konzils unverzüglich aufzugreifen, um seine Impulse und Weisungen für das innerkirchliche wie öffentliche Leben fruchtbar werden zu lassen"[87]. Vor allem solle die Akademie zur „Verwirklichung der Lehre des Zweiten Vatikanischen Konzils über die ‚Königswürde‘ des Menschen, das heißt über seine Berufung zur Teilnahme am Königsamt Christi" beitragen[88].

---

84 Georg Gebhardt, Zur Struktur und Arbeit der Rabanus-Maurus-Akademie (Typoskript), 9. Februar 1974, Archiv der Katholischen Akademie Rabanus Maurus, unverz.

85 Vgl. Anm. 13.

86 Martin Achter, Vom Anfang, in: Haus St. Ulrich, hg. vom Haus St. Ulrich, Augsburg 1975, 10f.

87 Geleitwort zum Arbeitsplan 1966 I der Katholischen Akademie Augsburg, Archiv der Katholischen Akademie Augsburg, unverz.

88 Urkunde, Augsburg, 1. November 1979, Archiv des Bistums Augsburg, Bischofsarchiv Dr. Josef Stimpfle (nach Auskunft des Archivs des Bistums Augsburg), 33.01.

Drückte sich schon in den ersten Veranstaltungen der Katholischen Akademie
Augsburg 1965 das Bemühen aus, die Umbrüche der damaligen Zeit in Kirche
und Gesellschaft zur Sprache zu bringen, so verstärkte sich dieser Eindruck
noch im Blick auf das Arbeitsprogramm von 1966. Zentrales Thema war das gerade abgeschlossene Konzil. Bischof Stimpfle selbst, als Augenzeuge und Be-
teiligter, sprach über das Konzil und seine Konsequenzen bei Veranstaltungen
der Akademie in Augsburg, Kempten und Mindelheim. Eine offene Gesprächstagung beschäftigte sich mit einer „Bilanz des Konzils", Ernst Deuerlein, sprach
über die „weltpolitische Situation nach dem II. Vatikanischen Konzil", Johannes
Auer über die „Kirche im Wandel", Bischof Stimpfle über die Frage „Wie ver-
wirklichen wir das Konzil?" Als Ziel der Tagung formulierte die Einladung,
„daß die Ergebnisse, die von den Konzilsvätern in Rom erarbeitet wurden, nun
in unser Leben umgesetzt werden. Dabei stehen wir am ‚Anfang eines Anfangs'.
Die Richtung ist angezeigt: Es geht um die Kirche als polare Einheit, als das
Volk Gottes, und es geht um das Verhältnis der Kirche zur Welt, das beide – Kirche und Welt – als Chance aufgegeben ist"[89]. Eine weitere Gesprächstagung trug
den Titel „Unruhe durch das Konzil? Der kritische Laie in der Kirche". Stanis-
Edmund Szydzik, Bonn, sprach zu den Fragen „Erste Auswirkungen des Konzils – Unruhe oder Verwirrung?", „Neue Weltverantwortung des Laien?" und
„Weltbejahung und Weltdistanz – Wo bleibt das Kreuz?"[90]. Dazu kamen zahlreiche Veranstaltungen, die wichtige Impulse des Konzils aufgriffen, etwa zu Bibel und Exegese, zum Verhältnis der Konfessionen und zur Bedeutung der Massenmedien. Zentrale Vorträge der Akademie zum Konzil wurden veröffentlicht.
Bischof Josef Stimpfle stellte in seinem Vortrag „Das Konzil – und was jetzt danach?" fest, das Ergebnis der konziliaren Besinnung auf Sein und Auftrag der
Kirche sei „eine Offenheit für neue Ideen und für den Dialog mit der Welt. Sie
hat die Kirche herausgeholt aus der falschen Sicherheit und Erstarrung und sie
hineingestellt in eine neue Freiheit"[91]. „Wiederbegegnung von Kirche und
Welt", nannten Martin Achter und Ernst Deuerlein ihre Darlegungen, in denen
auch sie davon ausgehen, daß erst die innere Erneuerung der Kirche den Dialog
mit der Welt ermöglicht. Nach einer längeren Phase, in der sich Welt und Kirche
fremd geworden sind leitet nun die Pastoralkonstitution die Kirche an, in Dialog
mit der Welt zu treten. Zu diesem Zweck seien viele theologische Fragen neu zu
klären und in die Sprache der Zeit zu bringen. Die Verkündigung muß wieder
auf die Heilige Schrift zurückgeführt werden und die Laien müssen als gleich-
berechtigte Mitarbeiter anerkannt werden[92]. Damit waren Ziele und Anliegen
formuliert, die nochmals die Kongruenz von Konzil und Akademien deutlich
machen.

---

[89] Einladung zur Tagung am 12.-13. März 1966, Archiv der Katholischen Akademie Augsburg,
unverz.
[90] Teilnehmerlist der Tagung 3.-4. Dezember 1966, Archiv der Katholischen Akademie Augsburg, unverz.
[91] Publikationsanzeige, Archiv der Katholischen Akademie Augsburg, unverz.
[92] Ebd.

V. DIE AKADEMIEN ALS VERWIRKLICHUNGSFORM DES KONZILS IM KLEINEN

Der Überblick über die Berührungspunkte von Akademien und Konzil läßt die Bedeutung der Akademien für die Kirchenversammlung deutlich werden. Die Akademien halfen, etwas von dem Problemstau zu bearbeiten, der sich durch die kirchliche Verweigerungshaltung gegenüber der modernen Gesellschaft aufgebaut hatte. Sie unterstützten somit die „Breitendurchsetzung und die Umpolung des kirchlichen Gesamtbewußtseins" vor, während und nach dem Konzil[93]. In den Akademien klangen viele der Themen an, die auf dem Konzil dominierten und dessen reformerischen Charakter ausmachten. Die Neubestimmung des Verhältnisses der Kirche zur Moderne, eine neue Sicht der Gläubigen und Laien als mündige Christen, die dialogische Dimension der Kirche, die Begegnung von Kirche und Welt, die Anerkennung der Eigengesetzlichkeiten der Welt und die Aufgaben der Ökumene finden über die Akademien einen Platz und teilweise Verwirklichung in der Kirche. Andere Einflußlinien lagen im Bereich der persönlichen Bezüge von Konzilsteilnehmern zu den Akademien und der weit wirkenden Tagungsarbeit zum Thema. „Der deutsche Katholizismus hatte zu fragen begonnen und blickte über die Mauern. Die katholischen Akademien erwiesen sich im ersten Jahrzehnt ihrer Existenz als vorwärtstreibende, Unruhe verbreitende Institutionen und bereiteten die Fragestellungen mit auf, denen sich das II. Vatikanum und die Synode der deutschen Bistümer in der Folge stellten. Sie begleiteten eingehend die einzelnen Konzils- und Synodenperioden und bemühten sich um die Nachbereitung"[94]. Die Akademien und ihr Bildungskonzept „fanden Bestätigung im Dialogpostolat des Vat. II"[95]. Die Akademien haben sicherlich dazu beigetragen, daß der Übergang „von der Verteidigung zum Dialog" im Ganzen gelungen und der Dialog in der Kirche heimisch geworden ist[96]. Dort allerdings, wo die Erwartungen zu hoch schlugen, trat natürlicherweise bald Ernüchterung oder Enttäuschung ein. Über die gegenwärtige Bedeutung von Konzil und Akademien urteilt Manfred Plate: „Der Dialog des Konzils wie der kirchlichen Akademien ist von außen wie von innen her in eine Krise geraten, die wir jedoch grundsätzlich und von ihren Phänomenen her eher eine Wachstums- als eine Untergangskrise nennen möchten. Wir stehen ein wenig da wie Eltern, die ihre Kinder sehr ‚verständnisvoll' und ‚dialogisch' erziehen wollten, die aber mit ihrem Freiheitsangebot nicht nur gute Erfahrungen gemacht haben. Werden sie nun zu einer stramm autoritären Erziehung zurückkehren? Es wäre nicht nur nicht möglich, sondern auch nicht sinnvoll. Denn nicht das Dialogische selbst ist an der Enttäuschung schuld, sondern die Tatsache, daß unsere Dialoge nicht gut

---

[93] Klaus Schatz, Die kirchliche Krise nach dem 2. Vatikanum in historischer Perspektive, in: Matthias Lutz-Bachmann/Bruno Schlegelberger (Hg.), Krise und Erneuerung der Kirche, Berlin 1989, 9-25; 17.

[94] Georg Gebhardt, 25 Jahre Rabanus Maurus-Akademie, in: Rabanus Maurus Akademie (Hg.), 25 Jahre Rabanus Maurus-Akademie. Eine Dokumentation, o.O. 1982, 5-12; 10.

[95] Gerhard Krems, Akademien, V. Katholische Akademien, in: LThK[3] I, 280.

[96] Galli, Das Konzil (wie Anm. 28).

genug, fehlerhaft und teilweise dilettantisch durchgeführt wurden"[97]. Auch wenn die nachkonziliare Kirche viel von der dialogischen Kompetenz der Akademien lernen kann, müssen sich beide noch mehr um den gelingenden Dialog mühen.

---

[97] Plate, Pluralismus (wie Anm. 28), 126.

Der Codex Iuris Canonici von 1983: „Krönung" des II. Vatikanischen Konzils?

Von Norbert Lüdecke

Einleitung

a) Beitrag der Kanonistik zur Erforschung des II. Vatikanums

Die historische Erforschung des II. Vatikanischen Konzils hat Konjunktur. In einer Reihe von interdisziplinären Projekten sollen nicht mehr nur die Konzilstexte und ihre Genese im Vordergrund stehen. Vielmehr soll der tatsächliche Verlauf des Konzils auf breiter Quellenbasis nach streng historisch-kritischen Kriterien rekonstruiert werden. Über die Bischöfe und ihre theologischen Berater hinaus werden auch die Laien, die Nichtkatholiken und die Medien als Akteure des Konzilsgeschehens gewürdigt. Das theologiegeschichtliche und gesellschaftliche Vor- und Umfeld des Konzils sowie seine Wirkungsgeschichte werden ausgelotet[1].

Dabei geht es nicht nur um genaue historische Dokumentation. Die zu klärende Bedeutung und Tragweite des jüngsten Konzils läßt vielmehr auch eine normative Komponente erkennen. Das historische Interesse situiert sich selbst im Kontext der seit mehr als zwei Jahrzehnte andauernden Diskussion um die rech-

---

[1] Als Überblick vgl. Alois Greiler, Ein internationales Forschungsprojekt zur Geschichte des Zweiten Vatikanums, in: Wolfgang Weiß (Hg.), Zeugnis und Dialog. Die katholische Kirche in der neuzeitlichen Welt und das II. Vatikanische Konzil (FS Klaus Wittstadt), Würzburg 1996, 571-578. Aus den neueren Publikationen vgl. Giuseppe Alberigo/Klaus Wittstadt (Hg.), Geschichte des Zweiten Vatikanischen Konzils (1959-1965) Bd. I: Die katholische Kirche auf dem Weg in ein neues Zeitalter. Die Ankündigung und Vorbereitung des Zweiten Vatikanischen Konzils (Januar 1959 bis Oktober 1962), Mainz-Leuven 1997; Giuseppe Alberigo/Alberto Melloni (Hg.), Storia del Concilio Vaticano II Bd. II: La formazione della coscienza conciliare: Il primo periodo e la prima intersessione: ottobre 1962 – settembre 1963, Bologna 1996; dies. (Hg.), Storia del Concilio Vaticano II Bd. III: Il concilio adulto: Il secondo periodo e la secondo intersessione: settembre 1963 – settembre 1964, Bologna 1998; Maria Teresa Fattori/Alberto Melloni (Hg.), L'evento e le decisioni. Studi sulle dinamiche del concilio Vaticano II (TRSR nuova serie 20), Bologna 1997; Franz-Xaver Kaufmann/Arnold Zingerle (Hg.), Vatikanum II und Modernisierung. Historische und soziologische Perspektiven, Paderborn-München-Wien-Zürich 1996; Peter Hünermann (Hg.), Das II. Vatikanum. Christlicher Glaube im Horizont globaler Modernisierung. Einleitungsfragen (Programm und Wirkungsgeschichte des II. Vatikanums 1), Paderborn-München-Wien-Zürich 1998; Hubert Wolf (Hg.), Antimodernismus und Modernismus in der katholischen Kirche. Beiträge zum theologiegeschichtlichen Vorfeld des II. Vatikanums (Programm und Wirkungsgeschichte des II. Vatikanums 2), Paderborn-München-Wien-Zürich 1998; Gilles Routhier (Hg.), L'Église canadienne et Vatican II (CTHP 58), Québec 1997; Alberto Melloni (Hg.), Vatican II in Moscow (1959-1965). Acts of the Colloquium on the History of Vatican II. Moscow, March 30 – April 2 1995 (IT 20), Leuven 1997; Mathijs Lamberigts/Claude Soetens u.a. (Hg.), Les Commissions Conciliaires à Vatican II (IT 18), Leuven 1996; Klaus Wittstadt/Wim Verschooten (Hg.), Der Beitrag der deutschsprachigen und osteuropäischen Länder zum Zweiten Vatikanischen Konzil (IT 16), Leuven 1996.

te Auslegung und Rezeption der kompromißträchtigen[2] und dadurch für sehr unterschiedliche Auslegungen offenen Konzilsdokumente[3]. Daher sollen nicht nur die Fakten, sondern auch der „Geist", also die wesentlichen Charakteristika dieses Ereignisses, erschlossen werden, um damit die Basis für „eine solide und korrekte Interpretation der Konzilstexte"[4] zu liefern. Gesucht wird die „angemessene" Hermeneutik für deren Verständnis[5]. Dabei entsteht bisweilen der Eindruck, jener in der Nachkonzilszeit viel beschworene „Geist"[6] des Konzils solle gegen bestimmte gegenwärtige kirchliche Entwicklungen[7], die auch mit diesem Konzil legitimiert werden, als eine Art historisch-kritisches Autoritätsargument etabliert werden[8].

---

[2] Vgl. Max Seckler, Über den Kompromiß in Sachen der Lehre (1972), in: ders., Im Spannungsfeld von Wissenschaft und Kirche. Theologie als schöpferische Auslegung der Wirklichkeit, Freiburg i.Br. 1980, 99-109.212-215.

[3] Vgl. Karl Hausberger, Römisch-katholische Kirche, in: TRE XXIX 320-331; 329f; Wolfgang Beinert, Ein Konzil in unserer Zeit – Ein Konzil für unsere Zeit? Ein vorausschauender Rückblick auf das Vaticanum II, in: ders./Konrad Feiereis u.a. (Hg.), Unterwegs zum einen Glauben (FS Lothar Ullrich), Leipzig 1997, 102-129.

[4] Vgl. Giuseppe Alberigo, Vorwort: Dreißig Jahre nach dem Zweiten Vatikanum, in: ders./Wittstadt, Geschichte I (wie Anm. 1), XXV-XXIX; XXVIf. Ausführlicher bereits ders., Criteri ermeneutici per una storia del Vaticano II, in: ders. (Hg.), Il Vaticano II fra attese e celebrazione (TRSR nuova serie 13), Bologna 1995, 9-26; 18.

[5] Vgl. Hubert Wolf, Vorwort des Herausgebers, in: ders., Antimodernismus (wie Anm. 1), 9 sowie Peter Hünermann, Das II. Vatikanum als Ereignis und die Frage nach seiner Pragmatik, in: ders., II. Vatikanum (wie Anm. 1), 107-125; 124; Alberigo, Criteri (wie Anm. 4).

[6] Vgl. Herbert Vorgrimler, Vom „Geist des Konzils", in: Klemens Richter (Hg.), Das Konzil war erst der Anfang. Die Bedeutung des II. Vatikanums für Theologie und Kirche, Mainz 1991, 25-52.

[7] Vgl. Werner Böckenförde, Zur gegenwärtigen Lage in der römisch-katholischen Kirche. Kirchenrechtliche Anmerkungen, in: Orientierung 62 (1998) 228-234 und Helmut Krätzl, Im Sprung gehemmt. Was mir nach dem Konzil noch alles fehlt, Mödling ²1998, besonders 167-195.

[8] So erklärt Giuseppe Alberigo, Luci e ombre nel rapporto tra dinamica assembleare e conclusione conciliari, in: Fattori/Melloni, L'evento (wie Anm. 1), 501-522; 521 die auf dem Konzil verabschiedeten, unterschiedliche Positionen (lediglich) nebeneinander stellenden Texte zeichneten ein der Konzilsversammlung widersprechendes Bild. Als „Ereignis" habe das Konzil qualitativ bedeutsamere Orientierungen zum Ausdruck gebracht als seine formellen Beschlüsse. Daß sich die Kontroverse um die Auslegung des II. Vatikanums in die historische Bearbeitung fortsetzt, wird an manchen sensiblen und polemischen Reaktionen erkennbar. So erhielt Agostino Marchetto, Titularerzbischof und Apostolischer Nuntius zur besonderen Verfügung beim Päpstlichen Staatssekretariat, vgl. AnPont 1998, 1173, im „Osservatore Romano", dem Presseorgan, das seine Aufgabe als Dienst für die Anliegen des Papstes und als Zusammenarbeit mit den Dikasterien der römischen Kurie versteht, vgl. AnPont 1998, 1884, wiederholt Gelegenheit, unter erklärtem Verzicht auf eine detaillierte Auseinandersetzung recht pauschale Einseitigkeits- und Ideologieverdachte gegen konzilsgeschichtliche Arbeiten des Istituto per le scienze religose in Bologna zu publizieren, vgl. "L'evento e le decisioni. Studi sulle dinamiche del Concilio Vaticano II", in: OR, Nr. 184, 12. August 1998, 6 sowie „Riflessioni sul terzo volume di una ‚Storia del Concilio Vaticano II‘", in: OR, Nr. 197, 28. August 1998, 6. Vgl. auch ders., L'evento e le decisioni. A proposito di una „Tesi" sul Concilio Vaticano II, in: AHC 30 (1998) 131-142. Ähnlich, wenngleich polemischer, David Berger, Revisionistische Geschichtsschreibung – Das „Alberigo-Projekt" zur Geschichte des Vatikanum II, in: Theologisches 29 (1999) 3-13.

Die Beteiligung von Kanonisten an solchen Vorhaben ist nicht selbstverständlich[9]. Vielmehr gibt es Anzeichen für die Einschätzung, die kanonistische Perspektive sei für ein geschichtlich zutreffendes Bild des jüngsten Konzils nicht ertragreich. *Giuseppe Alberigo* erwartet von der Kanonistik die Sicht des Konzils als „konkrete Umsetzung eines institutionellen Modells" sowie die Klärung der rechtlichen Bedingungen für die Legitimität eines Konzils und hält dies für zuwenig[10]. *Peter Hünermann* stellt die Konfrontation von katholischer Kirche und Moderne als das Eigentliche des II. Vatikanums heraus gegen die Relevanz rechtlicher Fragen. Dem Konzil sei es "nicht um lediglich Insider interessierende Verschlankungen der kirchlichen Strukturen" gegangen. Papst und Bischöfe habe vielmehr „die grundlegende Frage um[getrieben], wie christlicher Glaube im Kontext globaler Modernisierung Gestalt annehmen kann"[11].

Auf der anderen Seite weist *Hünermann* selbst auf die Bedeutung struktureller Fragen hin. In einer Charakterisierung des „Antimodernismus" sieht er diese „Versuchung und Gefährdung der Kirche" mit ihrer „Leitungsstruktur"[12] verbunden. Er schließt die kanonistisch interessante Frage an, „inwieweit das Konzil diese Problematik erkannt und Weichenstellungen für eine Restrukturierung der Kirchenleitung getroffen hat, sei es durch grundsätzliche ekklesiologische Überlegungen, sei es hinsichtlich der Gewichtungen der verschiedenen Machtzentren in der Kirche, sei es in bezug auf grundsätzliche Regelungen. Zu untersuchen ist auch, inwieweit das Konzil Impulse freigesetzt hat, die – in der Rezeption durch das Volk Gottes, den Klerus und die Ordensleute – in Richtung auf eine solche Restrukturierung drängen"[13].

---

[9] Franz-Xaver Kaufmann und Arnold Zingerle haben katholische Theologen und Kirchenhistoriker mit „profanen" Historikern und Soziologen zusammengebracht, um den „Zusammenhang von Konzil und Veränderungen des Katholizismus" mit Hilfe des Konzepts der „Modernisierung" zu interpretieren, vgl. Arnold Zingerle, Vorwort, in: ders./Kaufmann, Vatikanum II (wie Anm. 1), 7f. Sie kamen dabei ohne Kanonisten aus.

[10] Vgl. Giuseppe Alberigo, Vorwort, in: ders./Wittstadt, Geschichte I (wie Anm. 1), XXV-XXIX; XXVII; vgl. auch ders., Criteri (wie Anm. 4) 14.17. Ähnlich auch Peter Hünermann, Zu den Kategorien „Konzil" und „Konzilsentscheidung". Vorüberlegungen zur Interpretation des II. Vatikanums, in: ders., II. Vatikanum (wie Anm. 1), 67-82; 70.

[11] Peter Hünermann, Vorwort, in: ders., II. Vatikanum (wie Anm. 1), 9-11; 9. Zu den Gefahren und Konsequenzen einer Unterschätzung von Strukturfragen im und nach dem II. Vatikanum vgl. den (auch selbst-)kritischen Rückblick bei Dietrich Wiederkehr, Ekklesiologie und Kirchen-Innenpolitik. Protokoll einer Relecture der Kirchenkonstitution des Vatikanum II, in: Michael Kessler/Wolfhart Pannenberg u.a. (Hg.), Fides quaerens intellectum. Beiträge zur Fundamentaltheologie, Tübingen-Basel 1992, 251-267; 257-258.266. Als zeitgenössisch und zum Teil hellsichtige Mahnungen aus kanonistischer Perspektive vgl. Benno Löbmann, Die Bedeutung des Zweiten Vatikanischen Konzils für die Reform des Kirchenrechtes, in: Audomar Scheuermann u.a. (Hg.), Ius Sacrum (FS Klaus Mörsdorf), München-Paderborn-Wien 1969, 83-98; 93-98 und Horst Herrmann, Überlegungen zum Auftrag einer nachkonziliaren Codexrevision, in: ders./Heribert Heinemann u.a. (Hg.), Diaconia et ius (FS Heinrich Flatten), München 1973, 275-285; 275-280. Für Varianten politisch-absichtsvoller Bagatellisierung struktureller Aspekte vgl. Böckenförde, Lage (wie Anm. 7), 232f.

[12] Peter Hünermann, Antimodernismus und Modernismus. Eine kritische Nachlese, in: Wolf, Antimodernismus (wie Anm. 1), 367-380; 375.

[13] Ebd., 376. Ders., Die Sozialgestalt von Kirche. Gedanken zu einem dogmatischen und zugleich interdisziplinären Arbeitsfeld, in: Marianne Steinbach-Heims/Andreas Lienkamp u.a. (Hg.), Brennpunkt Sozialethik. Theorien, Aufgaben, Methoden (FS Franz Furger), Freiburg

Weitergehend hat *Hubert Wolf* die Beteiligung von Kanonisten und Rechtshistorikern bei der historischen Erforschung des II. Vatikanums angemahnt. Zu fragen sei, ob die Konzilstexte nicht auch eine Erneuerung der kirchlichen Rechtsordnung im Blick hatten und „ob der CIC tatsächlich auf der Grundlage des Konzils beruht"[14]. *Wolfs* Feststellung, der CIC stehe auch für eine bestimmte Ekklesiologie[15], versteht das Gesetzbuch als einen Ausdruck des Selbstverständnisses der römisch-katholischen Kirche. Das impliziert die grundsätzlichere Frage nach dem Verhältnis zwischen ihrer konziliaren und kodikarischen Selbstauslegung[16].

Der Kanonist versteht seine Einbeziehung in Überlegungen zu „Vorbereitung, Durchführung, Rezeption und Realisation" des II. Vatikanischen Konzils als Hinweis darauf, daß es für möglich gehalten wird, durch die Befassung mit dem Codex etwas über dieses Konzil zu erfahren.

b) Themenstellung und Programm

Dem Kanonisten wurde die Aufgabe gestellt, die Beziehung, das Verhältnis des geltenden Gesetzbuches der lateinischen Kirche, des Codex Iuris Canonici von 1983, zum II. Vatikanischen Konzil, näherhin die Qualifizierung dieser Beziehung als „Krönung", zu untersuchen. Papst Johannes XXIII. gebrauchte sie 1959 in seiner Ansprache zur Ankündigung des Konzils. Das Fragezeichen im Titel markiert diese Qualifizierung als Problem. Das Beziehungsverhältnis von Codex und Konzil als solches soll überprüft werden. Voraussetzung dafür ist eine Konturierung der Bezugsgrößen für sich sowie der Blick von einer zu anderen. Daher sollen im folgenden zunächst zwei Annäherungen an dieses Verhältnis erfolgen: eine vom Codex her, die andere vom II. Vatikanum aus blickend. Zusammenfassende Thesen wollen den Ertrag für das Verständnis des Konzils sichern und weitere Aufgaben benennen.

---

i.Br. 1995, 243-259 bemängelt, in der Ekklesiologie fehle es weithin an eingehender Reflexion auf die „Sozialgestalt von Kirche". „Analyse und Aufklärung, kritische Würdigung der faktischen Verfassung der Kirche und die Diskussion von angemessenen Perspektiven" werden als dringliche Aufgabe der Dogmatik verstanden. Als primäre kooperierende Disziplin gilt ihm die „christliche Gesellschaftslehre" vor der praktischen Philosophie und der Soziologie sowie der Pastoraltheologie und der Religionssoziologie, vgl. 243-245.249. Die Kanonistik kommt nicht in den Blick.

[14] Vgl. Hubert Wolf, Vom Nutzen der Historie für die Interpretation des II. Vatikanums, in: Hünermann, II. Vatikanum (wie Anm. 1) 159-164; 161. Eine Mitarbeit sei daher vor allem im ersten Arbeitskreis über „Das Zweite Vatikanische Konzil: Programm zur Orientierung für den Weg der Kirche im kulturellen Transformationsprozeß der Gegenwart" sinnvoll. Für die Benennung der Arbeitskreise im einzelnen vgl. Hünermann, Vorwort (wie Anm. 11), 9.

[15] Vgl. Wolf, Nutzen (wie Anm. 14), 161.

[16] Dieser wenigstens ebenso wichtige Aspekt gehörte zur Thematik des dritten Arbeitskreises. Er geht von einem gewandelten Selbstverständnis der römisch-katholischen Kirche aus und fragt nach dessen Zusammenhang mit der Ökumene, vgl. Hünermann, Vorwort (wie Anm. 11), 10.

I. Erste Annäherung: Vom Codex Iuris Canonici her

1. Beispiele für die rechtliche Transformation des Konzils[17]

Erstmals gibt es im geltenden CIC ein eigenes Buch über das kirchliche Lehren, das dritte mit den cc. 747-833 CIC. Die ersten acht von ihnen sind als theologisch nicht bestreitbare, vor allem am II. Vatikanum ausgerichtete Leitcanones gedacht und sollen den Verstehenshorizont des gesamten Buches bilden. Sie eignen sich daher besonders gut zur Überprüfung des Verhältnisses von Codex und Konzil.

Bereits die Überschrift des dritten Buches ist Programm. „De Ecclesiae munere docendi" wird oft sinnentstellend wiedergegeben mit „Verkündigungsdienst der gesamten Kirche". Nach Wortlaut und nachweislicher Intention geht es jedoch nicht um die umfassende Aufgabe der Verkündigung, sondern um die des *Lehrens*. Mit „Kirche" ist hier nicht das „Volk Gottes" insgesamt gemeint, sondern die Hierarchie. „Munus docendi" gehört wie die „munera sanctificandi" und „regendi" zu einer Trias, die in den Konzilstexten wie im Codex konsequent der Hierarchie vorbehalten wird, im Unterschied etwa zu der allen Gläubigen in je verschiedener Weise zukommenden prophetischen Würde Christi. Mit der Wahl der Überschrift wird in Übereinstimmung mit dem II. Vatikanum von vornherein ein *hierarchologischer* Akzent gesetzt und der *Lehr*aspekt zur prägenden Klammer dieses Rechtsstoffs gemacht.

In den zentralen Bereichen des Verständnisses der Offenbarung und des kirchlichen Lehramtes, seiner Aufgabe und seines Gegenstandes nach Inhalt, Umfang und Verpflichtungskraft stehen die lehrrechtlichen Grundnormen in sachlicher Kontinuität zum CIC von 1917 und mit ihm zum I. Vatikanischen Konzil. Der Codex transformiert in differenzierter Weise jene Lehren des II. Vatikanums, die das I. Vatikanum bestätigt haben.

a) Offenbarungsverständnis

Das Verständnis der Offenbarung und deren Quellen gehörte zu den umstrittensten Themen auf dem II. Vatikanischen Konzil[18]. Bis in die vorkonziliaren Schemata hinein wurde der Offenbarungsvorgang im Sinne des I. Vatikanums verstanden als göttliche Information über begrifflich-satzhafte Wahrheiten. Sie

---

[17] Diese Problematik habe ich im größeren Zusammenhang einer Untersuchung zum katholischen Lehrrecht behandelt, auf deren Formulierungen und Ergebnisse ich mich für diesen Punkt stütze. Für weitere Informationen und ausführliche Belege vgl. Norbert Lüdecke, Die Grundnormen des katholischen Lehrrechts in den päpstlichen Gesetzbüchern und neueren Äußerungen in päpstlicher Autorität (FKRW 28), Würzburg 1997, 93-133. Andere Beispiele bei Ladislaus M. Örsy, From Vision To Legislation: From The Council To A Code of Laws, Milwaukeee 1985, 9-46.

[18] Vgl. Joseph A. Komonchak, Der Kampf für das Konzil während der Vorbereitung (1960-1962), in: Alberigo/Wittstadt, Geschichte I (wie Anm. 1), 189-401; 259-267.275f sowie Giuseppe Ruggieri, Il primo conflitto dottrinale, in: Alberigo/Melloni (Hg.), Storia II (Anm. 1), 259-308.

galten als der „Kirche" anvertrautes „Depot" von Aussagen, die von den Hirten im Namen Christi autoritativ zu lehren und von allen gehorsam für wahr zu halten sind. Dieses Offenbarungsverständnis fand seine begriffliche Bündelung in dem Ausdruck „depositum (fidei)"[19].

Die Offenbarungskonstitution des II. Vatikanums brachte hier einen ambivalenten Fortschritt[20]: Ihr erstes Kapitel (DV 2-6) gilt als Anstoß zu einem vertieften Offenbarungsverständnis, nicht als dessen ausführliche und gelungene Entfaltung. In diesem Teil der Konstitution sei an die Stelle des Belehrungsmodells der Offenbarung das der realen Selbstmitteilung Gottes in geschichtlicher Vermittlung getreten. Die ältere Lehrtradition fand allerdings ebenfalls Eingang in den Text. Die Konstitution bindet ihre Lehre selbst sehr vorsichtig an das Tridentinum und das I. Vatikanum zurück[21]. Außerdem verschaffte sich das alte Konzept an anderen Stellen der Offenbarungskonstitution – vor allem im zweiten Kapitel[22] – und in anderen Konzilsdokumenten Geltung[23] mit verengender Rückwirkung auf den Neuansatz[24].

Obwohl zu seiner Bezeichnung der Ausdruck „depositum fidei" in der nachkonziliaren Theologie als zumindest wenig geeignet befunden wurde[25], gibt c. 747 § 1 CIC als Gegenstand des kirchlichen Lehramts eben jenes „depositum fidei" an, das der Kirche – lies: der „Hierarchie" – anvertraut wurde, damit diese „unter dem Beistand des Geistes die geoffenbarte Wahrheit heilig bewahrt, tiefer erforscht und treu verkündigt und auslegt"[26].

Zwar wird wie in DV 10b nicht mehr mit dem alten c. 1322 § 1 CIC 1917 vom „beständigen" Geistbeistand gesprochen. Auch ist statt von geoffenbarter „Lehre" von geoffenbarter „Wahrheit" die Rede. Darin klingt *zum einen* ein eher biblischer Wahrheitsbegriff als Synonym für Evangelium, Offenbarung oder Christus an, der sich von der vorwiegend philosophischen Verwendungsweise des Ausdrucks (Aussagenwahrheit) im I. Vatikanum unterscheidet. *Zum anderen* weist die singularische Form nicht so unmittelbar auf ein propositionales, satz-

---

[19] Vgl. Jared Wicks, Deposit of Faith, in: René Latourelle/Rino Fisichella (Hg.), Dictionary of Fundamental Theology, Crossroad-New York 1994, 229-239; Wolfgang Beinert, Depositum fidei, in: LThK³ III, 100-102.

[20] Vgl. auch Riccardo Burigana, La Commissione „De Divina Revelatione", in: Lamberigts/Soetens, Commissions (wie Anm. 1), 27-61 und Heinrich Döring, Paradigmenwechsel im Verständnis von Offenbarung. Die Fundamentaltheologie in der Spannung zwischen Worttheologie und Offenbarungsdoktrin, in: MThZ 35 (1985) 20-35.

[21] Vgl. DV 1a: „Conciliorum Tridentini et Vaticani I inhaerens vestigiis".

[22] Z. B. DV 10 (!), 9 und 11.

[23] Auch LG 25c und d, GS 33b und 62b sowie UR 26 verwenden unbefangen den Ausdruck „depositum".

[24] Vgl. Peter Eicher, Offenbarung. Prinzip neuzeitlicher Theologie, München 1977, 540.

[25] Vgl. Beinert, Depositum (wie Anm. 19), 101 sowie Otto Hermann Pesch, Das Wort Gottes als objektives Prinzip der theologischen Erkenntnis, in: Walter Kern/Hermann Josef Pottmeyer u.a. (Hg.), Handbuch der Fundamentaltheologie Bd. IV: Traktat Theologische Erkenntnislehre. Schlußteil Reflexion auf Fundamentaltheologie, Freiburg i.Br.-Basel-Wien 1988, 27-50; 44.

[26] „Ecclesiae, cui Christus Dominus fidei depositum concredidit ut ipsa, Spiritu Sancto assistente, veritatem revelatam sancte custodiret, intimius perscrutaretur, fideliter annuntiaret atque exponeret, officium est et ius nativum, etiam mediis communicationis socialis sibi propriis adhibitis, a qualibet humana potestate independens, omnibus gentibus Evangelium praedicandi."

bezogenes Offenbarungs- und Glaubensverständnis hin wie die Pluralform „veritates (fidei)"; sie läßt den Glaubensinhalt eher als eine Sammlung verschiedener Wahrheiten erscheinen und trat erst im 18. und 19. Jahrhundert verstärkt auf. Gleichwohl wird der doktrinelle Akzent nur sprachlich gemildert. Der Lehrcharakter der christlichen Heilsbotschaft sollte allenfalls relativiert, nicht bestritten werden. Die plurale Form „veritates fidei" findet sich im CIC mindestens ebenso häufig[27].

Anders als im alten Codex ist nicht nur von der Bewahrung und Auslegung des Depositums die Rede. Die Pflicht zur Bewahrung wird *ergänzt* durch das tiefere Erforschen („intimius perscrutaretur"). Dies erweckt den Eindruck, als werde von einem zu statischen Verständnis der Wahrheit als habhafter Besitz abgerückt. Es bleibt jedoch undeutlich, ob diese angedeutete Dynamik nicht eher ein tieferes Eindringen in ein als abgeschlossen geltendes Ganzes meint, statt dieses selbst offenzuhalten. Im letzteren Fall wären z. B. durchaus Selbstkorrekturen denkbar, die Selbstunterstellung unter einen höheren Maßstab. Darauf gibt die konziliare Vorgabe mit der Klausel *pie audit*[28] einen wichtigen Hinweis. Mit ihr sollte auch das Lehramt ausdrücklich unter das Wort Gottes gestellt werden, um den Eindruck zu vermeiden, die Kirche stelle sich in der Gestalt der Hierarchie über das Gotteswort. Genau diese bedeutsame Formel wurde in den Gesetzestext nicht übernommen, obwohl ihr Ausfall schon während der Reform deutlich kritisiert wurde[29]. *Nuanciert* ist die Aufgabe der getreuen Darlegung. Ihr wird die Verkündigung vorangestellt. Dadurch wird die Perspektive einer eher informativ-sachlichen Vorlage und Darstellung leicht korrigiert und angereichert durch die Aufgabe der Verkündigung. Es wird der Vermittlungsaspekt eingetragen, das Verhältnis Offenbarung-Kirche wird nicht rein informativ, sondern zumindest andeutungsweise korrelativ verstanden.

Aber auch dies ändert nichts daran, daß der Kerngehalt des c. 747 § 1 CIC aus dem alten CIC und so aus dem I. Vatikanum übernommen wurde. Prägend bleibt ein statisches Offenbarungsverständnis.

C. 750 § 1 CIC identifiziert die Offenbarungsinhalte noch einmal ausdrücklich mit dem „depositum fidei". Auch hier wird der im ersten Teil der Offenbarungskonstitution erreichte Wandel „von den revelata zur revelatio" nicht zur Geltung gebracht. Die sprachlichen Anleihen beim II. Vatikanum gehen nicht über Implikationen hinaus. Bezugspunkt der Orientierung am II. Vatikanum sind überdies solche Passagen, die in Kontinuität zum vorherigen Konzil stehen, so das eher traditionell angelegte zweite Kapitel der Offenbarungskonstitution statt des neuansetzenden ersten und LG 25, wo ebenfalls ohne Bedenken vom „depositum fidei" die Rede ist.

---

[27] Vgl. cc. 386 § 1; 528 § 1; 787 § 2; 823 § 1; 865 §§ 1 und 2 CIC.

[28] Vgl. DV 10b: „Quod quidem Magisterium non supra verbum Dei est, sed eidem ministrat, docens nonnisi quod traditum est, quatenus illud, ex divino mandato et Spiritu Sancto assistente, *pie audit*, sancte custodit et fideliter exponit, ac ea omnia ex hoc uno fidei deposito haurit quae tamquam divinitus revelata credenda proponit." [Hervorhebung; N. L.].

[29] Istituto per le scienze religiose – Bologna, Appunti per un'analisi critica dello Schema die „Lex ecclesiae fundamentalis", in: Giuseppe Alberigo/Pier Cesare Bori u.a. (Hg.), Legge e vangelo. Discussione su una legge fondamentale per la Chiesa (TRSR 8), Brescia 1972, 659-696; 682.

Bezeichnend ist die Formulierung des Glaubensgegenstandes in c. 750 § 1 CIC auch in anderer Hinsicht. Die dort statuierte Rechtspflicht zu glauben, bezieht sich auf all jene definitiv vom universalkirchlichen Lehramt vorgelegten Lehren, die im schriftlichen *oder* tradierten Wort Gottes (*verbo Dei scripto vel tradito*) enthalten sind. Mit dieser Formel wird aus dem alten CIC und mit ihm aus dem I. Vatikanum[30] die theologisch und ökumenisch als problematisch bewertete Zwei-Quellen-Theorie der Offenbarung bekräftigt. Diese wurde im II. Vatikanum nicht gänzlich überwunden[31]. Als Ergebnis harter Auseinandersetzungen war es aber zumindest zu einem deutlichen Problembewußtsein bezüglich der additiven Zuordnung von Schrift und Tradition und zu Ansätzen für ihre Überwindung gekommen. Der Gesetzgeber hat in c. 750 § 1 CIC nicht diese aufgegriffen, sondern das traditionelle Verständnis.

b) Ausübung des kirchlichen Lehramts[32]

Der Codex übernimmt im Rahmen eines hierarchologischen Kirchenverständnisses die Unfehlbarkeitslehre des I. Vatikanums, in der Form, wie sie in LG 25 bestätigt wurde. Abgestellt wird vor allem auf die Unfehlbarkeit *in docendo*, nicht auf die grundlegende Unfehlbarkeit des Gottesvolkes *in credendo*. Aussagen über den *sensus fidelium* wurden in den lehrrechtlichen Grundnormen bewußt nicht rezipiert. Wo er – wie in c. 750 § 1 CIC – anklingt, markiert er die Funktion der *Ecclesia discens* gegenüber der *Ecclesia docens*[33].

Als möglicher *Inhalt* der Unfehlbarkeit wird mit der vom I. Vatikanum definierten *Glaubens*lehre die Formel *fides vel mores* übernommen. Das Verhältnis beider Inhaltsbereiche zueinander wird nicht konsekutiv verstanden – wie in der theologischen Diskussion des öfteren vertreten bzw. als angemessen angeregt –, sondern additiv. Das kirchliche Lehramt ging im Unterschied zur breiten theologischen Diskussion bereits vor dem CIC davon aus, es gebe geoffenbarte moralische Normen. Der päpstliche Gesetzgeber hat dies bekräftigt.

Der *Umfang* des Unfehlbarkeitsobjekts wird durch den alternierenden Gebrauch von *credendam* und *tenendam* in cc. 749 und 750 CIC auch auf den sog. „Sekundärbereich" bezogen. Die Kennzeichnung der Unfehlbarkeit als jene, die der Kirche als ganzer zukommt, wird ausgelassen. Dies signalisiert eine größere Unbefangenheit gegenüber jenem sekundären Zuständigkeitsbereich als sie in den Texten des II. Vatikanums festzustellen ist. Die vom I. Vatikanum nicht dogmatisierte, aber damals als Konsens der Theologen geltende Unfehlbarkeit des

---

[30] Vgl. DH 3011.

[31] Vgl. DV 9; 10b.

[32] Vgl. zum folgenden wiederum ausführlich Lüdecke, Grundnormen (wie Anm. 17), 230-359.416-497.

[33] Daß diese Unterscheidung weiterhin gültig ist und vom II. Vatikanum nicht aufgehoben wurde, geht auch daraus hervor, daß die Erklärung der Kongregation für die Glaubenslehre „Mysterium Ecclesiae" vom 24. Juli 1973, in: AAS 65 (1973) 396-408; 400 A. 23, sich unter der Überschrift „Die Unfehlbarkeit der ganzen Kirche" für die Forderung nach Zustimmung auch auf SC Off, Dekret „Lamentabili" vom 30. Juli 1907, in: ASS 40 (1907) 470-478; 471 n. 6 beruft. Dort wird als Irrtum verurteilt: „In definiendis veritatibus ita collaborant *discens et docens Ecclesia*, ut docenti Ecclesiae nihil supersit, nisi communes discentis opiniones sancire." [Hervorhebung; N. L.].

universalkirchlichen Lehramts in seinem sekundären Gegenstandsbereich wurde
von diesem trotz der nachkonziliaren theologischen Diskussion nie aufgegeben,
sondern weiter beansprucht. Gleichwohl wurde die solchen Lehren sittlich ge-
bührende unbedingte und unwiderrufliche Zustimmung nicht in die strafrechtlich
sanktionierte Pflicht des c. 750 CIC in seiner Fassung von 1983 einbezogen.

Dies hat sich durch das Motu Proprio „Ad tuendam fidem" vom 18. Mai 1998
geändert. Jetzt verlangt ein zweiter Paragraph des c. 750 CIC jene Zustimmung
rechtlich von *allen* Gläubigen. Durch Ergänzung des c. 1371 n. 2 CIC wird auch
die Ablehnung dieser Lehren unter Strafe gestellt. Damit zählt dieser neue
Straftatbestand zu den Delikten gegen die kirchliche Autorität und wird von der
Häresie als Delikt gegen die Einheit der Kirche abgehoben[34].

C. 749 § 2 Zweiter Halbsatz normiert in Umsetzung von LG 25 die Unfehlbarkeit des ordentlichen und universalen Lehramts des über die Welt verteilten
Bischofskollegiums. Während der Schlußredaktion durch den Papst persönlich
wurde die bis dahin enthaltene Klausel, der Lehrkonsens der Bischöfe *müsse*
durch eine authentische Erklärung des Papstes feststehen, gestrichen. Die Möglichkeit dieser Form der Inanspruchnahme der Unfehlbarkeit des Bischofskollegiums wurde damit nicht bestritten[35].

Eine entscheidende Neuerung bringt c. 752 CIC über die auch in LG 25a statuierte Pflicht der Gläubigen zu religiösem Verstandes- und Willensgehorsam gegenüber nicht-definitiven Lehren. Aus Gründen der Kirchenräson wurden nachkonziliare theologische Auslegungen des religiösen Gehorsams im Sinne einer
möglichen Berechtigung zu auch öffentlicher Nicht-Zustimmung korrigiert und
rückgeführt auf das im Konzilstext gemeinte traditionelle Verständnis. Zulässig
ist ausnahmsweise im Falle persönlicher Schwierigkeiten mit einer nicht-definitiven Lehre nur ein gehorsames Schweigen. Darüber hinaus wurde die Pflicht
aber verschärft: Sie wurde *a)* von einer sittlichen zu einer strafbewehrten Rechtspflicht; sie bezieht sich *b)* nicht mehr nur auf verurteilende Lehrentscheidungen,
sondern auch auf die positive Vorlage jeder Lehre aus dem Bereich von Glaube
und Sitten; ihr wurde *c)* die Pflicht hinzugefügt, nicht nur Widersprechendes,
sondern bereits Nicht-Entsprechendes zu meiden; *d)* die konziliare Unterscheidung verschiedener Verbindlichkeitsgrade nicht-definitiver Lehren wurde nicht in
den Canon übernommen.

Schließlich stellen die Grundnormen des katholischen Lehrrechts die universalkirchliche Lehrautorität – ganz im Sinne beider vatikanischen Konzilien – in
den Vordergrund. Die Lehrautorität der Bischöfe – als einzelne oder in kollegialen Zusammenschlüssen – steht unter dem Vorbehalt der Erfüllung ihrer eigenen

---

[34] Vgl. Papst Johannes Paul II., Motu proprio „Ad tuendam fidem" vom 18. Mai 1998, in: AAS
90 (1998) 457-461; 459f sowie dazu Winfried Aymans, Veritas de fide tenenda. Kanonistische
Erwägungen zu dem Apostolischen Schreiben „Ordinatio sacerdotalis" im Licht des Motu proprio „Ad tuendam fide", in: Gerhard Ludwig Müller (Hg.), Frauen in der Kirche. Eigensein
und Mitverantwortung, Würzburg 1999, 380-399; 390-393.

[35] Zu ihrer Anwendung vgl. Norbert Lüdecke, Also doch ein Dogma? Fragen zum Verbindlich-
keitsanspruch der Lehre über die Unmöglichkeit der Priesterweihe für Frauen aus kanonistischer Perspektive. Eine Nachlese, in: Wolfgang Bock (Hg.), Studien zu Kirchenrecht und
Theologie Bd. III: Frauenordination (TFESG Reihe A 45), Heidelberg 1999 (im Druck) sowie
ders., Grundnormen (wie Anm. 17), 518-533.

rechtlichen Verpflichtung zur Glaubenszustimmung bzw. zu religiösem Gehorsam des Verstandes und des Willens gegenüber nicht-definitiven Lehren des Papstes oder des Bischofskollegiums.

Eine rechtsdogmatische Gesamtwürdigung der lehrrechtlichen Grundnormen[36]
ergibt: Der Gesetzgeber erhöht die formale Autorität nicht-definitiver Lehren, unterstreicht die lehramtliche Autorität, schützt sie und drängt auf die Urgierung der
entsprechenden Normen durch die rechtsanwendenden Instanzen.

In der Folge wurde und wird die universalkirchliche Lehrautorität erstmals in
einem so weitreichenden Umfang ausgeübt. In der Reaktivierung lehramtlicher
Kompetenz, die nie zurückgenommen, sondern nur zeitweilig weniger eingesetzt
wurde, verdünnt sich der theologische Topos von der Eigenständigkeit des *sensus
fidei* faktisch zum Gehorsam[37]. Das Verhältnis von Lehre und Glaubensantwort
gestaltet sich nach dem Modell von Befehlsvorgabe und Befehlsausführung[38].
Die im nicht-definitiven Bereich nicht grundsätzlich ausgeschlossene Irrtums-
möglichkeit der kirchlichen Autorität wird durch undeutlicher werdende Grenzen
zum definitiven Bereich vernachlässigt. Dem entspricht das lehramtliche Verständnis der Theologie. Ihre Funktion wird als Zuarbeit für das Lehramt gesehen
und geschätzt. Entscheidungskompetenz in Fragen der Lehre besitzt ausschließlich das Lehramt. Hinsichtlich der Verbindlichkeit von Lehren gilt als Kurzfor-
mel: *solum magisterium (hierarchiae)*.

Ist das nicht blanker Positivismus[39]? Wenn erwiesenermaßen konziliare Texte
als die Quelle des geltenden Rechts dienen, muß dieses dann nicht im Sinne eben
dieser Texte und ihres „Geistes" ausgelegt werden? Hieß es nicht immer, die
Überarbeitung des Codex habe am Konzil Maß zu nehmen? Muß solchen autoritären Bestimmungen nicht mit den Konzilstexten in der Hand widersprochen,
ja durch Nichtbefolgung widerstanden werden[40]? Zeigt sich hier nicht exempla-

---

[36] Für einen Überblick über weitere lehrrechtlich relevante universalkirchliche Verlautbarungen
vgl. Böckenförde, Lage (wie Anm. 7), 230-231.

[37] Vgl. Wolfgang Beinert, Die Rezeption und ihre Bedeutung für Leben und Lehre der Kirche,
in: ders. (Hg.), Glaube als Zustimmung. Zur Interpretation kirchlicher Rezeptionsvorgänge
(QD 131), Freiburg i.Br.-Basel-Wien 1991, 28.34.

[38] Vgl. Werner Böckenförde, Statement aus der Sicht eines Kirchenrechtlers, in: Dietrich Wiederkehr (Hg.), Der Glaubenssinn des Gottesvolkes – Konkurrenz oder Partner des Lehramts?
(QD 151), Freiburg i.Br.-Basel-Wien 1994, 207-214; 208.

[39] Zur Differenzierung pauschaler Positivismusvorwürfe vgl. Michel Troper, Positivisme, in:
André-Jean Armand/Jean-Guy Belley u.a. (Hg.), Dictionnaire encyclopédique de théorie et de
sociologie du droit, Paris-Brüssel 1988, 306-308 sowie Werner Heun, Der staatsrechtliche Positivismus in der Weimarer Republik. Eine Konzeption im Widerstreit, in: Der Staat 28 (1989)
377-403.

[40] Vgl. die Stellungnahme des Kultusministers von Sachsen und Präsidenten des Zentralkomitees
der deutschen Katholiken, Hans Joachim Meyer, anläßlich der interdikasteriellen römischen Instruktion vom 15. August 1997 über die Mitarbeit der Laien am Dienst der Priester, in: Publik-
Forum, Nr. 22, 21. November 1997, 40: „Das *Zentralkomitee der deutschen Katholiken* ruft die
deutschen Katholiken auf, den rückwärts gewandten Bestimmungen der Instruktion zu einigen
Fragen über die Mitarbeit der Laien am Dienst der Priester zu widerstehen, an der Lehre des
II. Vatikanischen Konzils über das gemeinsame und das besondere Priestertum treu festzuhalten
und in Bereitschaft zu Dialog und Zusammenarbeit ihren innerkirchlichen Dienst fortzusetzen.
Die sprichwörtliche Treue deutscher Katholiken zum Heiligen Vater schließt den Widerspruch
ein, der angesichts römischer Unsicherheit in der Treue zum Konzil erforderlich ist".

risch, daß der Codex in der Tat „selber das deutlichste Signal der Restauration und des Verrats am Konzil"[41] ist?

2. Eigenart des CIC

Beginnend mit der gregorianischen Reform hatte sich bis zum 13. Jahrhundert eine päpstlich zentralisierte Kirchenstruktur etabliert, in der im Unterschied zum ersten Jahrtausend der Papst zum universalen Gesetzgeber und zur Hauptquelle der Rechtsfortbildung aufstieg[42]. Konsens und Rezeption spielten nur noch eine marginale Rolle. Für die Verbindlichkeit des Rechts kam es auf eine Anerkennung der Adressaten nicht an[43]. Gleichzeitig begann die Kirche sich und ihr Recht zunehmend staatsanalog zu verstehen[44]. Beide Tendenzen verschärften sich seit dem Tridentinum. Die Päpste nahmen ihre Führungsrolle effektiv wahr[45]. Die Kirche intensivierte ihre Strategie der Selbstbehauptung gegen die modernen Staaten durch die Unterstreichung ihrer Ähnlichkeit mit ihnen. Sie „erscheint [...] betont als hochpotenziertes und perfektes geistliches Staatswesen"[46]. Unter Ablösung von geschichtlicher Argumentation erfolgte im 19. Jahrhundert die Berufung auf eine unveränderliche, weil göttlich verordnete Kirchenverfassung, die an ihrer damaligen Struktur abgelesen wurde. Die betonte Analogie zwischen staatlich-monarchischer und kirchlicher Regierungsform einschließlich der Idee der Souveränität wurde auf den Papst übertragen mit der Konsequenz des Primats in Jurisdiktion und Lehrkompetenz[47]. Seine Definition im I. Vatikanum schloß intentional eine Parallelisierung mit der weiteren staatlichen Entwicklung aus, in der die Souveränität vom Fürsten auf das Volk überging[48].

---

[41] Hans Küng, Zur Lage der katholischen Kirche. Oder: Warum ein solches Buch nötig ist, in: ders./Norbert Greinacher (Hg.), Katholische Kirche – wohin? Wider den Verrat am Konzil, München-Zürich 1986, 11-32; 32.

[42] Vgl. Peter Landau, Kirchenverfassungen, in: TRE XIX 110-165; 126-140.

[43] Vgl. Klaus Ganzer, Päpstliche Gesetzgebungsgewalt und kirchlicher Konsens. Zur Verwendung eines Dictum Gratians in der Concordantia Catholica des Nikolaus von Kues, in: Remigius Bäumer (Hg.), Von Konstanz nach Trient. Beiträge zur Geschichte der Kirche von den Reformkonzilien bis zum Tridentinum, München-Paderborn-Wien 1972, 171-188.

[44] Vgl. Ernst-Wolfgang Böckenförde, Staat – Gesellschaft – Kirche, in: CGG XV 5-120, 18.

[45] Vgl. Klaus Schatz, Der päpstliche Primat. Seine Geschichte von den Ursprüngen bis zur Gegenwart, Würzburg 1990, 158-162. Für das Gesetzesverständnis vgl. Richard Potz, Die Geltung kirchenrechtlicher Normen. Prolegomena zu einer kritisch-hermeneutischen Theorie des Kirchenrechts (KuR 15), Wien 1978, 113.

[46] Böckenförde, Staat (wie Anm. 44), 19. Zur lehramtlichen und kanonistischen Übernahme des staatlichen Rechtbegriffs auch für die kirchliche Ordnung vgl. Werner Böckenförde, Das Rechtsverständnis der neueren Kanonistik und die Kritik Rudolph Sohms. Eine ante-kanonistische Studie zum Verhältnis von Kirche und Kirchenrecht, Münster i.W. 1969, 4-95.

[47] Vgl. Hermann Josef Pottmeyer, Ultramontanismus und Ekklesiologie, in: StZ 210 (1992) 449-464.

[48] Zum Problem einer etwaigen Fortentwicklung des Kirchenverständnisses vor dem Hintergrund der Primatsdogmen vgl. Hermann Josef Pottmeyer, Kontinuität und Innovation in der Ekklesiologie des II. Vatikanums. Der Einfluß des I. Vatikanums auf die Ekklesiologie des II. Vatikanums und Neurezeption des I. Vatikanums, in: ders./Giuseppe Alberigo u.a. (Hg.), Kirche im Wandel. Eine kritische Zwischenbilanz nach dem Zweiten Vatikanum, Düsseldorf 1982,

Dem entsprach der CIC 1917 nicht nur materiell als rechtliche Umsetzung der Ekklesiologie des I. Vatikanums[49], sondern auch formal in der Gesetzgebungstechnik. Der von Papst Pius X. initiierte[50] erste Codex folgte den staatlichen Vorbildern systematischer Kodifikationen des 17./18. und des beginnenden 19. Jahrhunderts[51]. Dabei wurde nicht eine „neutrale" Technik unter rein pragmatischen Gesichtspunkten übernommen, um den Mißstand der Zerstreuung der kirchlichen Rechtsquellen zu beheben. Vielmehr glichen sich die Voraussetzungen für eine Kodifikation im kirchlichen und staatlichen Bereich[52]. Unbeschadet der aufklärerisch-reformerischen Leistungen der Kodifikationsidee galt auch: „Alle historischen Kodifikationen der Aufklärung [waren] im strengen Sinne zentralistisch-einseitige Vorgaben oder Diktate, also Gesetzes*befehle* der Fürsten [...]. Diese haben ihr Gesetzgebungsmonopol rigoros und konsequent zur Verfestigung ihrer Souveränität eingesetzt". Den selbstherrlich erlassenen Gesetzen gegenüber hatten die „Bürger-Untertanen" nur die Alternative, „ihre gesamte Lebensführung gefälligst der neuen Rechtsordnung anzupassen" oder „unweigerlich das Risiko von Sanktionen ein[zugehen], die der fürstliche Gesetzgeber getreu der alten *Hobbes'schen* Maxime ,*autoritas non veritas facit legem*' vorgesehen hatte. Daß diese Art Rechtssetzung zur eigenen oder höheren Rechtfertigung gelegentlich von emphatisch-verbrämenden Bekenntnissen zur gesellschaftlichen Notwendigkeit eines materiell gleichwie auch immer definierten ,*gemeinen Nutzens*', ,*öffentlichen Wohles*' oder ,*Nutzens der Menschheit*' begleitet wurde, vermag daran nicht Wesentliches zu ändern"[53]. Dem entspricht, daß die Einführung des kir-

---

89-110 und Otto Hermann Pesch, Die Unfehlbarkeit des päpstlichen Lehramtes. Unerledigte Probleme und zukünftige Perspektiven, in: Hermann Häring/Karl-Josef Kuschel (Hg.), Neue Horizonte des Glaubens und Denkens (FS Hans Küng), München 1993, 88-128.

[49] Vgl. René Metz, Der Einfluß des Ersten Vatikanischen Konzils auf die Rechtslage des Konzils im Codex Iuris Canonici von 1917, in: Conc(D) 19 (1983) 570-578.

[50] Entgegen der Selbstdarstellung des Kardinals Pietro Gasparri, vgl. zu diesem Peter Landau, Gasparri, Pietro (1852-1934), in: Michael Stolleis (Hg.), Juristen. Ein biographisches Lexikon. Von der Antike bis zum 20. Jahrhundert, München 1995, 226f, wird die Umsetzung der Idee einer kirchlichen Kodifikation heute stärker auf die persönliche Entscheidung dieses Papstes zurückgeführt, vgl. Giorgio Feliciani, Gasparri et le droit de la Codification, in: ACan 38 (1996) 25-37; 26.28. Die Geschichte dieser Kodifikation ist noch nicht geschrieben. Das Material über die damalige Kodifikation ist erst 1985 mit der Freigabe der Bestände des Vatikanischen Archivs zu den Pontifikaten Pius' X. und Benedikts XV. (1903-1922) zugänglich geworden. Als Einblick vgl. Richard Puza, Kirchenrecht als Zeitgeschichte. Das Gewohnheitsrecht in der Entstehungsphase des CIC 1917 (1904-1912), in: ThQ 169 (1989) 81-98; 81-87.

[51] Als Überblick vgl. Ferdinand Elsener, Der Codex Iuris Canonici im Rahmen der europäischen Kodifikationsgeschichte, in: ders./Alois Müller u.a. (Hg.), Vom Kirchenrecht zur Kirchenordnung? (Offene Wege 7), Einsiedeln-Zürich-Köln 1968, 29-53; 43-51 sowie Hans Schlosser, Kodifikationen im Umfeld des Preußischen Allgemeinen Landrechts. Der französische Code civil (1804) und das österreichische Allgemeine Bürgerliche Gesetzbuch (1811), in: Detlev Merten/Waldemar Schreckenberger (Hg.), Kodifikation gestern und heute. Zum 200. Geburtstag des Allgemeinen Landrechts für die Preußischen Staaten (Schriftenreihe der Hochschule Speyer 119), Berlin 1995, 63-82.

[52] Vgl. Nicola Colaianni, Die Kritik am Zweiten Vatikanischen Konzil in der heutigen Literatur, in: Conc(D) 19 (1983) 579-584; 583.

[53] Schlosser, Kodifikationen (wie Anm. 51), 64.

chenrechtsgeschichtlichen Novums eines universalen Gesetzescodex in einer Kirche, die ansonsten Brüche vermeidet und die Tradition betont, sowie die weltweite völlig loyale Rezeption des CIC 1917 zurückgeführt wird auf die erfolgreiche Festigung der zentralen Gewalt in der Kirche. Der frühere Codex gilt als Zeuge und Garant der päpstlichen Zentralgewalt[54].

Der geltende Codex von 1983 steht als systematische Kodifikation in gewollter Kontinuität zum alten CIC[55] und dessen Rechtsverständnis. Nach c. 7 CIC existiert ein objektiv verbindliches Gesetz mit seiner amtlichen Veröffentlichung – unabhängig von der Zustimmung und Befolgung durch seine Adressaten. Theorien, die den Adressaten eine konstitutive Rolle für die Geltung von Gesetzen beimessen, sind kirchenamtlich nicht anerkannt.

C. 17 CIC bindet Interpreten strikt an den Wortlaut. Ist dieser klar, ist Kanonisten die Anwendung außergesetzlicher Interpretationsmittel, wie Konzilskonformität, ökumenische Offenheit, bestimmte „Communio"-Konzeptionen oder auch der sog. „Geist" des Konzils untersagt. Aber auch eine Auslegung unter Beachtung dieser befohlenen Methode hat nur privaten Charakter. Authentisch, d. h. verbindlich auslegen, kann gemäß c. 16 § 2 CIC nur der Gesetzgeber bzw. ein von ihm bevollmächtigtes Organ. Wie der Papst insgesamt nicht an seine Gesetze gebunden, sondern *dominus canonum* ist, so ist er auch nicht an die von ihm befohlene Auslegungsmethode gebunden. Authentische Interpretationen werden daher auch nicht begründet; sie ergehen nicht als Wahrspruch, sondern als Machtspruch[56]. Die zentralen Interpretationsnormen wurden und werden mit guten Gründen als „positivistisch, voluntaristisch, statisch, nicht hermeneutisch oder anachronistisch" kritisiert. Der Gesetzgeber hat sie gleichwohl „erneut ausdrücklich bekräftigt"[57].

54　Vgl. René Metz, Pouvoir, centralisation et droit. La codification du droit de l'Eglise catholique au début du XXᵉ siècle, in: ASSR 51 (1981) 49-64; 50.57-59.62f. Agustin Motilla, La idea de la codificación en el proceso de formacion del Codex de 1917, in: JCan 56 (1988) 681-720 hebt besonders den praktischen, technischen Aspekt der Übernahme der Kodifikationsmethode hervor, kann aber ekklesiologische Motive ebensowenig leugnen, wie den Beitrag des Codex, „a reforzar el poder de Roma sobre la Iglesia" (720).

55　Vgl. Rosalio José Cardinal Castillo Lara, Le maintien de la codification pour le Code Latin de 1983, in: ACan 38 (1996) 39-52.

56　Vgl. Winfried Aymans/Klaus Mörsdorf, Kanonisches Recht. Lehrbuch aufgrund des Codex Iuris Canonici Bd. I: Einleitende Grundfragen und Allgemeine Normen, Paderborn-München-Wien 1991, 180 sowie Rosalio José Cardinal Castillo Lara, Die authentische Auslegung des kanonischen Rechts im Rahmen der Tätigkeit der Päpstlichen Kommission für die authentische Interpretation des ius canonicum, in: ÖAKR 37 (1987/88) 209-228; 226: „ [...] eine Antwort der auslegenden Kommission verpflichtet, nicht weil sie auf überzeugenden Motiven basiert, sondern weil die gesetzgeberische Autorität sie bindend will". Jeder Argumentationsversuch gilt als Gefährdung der Verpflichtungskraft. Die authentische Auslegung wird vor allem als Willensakt verstanden.

57　Vgl. Hubert Socha, in: Klaus Lüdicke (Hg.), Münsterischer Kommentar zum Codex Iuris Canonici (Loseblattwerk Stand November 1990), Essen 1990, 17,7 und 13 mit Belegen für die Kritik. Zu der im Unterschied zum staatlichen Recht außer dem Gesetzesrecht als zweite Rechtsquelle vorgesehenen Gewohnheitsrecht nach cc. 23-28 CIC vgl. Knut Walf, Rechtsschöpfung durch Gewohnheitsrecht, in: Diakonia 28 (1997) 384-389, der aber zugleich auf die engen Grenzen hinweist, welche den Vorrang der hierarchischen Gesetzgebungsgewalt erhalten.

Die Festlegung der Auslegungsmethode und die authentische Interpretation sind effektive rechtspolitische Mittel zur Absicherung der päpstlichen Souveränität[58]. Mit dem kodikarischen Gesetzesverständnis und der verordneten Auslegungsmethode äußert sich das Selbstverständnis des Gesetzgebers. Er macht deutlich, daß er sich unter keinen nicht selbst bestimmten Maßstab stellen läßt, auch nicht unter den des II. Vatikanischen Konzils.

3. Der Anspruch des Codex in bezug auf das II. Vatikanum

Der Papst selbst hat dies in anderen Äußerungen ausdrücklich bekräftigt. In der Apostolischen Konstitution zur Promulgation des CIC[59] hat Papst Johannes Paul II. den primatialen Charakter dieser Gesetzgebung betont[60] und erklärt: Der Codex trage nach seiner Entstehung wie nach seinem Inhalt den Geist des Konzils[61]. Dies ist eine Feststellung, nicht die Äußerung eines Desiderates. Als unerläßliches Instrument zur Wahrung der notwendigen Ordnung im persönlichen und sozialen Leben wie auch für die Tätigkeit der Kirche selbst entspreche er vollkommen („plane") dem vor allem durch das Lehramt des II. Vatikanischen Konzils und besonders in seinen ekklesiologischen Lehren dargestellten Wesen der Kirche[62]. Der CIC könne als große Anstrengung verstanden werden, die konziliare Ekklesiologie in die kanonistische Sprache zu übersetzen. Zwar könne eine solche Übertragung nicht vollkommen sein. Dennoch „müsse" sich der CIC auf dieses Kirchenbild wie auf ein vorrangiges Beispiel beziehen, seine Grundzüge soweit wie möglich entsprechend seiner Natur ausdrücken[63]. Auch damit wird nicht die Geltung dieser Umsetzung unter den Vorbehalt ihrer Entsprechung zum Konzil gestellt. Vielmehr geht es um das Muß eines inneren Sacherfordernisses. Von seiner Erfüllung wird ausgegangen.

Darüber hinaus wird der Codex als „Vervollständigung" insbesondere der Lehren der Konzilskonstitutionen *Lumen gentium* und *Gaudium et spes* verstanden[64]. Im II. Vatikanischen Konzil gebe es Neues, das allerdings nie von der gesetzgeberischen Tradition der Kirche abweiche. Dieses Neue des Konzils sei auch das Neue des Codex. Als Beispiele für die Übereinstimmung tauchen zentrale Themen der nachkonziliaren theologischen Diskussion auf: die Kirche als Volk Gottes und Communio, die hierarchische Autorität als Dienst, das Verhältnis von Partikular- und Universalkirche, von Kollegialität und Primat, die je spezifische Teilhabe aller Gläubigen am Amt Christi, deren Rechte und Pflichten und der Eifer für den Ökumenismus. In all diesen und weiteren Punkten wird beansprucht,

---

[58] Vgl. Bernd Th. Drößler, Bemerkungen zur Interpretationstheorie des CIC/1983, in: AkathKR 153 (1984) 3-34; 30f.

[59] Vgl. Papst Johannes Paul II., Apostolische Konstitution „Sacrae Disciplinae Leges" vom 25. Januar 1983, in: AAS 75,1 (1983) VII-XIV.

[60] Vgl. ebd., X.

[61] Vgl. ebd., VIIIf.

[62] Vgl. ebd., XI.

[63] Vgl. ebd.

[64] Vgl. ebd., XII.

der Codex sei, wenngleich in rechtlicher Anpassung, ebenso von der Treue in der Neuheit und der Neuheit in der Treue geprägt wie das Konzil[65]. Der Papst wünscht: Gott möge geben, „daß, was das Haupt anordnet, vom Leib eingehalten wird"[66].

Für den Gesetzgeber ist „sicher, daß die Forderungen des Konzils, wie die praktischen, den Dienst der Kirche gegebenen Richtlinien in dem neuen Kodex genaue und gewissenhafte, bisweilen bis in die wörtliche Formulierung gehende Entsprechungen finden"[67]. Er belebe die kirchliche Tradition mit dem Geist und den Normen des Konzils. Er sei der „Codex des Konzils" und könne als „letztes Konzilsdokument" bezeichnet werden[68]. Diese Verwurzelung des Gesetzes in der Lehre des Konzils habe es ermöglicht, gewisse Konzilsnormen besser zu würdigen und Mißbräuche zu vermeiden, die manchmal durch unüberlegte Anwendungen oder falsche Auslegungen verursacht worden seien[69]. Für den Gesetzgeber stellt der Codex einen Führer von gewichtiger Autorität („autorevole") für die Anwendung des Konzils dar[70]. Ob der CIC seinen Zweck als Instrument zur Vervollkommnung der Kirche im Geist des Konzils erreiche, hänge zu einem guten Teil von der Befolgung der Gesetze ab[71]. Sie seien ernsthaft, loyal und unbedingt zu akzeptieren. Sie stellten einen gewichtigen Ausdruck des von Christus der Kirche anvertrauten „munus regendi" dar und seien damit konkrete Manifestationen des Willens Gottes[72]. Mit der Promulgation des Codex sei die Zeit des „ius condendum" vorbei. Das gegebene Gesetz mit allen eventuellen Grenzen und Mängeln sei eine bewußte und überlegte Wahl des Gesetzgebers und fordere des-

---

[65] Vgl. ebd.

[66] Ebd., XIII. Zur biblischen Grundlage der Leib-Christi-Vorstellung vgl. Helmut Merklein, Entstehung und Gehalt des paulinischen Leib-Christi-Gedankens, in: Michael Böhnke/Hanspeter Heinz (Hg.), Im Gespräch mit dem dreieinen Gott (FS Wilhelm Breuning), Düsseldorf 1985, 36-140.481-498.

[67] Papst Johannes Paul II., Ansprache vom 3. Februar 1983 zur feierlichen Präsentation des neuen Codex, in: AAS 75 (1983) 455-463; 462 sowie ders., Ansprache vom 21. November 1983 bei der Audienz für die Teilnehmer am Ersten Kurs der Päpstlichen Universität Gregoriana zur Einführung des neuen Codex Iuris Canonici, in: CCCIC 15 (1983) 124-126; 125. Auf die Gefahren solcher „Übernahmen" konziliarer theologischer Aussagen, wie Sinnänderung trotz gleichen Wortlauts, Fixierung auf einen bestimmten Erkenntnisstand und Ausblendung der weiteren Entwicklung, Aufwertung zum Nachteil nicht übernommener Texte, hat bereits früh hingewiesen Werner Böckenförde, Zur Erneuerung des kanonischen Rechts. Eine Zwischenbilanz, in: Rechtsfragen der Gegenwart (FS Wolfgang Hefermehl), Stuttgart-Berlin-Köln-Mainz 1972, 445-456; 450.

[68] Vgl. ebd., 124f sowie ders., Ansprache bei der Generalaudienz vom 30. November 1983, in: ebd., 127; ders., Ansprache vom 9. Dezember 1983 bei der Audienz für die Teilnehmer am Zweiten Kurs der Päpstlichen Universität Gregoriana zur Einführung des neuen Codex Iuris Canonici, in: CCCIC 15 (1983) 128f; 128 sowie ders., Ansprache vor der Sacra Romana Rota vom 26. Januar 1984, in: AAS 76 (1984) 643-649; 644. Zur Kritik an diesem Anspruch vgl. Klaus Lüdicke, Nicht das letzte Dokument des Zweiten Vatikanischen Konzils, in: Arnold Angenendt/Herbert Vorgrimler (Hg.), Sie wandern von Kraft zu Kraft. Aufbrüche – Wege – Begegnungen (FS Bischof Reinhard Lettmann), Kevelaer 1993, 167-179.

[69] Vgl. Papst Johannes Paul II., Ansprache vom 21. November 1983 (wie Anm. 67), 125.

[70] Vgl. Papst Johannes Paul II., Ansprache vom 26. Januar 1984 (wie Anm. 68), 644.

[71] Vgl. ebd., 14f.

[72] Vgl. ebd., 16.

halb vollkommene Annahme. Jetzt sei nicht mehr die Zeit der Diskussion, sondern der Anwendung[73]. Nach dem Selbstverständnis des Gesetzgebers *ist* der Codex die Krönung des II. Vatikanischen Konzils.

II. ZWEITE ANNÄHERUNG: VOM II. VATIKANISCHEN KONZIL HER

1. Der undeutlich projektierte Zusammenhang: Konzil und Codex bei Papst Johannes XXIII.

In einer kurzen Ansprache vor einem kleinen Kreis von Kardinälen kündigte Papst Johannes XXIII. am Sonntag, dem 25. Januar 1959 die Abhaltung einer Diözesansynode und eines Ökumenischen Konzils an. Er fügte hinzu, beide Ereignisse „werden glücklich zum gewünschten und erwarteten aggiornamento des Codex des kanonischen Rechts führen, welche die beiden Proben praktischer Anwendung von Maßnahmen der kirchlichen Disziplin, die der Geist des Herrn uns auf dem Weg eingeben wird, *begleiten* und *krönen* sollten"[74].

Die parallele Ankündigung von Konzil und Anpassung des Codex darf in ihrer Bedeutung nicht zu hoch veranschlagt werden. Es wird davon ausgegangen, daß letzteres von außen an den Papst herangetragen wurde[75]. Der damals geltende CIC war immerhin 42 Jahre alt. Seinen Anspruch auf Vollständigkeit hatte er nicht aufrechterhalten können. Der angewachsene außerkodikarische, verstreute Rechtsstoff, den zu erschließen wieder private Rechtssammlungen helfen mußten, erschwerte die Rechtsanwendung ähnlich wie in vorkodikarischer Zeit[76].

---

[73] Vgl. ebd. 17. Entsprechend rief der Papst in seiner Ansprache vom 21. November 1983 (wie Anm. 67), 124 den Teilnehmern eines Kurses zur Einführung in den neuen CIC an der Gregoriana zu: „Vor der Anwendung des Codex wollten Sie ihn genau kennenlernen und gründlich studieren, nicht um daran Kritik zu üben – er ist sicherlich Menschenwerk, und wer würde zu behaupten wagen, er sei vollkommen und müsse dies sein? –, sondern Sie haben ihn studiert, um ihn besser anwenden zu können, Sie haben ihn erhalten, aufgenommen, verstanden und geschätzt; mit einem Wort: Sie haben ihn lieben gelernt! Dies ist die Grundvoraussetzung, um ihn richtig zu verstehen und dafür zu sorgen, daß seine Anwendung zu einem neuen ‚Advent' für die Kirche Gottes werde."

[74] Papst Johannes XXIII., Ansprache vom 25. Januar 1959, in: AAS 51 (1959) 65-69, hier 68f: „Esse condurrando felicemente all'auspicato e atteso aggiornamento del Codice di Diritto Canonico, che dovrebbe *accompagnare* e *coronare* questi due saggi di pratica applicazione dei provvedimenti di ecclesiastica disciplina, che lo Spirito del Signore Ci verrà suggerendo lungo la via." [Hervorhebung; N. L.] Die Promulgation des Codex des orientalischen Rechts sollte dem noch vorausgehen. Vgl. die kritische Edition dieser Ansprache bei Alberto Melloni, „Questa festiva ricorrenza". Prodromi e preparazione del discorso di annuncio del vaticano II (25 gennaio 1959), in: RSLR 28 (1992) 607-643.

[75] Vgl. Giuseppe Alberigo, Die Ankündigung des Konzils, in: ders. (Hg.), Geschichte I, 3 sowie ders., Vorbereitung für welche Art von Konzil?, in: ebd., 561-570; 562.

[76] Vgl. Hugo Schwendenwein, Der geschichtliche Weg der Neukodifizierung des kanonischen Rechts, 1. Teil, in: Geschichte und Gegenwart 2 (1983), 116-206; 119f sowie Melloni, Questa

„Aggiornamento" war noch ein unspezifischer Begriff[77], seine Anwendung auf den Codex nicht neu. Bereits in Anregungen für den später gescheiterten Konzilsplan Papst Pius' XII. war davon die Rede[78]. Gelegenheiten zu entsprechenden Vorschlägen gegenüber Johannes XXIII. gab es im römischen Umfeld genügend: beim Konklave oder in den Audienzen für die höheren Verantwortlichen der Kongregationen[79]. Konzil und Römische Synode kündigte der Papst selbst als besondere und klare Vorhaben, als beschlossene Sache an. Die Anpassung des Codex wird als etwas (allgemein) Gewünschtes und Erwartetes und als Auswirkung der anderen beiden Projekte bezeichnet und ihnen insoweit untergeordnet[80].

Obwohl der Papst konditional formulierte („dovrebbe") und so (nur) einen Wunsch ausdrückte[81], gab er doch eine erste formale Kennzeichnung dieses „aggiornamento" durch eine Verhältnisbestimmung. Die Codexrevision sollte mit den anderen Vorhaben nicht nur ergänzend einhergehen („accompagnare"), sondern sie auch „krönen". Was immer Konzil und Synode[82] sein und bringen würden – mehr als eine „Grundintuition" vom Konzil hatte der Papst damals noch nicht[83] –, der Codex sollte es also nach diesem Wort zu letzter Vollendung und Erfüllung führen, er sollte den abschließenden Höhepunkt bilden.

Hinweise auf ein besonderes Interesse des Papstes an diesem Thema gibt es nicht. Er dürfte Konzilsprojekt und Rechtsreform getrennt haben[84]. Für letztere wurde der Papst erst nach mehr als vier Jahren wieder aktiv, als er während des Konzils die Codexkommission einsetzte.

Im Unterschied dazu zeigten im Rahmen der vor-vorbereitenden Konsultation die vielen Vorschläge rechtlicher Art, daß die Bischöfe in bezug auf das Codexprojekt „einigermaßen genaue und konkrete Vorstellungen besaßen, während ein Konzil in der Perspektive jener Jahre weit entfernt war"[85]. Es konnte der Eindruck entstehen, das Konzil würde selbst als eine Art Kommission zur Revision

---

festiva (wie Anm. 74), 621. Zur Situation des Kirchenrechts vor der Konzilsankündigung vgl. auch Jean Gaudemet, Le droit canonique au milieu du XXe siècle. Du code de 1917 à l'avènement de Jean XXIII, in: Les quatre fleuves 18 (1983) 35-42.

[77] Vgl. Giuseppe Alberigo, Aggiornamento, in: LThK[3] I, 233. Die zweite Auflage des Lexikons für Theologie und Kirche kannte dieses Stichwort noch nicht.

[78] Vgl. Peter Hebblethwaite, Johannes XXIII. Das Leben des Angelo Roncalli, Zürich-Einsiedeln Köln 1986, 395 mit Bezug auf Giovanni Caprile, Il Concilio Vaticano II Bd. I,1: Annunzio e preparazione 1959-1960, Rom 1966, 15f. Vgl. außerdem ders., Pius XII. und das Zweite Vatikanische Konzil, in: Herbert Schambeck (Hg.), Pius XII. zum Gedächtnis (FS Pius XII.), Berlin 1977, 649-691; 651.686.

[79] Vgl. Melloni, Questa festiva (wie Anm. 74), 621.629. An solche Gespräche über die „Reform des Kirchenrechts" mit dem Papst erinnerte Kardinal Urbani in seiner schriftlichen Antwort auf die dem Kardinalskollegium zugegangene Papstansprache, vgl. Alberigo, Ankündigung (wie Anm. 75), 21.

[80] Vgl. ebd., 16.

[81] Vgl. Melloni, Questa festiva (wie Anm.74), 629.

[82] Zur geringen Bedeutung der Römischen Diözesansynode, die als „Fehlschlag" eingeschätzt wird, vgl. J. Osca Beozzo, Das äussere Klima, in: Alberigo/Wittstadt, Geschichte I (wie Anm. 1), 403-456; 434-436.

[83] Vgl. Klaus Schatz, Allgemeine Konzilien – Brennpunkte der Kirchengeschichte (UTB 1976), Paderborn-München-Wien 1997, 287.

[84] Vgl. Melloni, Questa festiva (wie Anm. 74), 621.

[85] Alberigo, Ankündigung (wie Anm. 75), 16.

des Codex[86] betrachtet. Bei den bisherigen Auswertungen und Würdigungen der Eingaben fällt auf: Die eher rechtlich konzipierten Eingaben gehören der konformistischen Mehrzahl an[87]. Bei den relativ wenigen Voten, in denen sich eine klare Tendenz zur Reform und Vorschläge zu tiefgreifenden Veränderungen finden, etwa im Blick auf die Stellung des Episkopats oder der Laien, wird zugleich festgestellt, sie seien "weniger auf juristische Erwägungen gestützt, als vielmehr auf reine theologische Reflexionen"[88]. Dies kann Ausdruck von Sachnotwendigkeit sein. Theologische Konzeptionen können strukturellen Reformen vorangehen. Es kann aber auch ein erster Hinweis auf eine idealistische Unterschätzung der Bedeutung des Rechts für Reformen sein[89].

Bereits die Vorbereitungsphase des Konzils kann den Eindruck erwecken, die Notwendigkeit der Eingrenzung des zu bewältigenden Materials habe zu einer möglicherweise vorschnellen Trennung von grundlegenden Fragen für das Konzil und anderen vermeintlich weniger wichtigen Fragen für die Codexrevision geführt[90]. Auf genau diese Trennung zu achten, gehörte dann zu den Aufgaben der noch während der ersten Tagungsperiode eingesetzten konziliaren Koordinierungskommission[91]. Dies kann einer unguten Vernachlässigung rechtlicher Fragen Vorschub geleistet haben.

---

[86] Vgl. dazu Etienne Fouilloux, Die vor-vorbereitende Phase (1959-1960). Der langsame Gang aus der Unbeweglichkeit, in: Alberigo/Wittstadt, Geschichte I (wie Anm. 1), 61-187; 120.159-161 sowie Victor Conzemius, Die Modernisierungsproblematik in den Voten europäischer Episkopate, in: Kaufmann/Zingerle, Vatikanum II (wie Anm. 1), 107-129; 117.

[87] Vgl. Fouilloux, Phase (wie Anm. 86), 119f. „Konformistisch" bezeichnet formal „die trockenen, heterogenen Kataloge oder der übertriebene Gebrauch von Höflichkeitsformeln, welche die Abhängigkeit der ordentlichen Bischöfe gegenüber Rom unterstreichen", vgl. ebd. 119. Inhaltlich seien diese Voten gekennzeichnet durch ein Vokabular, das dem alten Codex oder der Theologie der Lehrbücher entstammt, durch eine „oft pedantische Aufzählung vielfach spitzfindiger Anregungen" und das langatmige Interesse an Fragen der Disziplin statt für „ die konkreten Situationen und für die brennenden Fragen der Zeit", vgl. ebd. 120f sowie zu den Gründen für diesen „Konformismus".

[88] Vgl. ebd., 134.

[89] Vor diesem Hintergrund wäre es interessant zu fragen, welches Rechtsbewußtsein der am Konzil beteiligten Diözesanbischöfe sich in ihrer vorkonziliaren Amtsausübung manifestierte, desgleichen ob und wie sich die zu den Konzilsthemen befragten Bischöfe der diesbezüglichen Überzeugungen der Gläubigen versicherten, vgl. den Hinweis auf letzteres Forschungsdesiderat bei Klaus Wittstadt, Der deutsche Episkopat und das Zweite Vatikanische Konzil bis zum Tode Papst Johannes' XXIII., in: Manfred Weitlauff/Karl Hausberger (Hg.), Papsttum und Kirchenreform. Historische Beiträge (FS Georg Schwaiger), St. Ottilien 1990, 745-763; 752. Beiträge zu dieser Fragestellung leisten Augusto D'Angelo, Vescovi Mezzogiorno e Vaticano II. L'episcopato meridionale da Pio XII a Paolo VI (Religione e società. Storia della Chiesa e dei movimenti cattolici 30), Rom 1998, 207-214 sowie Pierre Lafontaine, L'enquête préconciliaire de l'archidiocèse de Montréal auprès du clergé: portrait d'une Eglise, in: Routhier, L'Eglise (wie Anm. 1), 81-111 und Sylvain Serré, Les consultations préconciliaires de laïcs au Québec entre 1959 et 1962, in: ebd., 113-141.

[90] Vgl. etwa Komonchak, Kampf (wie Anm. 18), 198.205.209.231.

[91] Vgl. Hubert Jedin, Die Geschäftsordnung des Konzils, in: LThK.E III 610-623; 619.

2. Die Konkretisierung des Zusammenhangs in der Umsetzung

Klare Umrisse konnte der Zusammenhang von Konzil und Codex nur durch die Konturierung des Konzils selbst gewinnen. Die Eigenart des Zusammenhangs hängt entscheidend ab von der ungelösten Spannung zwischen der Konzilsintention Papst Johannes XXIII. und den strukturellen Bedingungen ihrer Umsetzung hinsichtlich der Durchführung und der Wirkungsgeschichte des Konzils.

a) Das Konzilsgeschehen in der Gewalt des Papstes

Die Notwendigkeit dieses Konzils unterschied sich von früheren Konzilsanlässen. Fragwürdig geworden waren Glaube und Kirche als solche in ihrer gegebenen Gestalt[92]. Die „ultramontane" Immunisierung gegen die Geschichtlichkeit hatte entscheidend zu einer kirchlichen Blockade gegen die Moderne beigetragen[93].

Als Intention Johannes XXIII. wird angegeben, er habe die Geschichtlichkeit als Wesensmoment des Glaubens selbst wie auch des kirchlichen Selbstverständnisses zurückgewinnen wollen[94]. Johannes XXIII. ging dadurch auf eine „gewisse Distanz zur Kirche in ihrer faktischen Ausprägung", um sie zu einer neuen Identitätsbestimmung zu führen[95]. Angesichts der zur Übergeschichtlichkeit erhobenen kirchlichen Struktur war dies alles andere als ein harmloses Konzept. Es hätte das Programm einer heilsamen Selbstrelativierung der Kirche werden können.

Für die Verwirklichung dieser Intention griff Johannes XXIII. zur Institution des Konzils. Paßte die Einbeziehung des Episkopats zur Größe des Problems und zur Distanzierung von der ausschließlich papalen Kirchengestalt, so war das kodikarisch vorgegebene Modell doch völlig imprägniert von der Ekklesiologie des I. Vatikanums. Ein Konzil nach den cc. 222-229 des alten Codex befand sich – wie nach den Bestimmungen des geltenden CIC nicht weniger – in der Hand des Papstes[96]. Das führt zu dem Paradox, daß die vielbeschworene ereignishafte Dy-

---

[92] Vgl. Peter Hünermann, Zu den Kategorien „Konzil" und „Konzilsentscheidung". Vorüberlegungen zur Interpretation des II. Vatikanums, in: ders., II. Vatikanum (wie Anm. 1), 67-82 sowie Hans-Joachim Höhn, Inkulturation und Krise, in: ebd., 127-134; 129f.

[93] Vgl. Franz-Xaver Kaufmann, Globalisierung und Christentum, in: ebd., 15-30; 29.

[94] Vgl. ebd., 29f sowie Giuseppe Alberigo, Christentum und Geschichte, in: Theologisches Jahrbuch [Erfurt] 1987, 79-91; 87.

[95] Vgl. Hünermann, Ereignis (wie Anm. 5), 112f.

[96] Vgl. Metz, Einfluß (wie Anm. 49), 572. Er sieht das Konzil zu Recht „in unmittelbarer, vollständiger und absoluter Abhängigkeit vom obersten Hirten der Kirche". Auch nach geltendem Recht bleibt der Papst „Herr des Konzils", vgl. Oskar Stoffel, in: Lüdicke (Hg.), Kommentar (Stand April 1991), Essen 1991, 338,4 sowie Joseph Komonchak, Das ökumenische Konzil im neuen Kirchenrechtskodex, in: Conc(D) 19 (1983) 574-578. Die Geschäftsordnung des II. Vatikanums liegt hinsichtlich Teilnehmerkreis und Bestimmung der Behandlungsgegenstände ebenfalls auf der Linie des Tridentinums und des I. Vatikanums, vgl. Klaus Ganzer, Zu den Geschäftsordnungen der drei letzten allgemeinen Konzilien, in: Heribert Smolinsky/Johannes Meier (Hg.), Klaus Ganzer. Kirche auf dem Weg durch die Zeit. Institutionelles Werden und theologisches Ringen. Ausgewählte Aufsätze und Vorträge, Münster 1997, 538-565. Dem entspricht auch die Wahrnehmung evangelischer Konzilsbeobachter, vgl. Wolfgang Dietzfelbinger, Die Bedeutung des Konzils für die katholische Kirche aus der Sicht eines evangelischen

228 Norbert Lüdecke

namik und das entstehende Selbstbewußtsein der Konzilsversammlung[97] sich
strukturell dem Primat verdanken; weil sie rechtlich ungeschuldet sind, bleiben
sie gefährdet. Johannes XXIII. hat die Umsetzung seiner Konzilsidee als primatiale Handlung verstanden[98]. Er hat das Konzil primatial gegen Widerstände auf
den Weg gebracht. Die Freiheit, die er ihm garantierte und ihm in der Ausübung
seiner Kompetenzen beließ, war eine primatial gewährte. Rechtlich stand es im
Belieben des Papstes, diese Freiheit wieder zu beschränken. Papst Johannes
XXIII. griff ein, um eine Fortsetzung der Diskussion über das Offenbarungsschema zu ermöglichen[99], Papst Paul VI. beendete u.a. die Diskussion um eine
mögliche Beteiligung der Bischöfe an der Leitung der Universalkirche mit der
primatialen Einführung des päpstlichen Hilfsorgans der „Bischofssynode"[100].

Mit der zielhaften Vorgabe seiner geschichtlichen und hermeneutischen Inten-
tionen versuchte der Papst die traditionelle Gattung „Konzil" inhaltlich neu zu
bestimmen. Die Mehrheit der Konzilsväter hat diese Vorgabe auch übernommen,
die Perspektive doktrineller Beharrung und Urgierung seitens der Minderheit
aber hat sich ebenfalls massiv und in zentralen Punkten in den Texten niedergeschlagen[101].

Das Konzil ist eine außergewöhnliche und zeitlich begrenzte Veranstaltung;
seine Nachwirkung durch beteiligte Personen ist zeitlich begrenzt. Für die Dauer
und Intensität der Wirkung bedarf es möglichst eindeutig objektivierter Inhalte
und gegebenenfalls deren struktureller Umsetzung. Wie kann die Pragmatik der
Konzilsintention und ihrer ereignishaften Verwirklichung auch in der Folgezeit
sichergestellt werden? Welche Verbindlichkeit hat das Konzil? Wie und von wem
kann sie effektiv geltend gemacht werden?

Zur konziliaren geschichtsbewußten Pragmatik gehörte gerade der Verzicht auf
definitive Entscheidungen. Dies führte aber zu einem – dem Konzil ebenfalls
durch die vorherige und von ihm nicht in Frage gestellte Ekklesiologie des I. Vatikanums – vorgegebenen Problem: Die rechtlich einsam exponierte Stellung des
Papstamtes hat einen für die Wirkungsgeschichte eines Pontifikats, die hier mit
der eines Konzils zusammenfällt, entscheidenden Schwachpunkt. Nachfolger
können auch in bezug auf ein Konzil verläßlich nur durch Einsatz irreversibler
Entscheidungen gebunden werden. Andernfalls wechselt das Konzil am Ende eines Pontifikats in die Hand des nächsten Papstes. Den Hinweis auf den durchweg
nicht-definitiven Charakter der Lehren des II. Vatikanums als pauschale Abwer-

Konzilsbeobachters, in: Horst Schwörzer (Hg.), 30 Jahre nach dem Konzil. Ökumenische Bilanz und Zukunftsperspektive, Leipzig 1993, 46-61; 53 und 133-135.

[97] Vgl. den programmatischen Untertitel „La formazione della coscienza conciliare" des Bandes von Alberigo/Melloni, Storia II (wie Anm. 1).

[98] Vgl. Alberigo, Ankündigung (wie Anm. 75), 2f.

[99] Vgl. Schatz, Konzilien (Anm. 83), 296f.

[100] Vgl. Richard Puza, 30 Jahre Bischofssynode. Erfahrungen und Perspektiven, in: Heinrich
J.F. Reinhardt (Hg.), Theologia et Jus Canonicum (FS Heribert Heinemann), Essen 1995,
291-303; 291-293 sowie Jan Grootaers, Le crayon rouge de Paul VI. Les interventions du
pape dans le travail des commissions conciliaires, in: Lamberigts/Soetens, Commissions
(wie Anm. 1), 317-351 und J. M. Heuschen, Gaudium et spes. Les modi pontificaux, in:
ebd., 353-358.

[101] Vgl. Hünermann, Ereignis (wie Anm. 5), 111-119.

tung abzutun[102], schafft das Problem ebenso wenig aus der Welt wie die Beto-
nung „der Autorität des Konzils als eines Ereignisses des Geistes und seiner
Führung"[103]. Die Nachfolger Johannes XXIII. haben mit der Gewalt über die
Konzilslehren auch die über deren rechtliche Umsetzung.

b) Das Konzilsergebnis in der Gewalt des Papstes

(1) Die Gewalt über die Lehre

Bereits in der Enzyklika *Ecclesiam suam* vom 20. August 1964 brachte Papst
Paul VI. in einem Atemzug die Freiheit des Konzils zum Ausdruck wie auch die
Tatsache, daß er als Haupt der Kirche nicht an dessen Beschlüsse gebunden ist[104].
In seiner Homilie zum Abschluß des II. Vatikanums, ging der Papst auf Sinn und
Zielsetzung des Konzils erneut ein. Dazu erinnerte er an die berühmte Ansprache
seines Vorgängers zur Eröffnung des II. Vatikanums[105], die jenem Thema ausführlich gewidmet war. Paul VI. zitierte jedoch nur eine kleine Passage, die als
eine Aufgabe des Konzils angibt, das „depositum fidei" auf wirksame Weise zu
bewahren und darzulegen[106]. Papst Paul VI. berief sich bezeichnenderweise nur
auf denjenigen Teil der Zielsetzung, die von seinem Vorgänger in ihrer Berechtigung zwar nicht bezweifelt, wohl aber in ihrer Ergänzungsbedürftigkeit breit ent-
faltet worden war.

Auch nach Abschluß des Konzils war sich der Papst seiner Zuständigkeit für
das rechte Verständnis der Konzilslehren bewußt. Am 3. Januar 1966 richtete er
eine Zentralkommission ein, die nicht nur die Arbeit verschiedener nachkonziliarer Kommissionen koordinieren sollte. Sie besaß auch die ausschließliche Kompetenz, die Konzilskonstitutionen und –dekrete, wo notwendig oder nützlich,
richtig zu interpretieren („rite interpretari")[107]. Es gelte – so konkretisierte er vor
dieser Kommission – die unter dem Wehen des Heiligen Geistes erlassenen Konzilsbeschlüsse nicht nur genauestens zu kennen, sondern nötigenfalls auch auto-

---

[102] Vgl. ebd., 110.

[103] Ebd.,124.

[104] Vgl. Papst Paul VI., Enzyklika „Ecclesiam suam" vom 20. August 1964, in: AAS 56 (1964)
609-659; 622: „Hisce in Encyclicis Litteris consulto abstinemus a quavis sententia Nostra
proferenda circa doctrinae capita ad Ecclesiam spectantia, quae iudicio Concilii Oecumenici,
cui praesidemus, iam proposita sunt. In praesens enim volumus, ut tam grave et tantae aucto-
ritatis consensus investigandi disceptandique libertate fruatur; *quemadmodum autem Nostrum
postulat apostolicum Magistri ac Pastoris officium, quo uti Ecclesiae Caput fungimur, op-
portuno tempore ac modo Nostram aperiemus mentem, ac tunc nihil magis optabimus, quam
ut sententia Nostra cum Patrum Concilii iudicio plane concordet*" [Hervorhebung; N. L.].

[105] Vgl. Papst Johannes XXIII., Ansprache vom 11. Oktober 1962, in: AAS 54 (1966) 786-796.
Sie ist kritisch ediert bei Alberto Melloni, Sinossi critica dell'allocuzione di apertura del Concilio Vaticano II „Gaudet Mater Ecclesiae" di Giovanni XXIII, in: ders./Giuseppe Alberigo,
Fede Tradizione Profezia. Studi su Giovanni XXIII. e sull Vaticano II (TRSR 21), Brescia
1984, 235-283.

[106] Vgl. Papst Paul VI., Ansprache vom 7. Dezember 1965, in: AAS 58 (1966) 51-59; 53. Das
Zitat stimmt nicht genau mit der AAS-Version der Ansprache Johannes XXIII. überein: Vor
„hoc est" fehlt das Komma; statt „verum *sane* est" heißt es „verum *profecto* est".

[107] Vgl. Papst Paul VI., Motu proprio „Finis Concilio" vom 3. Januar 1966, in: AAS 58 (1966)
37-40; 39. Zu Besetzung und Arbeitsweise vgl. Vincenzo Carbone, De Commissione decretis
Concilii Vaticani Secundi interpretandis, in: ME 94 (1969) 175-197.

ritativ zu interpretieren, damit ihr „echter" Sinn offenbar werde („germanus
eorum sensus innotescat")[108]. Die Konzilsdokumente sollten nicht zweifelhaft
sein, noch dürfe es willkürliche Beurteilungen oder Verdrehungen geben. Als
hilfreiche Illustrierung zitierte der Papst die Bulle Pius' IV. *Benedictus Deus* von
1564, mit dem strikten päpstlichen Vorbehalt hinsichtlich der Auslegung der Trienter Konzilsdekrete: „Wenn es jemandem scheint, daß in ihnen (d. h. den Dekreten) etwas zu unklar gesagt oder festgelegt worden ist und es deswegen einer
Auslegung oder Entscheidung bedarf, so soll er zu dem Ort emporsteigen, den
der Herr erwählt hat, nämlich zum Apostolischen Stuhl, dem Lehrmeister aller
Gläubigen"[109]. Seit dem 11. Juli 1967 übernahm die „Päpstliche Kommission zur
Auslegung der Dekrete des II. Vatikanischen Konzils" die Aufgabe der authentischen Interpretation unter dem Vorsitz von Kardinal Pericles Felici[110], der
zugleich Präsident der Codexkommission war. Seit 1969 wurde die Interpretati-
onsvollmacht ausgeweitet auf alle konzilsausführenden Dokumente des Apostolischen Stuhls[111]. Mit der Einrichtung der Päpstlichen Kommission zur authentischen Interpretation des neuen CIC wurde jene Kommission im Jahre 1984
zusammen mit der Codexkommission aufgelöst[112].

1985 erklärte die dem Papst behilfliche römische Bischofssynode in ihrem
Schlußbericht zur Sondersynode zwanzig Jahre nach dem Konzil, sie habe „beschlossen", den konziliar gewiesenen Weg fortzusetzen. Man habe dieses Konzil
nicht nur „gefeiert", sondern auch als rechtmäßigen und gültigen Ausdruck und
Interpretation des in Schrift und Tradition enthaltenen „depositum fidei" „geprüft
und bestätigt"[113].

Im Rahmen des vom Apostolischen Nuntius durchzuführenden Informativpro-
zesses[114] über die Eignung von Kandidaten für das Bischofsamt übersendet erste-
rer ausgewählten Einzelpersonen einen Fragebogen zur geheimen Beantwortung.
Unter der Rubrik „Rechtgläubigkeit" wird u.a. Auskunft erbeten über das „Engagement" des Kandidaten „für die vom II. Vatikanischen Konzil *und* von den darauffolgenden päpstlichen Unterweisungen eingeleitete *echte* Erneuerung"[115].

---

[108] Vgl. Papst Paul VI., Ansprache vom 31. Januar 1966, in: AAS 58 (1966) 159-161; 160.

[109] Ebd.160 sowie DH 1850.

[110] Vgl. Carbone, Commissione (wie Anm. 107), 176.185. Zum Vorsitzenden vgl. Franz Kalde,
Felici, in: LThK³ III 1215.

[111] Vgl. Carbone, Commissione (wie Anm. 107) 184f. In den AAS sind 39 Entscheidungen dokumentiert, die zwischen 1968 und 1980 ergingen.

[112] Vgl. Papst Paul VI., Motu proprio „Recognito Iuris Canonici" vom 2. Januar 1984, in: AAS
76 (1984) 433f; 434.

[113] Vgl. Kirche zum Heil der Welt. Der Schlußbericht der Sonderversammlung der Synode, in:
HK 40 (1986) 40-48; 41. Kritisch zu diesem Anspruch der Synode sowie zu den Unterschieden zwischen vorsynodalen Eingaben der Bischöfe und dem Schlußbericht der Synode vgl.
ausführlich Paul Ladrière, Le catholicisme entre deux interprétations du Concile Vatican II.
Le Synode extraordinaire de 1985, in: ASSR 62 (1986) 9-51 sowie zusammenfassend ders.,
Note sur le Synode extraordinaire (Rome, 25 novembre-8 décembre 1985), in: ders./René Lu-
neau (Hg.), Le retour des certitudes. Évènements et orthodoxie depuis Vatican II, Paris 1987,
299-308.

[114] Vgl. Johannes Neumann, Grundriß des katholischen Kirchenrechts, Darmstadt 1981, 184f.

[115] Vgl. Urs Jecker, Risse im Altar. Der Fall Haas oder Woran die katholische Kirche krankt,
Zürich 1993, 270 [Hervorhebung, N. L.]. Der dort abgedruckte Fragenkatalog, den der Apo-

(2) Die Gewalt über die strukturelle Umsetzung

Auch die Umsetzung des Konzils in die kirchliche Rechtsordnung war von Beginn an eine päpstliche Angelegenheit. Papst Johannes XXIII. verfolgte das Projekt des „aggiornamento" des alten Codex erst während des Konzils weiter. Am 28. März 1963 setzte er eine Kardinalskommission zur Überarbeitung des kanonischen Rechts ein[116]. Sie beschloß auf ihrer ersten Zusammenkunft, ihre Arbeit zu unterbrechen, um die Ergebnisse des Konzils berücksichtigen zu können. Seit dem 20. November 1965 arbeitete sie weiter, von 1967 bis 1982 unter Kardinal Felici als Vorsitzendem, der mit dem gesamten Konzilsprojekt seit der Ankündigung aus kurialer Sicht vertraut war.

Den Zusammenhang von Konzil und Codex stellte niemand in Zweifel. Natürlich sollte das Konzil die Richtschnur für die neue Gesetzgebung sein. Wer aber beurteilte die Intention des Konzils und seiner Texte, was mit ihm bzw. ihnen übereinstimmt und was nicht? Papst Paul VI. steckte zu Beginn der Arbeiten gegen Ende des Konzils den Rahmen der Konzilsorientierung ab: Der alte Codex habe als Führer bei der Arbeit zu dienen, das Konzil als Leitfaden. Der Papst fügte seine Sicht von Kirche und Kirchenrecht hinzu: Die Kirche sei eine von Gott errichtete Gesellschaft („societas"), die notwendig sichtbar sei und daher durch das Recht geleitet werden müsse. Das kanonische Recht werde von der Sozialnatur der Kirche gefordert; es gründe in der Jurisdiktionsgewalt, die Christus der Hierarchie zugeteilt habe. Aus dem göttlichen Recht gingen gewisse konstitutive Elemente der Kirche, die eine Gesellschaft von Ungleichen („societas inaequalis") sei, hervor: nämlich der Primat des Papstes, der Episkopat und danach der Presbyterat und der Diakonat. Auch die Laien seien von dieser Seite zu betrach-

---

stolische Nuntius in der Schweiz verwendet hat, stimmt mit dem in Deutschland gebrauchten überein.

116 Sie war von der konziliaren Koordinierungskommission einhellig angeregt worden, vgl. Jan Grootaers, Il concilio si gioca nell'intervallo. La „seconda preparazione" e i suoi avversari, in: Alberigo/Melloni, Storia II (wie Anm. 1) 385-558; 410. In den AAS 55 (1963) 363 wurde die Einrichtung einer „Pontificia commissione per la revisione del diritto canonico" mitgeteilt. In einem Schreiben des Sekretärs der Kommission, Giacomo Violardo, vom 3. Mai 1963 wurde die Bezeichnung „Pontificia commissio de Codice iuris canonici reformanda" verwendet. Auf Anregung des Latinisten und Untersekretärs der Kleruskongregation, Guglielmo Zannoni, habe der damalige Präsident der Kommission, Kardinal Pietro Ciriaci, sich für die Bezeichnung „Pontificia commissio Codici iuris canonici recognoscendo" entschieden, die seit dem 11. November 1963 auf dem Briefpapier der Kommission verwendet worden sei, vgl. so Nicola Pavoni, L'iter del nuovo codice, in: ders./Pietro Antonio Bonnet u.a., Perché un codice nella Chiesa (Il Codice del Vaticano II 1), Bologna 1984, 127-170; 132. Kard. Döpfner trug in sein Konzilstagebuch zur Sitzung der konziliaren Koordinierungskommission unter dem 28. März 1963 u.a. ein: „Es kommt der Hl. Vater! Spricht über die Arbeit. Für die *revisio codicis* [Hervorhebung; N. L.] wird der Anstoß gegeben. Kommission wird bestellt.", vgl. Klaus Wittstadt, Vorschläge von Julius Kardinal Döpfner an Papst Paul VI. zur Fortführung der Konzilsarbeiten (Juli 1963), in: Würzburger Diözesangeschichtsblätter 58 (1996) 135-156; 136. Für den letzten Präsidenten der Kommission Castillo-Lara, Maintien (wie Anm. 55), 40, bedeutet das von Papst Johannes XXIII. angezielte „aggiornamento" die schwächste Form der Überarbeitung im Sinne einer Anpassung an geänderte soziale Realitäten. Mit „recognitio" oder „revisio" sei eine grundlegendere Perspektive gewählt worden. Von „Reform" habe man gleichwohl nicht mehr geredet.

ten: ihnen fehle die Fähigkeit zur Leitung. Sie seien der Hierarchie unterstellt und im Gewissen verpflichtet, den Gesetzen zu gehorchen gemäß dem Wort „Wer euch hört, hört mich, und wer euch verachtet, verachtet mich" (Lk 10,16). Was hingegen das Erlangen der Heiligkeit und des ewigen Heiles betreffe, seien alle, die Christi Namen trügen, völlig gleich[117].

Die meisten Konsultoren der Kommission waren Kanonisten[118]. Zur Lage der Kanonistik meinte nach dem Konzil der evangelische Kirchenrechtler Hans Dombois: „In der geistlich-theologischen Bewegung, deren Kräfte nunmehr in den Konzilsbeschlüssen ihren verbindlichen Ausdruck gefunden haben, waren die Vertreter der Kanonistik nirgends in einer bemerkbaren Weise vertreten. Der neuen Theologie entsprach keine neue Kanonistik"[119].

Die genauen Quellen für die Überarbeitung des alten Codex sind bis heute nicht exakt eruierbar. Mehrfach hat Kardinal Felici erklärt, alle Akten seien archiviert und würden „zu gegebener Zeit" in Analogie zu den Konzilsakten publiziert[120]. Bis heute decken nicht einmal die Teilinformationen des seit 1969 nach kanonistischer Anregung von der Kommission herausgegebenen Informationsorgans „Communicationes"[121] den gesamten Zeitraum der Arbeiten ab.

Daran hat sich auch durch die Herausgabe einer mit Anmerkungen versehenen Ausgabe des CIC[122] durch die Päpstliche Kommission zur authentischen Interpretation nichts geändert: Die dort zu den einzelnen Canones angeführten Dokumente entstammen nicht einem von der Codexkommission während der Erarbeitung des neuen Codex kontinuierlich registrierten Quellenmaterial. Sie sind vielmehr das Ergebnis des fragwürdigen Versuchs, nach über zwanzig Jahren nachträglich und aus zweiter Hand – nicht von der Kommission selbst –, Textmaterial zusammenzustellen, das in einem nicht notwendig unmittelbaren genetischen Zusammenhang mit den Canones steht. Es ist nicht ausgeschlossen, daß tatsächlich verwendetes direktes Quellenmaterial unerwähnt geblieben ist. Ähnlichkeiten im Wortlaut eines notierten Textes mit dem eines Canons bieten um-

---

[117] Vgl. Papst Paul VI., Ansprache „Singulari cum animi" vom 20. November 1965 zur Eröffnung der Arbeiten der Codexkommission, in: AAS 57 (1965) 985-989; 985f. Vgl. in diesem Sinne c. 208 CIC.

[118] Vgl. das Verzeichnis der offiziell ernannten Konsultoren bei Francesco D'Ostilio, La storia del nuovo Codice di Diritto Canonico. Revisione – Promulgazione – Presentazione (Studi giuridici 6), Vatikanstadt 1983, 129-133.

[119] Hans Dombois, Kirchenrechtliche Betrachtungen nach dem Konzil, in: Hans Christoph Hampe (Hg.), Die Autorität der Freiheit. Gegenwart des Konzils und Zukunft der Kirche im ökumenischen Disput, Bd. II, München 1967, 527-549; 529.

[120] Vgl. Kardinal Pericles Felici, Ansprache vom 18. Januar 1974 vor der Österreichischen Gesellschaft für Kirchenrecht, in: CCCIC 6 (1974) 104-115; 114; ders., Ansprache vom 18. Oktober 1974 auf der Bischofssynode, in: ebd., 149-158; 158; ders., Bericht vor der Vollversammlung der Codexkommission (24.-27. Mai 1977), in: ebd., 62-79; 70. Lediglich die letzte Vollversammlung der Kommission ist dokumentiert, vgl. Pontificium Consilium de legum textibus interpretandis (Hg.), Acta et Documenta Pontificiae Commissionis Codici Iuris Canonici Recognoscendo: Congregatio Plenaria. Diebus 20-29 octobris 1981 habita, Vatikanstadt 1991.

[121] Vgl. dazu Pavoni, L'iter (wie Anm. 116), 140-142.

[122] Vgl. Pontificia Commissio Codicis Iuris Canonici authentice interpretando (Hg.), Codex Iuris Canonici auctoritate Ioannis Pauli PP. II promulgatus. Fontium annotatione et indice analytico-alphabetico auctus, Vatikanstadt 1989.

gekehrt noch keine Gewähr dafür, daß man es mit einer Quelle des betreffenden Canons zu tun hat. Als „Quelle" können dort verzeichnete Texte nur dann gelten, wenn sie nachweislich für die Entstehung und Abfassung des Canons relevant sind. Die Annotierung des Codex hat privaten, keinen amtlichen Charakter. Das wird wegen der Herausgabe durch die kuriale Kommission leicht übersehen, ist aber aus der kurzen Einführung ersichtlich[123]. Die Anmerkung eines Textes in dieser Ausgabe ist also kein Beweis für seinen Quellencharakter[124].

Aus der Kommission selbst wird berichtet, sie habe nicht nur vom Konzil verabschiedete Texte als Quellen verstanden. Verwendet habe sie vielmehr auch die Eingaben der Bischöfe aus der vor-vorbereitenden Phase, soweit sie mit den Konzilsdokumenten in Einklang gestanden hätten, und jene von den konzilsvorbereitenden Kommissionen erstellten Schemata[125] mit disziplinarischen Inhalten, welche dem Konzil nicht vorgelegt, sondern von der Koordinierungskommission an die Codexkommission überwiesen worden waren[126]. Darüber hinaus hätten nicht nur 23 der Entscheidungen der Kommission zur authentischen Interpretation der Konzilstexte normative Konsequenzen für den geltenden Codex gehabt. Sondern man habe auch die nachkonziliare päpstliche Gesetzgebung als authentische Umsetzung der Konzilsanliegen verstanden und berücksichtigt. Aus den doktrinellen Dokumenten der Päpste und der Kongregation für die Glaubenslehre schließlich habe die Kommission aus autorisierter Quelle – und nicht nur aus mehr oder weniger brillanten Privatmeinungen – erkennen können, welch sicheren lehrmäßigen Anhalt der „Geist des Konzils" gegenüber jedem disziplinären Problem habe. Bei alledem habe die Kommission jedoch von Anfang an Buchstaben und Geist der Konzilsdokumente als prinzipielle und fundamentale Quelle für ihre Arbeit verstanden[127]. Die entscheidende Frage, wer diese behauptete Übereinstimmung mit dem Konzil verbindlich beurteilt, ist mit der primatialen Promulgation des Codex beantwortet.

Die Bischöfe wurden in einem Schreiben vom 15. Januar 1966 von Kardinal Ciriaci an die Vorsitzenden der Bischofskonferenzen aufgefordert, sich in möglichst aktiver Weise an der Revision des Codex zu beteiligen. Sie sollten nicht nur Konsultoren benennen, sondern dem Sekretariat der Kommission sowohl Vor-

---

[123] Vgl. Rosalio José Card. Castillo Lara, Praesentatio, in: Pontificia Commissio, Codex (wie Anm. 122), XIf.; XII.

[124] Vgl. die berechtigte Kritik mit Einzelbeispielen von E. Sastre Santos, Nota sobre las fuentes añadidas al Código de 1983, in: Apoll. 62 (1989) 541-557.

[125] Vgl. zu diesen insgesamt Giovanni Caprile, Entstehungsgeschichte und Inhalt der vorbereiteten Schemata. Die Vorbereitungsorgane und ihre Arbeit, in: LThK.E III 665-726.

[126] Vgl. Julián Herranz, L'apport de l'épiscopat à la nouvelle codification canonique, in: ACan 23 (1979) 275-288; 277. Der dem „Opus Dei" angehörende Herranz begann im Juni 1964 34jährig seine Mitarbeit im Sekretariat der Codexkommission und fungierte als Aktuar verschiedener Arbeitsgruppen der Kommission. Der heutige Titularerzbischof von Vertara ist u.a. Präsident des Päpstlichen Rates zur Auslegung der Gesetzestexte, Mitglied des Obersten Gerichts der Apostolischen Signatur und Konsultor der Kongregation für die Bischöfe, vgl. CCCIC 1 (1969) 35 sowie AnPont 1999, 1018.1199.1229.1257.

[127] Vgl. Julián Herranz, Studi sulla nuova legislazione della Chiesa, Mailand 1990, 12-14. Puza, Kirchenrecht (wie Anm. 50), 81 weist darauf hin, daß die Akten zur alten Kodifkation vor 1985 fast ausschließlich der Kommission zur Erarbeitung des neuen Codex zur Verfügung standen.

schläge zur Codexrevision als auch zur Etablierung einer geeigneten Zusammenarbeit zwischen ihnen und der Kommission unterbreiten[128].

1967 tagte erstmals die römische Bischofssynode. Eines von fünf Themen war
die Arbeit am neuen Codex[129]. Unter Berücksichtigung von Eingaben seitens der
Bischofskonferenzen hatte die päpstliche Codexkommission zehn Leitlinien für
ihre Arbeit vorformuliert. Diese unterbreitete sie der Synode zur Approbation.
Trotz intensiver und kritischer Diskussion blieb die Vorlage unverändert. Eine
Zweidrittelmehrheit für jedes der zehn Prinzipien ergab sich dadurch, daß das
„Placet unter Vorbehalt" („placet iuxta modum") als Zustimmung gezählt wurde.
Die Modi waren getrennt aufzulisten. Sie wurden anschließend von drei Synodalen zusammengestellt und der Codexkommission zugeleitet. Den Vorsitzenden
der Bischofskonferenzen wurde mitgeteilt, die Diskussion auf der Bischofssynode würde von der Kommission berücksichtigt. Verbindlich waren die Modi
nicht[130]. Im Vorwort der Leitprinzipien wird die Arbeit am neuen Codex verstanden als Ergänzung („veluti complementum") des großen Werkes der Selbster-
neuerung der Kirche, das sie im Konzil aufgegriffen und zu Ende geführt habe
(„ad exitum perduxit")[131].

Während der Arbeit der Kommission wurden die Bischöfe einmal konsultiert.
Dazu sei die Kommission – bemerkt Julián Herranz –, mangels eines konziliaren
Auftrags keineswegs verpflichtet gewesen. Den Entschluß, die Bischöfe zu befragen, habe die Kommission in eigener Regie im Rahmen ihrer organisatorischen Überlegungen über die geeignete Arbeitsweise gefaßt[132].

Entsprechend wurden fünf Einzelentwürfe einzeln zur Konsultation auch an
die Bischofskonferenzen gegeben. Wie diese geringe Einflußmöglichkeit von den
Bischöfen genutzt wurde, bedarf näherer Untersuchungen[133]. Es gibt Hinweise,
daß die Bischöfe sich insgesamt nur mäßig engagierten[134]. Als Gründe werden

---

[128] Vgl. Pavoni, L'iter (wie Anm.116), 134.

[129] Vgl. Giovanni Caprile, Il Sinodo di vescovi. Prima assemblea generale (29 settembre – 29 ottobre 1967), Rom 1968, 83-139.

[130] Vgl. Heribert Schmitz, Reform des kirchlichen Gesetzbuches Codex Iuris Canonici 1963-
1978. 15 Jahre Päpstliche CIC-Reformkommission, Trier 1979, 14f sowie James Provost, Der
revidierte Codex Iuris Canonici. Erwartungen und Ergebnisse, in: Conc(D) 17 (1981) 534-
539; 538.

[131] Vgl. Principia quae Codicis Iuris Canonici recognitionem dirigant, in: CCCIC 2 (1970) 77-
85; 78.

[132] Vgl. Herranz, Studi (wie Anm. 127), 99f.

[133] Vgl. für die USA Thomas J. Green, The Code Revision Process: The Involvement of the Canon Law Society of America, in: Antonio García y García (Hg.), Estudios Jurídico-Canóni-
cos. Commemorativos del Primer Cincuentenario de la restauración de la Facultad de Dere-
cho Canónico en Salamanca (1940-1989) (BSal.E 141), Salamanca 1991, 247-271. Die
Deutsche Bischofskonferenz hatte eine „Arbeitsgruppe für Fragen der Reform des kanonischen Rechts in der Deutschen Bischofskonferenz" eingesetzt, vgl. Schmitz, Reform (wie
Anm. 130), 12f. Zur Berücksichtigung der für die Codexüberarbeitung relevanten Voten der
„Gemeinsamen Synode der Bistümer der Bundesrepublik Deutschland" (1972-1975) bis zum
Codexentwurf aus dem Jahre 1980 vgl. Klaus Lüdicke, Die Voten der Würzburger Synode
und der Entwurf für den künftigen Codex Iuris Canonici, in: FS 64 (1982) 129-149; 130-149.

[134] So wunderten sich die Mitglieder der kleinen Arbeitsgruppe, die den Rücklauf der Konsultation zum Entwurf des Sakramentenrechts auszuwerten hatte, über die niedrige Zahl der Antworten und fragten sich, ob der Verzicht auf eine Antwort als Zustimmung zu werten sei, vgl.

genannt: Einerseits die defätistische Haltung, nichts ausrichten zu können, auf der anderen Seite, eine eher ablehnende Haltung dem Recht als solchem gegenüber[135]. Sie gründet in dem von vielen Konzilsvätern geteilten Irrtum, für das von ihnen als zumindest einseitig empfundene vorkonziliare Kirchenbild sei *das* Recht verantwortlich.

Die Bischöfe konnten die Berücksichtigung[136] ihrer Eingaben nicht überprüfen. Dazu wären Einsichtnahme und Prüfung des Gesamtentwurfs des neuen Codex von 1980 durch den Episkopat nötig gewesen. Sie wurden von Kanonisten und Bischöfen sowie 1980 auf der Bischofssynode gefordert. Der Papst lehnte im Sinne des Felici-Sekretariats ab. Als Ersatz erweiterte er die Codexkommission um einige Bischöfe. Die Kommission wurde konsultiert. Bei der Auswertung der Eingaben der Mitglieder kam dem Felici-Stab das entscheidende Gewicht zu[137]. 1982 war die Arbeit der Kommission am künftigen Codex mit der Vorlage eines letzten Gesamtentwurfs beim Papst abgeschlossen. Alles weitere lag allein bei ihm[138].

Zwischen Mai und Juli 1982 ließ der Papst die Vorsitzenden der Bischofskonferenzen wissen, er habe sich zur Prüfung des Codexentwurfs nach Castel Gandolfo zurückgezogen. Wer wolle, könne Vorschläge für letzte Korrekturen direkt an ihn richten[139]. Wiederum enthielten Eingaben die zum Teil dringliche Bitte um Aufschub der Promulgation und umfassendere Konsultation[140]. Der Papst selbst ging zunächst mit einer Gruppe von sieben Experten[141], dann zusammen

---

Mariano De Nicolò (*Actuarius*), Coetus studiorum de sacramentis. Conventus dd. 18-22 aprilis [1977; N.L.] habiti, in: CCCIC 9 (1977) 323-344; 324.

[135] Vgl. John A. Alesandro, The Revision of the Code of Canon Law: A Background Study, in: StCan 24 (1990) 91-146;112f sowie Francis G. Morrisey, The Revision of the Code of Canon Law, in: StCan 12 (1978) 177-198; 182f.

[136] Als Kriterien dafür nennt Julián Herranz, Studi (wie Anm. 124), 19 neben der Häufigkeit eines Vorschlags vor allem seinen doktrinellen und pastoralen Wert, die Übereinstimmung mit den konziliaren Quellen und in technischer und wissenschaftlicher Hinsicht die Entsprechung zum kanonischen Rechtssystem. Bisweilen habe die Kommission bei Eingaben von Bischofskonferenzen den Eindruck gehabt, sie seien nicht immer das Ergebnis pastoraler Beurteilung der Bischöfe gewesen. Vielmehr habe man die Tendenz feststellen können, die Meinungen einzelner oder mehrerer seitens des jeweiligen Generalsekretariats der Bischofskonferenz konsultierten Fachleute en bloc und ohne hinreichende kritische Prüfung unter pastoralem Gesichtspunkt zu übernehmen, vgl. ders., L'apport (wie Anm. 126) 236.

[137] Vgl. ebd., 115-121.

[138] Bei der Audienz für einige Vertreter der Kommission anläßlich der Übergabe des letzten Entwurfs am 22. April 1982 habe der Papst – so erinnert sich Julián Herranz, Studi (wie Anm. 127), 101 – erklärt: „la responsabilità è tutta mia".

[139] Vgl. René Metz, La nouvelle Codification du droit de l'Église (1959-1983), in: RDC 33 (1983) 110-168; 143.

[140] Vgl. Umberto Betti, In margine al nuovo Codice di Diritto Canonico, in: Anton. 68 (1983) 628-647; 629f.

[141] Vgl. ebd., 628 Anm. 4: Titularbischof Zenon Grocholewski, Sekretär der Apostolischen Signatur (Polen); Edward Egan, Rota-Auditor (USA), István Mester, Mitarbeiter an der Heiligen Kongregation für den Klerus (Ungarn); Umberto Betti O.F.M., Konsultor der Heiligen Kongregation für die Glaubenslehre (Italien); Eugenio Corecco (Schweiz), Luis Diez Garcia, Sekretariatsangestellter im Staatssekretariat (Spanien), Javier Ochoa C.F.M., Votant bei der Apostolischen Signatur (Spanien).

mit vier Bischöfen bzw. Kardinälen[142] Canon für Canon durch. Zahlreiche Bestimmungen wurden noch geändert, gestrichen oder auch ganz neu aufgenommen. Der Papst war in keiner Weise an die Ergebnisse der Reformkommission gebunden.

Die Konstitution zur Promulgation des neuen Codex bringt die Überzeugung des Gesetzgebers zum Ausdruck, der Codex spiegle unbeschadet seines primatialen Charakters die kollegiale Sorge der Brüder im Bischofsamt wieder. Es bestehe sogar eine gewisse Ähnlichkeit zwischen der Überarbeitung des Codex und dem Konzil. Jener sei Frucht kollegialer Zusammenarbeit, die aus dem Zusammenwirken von fachkundigen Menschen und Einrichtungen aus der ganzen Kirche entstanden ist[143].

III. THESEN ZUR BEDEUTUNG DES CIC FÜR VERSTÄNDNIS UND TRAGWEITE DES II. VATIKANUMS

1. Der CIC *ist* eine rechtliche Transformation des II. Vatikanischen Konzils. Ihre Eigenart gibt Aufschluß über den theologischen „Bewußtseinsstand" des Gesetzgebers, in seinen Normen kommt seine Theologie zum Ausdruck. Die kanonistisch korrekte Auslegung der Canones kann darüber aufklären, welche theologischen Überzeugungen der Gesetzgeber einer rechtlichen Umsetzung für Wert befand und welche nicht. Die theologischen Prämissen der geltenden Ordnungsgestalt der Kirche können so offengelegt werden.

2. Der CIC steht auf dem Boden des II. Vatikanischen Konzils unabhängig von seiner Übereinstimmung mit dessen Lehren. Das Konzil kann kein Rettungsanker gegen inakzeptabel erscheinendes positives Recht sein. Gegen das geltende Recht kann das Konzil nicht angerufen werden. Kein Gläubiger kann sich nach geltendem Recht einem gesetzlichen Anspruch durch den Hinweis auf das II. Vatikanische Konzil entziehen – und sei dieser Hinweis von noch so kompetenten Theologen gestützt.

3. Kritik am geltenden Recht ist daher immer auch Konzilskritik: Wo der CIC kritisiert wird, *weil* er von konziliaren Vorgaben abweiche, geht es zugleich um Konzilskritik, insofern die primatiale Unabhängigkeit vom Konzil zur Eigenart auch des II. Vatikanums gehört. Wo der Codex Anlaß zu Kritik gibt, *obwohl* er konziliare Vorgaben umsetzt, geht es um Konzilskritik, weil die Eigenart der konziliaren Lehren die selektive Umsetzung ermöglicht hat.

---

[142] Vgl. ebd.: Kardinal Agostino Casaroli, Staatssekretär, Kardinal Josef Ratzinger, Präfekt der Heiligen Kongregation für die Glaubenslehre, Kardinal Narciso Jubany Arnau, Erzbischof von Barcelona, Mitglied der Heiligen Kongregationen für den Klerus, für die Sakramente und den Gottesdienst, für die Religiosen und die Säkularinstitute sowie der Codexkommission und des Rats für organisatorische und ökonomische Fragen des Apostolischen Stuhls, Erzbischof Vincenzo Fagiolo von Chieti, Konsultor der Heiligen Kongregation für den Klerus und der Codexkommission.

[143] Vgl. Papst Johannes Paul II., Sacrae Disciplinae Leges (wie Anm. 59), X.

4. Bei der historischen Erforschung des Konzilsereignisses darf die Bindung an rechtliche Vorgaben nicht unterschlagen oder verharmlost werden. Sie gehört innerlich zu diesem Ereignis und bedingt maßgeblich seine Wirkungs- oder Wirkungslosigkeitsgeschichte.

5. Als wesentlicher Bestandteil eben dieser Geschichte ist desgleichen die Genese des geltenden Codex intensiver in den Blick zu nehmen, vor allem im Hinblick auf die ortskirchliche Beteiligung und deren Beachtung in dem primatialen Projekt.

6. Der CIC warnt als Konzilstransformation vor jedem Triumphalismus in der Konzilswürdigung. Vielmehr bestätigt er kritische Mahnungen, die massiven Elemente der Beharrung des II. Vatikanischen Konzils nicht zu übersehen oder zu verdrängen[144].

7. Der CIC schafft mit dem Material des II. Vatikanischen Konzils eine kirchliche Ordnungsgestalt, welche die Ekklesiologie des Ersten unbehelligt läßt und zusätzlich abstützt. Je deutlicher dies wird, um so eher ist damit zu rechnen, daß die wirklichen Grundfragen des kirchlichen Selbstverständnisses, die Fragen nach Freiheit und Gleichheit als Fragen nach der Bedeutung der Gläubigen für den Glauben und seine kirchliche Gestalt, nicht in beschwichtigenden Formeln untergehen, die in ihrem Versuch, harte Realitäten weich zu formulieren, das schlechte Gewissen erkennen lassen. In diesem Sinne gilt: „Studium Codicis, Schola Concilii"[145].

---

[144] Vgl. Friedrich Wilhelm Graf, Die nachholende Selbstmodernisierung des Katholizismus? Kritische Anmerkungen zu Karl Gabriels Vorschlag einer interdiszipliären Hermeneutik des II. Vatikanums, in: Hünermann, II. Vatikanum (wie Anm. 1), 49-65 sowie: Dietzfelbinger, Bedeutung (wie Anm. 96), 50-56.

[145] Vgl. diese Formel bei Papst Johannes Paul II., Ansprache vom 21. November 1983 (wie Anm. 67), 125.

Nachwort
Ein offenes Arbeitsfeld

Von Peter Hünermann

Der vorliegende Band bietet den ersten ausführlichen zusammenfassenden Einblick in den Beitrag der Kirche im deutschsprachigen Raum zum Zweiten Vatikanischen Konzil. Die einzelnen Artikel schlagen wichtige Schneisen in bislang kaum begangene Felder historischer Forschung[1]. Die Rolle der deutschen Bischöfe auf dem Konzil wird – im wesentlichen gestützt auf gedruckte Quellen – umrissen. Höchst interessant ist, wie die ekklesiologische Position von Kardinal Frings bereits in der Vorphase des Konzils zu Tage tritt. Der Beitrag von zwei Konzilstheologen, Rahner und Wulf, steht beispielhaft für die große Zahl deutscher, österreichischer und Schweizer Theologen, die in den verschiedenen Kommissionen wesentliche Beiträge erarbeitet haben. Die Ausführungen über die österreichische und schweizerische Kirche in ihrem Verhältnis zum Zweiten Vatikanischen Konzil sowie das spannungsvolle Verhältnis der Kirche in der DDR zum Zweiten Vatikanischen Konzil bieten – auf einer zum Teil beträchtlich erweiterten Quellenbasis – Überblicke, die weitere Konkretionen anregen können. Verdienstvoll ist es, daß ein fundierter Einblick in Vorgeschichte und Rezeption des Konzil im Bistum Münster geboten wird. Damit kommen die gesellschaftlichen, politischen, kirchlichen Momente zur Sprache, welche das Umfeld dieses Konzils wesentlich bestimmen und in seinen Auswirkungen konditionieren. Der Beitrag über die katholischen Akademien und ihre Mittlerfunktion sowohl in der Vorbereitung und Verbreitung der Konzilsidee als auch der konziliaren Erneuerungsbestrebungen begeht ebenfalls Neuland und ruft nach einer Ausweitung der Untersuchungen im Hinblick auf die Katholikentage, die Verbände wie die großen Synoden, die sich an das Zweite Vatikanische Konzil in Deutschland, in der Schweiz und Österreich anschlossen. Dies wäre um so wichtiger, als – abgesehen von der holländischen Synode – keine größeren Synoden zur Umsetzung des Konzils stattgefunden haben. Ein besonderes Verdienst kommt dem vorliegenden Band zweifellos dadurch zu, daß die Frage nach dem Kirchenrecht und seiner Beziehung zum Zweiten Vatikanischen Konzil neu gestellt wird. Aber auch hier ergeben sich eine Fülle von weiteren Fragen schwerwiegender Art. Es soll deswegen im Folgenden eine Skizze jenes Arbeitsfeldes entworfen werden, das sich dem nachdenklichen Leser von den Beiträgen dieses Werkes her auftut[2].

---

[1] Die entsprechenden Vorarbeiten, die in den verschiedenen Artikeln zitiert werden, haben den vorliegenden Band ermöglicht. Hier sind insbesondere die Beiträge von Klaus Wittstadt zu nennen.

[2] Diese Skizze unterscheidet sich von der Übersicht, welche Klaus Wittstadt in seinem Beitrag: Deutsche Quellen zum II. Vatikanum (in: Jan Grootaers/Claude Soetens [Hg.], Sources locales de Vatican II. Symposium Leuven-Louvain-La-Neuve 23-25-X-1989, Leuven 1990, 19-32) gibt. Wittstadt zeigt die noch auszuwertenden Quellen auf. Mir geht es um die sachlich aufzuarbeitenden Aspekte.

1. Es ist ein überall konstatiertes Faktum, daß sich zu Beginn des Zweiten Vatikanischen Konzils eine Wende vollzieht. Stand die Arbeit der Vorbereitungskommissionen, die von der Kurie dominiert wurde, im Zeichen einer Fortschreibung des offiziellen neuscholastischen Theologieschemas und einer entsprechenden Kirchenkonzeption, so bricht jetzt Neues durch. Die Frage stellt sich in Bezug auf den deutschen Sprachraum: Inwieweit durch die theologische Forschung, die Konzilsankündigung, ihre Diskussion in den Medien, die öffentliche Erörterung von möglichen Konzilsthemen, Publikationen etc. eine solche Wende vorbereitet war. Breite Konsensbildungen im Episkopat besitzen ja ihre Voraussetzungen und Bedingungen. Höchst bedeutsam dürfte bei einer solchen Frage die Beurteilung der gesellschaftlich-politischen Lage und des kirchlichen Lebens in Deutschland, Österreich und der Schweiz sein. Die Überblicke im vorliegenden Band und zumal die Untersuchung der Situation in Münster geben hier wertvolle Anhaltspunkte.

2. Ein weiterer Fragekomplex bezieht sich auf die Durchführung des Konzils. Die deutschen Bischöfe waren in nahezu allen Konzilskommissionen vertreten. Sie wurden durch die – über ein halbes Hundert zählenden – deutschsprachigen theologischen Konzilsberater wirkungsvoll unterstützt. Will man den Beitrag der deutschen Bischöfe noch eingehender würdigen, dann ist auf die Archivmaterialien zurückzugreifen, die sich in den einzelnen Diözesanarchiven bzw. Ordensarchiven befinden[3]. Auf Grund einer solchen Archivarbeit würde sich auch erheben lassen, ob, und in welchem Maß die deutschen Bischöfe gemeinsam gewisse ekklesiologische oder theologische Ansätze geteilt haben. Ebenso wären die Niederschriften jener Beratungen heranzuziehen, in denen die deutsche Bischofskonferenz gemeinsam zu gewissen Sachproblemen des Konzils Stellung genommen hat. Über die exemplarischen Studien zu Wulf und zur „Textwerkstatt" von Rahner, Semmelroth und anderen im vorliegenden Band hinaus dürfte eine Auswertung des Konzilsnachlasses weiterer deutschsprachiger Theologen wichtig sein, die offiziell als Berater in den Konzilskommissionen tätig waren. Der größere Teil dieser Theologen war während aller vier Konzilsperioden an den Arbeiten des Konzils beteiligt. Einige von ihnen waren als Sekretäre in Kommissionen oder Unterkommissionen tätig und unmittelbar mit Redaktionsarbeiten betraut. Auch hier wären die entsprechenden Nachlässe gründlich aufzuarbeiten.

3. Was die Rezeption der Dokumente des Zweiten Vatikanischen Konzils betrifft, fehlen ebenfalls größere und umfangreichere Arbeiten. In Bezug auf einige Diözesen gibt es Untersuchungen. Wichtig wären aber auch eine Betrachtung der Rolle der katholischen Verbände und der Katholikentage. Lediglich im deutschsprachigen Raum und in den Niederlanden hielt man nach dem Konzil Synoden ab, um die Resultate des Konzils in die jeweiligen Ortskirchen und in die regionalen Kirchen hinein zu vermitteln. Diese Synoden bedürften dringend einer Untersuchung unter dem Gesichtspunkt, welche Momente der Konzilslehre hier aufgegriffen und umgesetzt worden sind.

4. Eine besonders wichtige Frage stellt im Rahmen des Rezeptionsprozesses die Frage der kirchlichen Rechtsordnung dar. Der kanonistische Beitrag im vor-

---

[3] Hier stellt sich allerdings zum Teil noch die Frage der Zugänglichkeit.

liegenden Band stellt unübersehbar heraus, welche Differenzen zwischen den Grundlinien des gegenwärtigen Kirchenrechtes und den theologischen Grundlinien der Ekklesiologie, wie sie im Zweiten Vatikanum vorgezeichnet sind, bestehen. Da in der ersten Phase der Ausarbeitung der neuen Rechtsordnung in der Kirche nach dem Konzil die Bischöfe und die Bischofskonferenzen konsultiert wurden, wäre es höchst interessant zu erfahren, welche kirchenrechtlichen Vorstellungen sich in den Antworten der deutschen Bischöfe niedergeschlagen haben. Eine solche Arbeit wäre um so dringlicher als eine Revision des geltenden kirchlichen Rechtssystems wohl eine der vordringlichsten Aufgaben in der gegenwärtigen kirchlichen Lage sein dürfte.

5. Wichtige weitere Fragen der Rezeption betreffen die ökumenischen Beziehungen, den Dialog der Religionen, die Fragen nach den Menschenrechten und der Verbesserung einer internationalen Ordnung, die Bemühungen um Abrüstung und Frieden etc., die wichtige Themen im Zweiten Vatikanischen Konzil darstellten.

Skizzen beanspruchen keine Vollständigkeit. Sie heben einige wichtige charakteristische Gesichtspunkte heraus. In diesem Sinn sind die voraufgehenden Hinweise zu verstehen. Sie möchten Anregungen zu weiteren Untersuchungen geben. Die Überblicke und exemplarischen Studien des vorliegenden Bandes bieten dafür eine gute Ausgangsbasis und eröffnen zugleich Perspektiven.

Autorenverzeichnis

ARNOLD, CLAUS, geb. 1965 in Ravensburg; Theologiestudium in Tübingen und Oxford, Diplomtheologe; 1997 Promotion an der Philosophisch-Theologischen Hochschule St. Georgen; seit 1992 Mitarbeiter, seit 1998 Wissenschaftlicher Assistent am Lehrstuhl für Kirchengeschichte, Fachbereich Katholische Theologie der Johann Wolfgang Goethe-Universität Frankfurt am Main. – *Veröffentlichungen* (Auswahl): Katholizismus als Kulturmacht. Der Freiburger Theologe Joseph Sauer (1872-1949) und das Erbe des Franz Xaver Kraus (VKZG.F 86), Paderborn 1999; mit Hubert Wolf (Hg.), Der Rheinische Reformkreis. Dokumente zu Modernismus und Reformkatholizismus 1942-1955, 2 Bde., Paderborn 2000.

DAMBERG, WILHELM, geb. 1954 in Münster; Studium der katholischen Theologie, Geschichte und Pädagogik, 1981 Wissenschaftlicher Mitarbeiter an der Katholisch-Theologischen Fakultät in Münster, 1985 Promotion, 1996 Habilitation, Lehrtätigkeit in Münster, Mainz, Bochum und Essen. – *Veröffentlichungen* (Auswahl): Der Kampf um die Schulen in Westfalen 1933-1945 (VKZG. F 43), Mainz 1986; Abschied vom Milieu? Katholizismus im Bistum Münster und in den Niederlanden 1945-1980 (VKZG. F 79), Paderborn-München-Wien 1997; Moderne und Milieu 1802-1998 (Geschichte des Bistums Münster Bd. 5), Münster 1998.

GÖTZ, ROLAND, geb. 1963 in Tegernsee, Studium der katholischen Theologie in München, 1996 Promotion, 1995-1999 wissenschaftlicher Mitarbeiter bzw. Assistent am Institut für Kirchengeschichte in der Katholisch-Theologischen Fakultät der Ludwig-Maximilians-Universität München, seit 1999 wissenschaftlicher Mitarbeiter im Archiv des Erzbistums München und Freising. – *Veröffentlichungen:* Der Dämonenpakt bei Augustinus. Sein Hintergrund in der spätantiken Dämonologie und seine Auswirkungen auf die „wissenschaftliche" Begründung des Hexenglaubens im Mittelalter, in: Georg Schwaiger (Hg.), Teufelsglaube und Hexenprozesse (Beck'sche Reihe 337), München 1987 ([4]1999), 57-34; Ulrichskirchen in den Matrikeln des Bistums Freising, mit besonderer Berücksichtigung der Schmidtschen Matrikel von 1738, in: Manfred Weitlauff (Hg.), Bischof Ulrich von Augsburg 890-973. Seine Zeit – sein Leben – seine Verehrung. Festschrift aus Anlaß des tausendjährigen Jubiläums seiner Kanonisation im Jahre 993 (Jahrbuch des Vereins für Augsburger Bistumsgeschichte 26/27), Weißenhorn 1993, 329-378; Das Domkapitel und die Bürgerstadt, in: Amperland 32 (1996; Heft 3/4 = Jubiläumsschrift „1000 Jahre Marktrecht Freising" 391-396; Musik des 16. und 17. Jahrhunderts für Kloster Tegernsee, in: Sixtus Lampl (Hg.), Klingendes Tal. Zur Musikpflege von der Benediktinerabtei über den Kiem Pauli bis zur Gegenwart (Tegernseer Jubiläumsreihe 1), Vallei 1996, 62-72; „Charlotte im Tannenwald". Monsignore Umberto Benigni (1862-1934) und das antimodernistische „Sodalitium Pianum", in : Für euch Bischof – mit euch Christ. Festschrift für Friedrich Kardinal Wetter zum siebzigsten Geburtstag. Im Auftrag der Professoren der

Katholisch-Theologischen Fakultät der Ludwig-Maximilians-Universität München hg. von Manfred Weitlauff und Peter Neuner, St. Ottilien 1998, 389-438.

HÜNERMANN, PETER, geb. 1929 in Berlin; Studium der Philosophie und der katholischen Theologie in Rom; 1955 Priesterweihe; nach pastoraler Tätigkeit 1958 Promotion und 1967 Habilitation in Freiburg i.Br.; 1971-1982 ordentlicher Professor für Dogmatik in Münster; 1982-1997 ordentlicher Professor für Dogmatik am Fachbereich Katholische Theologie der Eberhard-Karls Universität in Tübingen; 1997 Emeritierung; seit 1985 Präsident des Katholischen Akademischen Ausländerdienst Deutschlands (KAAD), Ehrenpräsident der Europäischen Gesellschaft für Katholische Theologie (ET). – *Veröffentlichungen* (Auswahl): Trinitarische Anthropologie bei Franz Anton Staudenmaier (Sym. 10), Freiburg-München 1962; Der Durchbruch geschichtlichen Denkens im 19. Jahrhundert. Johann Gustav Droysen, Wilhelm Dilthey, Graf Paul Yorck von Wartenburg. Ihr Weg und ihre Weisung für die Theologie, Freiburg-Basel-Wien 1967; Theologie als Wissenschaft. Methodische Zugänge. Mit Beiträgen von B. Casper, K. Hemmerle, P. Hünermann (QD 45), Freiburg-Basel-Wien 1970; Heinrich Denzinger, Enchiridion symbolorum definitionum et declarationum de rebus fidei et morum – Kompendium der Glaubensbekenntnisse und kirchlichen Lehrentscheidungen. Verbessert, erweitert, ins Deutsche übertragen von P. Hünermann unter Mitarbeit von H. Hoping, Freiburg-Basel-Rom-Wien [37]1991; P. Hünermann/D. Mieth (Hg.), Streitgespräch um Theologie und Lehramt. Die Instruktion über die kirchliche Berufung des Theologen in der Diskussion, Frankfurt a.M. 1991; Jesus Christus. Gottes Wort in der Zeit. Eine systematische Christologie, Münster 1994; Ekklesiologie im Präsens. Perspektiven, Münster 1995; Das II. Vatikanum – christlicher Glaube im Horizont globaler Modernisierung. Einleitungsfragen, hg. von P. Hünermann, Paderborn 1998; P. Hünermann (Hg.), Und dennoch ... Die römische Instruktion über die Mitarbeit der Laien am Dienst der Priester. Klarstellungen – Kritik – Ermutigungen, Freiburg i.Br., 1998.

LÜDECKE, NORBERT, geb. 1959 in Düsseldorf; Studium der katholischen Theologie und der Kanonistik in Bonn und Straßburg, 1989 Promotion zum Dr. theol. in Bonn, 1992 Lizentiat im Kanonischen Recht in Straßburg, 1989-1997 Tätigkeit an den Diözesangerichten Limburg und Mainz, 1996 Habilitation in Würzburg, seit 1996 Honorarprofessor für Kirchenrecht und Staatskirchenrecht am Fachbereich Katholische Theologie der Johann Wolfgang Goethe-Universität in Frankfurt am Main, seit 1997 ordentlicher Professor für Kirchenrecht an der Katholisch-Theologischen Fakultät der Rheinischen Friedrich-Wilhelms-Universität in Bonn, Lehrbeauftragter im Lizentiatsstudiengang am Institut für Kirchenrecht der Katholisch-Theologischen Fakultät der Westfälischen Wilhelms-Universität in Münster. – *Veröffentlichungen* (Auswahl): Eheschließung als Bund. Genese und Exegese der Ehelehre der Konzilskonstitution „Gaudium et spes" in kanonistischer Auswertung (FZK 7/1 und 7/2), Würzburg 1989; Die Grundnormen des katholischen Lehrrechts in den päpstlichen Gesetzbüchern und neueren Verlautbarungen in päpstlicher Autorität (FZK 29), Würzburg 1997; Kanonistische Bemerkungen zur rechtlichen Grundstellung der Frau im CIC/1983, in: Kirchliches Recht als Freiheitsordnung. Gedenkschrift für Hubert Müller (FZK 29), Würzburg 1997, 66-90.

PILVOUSEK, JOSEF, geb. 1948 in Thalwenden/Eichsfeld; Studium der Philosophie und Theologie in Erfurt und Neuzelle; 1977 Priesterweihe; nach pastoraler Tätigkeit Assistent am Philosophisch-Theologischen Studium Erfurt, Direktor des Domarchivs und 1985 Promotion, 1988 Dozent und seit 1994 Professor für Kirchengeschichte des Mittelalters und der Neuzeit am Philosophisch-Theologischen Studium Erfurt und Leiter des Seminars für Zeitgeschichte. – *Veröffentlichungen* (Auswahl): Die Prälaten des Kollegiatstiftes St. Marien in Erfurt von 1400-1555 (EThSt 55), Leipzig 1988; Kirchliches Leben im totalitären Staat. Seelsorge in der SBZ/DDR 1945-1976. Quellentexte aus den Ordinariaten, Leipzig 1994; Kirchliches Leben im totalitären Staat Bd. II: 1977-1989, Leipzig 1998; Flüchtlinge, Flucht und die Frage des Bleibens. Überlegungen zu einem traditionellen Problem der Katholiken im Osten Deutschlands, in: C.-P. März (Hg.), Die ganz alltägliche Freiheit. Christsein zwischen Traum und Wirklichkeit (EThSt 65), Leipzig 1993, 9-23; "Innenansichten". Von der „Flüchtlingskirche" zur „katholischen Kirche in der DDR", in: Materialien der Enquete Kommission "Aufarbeitung von Geschichte und Folgen der SED-Diktatur in Deutschland" (12. Wahlperiode des Deutschen Bundestages), hg. vom Deutschen Bundestag Band VI/2: Kirchen in der SED-Diktatur, Frankfurt a.M. 1995, 1134-1163; Funktionelle Veränderungen im Erfurter Marienstift des 16./17. Jahrhunderts, in: Weihbischöfe und Stifte. Beiträge zu reichskirchlichen Funktionsträgern der Frühen Neuzeit, hrsg. von F. Jürgensmeier (Beiträge zur Mainzer Kirchengeschichte 4) Frankfurt a.M. 1995, 151-166; Gesamtdeutsche Wirklichkeit – pastorale Notwendigkeit. Zur Vorgeschichte der Ostdeutschen Bischofskonferenz, in: Von Gott reden in säkularer Gesellschaft (FS Konrad Feiereis)(EThSt 71), Leipzig 1996, 229-242; Die katholische Kirche in der DDR, in: Kirche und Katholizismus seit 1945, hg. E. Gatz, Bd. I: Mittel-, West- und Nordeuropa, Paderborn-München-Wien-Zürich 1998, 132-150; Bischof Otto Spülbeck, in: I. Aretz/R. Morsey/A. Rauscher (Hg.), Zeitgeschichte in Lebensbildern. Aus dem deutschen Katholizismus des 19. und 20. Jahrhunderts, Bd. IX, Münster 1999, 150-167.342-343.

RIES, MARKUS, geb. 1959; 1986-1990 wissenschaftlicher Assistent an der Theologischen Fakultät der Universität München, Promotion zum Dr. theol., 1990-1994 Diözesanarchivar in Solothurn, seit 1994 Prof. für Kirchengeschichte an der Theologischen Fakultät der Universitären Hochschule Luzern. – *Veröffentlichungen* (Auswahl): Die Neuorganisation des Bistums Basel am Beginn des 19. Jahrhunderts (1815-1828) (Münchener Kirchenhistorische Studien 6), Stuttgart-Berlin-Köln 1992; Glauben und Denken nach Vatikanum II. Kurt Koch zur Bischofswahl, hrg. mit Walter Kirchschläger, Zürich 1996; Die Schweiz, in: Erwin Gatz (Hg.), Kirche und Katholizismus seit 1945, Bd. I, Paderborn-München-Wien-Zürich 1998, 333-356; Synodale Mitsprache und bürgerliche Demokratie in den Schweizer Kirchen, in: Peter Inhoffen u.a. (Hg.), Demokratische Prozesse in den Kirchen? Konzilien, Synoden, Räte (Theologie im kulturellen Dialog 2), Graz-Wien-Köln 1998, 133-147.

SCHÜTZ, OLIVER MATTHIAS, Dipl.-Theol., M.A. (USA), geb. 1968 in Weingarten/Württemberg; Studium der katholischen Theologie und Geschichte in Tübingen, München und Berkeley, Kalifornien, 1992/93 Lehrtätigkeit in den

USA, Promotionsstudium mit einer Arbeit zur Gründungsgeschichte der Katholischen Akademien in Deutschland, seit 1998 Pastoralassistent in Illerkirchberg. – *Veröffentlichungen:* German Catholics in California, in: U.S. Catholic Historian 12/3, Baltimore 1994; Zwischen Milieu und Mainstream. Die Eingliederung deutscher Katholiken in die amerikanische Kirche und Gesellschaft, Diplomarbeit, Tübingen 1994; Eine echte Volkszelle in Oberschwaben. Ernst Michel, die Gesellschaft Oberschwaben. Ernst Michel, die Gesellschaft Oberschwaben und die Akademie Aulendorf, in: A. Groß u.a. (Hg.), Weltverantwortung des Christen. Zum Gedenken an Ernst Michel (1889-1964), Frankfurt a.M. 1996; Landschaftsbewußtsein und Wissenschaftlichkeit. Das Institut für Oberschwäbische Landeskunde 1947-1948, in: Im Oberland, Ravensburg 1997; Ein kirchlicher Ort sozialer Verantwortung. Die Gründung des Katholisch-Sozialen Instituts (1945-55), in: Katholisch-Soziales Institut der Erzdiözese Köln (Hg.), Der Herausforderung gestellt, Bad Honnef 1997.

SCHULTE, LUDGER, geb. 1963 in Büren; 1983 Eintritt in den Kapuzinerorden, Studium der Philosophie und katholischen Theologie in Münster und München, Priesterweihe 1990, nach pastoraler Tätigkeit Promotion in katholischer Theologie in Freiburg i.Br. 1997, seit 1997 Lehrbeauftragter für Dogmatik an der Phil.-Theol. Hochschule Münster, Mitarbeiter für City-Pastoral im Kapuzinerkloster Liebfrauen in Frankfurt a.M. und seit 1998 Spiritual des Priesterseminars in Limburg. – *Veröffentlichungen* (Auswahl): Aufbruch aus der Mitte. Zur Erneuerung der Theologie christlicher Spiritualität im 20. Jahrhundert, Würzburg 1998; Nachwort. Fünf Thesen zur Großstadt- und Citypastoral, in: Erich Purk (Hg.), Herausforderung Großstadt. Neue Chancen für Christen, Frankfurt a.M. 1999, 265-270

TOSCER, SYLVIE, geb. 1965 in Brest; Studium der Germanistik und der Geschichte an der Ecole Normale Supérieure in Paris, vier Semester in Hamburg und München, 1994 Promotion, seit 1994 Privatdozentin an der Universität Tours. – *Veröffentlichungen*: Henri Madelin/Sylvie Toscer, Dieu et César, Paris, DDB, 1994; Les Eglises en Allemagne au lendemain de la seconde Guerre Mondiale, in: Thomas Höpel/Dieter Tiemann (Hg.), 1945 – 50 Jahre danach, Aspekte und Perspektiven im deutsch-französischen Beziehungsfeld, Leipzig 1996; Les catholiques allemands à la conquête du développement, Paris, L'Harmattan, 1997.

WASSILOWSKY, GÜNTHER, geb. 1968 in Hechingen; Studium der Theologie und Germanistik in Freiburg und Rom; Diplomtheologe; Stipendiat der Bischöflichen Studienförderung Cusanuswerk; nebenamtlicher Religionslehrer; seit 1997 Promotion am Lehrstuhl für Dogmatik der Universität Freiburg i.Br. (Prof. Dr. Peter Walter) über den Beitrag deutscher Konzilstheologen zum II. Vatikanum.

WOLF, HUBERT, geb. 1959 in Wört; Studium der katholischen Theologie in Tübingen und München; 1985 Priesterweihe (Diözese Rottenburg); 1990 Promotion und 1991 Habilitation in Tübingen; seit 1992 ordentlicher Professor für Kirchengeschichte am Fachbereich Katholische Theologie der Johann Wolfgang Goethe-Universität in Frankfurt am Main– *Veröffentlichungen* (Auswahl): Ketzer oder Kirchenlehrer? Der Tübinger Theologe Johannes von Kuhn

(1806-1877) in den kirchenpolitischen Auseinandersetzungen seiner Zeit (VKZG.B 58), Mainz 1992; Die Kirchenpolitik des Hauses Habsburg-Lothringen (1680-1715). Eine Habsburger Sekundogenitur im Reich? (BGRK 15), Stuttgart 1994; Karl Rahner, Theologische und philosophische Zeitfragen im katholischen deutschen Raum (1943), hg., eingeleitet und kommentiert von Hubert Wolf, Ostfildern 1994; Zwischen Wahrheit und Gehorsam. Carl Joseph von Hefele (1809-1893), hg. von Hubert Wolf, Ostfildern 1994; H. Wolf/W. Schopf/D. Burkard/G. Lepper, Die Macht der Zensur. Heinrich Heine auf dem Index, Düsseldorf 1998; Antimodernismus und Modernismus in der katholischen Kirche. Beiträge zum theologiegeschichtlichen Vorfeld des II. Vatikanums, hg. von Hubert Wolf (Programm und Wirkungsgeschichte des II. Vatikanums 2), Paderborn 1998; Hubert Wolf (Hg.) unter Mitarbeit von Claus Arnold, Die katholisch-theologischen Disziplinen in Deutschland 1870-1962. Ihre Geschichte, ihr Zeitbezug (Programm und Wirkungsgeschichte des II. Vatikanums 3), Paderborn 1999; Hubert Wolf/Claus Arnold (Hg.), Der Rheinische Reformkreis. Dokumente zu Modernismus und Reformkatholizismus 1942-1955, 2 Bde., Paderborn 2000.

ZINNHOBLER, RUDOLF, geb. 1931 in Buchkirchen bei Wels (Oberösterreich); 1951 – 1956 Studium der Theologie in Linz, 1955 Priesterweihe, 1956 – 1958 Kooperator in Mondsee, 1957 Promotion zum Dr. theol. an der Universität Graz, 1958 – 1964 Studium der Germanistik und Anglistik in Wien, London, Graz und Innsbruck, 1964 – 1976 Professor für Deutsch und Englisch am Bischöflichen Gymnasium Kollegium Petrinum in Linz-Urfahr, 1968 Habilitation für Kirchengeschichte an der Universität Graz, 1968 – 1976 Lehrauftrag für Österreichische Kirchengeschichte in Graz, 1969 – 1996 o. Prof. für Kirchengeschichte an der Kath.-Theol. Fakultät Linz, Emeritierung 1996. – *Veröffentlichungen:* Zahlreiche Veröffentlichungen mit Schwerpunkten Neuzeit und Diözesangeschichte. Hauptwerk: Die Passauer Bistumsmatrikeln, 6 Bde., Passau 1972-1996; weitere Buchveröffentlichungen: Der heilige Wolfgang. Leben – Legende – Kult, Linz 1975, [2]1994; Beiträge zur Geschichte des Bistums Linz, Linz 1977, [2]1978; Der heilige Severin. Sein Leben und seine Verehrung, Linz 1982; Kirche in Oberösterreich, 4 Hefte, Strasbourg 1992 – 1995; Studien zur Kirchengeschichte des Mittelalters und der Neuzeit, Linz 1996.

Personenregister

Achter, Martin 206
Adam, Karl 14, 20
Adam, Nestor 137, 141
Adenauer, Konrad 139, 189f
Agagianian, Grégoire Pierre Kardinal 36
Alberigo, Giuseppe 78, 211
Alfrink, Bernard Jan Kardinal 32, 34f, 37, 163
Amon, Karl 129
Angershausen, Julius 17
Anglès, Higini 121
Auer, Alfons 190, 193-196, 206
Aufderbeck, Hugo 17, 156f, 160, 163, 165
Augstein, Rudolf 187

Baaken, Heinrich 17, 23
Bacht, Heinrich 27
Balthasar, Hans Urs von 140
Bauschke, Hubertus 161
Bea, Augustin 17, 22, 26, 34, 40f, 114, 140, 152
Becker, Werner 153, 161f, 166
Bengsch, Alfred 17, 23, 43, 51, 149, 151f, 154-156, 158, 161-163, 165
Bergmann, Michel 201
Bertram, Adolf Kardinal 152
Bertsch, Ludwig 201
Betti, Umberto 235
Bettray, Johannes 105
Boff, Leonardo 76
Bolte, Adolf 17, 162
Buchkremer, Joseph Ludwig 17
Bugnini, Annibale 122

Caminada, Christian 137
Casaroli, Agostino 236
Castillo-Lara, Rosalio Josè Kardinal 231
Charrière, François 137f, 140
Charue, Andreas M. 84
Chenu, Marie-Dominique 68
Cicognani, Amleto Kardinal 122
Cicognani, Gaetano Kardinal 59, 80, 162
Ciriaci, Pietro Kardinal 231, 233
Cleven, Wilhelm 17, 23, 48
Colombo, Carlo 83
Confalonieri, Carlo Kardinal 123
Congar, Yves 23, 61f, 67f, 75, 83, 140
Corecco, Eugenio 235
Cottier, Georges 142
Cottier, Martin Maria 142
Cullmann, Oscar 142

Daim, Wilfried 107

Dannenbauer, Heinrich 90
De Smedt, Emile 114
Deuerlein, Ernst 206
Diez Garcia, Luis 235
Döpfner, Julius Kardinal 17, 19, 22-24, 26-28, 30-37, 39-52, 66, 69, 72-77, 79-81, 91-93, 95, 123, 140, 149-151, 163, 231
Dossing, Gottfried 56f
Drimmel, Heinrich 107
Dumont, Christophe Jean 106

Eder, Georg 128
Egan, Edward 235
Egger, Karl 142
Ehlers, Hermann 195
Elchinger, Léon-Arthur 34, 78-80
Emanuel, Isidor Marcus 17, 45
Erb, Alfons 54
Ernst, Wilhelm 149, 158, 162
Euw, Karl 142

Fagiolo, Vincenzo 236
Feiner, Johannes 27, 140, 142
Felici, Pericles 69, 76, 230-232, 235
Ferche, Joseph 17, 23
Feßler, Joseph 9
Firmian, Leopold Anton von 130
Fittkau, Gerhard 162
Fließer, Joseph Calasanz 120
Freundorfer, Joseph 17
Freusberg, Joseph 23, 152f, 165
Frings, Josef Kardinal 13, 17f, 21, 26-32, 34-51, 53-59, 67f, 72f, 79, 91, 202
Fritz, Martin 160
Frotz, Augustin 17, 49, 51
Fuchs, Josef 68

Gargitter, Joseph 34
Garrone, Gabriel-Marie 84
Gebhardt, Georg 200, 205
Gerhartz, Johannes Günter 204
Gföllner, Johannes Ev. Maria 120
Gnädinger, Karl 17
Gögler, Hermann 192
Göller, Ernst 160
Goller, Vinzenz 121
Graber, Rudolf 17
Graf, Friedrich Wilhelm 64
Grillmeier, Alois 27, 65-67, 77-82, 86, 203
Grocholewski, Zenon 235
Groß, Otto 158, 165
Gruber, Gerhard 80, 82